PraxisWissen

Duve/Maffini

Bautechnik für Juristen

PraxisWissen

Bautechnik für Juristen

von

Dr.-Ing. Helmuth Duve
Rechtsanwalt

und

Dr.-Ing. Carola Maffini

3. Auflage 2018

C.H.BECK

profacto.info!

www.beck.de
www.profacto-info.com

ISBN 978 3 406 71979 0 (Beck)
ISBN 978 3 9812626 50 (profacto.info)

profacto.info
Am Wallgraben 99, 70565 Stuttgart

Wilhelmstraße 9, 80801 München
Druck und Bindung: Friedrich Pustet GmbH & Co. KG
Gutenbergstraße 8, 93051 Regensburg

Satz: Fotosatz Buck
Zweikirchener Str. 7, 84036 Kumhausen
Umschlaggestaltung: Ralph Zimmermann – Bureau Parapluie

Gedruckt auf säurefreiem, alterungsbeständigem Papier
(hergestellt aus chlorfrei gebleichtem Zellstoff)

Vorwort

Vorwort zur 1. Auflage

In der Berufspraxis des Bauingenieurs zeigt sich, dass man immer mehr Aufgaben zu erfüllen hat, die nicht mehr mit den eigentlichen Inhalten des Berufsbildes des Bauingenieurs zu tun haben. Kaufmännische und rechtliche Fragestellungen nehmen einen breiten Raum in der alltäglichen Arbeit eines Bauleiters, Projektleiters, Niederlassungsleiters, Planers und anderen ein. Viele Seminare für Bauingenieure zeigen, dass sich die Ingenieure dieses Fachwissen aneignen.

Dabei zeigt sich auch, dass zum Beispiel das Baurecht nicht mehr eine ausschließlich den Juristen vorbehaltene Materie zu sein scheint, sondern es gibt Ingenieure und Gutachter, die als Professoren auch das Fachgebiet des Baurechts angeben und dies in den Studienstoff für die Ingenieursausbildung integrieren. An technischen Universitäten steht das Fach Baurecht auf dem Ausbildungsplan. Für den mit dem Baurecht beschäftigten Juristen allerdings sieht man nur sehr spärlich Möglichkeiten, sich mit der technischen Materie im Wege der Fortbildung zu beschäftigen.

Um den Dialog der Fachgebiete interdisziplinär gestalten zu können, sollten sich daher auch die anderen Fachgebiete mit der Materie des Bauwesens beschäftigen. Das vorliegende Buch möchte dafür einen Beitrag leisten mit dem Wunsch der Autoren verknüpft, dass ein weitergehendes Verständnis für die Arbeit des Bauingenieurs die notwendige Kommunikation erleichtert, die Denkweisen begreiflicher macht und die Regulierung von Streitfällen nicht nur erleichtert, sondern auch die Streitfälle vermeidet.

Die Verfasser sind für Kritik und Anregungen an helmuth.duve@ra-duve.de oder den Verlag dankbar.

Vorwort zur 2. Auflage

Die erste Auflage des Buches hat sich verbreitet und positive Kritiken erhalten. Insbesondere hat uns weiteren Ansporn gegeben, dass sich viele Leser für die Bautechnik interessieren und sich von dem umgangssprachlichen Zugang zu dieser Materie angesprochen fühlen. Hierfür bedanken sich die Autoren herzlich.

Vorwort

Es war nun an der Zeit, das Buch für eine zweite Auflage zu überarbeiten. Die Technik ändert sich in den Zusammenhängen und den Grundlagen zwar nur wenig, im Detail gehen die Entwicklungen aber rasch voran. So wurden für die Neuauflage alle Normen auf den aktuellen Stand gebracht. Für die Unterstützung danken wir Frau Andrea Zick. Die Ausführungen in den Kapiteln wurden ergänzt und aktualisiert. Insbesondere wurde den Hinweisen Rechnung getragen, dass man mehr Abbildungen einfügt. Dem sind die Autoren ebenfalls gerne nachgekommen, denn ein Bild sagt eben mehr als tausend Worte. Für die Überlassung von Bildern danken wir der Leonhard Weiss GmbH & Co. KG, insbesondere Herrn Dipl.-Ing. Markus Steinbach und Frau Caroline Salus.

Die Verfasser sind auch weiterhin für Kritik und Anregungen an helmuth.duve@profacto-jur.com, carola.maffini@profacto-info.com oder den Verlag dankbar.

Vorwort zur 3. Auflage

Die zweite Auflage ist nun schon eine Weile her und daher war es Zeit für eine Aktualisierung. Die Normenhinweise wurden wieder auf den neuesten Stand gebracht, wo sich Einiges geändert hatte. Es ist leider immer noch ein Dickicht, welches sich einem einfachen Zugang erwehrt. Für diese teilweise mühsame Recherche danken wir Frau Andrea Zick. Der Hinweis sei erlaubt, dass sich auch zukünftig viele Normen oder ihre Bezeichnungen ändern werden. Daher lässt es sich nicht vermeiden, dass sich während der Aktualität dieser Auflage einige Normenhinweise bereits wieder überholen.

Dem anhaltenden Wunsch nach Bildern kommen wir gerne nach. In diesem Zusammenhang können wir nur unsere Empfehlung wiederholen, auch als Anwalt „Ihre Baustellen“ zu besichtigen. Aus der Erfahrung heraus sind Bau- und Projektleiter gerne bereit, „Ihre Welt“ Interessierten zu zeigen. Live ist alles noch spannender als wir das darstellen können.

Auch auf vielfachen Wunsch hin haben wir ein Kapitel neu hinzugefügt. Es betrifft die unmittelbare Schnittstelle zwischen der juristischen und der technischen Arbeit: Das Gutachten eines Sachverständigen. Wie geht man als Jurist damit um? Wir haben versucht, Ihnen eine Hilfestellung zu geben. Dabei sind wir uns bewusst, dass den Ausführungen nicht jeder zustimmen wird, da sie auch kritisch sind. Aber alle sollten sich einer Kritik stellen und Verbesserungen suchen.

In diesem Sinne sind die Verfasser weiterhin für Kritik und Anregungen an helmuth.duve@profacto-jur.com, carola.maffini@profacto-info.com oder den Verlag dankbar.

Inhaltsverzeichnis

Vorwort V

1. Teil Einleitung 1

2. Teil Übergreifende Sachinhalte 5

I. Normen und bautechnische Regelungen 5
1. Einführende Erläuterungen 5
2. Fachliche Erläuterungen 5
3. Häufig auftretende Probleme in der Praxis 8
4. Weiterführende Literatur 8

II. Planung 9
1. Einführende Erläuterungen 9
2. Fachliche Erläuterungen 9
3. Häufig auftretende Probleme in der Praxis 13
4. Weiterführende Literatur 14

III. Statik und Bemessung 15
1. Einführende Erläuterungen 15
2. Fachliche Erläuterungen 15
3. Häufig auftretende Probleme in der Praxis 18
4. Weiterführende Literatur 19

IV. Baustoffe 20
1. Einführende Erläuterungen 20
2. Fachliche Erläuterungen 22
3. Häufig auftretende Probleme in der Praxis 43
4. Weiterführende Literatur 45

V. Bauphysik 51
1. Sommerlicher Wärmeschutz 51
a) Einführende Erläuterungen 51
b) Fachliche Erläuterungen 52
c) Häufig auftretende Probleme in der Praxis 53
d) Weiterführende Literatur 54
2. Winterlicher Wärmeschutz 54
a) Einführende Erläuterungen 54
b) Fachliche Erläuterungen 55

c) Häufig auftretende Probleme in der Praxis 55
d) Weiterführende Literatur 56
3. Feuchteschutz 57
a) Einführende Erläuterungen 57
b) Fachliche Erläuterungen 57
c) Häufig auftretende Probleme in der Praxis 59
d) Weiterführende Literatur 60
4. Brandschutz 61
a) Einführende Erläuterungen 61
b) Fachliche Erläuterungen 61
c) Häufig auftretende Probleme in der Praxis 63
d) Weiterführende Literatur 63
5. Schallschutz 64
a) Einführende Erläuterungen 64
b) Fachliche Erläuterungen 64
c) Häufig auftretende Probleme in der Praxis 65
d) Weiterführende Literatur 66
VI. Baugrund 66
1. Einführende Erläuterungen 66
2. Fachliche Erläuterungen 67
3. Häufig auftretende Probleme in der Praxis 76
4. Weiterführende Literatur 76

3. Teil Bauverfahren 79
I. Baugruben und Erdbauwerke 79
1. Einführende Erläuterungen 79
2. Fachliche Erläuterungen 79
3. Häufig auftretende Probleme in der Praxis 94
4. Weiterführende Literatur 96
II. Betonbau 97
1. Einführende Erläuterungen 97
2. Fachliche Erläuterungen 97
3. Häufig auftretende Probleme in der Praxis 112
4. Weiterführende Literatur 115
III. Mauerwerksbau 117
1. Einführende Erläuterungen 117
2. Fachliche Erläuterungen 118
3. Häufig auftretende Probleme in der Praxis 123
4. Weiterführende Literatur 125
IV. Stahlbau und Betonfertigteile 126
1. Einführende Erläuterungen 126
2. Fachliche Erläuterungen 127

3. Häufig auftretende Probleme in der Praxis 134
4. Weiterführende Literatur 136
V. Holzbau 137
1. Einführende Erläuterungen 137
2. Fachliche Erläuterungen 138
3. Häufig auftretende Probleme in der Praxis 142
4. Weiterführende Literatur 143

4. Teil Bauteile 145
I. Gründungen 145
1. Einführende Erläuterungen 145
2. Fachliche Erläuterungen 145
3. Häufig auftretende Probleme in der Praxis 148
4. Weiterführende Literatur 150
II. Wände 150
1. Einführende Erläuterungen 150
2. Fachliche Erläuterungen 151
3. Häufig auftretende Probleme in der Praxis 153
4. Weiterführende Literatur 154
III. Decken 154
1. Einführende Erläuterungen 154
2. Fachliche Erläuterungen 155
3. Häufig auftretende Probleme in der Praxis 159
4. Weiterführende Literatur 161
IV. Stützen 161
1. Einführende Erläuterungen 161
2. Fachliche Erläuterungen 162
3. Häufig auftretende Probleme in der Praxis 165
4. Weiterführende Literatur 167
V. Unterzüge 168
1. Einführende Erläuterungen 168
2. Fachliche Erläuterungen 169
3. Häufig auftretende Probleme in der Praxis 171
4. Weiterführende Literatur 172
VI. Treppen 172
1. Einführende Erläuterungen 172
2. Fachliche Erläuterungen 174
3. Häufig auftretende Probleme in der Praxis 174
4. Weiterführende Literatur 176
VII. Dächer 176
1. Einführende Erläuterungen 176
2. Fachliche Erläuterungen 178

3. Häufig auftretende Probleme in der Praxis 182
4. Weiterführende Literatur 183
VIII. Fassaden 184
1. Einführende Erläuterungen 184
2. Fachliche Erläuterungen 184
3. Häufig auftretende Probleme in der Praxis 188
4. Weiterführende Literatur 188
IX. Fenster 189
1. Einführende Erläuterungen 189
2. Fachliche Erläuterungen 190
3. Häufig auftretende Probleme in der Praxis 194
4. Weiterführende Literatur 195

5. Teil Innenausbau 197
I. Innenwände 197
1. Einführende Erläuterungen 197
2. Fachliche Erläuterungen 198
3. Häufig auftretende Probleme in der Praxis 203
4. Weiterführende Literatur 205
II. Decken 206
1. Einführende Erläuterungen 206
2. Fachliche Erläuterungen 207
3. Häufig auftretende Probleme in der Praxis 211
4. Weiterführende Literatur 213
III. Fußboden 213
1. Einführende Erläuterungen 213
2. Fachliche Erläuterungen 214
3. Häufig auftretende Probleme in der Praxis 223
4. Weiterführende Literatur 228
IV. Türen 230
1. Einführende Erläuterungen 230
2. Fachliche Erläuterungen 231
3. Häufig auftretende Probleme in der Praxis 235
4. Weiterführende Literatur 236
V. Haustechnik 237
1. Einführende Erläuterungen 237
2. Fachliche Erläuterungen 239
3. Häufig auftretende Probleme in der Praxis 241
4. Weiterführende Literatur 243

6. Teil Baubetrieb ... 245
I. Bauablaufplanung ... 246
1. Einführende Erläuterungen ... 246
2. Fachliche Erläuterungen ... 246
3. Häufig auftretende Probleme in der Praxis ... 253
4. Weiterführende Literatur ... 254
II. Kalkulation ... 254
1. Einführende Erläuterungen ... 254
2. Fachliche Erläuterungen ... 255
3. Häufig auftretende Probleme in der Praxis ... 259
4. Weiterführende Literatur ... 261
III. Baumaschinen ... 261
1. Einführende Erläuterungen ... 261
2. Fachliche Erläuterungen ... 262
3. Häufig auftretende Probleme in der Praxis ... 277
4. Weiterführende Literatur ... 279
IV. Betriebsorganisation ... 279
1. Einführende Erläuterungen ... 279
2. Fachliche Erläuterungen ... 280
3. Häufig auftretende Probleme in der Praxis ... 284
4. Weiterführende Literatur ... 285

7. Teil Bauverfahren nach Sparten ... 287
I. Tiefbau ... 287
1. Einführende Erläuterungen ... 287
2. Fachliche Erläuterungen ... 288
3. Häufig auftretende Probleme in der Praxis ... 292
4. Weiterführende Literatur ... 293
II. Tunnelbau ... 294
1. Einführende Erläuterungen ... 294
2. Fachliche Erläuterungen ... 295
3. Häufig auftretende Probleme in der Praxis ... 300
4. Weiterführende Literatur ... 301
III. Ingenieurbau ... 301
1. Einführende Erläuterungen ... 301
2. Fachliche Erläuterungen ... 301
3. Häufig auftretende Probleme in der Praxis ... 304
4. Weiterführende Literatur ... 306
IV. Wasserbau ... 306
1. Einführende Erläuterungen ... 306
2. Fachliche Erläuterungen ... 307

Inhaltsverzeichnis

3. Häufig auftretende Probleme in der Praxis 310
4. Weiterführende Literatur 311

V. Verkehrswegebau 311
1. Einführende Erläuterungen 311
2. Fachliche Erläuterungen 312
3. Häufig auftretende Probleme in der Praxis 320
4. Weiterführende Literatur 321

VI. Schlüsselfertigbau 322
1. Einführende Erläuterungen 322
2. Fachliche Erläuterungen 323
3. Häufig auftretende Probleme in der Praxis 324
4. Weiterführende Literatur 325

VII. Rückbau 326
1. Einführende Erläuterungen 326
2. Fachliche Erläuterungen 326
3. Häufig auftretende Probleme in der Praxis 330
4. Weiterführende Literatur 332

8. Teil Sachverständigengutachten 333

I. Einführende Erläuterungen 333
II. Fachliche Erläuterungen 334
III. Häufig auftretende Probleme in der Praxis 337
IV. Weiterführende Literatur 343

Stichwortverzeichnis 349

1. Teil Einleitung

Es gibt viele Gründe, warum man sich mit Technik beschäftigt oder für Technik interessiert. In jedem Fall umgeben wir uns jeden Tag mit Technik, und sei es der Wecker, der Kühlschrank, das Radio oder das Auto. Das Interesse kann sich darauf beschränken, dass man die Bedienung der notwendigen Funktionen beherrscht. Hierbei helfen einem die Bedienungsanleitungen mehr oder weniger. Sie erklären in aller Regel, wie der Name es schon sagt, nur die Bedienung.

Dabei werden bereits immer mehr Fachausdrücke verwendet, die es dem Laien schwer machen, sich überhaupt mit der Technik vertraut zu machen. Sollte die Technik nicht funktionieren, hüllen sich viele Bedienungsanleitungen in Schweigen, oder sie beschränken sich auf eine Störungsliste, die in den meisten Fällen den Rat enthält, sich an den örtlichen Servicehändler zu wenden.

Sei es aus Interesse, den Störungen auf den Grund zu gehen, oder sei es das Interesse an der Funktion der Technik, also der Frage nach dem Wie, in den meisten Fällen bleiben die Antworten darauf dem Fachkundigen vorbehalten. Das Selbststudium scheitert in vielen Fällen an der geeigneten Literatur, denn die entsprechende Fachliteratur setzt schon ein Vorwissen voraus.

Die Bautechnik ist ein Gebiet, mit dem viele in Berührung kommen. Das kann sich auf ein „Do it Yourself" beschränken, das Tapezieren oder Streichen eines Zimmers, aber auch der Bau des eigenen Hauses sein, den man von der ersten Stunde an miterlebt. In diesen Fällen besteht ein Eigeninteresse an der Technik in Bezug auf die handwerkliche Ausführung. Hierbei stehen meistens die Fragen im Vordergrund, was ausgeführt wird, so dass es den eigenen Wünschen und Vorstellungen entspricht, und das Ergebnis, welches sich durch die Optik veräußerlicht. Erst in den Fällen, in denen Mängel auftreten, stellt sich die Frage nach dem Warum und damit nach den Zusammenhängen.

Kommt es zu Streitigkeiten zwischen den am Bau Beteiligten, besteht meistens bereits Uneinigkeit in der Frage der Verursachung. Doch neben diesen technischen Fragen nach den naturwissenschaftlichen Kausalitäten stehen auch die rechtlichen Fragen der Verantwortlichkeit im Raum. Allerdings lassen sich diese Fragen nicht trennen. Daher ist für die rechtliche Beurteilung zumindest das Verständnis der technischen Grundlagen erforderlich. Dafür gibt es für den mit Baurecht beschäftigten Anwalt viele Gründe. Die korrekte Erfassung des Sachverhaltes verlangt bereits technische Beschreibungen. Der Vergleich mit den vertraglichen Leistungsbeschreibungen ist ebenfalls mit dem Verständnis für die Technik, die Normen usw. verbunden. Fragen des richtigen Beklagten, einer Streitverkündung oder der Beweisanträge sind nur dann umfassend zu beurteilen, wenn man auch die zu Grunde liegenden Sachverhalte verstanden hat. Das gilt gleichermaßen für ein Sachverständigengutachten.

Doch nicht nur die forensische Arbeit wird durch die technische Fachkenntnis ermöglicht und erleichtert, sondern auch der Umgang mit dem Mandanten profitiert davon. Auch für die Beratung eines Bauvertrages und die Begleitung von Verhandlungen dient es nicht nur der Vermeidung von Missverständnissen, sondern zeigt durch die verwendete Terminologie, die richtigen Fragen und weiterführende Gedanken, dass Fachkenntnisse und Verständnisse für die Arbeit und die Bedürfnisse des Mandanten vorhanden sind.

Das Buch dient daher denen, die mit dem Bauwesen zu tun haben oder sich dafür interessieren, aber in der Bautechnik nicht zu Hause sind, als Einstieg in die Themen der Bauingenieure. Um die technischen Inhalte zu vermitteln, wird mehr Wert auf Verständlichkeit gelegt als auf sachliche Vollständigkeit. Eine Bearbeitung aller technischen Fragestellungen und Sachverhalte ist nicht das Ziel dieses Buches. Daher werden oder müssen Fragen nach Details offen bleiben. Mit dem Verständnis der Zusammenhänge und der Grundlagen lassen sich die Fragen nach dem Wie aber einfacher stellen oder beantworten.

Das Buch orientiert sich an dem Aufbau des Studienganges des Bauingenieurwesens. Daher werden zunächst Grundlagen erläutert. Danach folgen die einzelnen Fachgebiete. Hierbei wird ein Schwerpunkt auf den Hochbau gelegt, so dass dem Leser eine Aufgliederung nach den Bauteilen den Zugriff erleichtert. Um auch die Tätigkeit der Bauunternehmen zu berücksichtigen, werden die einzelnen Sparten behandelt, die sich in der Praxis ergeben haben.

Die Kapitel sind alle gleich strukturiert, um die Orientierung zu erleichtern. Zunächst wird zu dem jeweiligen Themenbereich eine einführende Erläuterung gegeben. Damit wird das Themenfeld allgemein beschrieben. Die Frage lautet:

a) Einführende Erläuterungen
   Worum geht es?

Es folgen fachliche Erläuterungen, die den technischen Einstieg ermöglichen. Dabei werden die Grundlagen dargestellt, die zum technischen Verständnis von Funktion und Anwendung notwendig sind.

b) Fachliche Erläuterungen
   Wie funktioniert das?

Der nächste Abschnitt zeigt auf, welche Probleme sich in der Praxis ergeben, die aus diesem Themengebiet resultieren. Dabei geht es nicht um eine detaillierte Mangelbeschreibung und deren Ursache, sondern um eine Darstellung allgemeiner Zusammenhänge der Probleme.

c) Häufig auftretende Probleme in der Praxis
   Was funktioniert häufig nicht?

Wenn man weitere Details und tiefergehendes Fachwissen braucht, zum Beispiel Berechnungen, Nachweise und andere technisch anspruchsvollere Angaben, dann findet man in dem folgenden Kapitel weitere Literaturhinweise. Einen Schwerpunkt bildet dabei der Verweis auf die einschlägigen Normen.

d) Weiterführende Literatur
   Wo findet man mehr?

Bei der Auswahl der Literatur wurde versucht, möglichst verständliche Werke für den technischen Laien zu nennen. Es gibt allerdings eine unüberschaubare Vielfalt von Büchern für das Bauwesen, bei denen es weitere, verständlich geschriebene Bücher gibt, deren Schwerpunkt nicht auf der ingenieurtechnischen oder mathematischen Seite liegt. Die Nennungen stellen daher nur einen Vorschlag dar, aber keine Bewertung.

Die Vielzahl der aufgeführten DIN-Normen und die schnelle Entwicklung führen dazu, dass die derzeit aktuelle Benennung und Bezeichnung der Normen in diesem Buch nicht zutreffend bleiben wird. Man findet aber meist über den Einstieg mit vorangegangenen Normen auch die zukünftig geänderten Normen. Grundsätzlich sind die Normen zu den einzelnen Kapiteln auch nicht vollständig aufgeführt, da es jeweils hunderte Normen gibt, die mit den jeweiligen Sachgebieten in Zusammenhang stehen. Die genannten Normen sollten aber für die meisten Anwendungen ausreichen. Weitere Verweise auf Normen finden sich in den aufgeführten Normen.

2. Teil Übergreifende Sachinhalte

In diesem Kapitel werden bautechnische Sachverhalte behandelt, die Grundlagen für die meisten Bauwerke und Einzeldisziplinen darstellen. Sie betreffen daher auch die meisten der folgenden Kapitel.

I. Normen und bautechnische Regelungen

1. Einführende Erläuterungen

Im Bauwesen gibt es zahlreiche Regelungen, die zu beachten sind. Das gilt nicht nur für die Baustoffe, deren Prüfung und Überwachung, für Voraussetzungen und Anforderungen an die Bauwerke, für die Bauverfahren, sondern auch für Abrechnungsfragen, zu erbringende Nebenleistungen usw. Diese Regelungen werden von vielen Institutionen herausgegeben. Nicht nur für Außenstehende ergibt sich eine unüberschaubare Vielfalt. Im Folgenden werden einige Erläuterungen gegeben, die einen Einblick in die Vielfalt ermöglichen sollen.

Fragen des öffentlichen Baurechtes und Bauordnungsrechts als rein juristische Fragestellungen werden an dieser Stelle nicht erörtert, sondern es stehen die technischen Vorgaben für die Ausführenden im Vordergrund.

2. Fachliche Erläuterungen

Das **Deutsche Institut für Bautechnik**, kurz **DIBt**, dient einer Vereinheitlichung des Bauaufsichtsrechtes der Bundesländer. Seine Hauptaufgabe liegt dabei in der Erteilung der allgemeinen bauaufsichtlichen Zulassungen für Bauprodukte und Bauarten gemäß den Landesbauordnungen. Es gibt die **Bauregellisten** A, B und C heraus. In der Bauregelliste A, die aus drei Teilen besteht, sind erstens die Produkte enthalten, die nationale technische Regel sind, zweitens Produkte, für die es allgemein anerkannte Regeln der Technik nicht gibt, und die ein bauaufsichtliches Prüfzeugnis haben müssen, und drittens die Bauverfahren. Die Bauregelliste B enthält Bauprodukte mit entsprechenden europäischen Nachweisen. Bauprodukte ohne technische Regeln oder Baubestimmungen, für die kein Verwendbarkeitsnachweis erforderlich ist, befinden sich in der Bauregelliste C.

Erteilungen für eine allgemeine bauaufsichtliche Zulassung müssen beim DIBt beantragt werden. Es führt auch Begutachtungen durch und betreut bautechnische Untersuchungen. Wenn ein Bauprodukt oder eine Bauart die allgemeine bauaufsichtliche Zulassung erhält, darf es im Sinne der Landesbauordnung verwendet werden. Bei diesen Bauprodukten ist nachzuweisen, dass sie mit der Zulassung übereinstimmen, was durch das **Übereinstimmungszeichen** auf den Verpackungen zu kennzeichnen ist. Es wird in der Praxis Ü-Zeichen genannt. Das CE-Kennzeichen entspricht den europäischen Nachweisen und verdrängt das Ü-Zeichen immer mehr.

Für nicht geregelte Bauprodukte können allgemeine bauaufsichtliche Prüfzeugnisse ausgestellt werden. Dies kann auch durch amtlich anerkannte Prüfstellen erfolgen. Die **Zustimmung im Einzelfall** bezieht sich nur auf einzelne Bauvorhaben bei der Anwendung nicht geregelter oder abweichender Bauprodukte. Sie wird durch die obersten Bauaufsichtsbehörden der Länder erteilt. Die Zustimmung im Einzelfall dient insbesondere dazu, Konstruktionen zu ermöglichen, die nur einmal hergestellt werden, neue Verfahren anzuwenden oder neue Baustoffe einzusetzen, bevor man für diese eine Zulassung beantragt.

Das **DIN-Institut** ist ein eingetragener Verein. In den Normenausschüssen arbeiten die Betroffenen die Normen aus. Hierzu zählen Vertreter der Hersteller, der Unternehmen, Sachverständige, Verbraucher, Prüfinstitute, Wissenschaftler und andere Betroffene. Die Norm soll dabei eine in gegenseitigem Bemühen festgelegte, übereinstimmende Auffassung der Ausschussmitglieder sein. Die Normenentwürfe werden öffentlich ausgelegt und man kann Einspruch erheben. Nach weiteren Beratungen wird die Norm dann vom Ausschuss verabschiedet.

Die Einführung von Normen kann durch jedermann beantragt werden. In aller Regel sind dies Hersteller und Interessenverbände. Eine bestehende Norm soll alle fünf Jahre überprüft werden, ob sie noch zeitgemäß und auf dem Stand der Entwicklung ist.

Wichtige Normen sind die VOB/B und die VOB/C. Ihre Gültigkeit muss im Bauvertrag vereinbart werden. Die Normen enthalten viele Regelungen, die im Falle der **VOB/B** die werkvertraglichen Vorschriften des Bürgerlichen Gesetzbuches abändern oder ergänzen. Die **VOB/C** enthält Normen für die Durchführung von Bauarbeiten. Es wird für die einzelnen Gewerke jeweils eine spezielle Norm aufgestellt. Allerdings gibt es nicht für alle Gewerke eine entsprechende Norm in der VOB/C. Ergänzungen finden laufend statt. Die Normen in der VOB/C sind gleich aufgebaut und enthalten fünf Abschnitte. Die Abschnitte 0 enthalten Hinweise für das Aufstellen von Leistungsbeschreibungen und richten sich daher hauptsächlich an Ausschreibende, welche die Regelungen der VOB/A einhalten müssen. Die Abschnitte 1 beschreiben den Geltungsbereich der jeweiligen Norm. Hier ist eine gewisse Genauigkeit erforderlich, da teilweise die Normen der VOB/C nur einen auf bestimmte Materialien eingeschränkten Anwendungsbereich aufweisen. Die Abschnitte 2 regeln Stoffe und Bauteile, die Abschnitte 3 die Ausführung. In den Normen der VOB/C sind diese Abschnitte sehr unterschiedlich im Umfang, was von den einzelnen Normenausschüssen abhängt. Die Abschnitte 4 enthalten **Nebenleistungen**, die durch die Auftragnehmer mit zu erbringen sind, und **besondere Leistungen**, für die eine zusätzliche Vergütung verlangt werden kann. Daher stellen die Abschnitte 4 der Normen Abgrenzungen für Mehrkostenforderungen der Auftragnehmer dar. Die Abschnitte 5 geben Vorgaben für die Abrechnung. Allerdings sind die Vorschriften nicht in allen Fällen eindeutig. Insgesamt dienen diese Vorschriften der Vereinfachung des Aufmaßes.

Die Bezeichnungen der **Normen**, die den Ziffern vorangestellt werden, geben folgende Hinweise. DIN sind deutsche Normen, die gültig sind. Mit E DIN werden die Normen bezeichnet, von denen ein Entwurf vorliegt, der aber noch den Einsprüchen unterliegt und sich ändern kann. Diese E DIN werden auch als **Gelbdrucke** bezeichnet, da sie auf gelbem Papier herausgegeben werden. DIN V stellen Vornormen dar, die noch Vorbehalten unterliegen. Europäische Normen, die als deutsche Norm übernommen worden sind, werden mit DIN EN gekennzeichnet. Sollte es sich auch um internationale Normen handeln, werden sie als DIN EN ISO bezeichnet, wenn es sich auch um europäische Normen handelt, bzw. als DIN ISO, wenn sie direkt übernommen worden sind. Steht also vor einer Norm DIN EN ISO, dann spricht man von einer harmonisierten Norm. Man sollte beachten, dass nicht alle deutschen, europäischen und internationalen Normen mit gleichem oder ähnlichem Regelungsgehalt harmonisiert sind. Es können daher unterschiedliche Regelungen vorliegen.

Allgemein anerkannte Regeln der Technik stellen nicht nur die DIN-Normen dar, die von Behörden bauaufsichtlich eingeführt worden sind, sondern auch von den **Bauberufsgenossenschaften**, Verbänden, wie z. B. dem Verband Deutscher Elekrotechniker VDE, dem Deutschen Verein des Gas- und Wasserfaches DVGW etc. herausgegebene Vorschriften, Merkblätter usw.

Für einzelne Bauprodukte werden von den Herstellern Richtlinien für die Verwendung herausgegeben. Darin sind vor allem die Umweltbedingungen, Unverträglichkeiten, Anforderungen an mit verwendete Baustoffe etc. enthalten. Diese Herstellerrichtlinien sollten eingehalten werden, um eine mangelfreie Ausführung sicherzustellen.

3. Häufig auftretende Probleme in der Praxis

Für den Bautechniker und für den Laien stellt die Vielfalt der Normen ein großes Problem dar. In den meisten Fällen sind die einschlägigen Normen nicht vollständig bekannt. Andererseits erschließen sich die Inhalte mancher Normen nur dem Fachmann. Der Umgang mit den Normen gestaltet sich daher schwierig.

Leider sind die Normen nicht einheitlich aufgebaut und nach einem bestimmten Schema aufzufinden, also z. B. mittels einer numerischen Gliederung. Daher gestaltet sich die Suche nach einschlägigen Regelungen mitunter schwierig. Dies wird auch durch die vielen Empfehlungen der Vereine, Verbände etc. erschwert. Es lässt sich häufig nicht erkennen, ob die Ausführungen verbindlich zu befolgen sind, oder nur unverbindliche Empfehlungen darstellen.

Die Erfüllung von Anforderungen an die Baustoffe oder die mit ihnen errichteten Bauteile ist vielfach nur gegeben, wenn über die Inhalte der Norm hinaus auch die Vorgaben der Hersteller eingehalten und nur die Baustoffe eines Herstellers verwendet werden. Die ausschließliche Befolgung der Normen stellt nicht sicher, dass die bauvertraglichen Voraussetzungen der Mangelfreiheit gegeben sind.

Manche Normen enthalten unterschiedliche Regelungen. Das gilt nicht nur für deutsche Normen gegenüber europäischen oder internationalen Normen, sondern auch zwischen DIN-Normen. Es sollte daher im Zweifel vereinbart werden, nach welchen Normen auszuführen ist. Die Formulierung in Verträgen, dass alle Normen, auch europäische, Geltung haben, ist die Formulierung von Widersprüchen für die einzelnen Anforderungen. Das gleiche Problem tritt auf, wenn sich während der Bauzeit die Normen ändern, neue Normen gültig werden etc. In vielen Fällen ist nicht geregelt, ob die bei Abschluss des Bauvertrages oder die bei der Abnahme gültigen Normen anwendbar sind.

4. Weiterführende Literatur

Die Suche der für die Bautechnik gültigen Normen kann über den Baunormen Katalog erfolgen. Er enthält allerdings nur die bibliographischen Angaben. Dafür enthält er auch DIN-Taschenbücher, Standard-Leistungsbücher, Rechts- und Verwaltungsvorschriften etc. Er ist als CD-ROM beim Beuth Verlag erschienen.

Eine umfassende Kommentierung der VOB/C ist der Becksche VOB Kommentar VOB Teil C, herausgegeben von Klaus Englert, Rolf Katzenbach und Gerd Motzke, erschienen im Beck Verlag, München.

II. Planung

1. Einführende Erläuterungen

Verschiedenste Arten von Plänen sind bei jedem Bauvorhaben notwendig. Zu jedem Zeitpunkt werden Pläne aufgestellt, geprüft, geändert und als Arbeitsgrundlage verwendet. Sie sind für die Herstellung eines Bauwerkes eine unabdingbare Grundlage. In den Bauverträgen sind Pläne zur Beschreibung der zu erbringenden Leistung als Bestandteil enthalten. Im Folgenden werden die verschiedenen Planarten, die Planinhalte und der Planlauf erläutert.

Grundsätzlich kann man verschiedene Arten von Plänen nach dem Zweck unterscheiden. Im Entwurfsstadium wird das Bauwerk für die Gestaltung gezeichnet. Man erkennt damit die spätere Erscheinungsform, die farbliche Gestaltung, die Lage des Bauwerkes etc. Dies hat für die reine Bauaufgabe wenig Relevanz.

In der Verordnung über die Honorare für Leistungen des Architekten und der Ingenieure, **HOAI**, werden Planungsleistungen und Planungsphasen beschrieben. Sie bilden die Realisierungsphasen eines Projektes von der Grundlagenermittlung bis zur Erstellung der Bestandspläne ab.

Für die reine Ausführung werden von Planern, Fachplanern und den ausführenden Unternehmen Pläne erstellt. Diese Pläne dienen auf der Baustelle der Errichtung des Bauwerkes. Sie bilden den Schwerpunkt der folgenden Ausführungen.

2. Fachliche Erläuterungen

Grundsätzlich erfolgen Planungen immer vom Groben zum Feinen. Das bedeutet, dass die anfängliche Planung immer weiter präzisiert wird. Dabei kommt es zu Optimierungen und zu Änderungen. Wichtig ist allerdings, dass die Planung abgeschlossen ist, wenn sie umgesetzt werden soll. Das erscheint zwar auf den ersten Blick als Selbstverständlichkeit, ist aber in der Praxis häufig nicht der Fall. Meistens gibt es Planliefertermine, an denen die ausführungsreifen Planungen vorzuliegen haben. Die Planliefertermine werden in den Bauzeitenplan oder einen besonderen Zeitplan eingetragen.

In der HOAI sind die einzelnen Planungsleistungen beschrieben. Sie beginnen mit der **Grundlagenermittlung**. Dabei werden die Vorgaben für das zu realisierende Objekt geklärt. Es schließt sich die **Vorplanung** an. In diesem Stadium werden meistens noch keine konkreten Pläne erstellt, sondern die Bauaufgabe konkretisiert. Vorentwurfszeichnungen haben meistens einen Maßstab von 1:500 bis 1:100. Der Maßstab 1:500 bedeutet, dass ein Zentimeter auf dem Plan in der Realität 500 Zentimeter sind. In der folgenden **Entwurfsplanung** wird dann die Bauaufgabe zeichnerisch dargestellt und eine Objektbeschreibung angefertigt. Dazu werden auch die Leistungen anderer Fachplaner einbezogen. Die Entwurfsplanung stellt damit die Grundlage für das zu errichtende Bauwerk dar. Die Entwurfszeichnungen werden üblicherweise in einem Maßstab von 1:100 angefertigt.

Auf der Grundlage der Entwurfsplanung wird die **Ausführungsplanung** erstellt. Sie stellt den Schritt zur praktischen Umsetzung dar. Sie enthält zeichnerische Darstellungen des Bauvorhabens. Die Pläne sollten mindestens im Maßstab 1:50 sein. Es handelt sich um Zeichnungen der Ausführung, der Konstruktionen und der Details. Dabei werden in einer Beschreibung auch die Baustoffe, die Verfahren etc. festgelegt.

Im Prinzip ist die Ausführungsplanung die Grundlage für die Ausschreibung und die dafür zu erstellende Leistungsbeschreibung. In der Praxis hat es sich aber so entwickelt, dass bereits zu einem früheren Planungsstadium ausgeschrieben wird, zumindest bereits nach der Entwurfsplanung. In diesen Fällen kann dem ausführenden Unternehmen die weitere Planung übertragen werden.

Für moderne Vertragsformen, wie z. B. einen zweistufigen GMP-Vertrag, also einen Bauvertrag mit garantiertem Maximalpreis, oder andere partnerschaftliche Vertragsmodelle, begleiten die ausführenden Bauunternehmen bereits beratend die Grundlagenermittlung und die Vorplanung des Auftraggebers. Sie steuern ihr Fachwissen bei, um den Gebäudeentwurf zu optimieren. Damit sollen Kosten gespart werden, die durch die bereits für die Ausschreibung erfolgte Planung entstanden sind, wenn Bauunternehmen in der Angebotsphase Optimierungsmöglichkeiten sehen und diese als Sondervorschlag verwirklicht werden sollen.

Für die Ausführung ist vielfach die Ausführungsplanung nicht ausreichend genau. Daher fertigen die ausführenden Unternehmen auf dieser Grundlage weitere Pläne an. Das sind die so genannten **Werk- und Montagepläne**. Vereinfacht gesagt, ist auf diesen Plänen zeichnerisch dargestellt, wie es dann im Detail vor Ort ausgeführt wird. Beispielsweise zeigen diese Pläne Halterungen für die Montage von Anbauteilen, Verbindungen und andere Konstruktionsdetails, die in der Ausführungsplanung so nicht festgelegt sind. Je nach den Erfordernissen haben diese Pläne einen Maßstab von 1:50 oder 1:20, für Details auch bis zu 1:1.

Beim Betonbau haben die **Schal- und Bewehrungspläne** einen besonderen Stellenwert. Auf den Schalplänen ist mit den Abmessungen dargestellt, wie die Bauteile einzuschalen sind. Die Bewehrungspläne zeigen, wie die verschiedenen Bewehrungsteile zu verlegen sind. Daneben enthalten sie auch die Stahllisten, die angeben, welche Bewehrungsstähle in

Art und Anzahl erforderlich sind. Auf der Baustelle sind diese Pläne bei der Durchführung der Arbeiten die Grundlage, so dass sie von den Arbeitskräften auch vor Ort benutzt werden. Die Bewehrungspläne müssen von einem Statiker geprüft worden sein, was an dem Prüfvermerk und dem Stempel erkennbar ist. Mittels des Bewehrungsplanes wird die Bewehrung vor dem Betonieren von dem Prüfstatiker abgenommen. Dabei wird geprüft, ob die Bewehrung in der richtigen Art an dem richtigen Ort eingebaut worden ist.

Für die Montage der Einbauten werden ebenfalls Pläne hergestellt. Dies sind z. B. Leitungspläne von Rohranlagen, Lüftungen, Kabeln, Sanitäranlagen etc. Diese Pläne dienen nach der Fertigstellung auch als **Bestands- und Revisionsplan.** Diese sind wichtig für Reparaturen, Wartungsarbeiten, spätere Erweiterungen etc. Daher sollten sie die tatsächlich vorhandenen Gegebenheiten darstellen. Die Bestands- und Revisionspläne stellen die Schnittstelle zu dem Betrieb des Bauwerkes dar. Bei Geschäfts- und Gewerbeimmobilien wird der Betrieb häufig durch spezialisierte Firmen durchgeführt, das so genannte Facility Management. Für die Erfassung und Datenverarbeitung sind die Bestandspläne die Grundlage.

Für die Durchführung eines Bauvorhabens sind auch die Bauzeitenpläne ein wichtiger Bestandteil. Ihr Inhalt und die verschiedenen Formen werden in dem Kapitel Baubetrieb erläutert. Ergänzend gibt es auch weitere Pläne, z. B. Zahlungspläne, Ablaufpläne für die Abnahmen bei größeren Bauwerken etc.

Je nach den Gegebenheiten der Aufgabenverteilung innerhalb der verschiedenen Planungsschritte wird für die Projekte ein **Planungslauf** erstellt. Dieser zeigt, wer zunächst welche Planungsarbeiten durchführt. Nach der Aufstellung der Pläne werden diese entsprechend weitergegeben, z. B. an den Auftraggeber zur Prüfung. Dieser gibt die Planung frei und leitet sie weiter an das ausführende Unternehmen. Dieses muss den Plan auf Richtigkeit prüfen. Sollten Bedenken bestehen, wird der Plan zurückgegeben und geht an den Aufsteller zurück.

Der vorab beschriebene Planlauf ist bei jedem Projekt und bei bestimmten Plänen anders und kann von den vorab beschriebenen Grundzügen erheblich abweichen. Für bestimmte Pläne müssen Freigaben von prüfenden Stellen eingeholt werden, z. B. für die Bewehrungspläne. In diesen Fällen müssen die Prüfstellen in den Planlauf eingefügt werden. Bei der Beteiligung von mehreren Fachplanern müssen deren Pläne aufeinander abgestimmt werden. Wenn beispielsweise in den Betondecken Leerrohre für Kabel eingebaut werden, darf an diesen Stellen keine Bewehrung vorhanden sein. Eine Abstimmung der verschiedenen Planungen muss so erfolgen, dass die Koordination rechtzeitig erfolgt und die verschiedenen Planungen in der Summe baubar sind.

Alle Pläne werden mit einem **Planfeld** versehen, siehe hierzu Abbildung 1. Dabei handelt es sich um das auf der rechten, unteren Planecke befindliche Schriftfeld. Bei einer normgerechten Faltung des Planes liegt es sichtbar vorne. Es enthält die Angaben zum Planinhalt, die Plannummer, die sich aus der Projektorganisation ergibt, den Aufsteller, das Datum etc. Alle Pläne werden mit einem **Planindex** versehen. Dabei handelt es sich um einen der Plannummer nachgestellten kleingeschriebenen Buchstaben. Der erste aufgestellte Plan erhält z. B. den Index a. Wenn der Plan überarbeitet und geändert wird, erhält er den Index b usw. Daran kann man erkennen, welcher Plan der letzte Stand ist.

Abbildung 1: Planschriftfeld

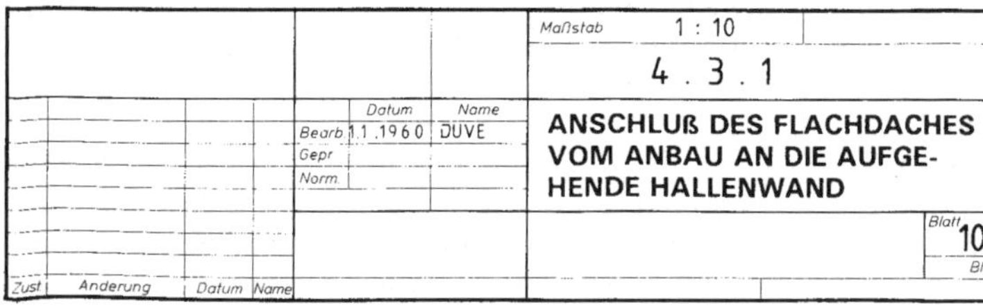

Die Abbildung zeigt ein Planschriftfeld. Es enthält die „formellen" Informationen eines Planes. Hierzu gehört die Benennung des Planes, also was die Planabbildung darstellt, der Maßstab, die Plannummer und die Blattzahl. Links finden sich Spalten, in die der Änderungsindex eingetragen werden kann, sowie die Art, das Datum und der Bearbeiter der Änderung. Weitere Informationen sind der Planbearbeiter, die Daten einer möglichen Planprüfung etc. Üblicherweise werden heute auch die Namen und Kontaktdaten des aufstellenden Ingenieurbüros aufgedruckt. Die Pläne werden entsprechend der Norm so gefaltet, dass unabhängig vom verwendeten Papierformat das Schriftfeld immer vorne unten ist. Es ist damit immer lesbar, auch wenn der Plan zusammengefaltet ist.

Pläne werden entsprechend den DIN-Normen aufgestellt. Darin sind die Strichstärken, die Beschriftungen, die Inhalte der Planfelder etc. geregelt. In aller Regel werden heute die Pläne mit **CAD**-Programmen erstellt, also mit Zeichenprogrammen auf dem Computer, Computer Aided Design. Das ermöglicht die schnelle Änderung von Plänen, während früher die Tuschezeichnungen auf Pergament durch Auskratzen der Tusche und Nachzeichnen aufwändig geändert werden mussten.

3. Häufig auftretende Probleme in der Praxis

Bei großen Bauvorhaben ist die Anzahl der Pläne sehr hoch. Mehrere tausend Pläne sind keine Seltenheit. Um diese Anzahl organisatorisch zu bewältigen, gibt es die Planung der Planung. Damit soll bereits im Vorfeld der Baumaßnahme sichergestellt werden, dass die Pläne für die einzelnen Arbeiten zeitgerecht nach Durchlaufen der notwendigen Prüfungen und Freigaben verfügbar sind.

Trotz dieser Maßnahmen zeigt die Praxis aber immer wieder, dass ein großes Problem in der verspäteten Planlieferung liegt. Konsequenz ist, dass die Bauausführung behindert wird. Rückstände in der Ausführung, Störungen des Bauablaufes und Mehrkosten sind die Folgen. Die Verspätung besteht auch häufig darin, dass zwar Pläne geliefert werden, die Pläne aber nicht alle notwendigen Angaben enthalten. In diesen Fällen kann nach Vorabzügen gearbeitet werden, wenn ein Stillstand vermieden werden soll. Kommt es aber zu Änderungen bereits ausgeführter Leistungen, entstehen durch den Rückbau weitere Kosten. Die Verantwortlichkeit ist häufig streitig, da die Schadenersatzforderungen und eventuelle Möglichkeiten zur Schadensminderung erst erkennbar werden, wenn die Leistung fertig gestellt ist.

Diese Probleme entstehen im Gegensatz zu früher verstärkt, weil mit der Ausführung der Baumaßnahmen bereits begonnen wird, wenn die Planung noch nicht vollständig abgeschlossen ist. Man nennt das **baubegleitende Planung** oder rollende Planung. Durch die steigende Ausstattung der Gebäude mit technischen Einbauten werden auch verschiedenste Fachplaner notwendig. Die steigende Anzahl der Beteiligten führt zu Problemen hinsichtlich der Abgrenzung der Verantwortlichkeiten. So kommt es dazu, dass zwar jeder Plan des einzelnen Fachplaners für sich gesehen zutreffend und ausführbar ist, allerdings die Summe der Pläne technisch nicht realisiert werden kann, da Bauteile von den verschiedenen Fachplanern an gleichen Einbauorten vorgesehen worden sind. Durch diese Effekte kommt es dazu, dass Planungen nicht ausführbar sind und erst kurz vor der Ausführung vor Ort festgestellt wird, dass Änderungen notwendig sind.

Die einzelnen Planungsstufen von der Entwurfsplanung, über die Ausführungsplanung bis zu den Werkplänen lassen sich nicht allgemein und eindeutig nach den jeweils zu erbringenden Leistungen abgrenzen. An der Schnittstelle zwischen der vom Auftraggeber zu liefernden Planung und der vom Auftragnehmer zu erstellenden Planung ist es daher häufig streitig, wer die Planungsleistung zu erbringen hat.

Dieses Problem ergibt sich ebenfalls, wenn der Auftragnehmer für seine Planung die Freigabe vom Auftraggeber haben möchte, dieser aber die Freigabe verweigert mit dem Argument, dass es zum Beispiel eine preisgünstigere Lösung gäbe, eine technisch hochwertigere Lösung geschuldet sei usw. In diesen Fällen müsste der Auftragnehmer die Planung erneut überarbeiten, was ebenfalls zu Behinderungen des Bauablaufes führen kann. Die Frage, ob eine Nachbesserung oder Alternative bei der Planung geschuldet ist, ist daher von großer Bedeutung.

Häufig führen Unternehmen Bauleistungen aus, die für sie von der Konstruktion üblich sind. Daher erstellen sie keine Werk- und Montageplanung, die sie nicht benötigen. Sollten diese Pläne aber für eine Dokumentation oder die Bestandspläne gebraucht werden, ist fraglich, wer diese zu liefern hat. Die Regelungen in den DIN-Normen sind nicht eindeutig.

Die vertragliche Verpflichtung zur Übergabe der Bestands- und Revisionspläne wird meist nur hinsichtlich der Art geregelt, also bspw. „dreifach, hinter Glas, ebenfalls auf Datenträger". Für ein nachfolgendes **Facility Management** benötigen diese Firmen elektronische Daten für ihre rechnergestützten Verwaltungsprogramme. Sehr häufig sind aber die elektronischen Daten der Bestands- und Revisionsunterlagen nicht kompatibel. Probleme auf der Schnittstelle treten auch auf, wenn für die Bestandspläne nur die Ausführungs- und Werkpläne verwendet werden. Die tatsächliche Ausführung weicht häufig erheblich davon ab.

4. Weiterführende Literatur

In den DIN-Normen sind vielfältige Regelungen enthalten, die bei der Aufstellung von Plänen zu beachten sind. DIN ISO-128-50:2002-05 Technische Zeichnungen – Allgemeine Grundlagen der Darstellung – Teil 50: Grundlagen für Flächen in Schnitten und Schnittansichten, die DIN 406-10 regelt für technische Zeichnungen die Begriffe, die DIN 1356-1 Arten, Inhalte und Grundregeln der Darstellung in Bauzeichnungen und die DIN EN ISO 7200:2004-5, Technische Produktdokumentation – Datenfelder in Schriftfeldern und Dokumentenstammdaten die Schriftfelder. Für besondere Fachgebiete gibt es ergänzend spezielle Normen, welche die dort benutzten Zeichen und Symbole erläutern, z. B. die DIN 1986-3 für Entwässerungsanlagen, die DIN EN 60617-11:1997-08 Graphische Symbole für Schaltpläne – Teil 11: Gebäudebezogene und topographische Installationspläne und Schaltpläne.

Angaben zu den Abgrenzungen der Planungsphasen sind in den einschlägigen Kommentaren zur HOAI enthalten. Für das Planmanagement finden sich Ausführungen in der umfangreichen Literatur zum Projektmanagement.

III. Statik und Bemessung

1. Einführende Erläuterungen

Das Fachgebiet der Statik beschäftigt sich mit der Berechnung von Bauwerken zur Sicherstellung der Standsicherheit und der Verträglichkeit.

Die **Standsicherheit** erfordert, dass die Bauteile die auf sie einwirkenden Lasten abtragen können, also diese aushalten. Die **Verträglichkeit** stellt darüber hinausgehende Anforderungen an Bauteile, damit diese auch mit angrenzenden Bauteilen oder optischen Anforderungen harmonieren. So kann ein standsicherer Träger als Unterzug ausreichend stabil sein, aber seine Durchbiegung unter der Last wird so groß, dass ein unterhalb montiertes Schaufenster kaputt gehen würde. Anschaulich ist der Unterschied zwischen der Standsicherheit und der Verträglichkeit bei alten Fachwerkhäusern, bei denen sich die Holzbalken erheblich durchbiegen. Zwar ist das Gebäude trotz der Verformungen der Balken standsicher, aber die Durchbiegungen der Decken und Unterzüge würden heute aus optischen Gründen nicht mehr toleriert.

Mit den Ergebnissen der Statik werden die Abmessungen, die Formen und die Ausführungen der einzelnen Bauteile festgelegt. Man nennt das **Bemessung.** Im Gegensatz zur Statik, die mit Modellen berechnet wird, wird innerhalb der Bemessung das konkrete Material zu Grunde gelegt.

2. Fachliche Erläuterungen

Prinzipiell werden Bauwerke „von oben nach unten“ berechnet. Die horizontalen Bauteile, also Dächer, Decken, Träger und Unterzüge, nehmen die Lasten auf und tragen sie an die vertikalen Bauteile ab. Das sind die Wände und Stützen. Die vertikalen Bauteile ruhen auf den Fundamenten, die das Gewicht des Bauwerkes in den Boden abtragen.

Bei der Berechnung der Lasten sind nicht nur die **Eigengewichte** der Bauteile zu berücksichtigen, sondern auch die auf sie einwirkenden äußeren Lasten. Dazu zählen auf Dächern die **Schneelasten,** auf die Geschossdecken wirken **Verkehrslasten,** die von der Nutzung abhängen, z. B. die Einrichtungsstücke, Lagergüter, Maschinen, der Anzahl der Personen, Fahrzeuge etc. Das Bauwerk selbst muss die auf es einwirkenden **Windlasten,** Erdbebenlasten und eine mögliche Schrägstellung aufnehmen können. Die Größe der Lasten für die genannten Einwirkungen sind in den DIN-Normen vorgegeben.

Für die statische Berechnung nimmt man bestimmte Modelle an, die **statischen Systeme**. Um die Berechnungen einfach halten zu können, werden die Bauteile möglichst als Stäbe abgebildet. Man betrachtet also in der **Stabstatik** die Bauteile als im Schnitt durch das Bauwerk gedachte Linien. Das zu errichtende Bauwerk wird dazu in Modellkomponenten abgebildet, zum Beispiel als **Balken** auf zwei Stützen, **Durchlaufträger, Einspannung, Festlager** etc. Materialien und Bauteilquerschnitte sind dabei nicht zu berücksichtigen, da es nur um die Bestimmung der wirkenden Kräfte geht. Die Modelle werden unter dem Ansatz der Lasten berechnet. Hierbei können verschiedene Kombinationen von Lasten auftreten und zu beachten sein. Beispiel hierfür ist die Belastung einer Autobahnbrücke bei beidseitigem Stau, also einer maximalen Anzahl von Fahrzeugen auf dem Bauwerk, aber auch dem Lastfall, dass nur auf einer Seite der Brücke Fahrzeuge stehen, auf der anderen Seite kein Fahrzeug. Der zuletzt geschilderte Lastfall kann wegen einer nicht symmetrischen Belastung des Bauwerkes auch ein zu berücksichtigender Lastfall sein. Man kann mit der statischen Berechnung die **Auflagerkräfte** bestimmen, z. B. einer Brücke auf dem Brückenpfeiler, aber auch die Kräfte an jeder Stelle des Bauwerkes und innerhalb der Bauteile. Das sind die so genannten **Schnittkräfte,** also die Kräfte, die frei werden würden, wenn man das Bauteil an dieser Stelle durchschneiden würde. Siehe hierzu Abbildung 2.

Man unterscheidet grundlegend drei verschiedene Kräfte. Die **Normalkraft** wirkt in Richtung der Bauteillängsachse. Anschaulich handelt es sich zum Beispiel um die Druckkraft in einer Stütze oder um die Zugkraft in einem Seil. Die **Querkraft** wirkt rechtwinklig zur Bauteilachse. Die Querkraft führt zu einem Abscheren der Bauteile bei Überlastung. Das **Biegemoment** führt zu einer Durchbiegung des Bauteiles. Es gibt noch weitere Kräfte, wie zum Beispiel das **Torsionsmoment,** welches ein Bauteil verdrillt, anschaulich am Beispiel eines auszuwringenden Lappens, **Krempelmomente** in plattenartigen Bauteilen, die zu einem Aufstellen der Ecken führen etc. Diese Kräfte kommen in speziellen Fällen vor, werden hier aber nicht weiter vertieft.

Mit diesen so genannten Schnittkräften kann man nach deren Berechnung die einzelnen Bauteile dimensionieren. Zunächst wird das Material ausgewählt, womit die Kennwerte für eine mögliche Belastung des Materials bekannt sind. Wenn man beispielsweise ein maximales Biegemoment eines Trägers berechnet hat, kann man mit diesen Materialkennwerten die Abmessungen des Bauteils bestimmen. Die Bestimmung der Bauteilabmessungen und der Ausführung der Konstruktion wird **Bemessung** genannt.

Die statischen Nachweise bestehen darin, die Lastaufnahme und die maximale Durchbiegung der Bauteile in einer bestimmten Ausführung mit einem ausgewählten Material festzustellen. Dazu werden in den Berechnungen **Sicherheitsbeiwerte** berücksichtigt, die sicherstellen, dass auch bei Verarbeitungsfehlern, Toleranzen etc. die Konstruktionen den Anforderungen entsprechen. Die Sicherheitsbeiwerte sind ebenfalls durch die Normen vorgegeben. Die für ein Bauwerk aufgestellte Statik, die Darstellung aller Berechnungen und Nachweise, wird von einem **Prüfstatiker** freigegeben, wenn er sie beanstandungslos kontrolliert hat. Entsprechend der Modellbildung und unter Einhaltung der Bemessung werden die Bauwerke und Bauteile konstruiert und ausgeführt.

Abbildung 2: Skizze Schnittkräfte

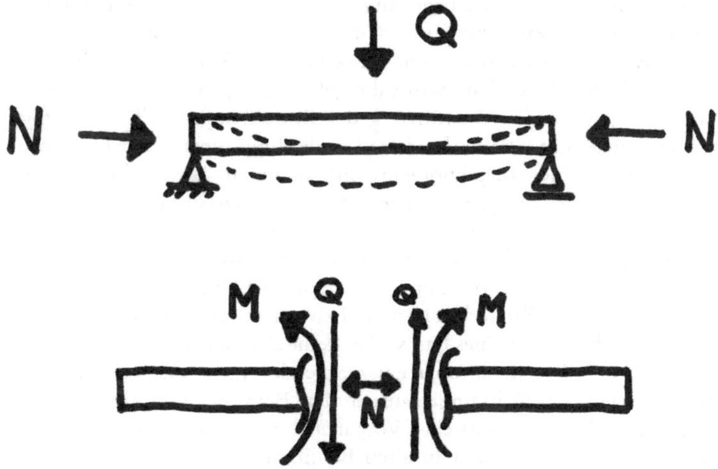

Die Abbildung zeigt unten die Schnittkräfte, die an einem theoretisch durchgeschnittenen Bauteil auftreten und der statischen Berechnung dienen. Oben im Bild ist ein Balken zu sehen, der auf zwei Stützen ruht und durch eine Kraft von oben belastet wird, die äußere Kraft Q, z.B. eine Person auf dem Balken, und der in der Balkenachse zusammengedrückt wird durch die äußere Kraft N. In der Bauteilachse des Schnittes wirkt die Normalkraft N, als Druck- oder Zugkraft. Quer zur Bauteilachse wirkt die Querkraft Q. Die in dem Bauteil durch die Belastung mit Q hervorgerufene Biegung setzt das Biegemoment M frei. Die inneren Schnittkräfte an beiden Schnittufern werden hauptsächlich durch äußere Lasten verursacht, können aber auch die Folge von inneren Spannungen in den Bauteilen sein, die z.B. durch eine ungleichmäßige Temperaturdehnung entstehen.

Für statische Berechnungen werden heute in der Mehrzahl Computerprogramme eingesetzt. In diesem Zusammenhang wird häufig der Begriff der **FEM**-Berechnung verwendet. Die **Finite Elemente Methode** ist eine Modellbildung für Berechnungen, die eine Lösung von Differentialgleichungen erfordern würden. Das ist in vielen Fällen sehr aufwendig oder nicht möglich. Daher zerlegt man mittels programmierter Berechnungsalgorithmen zu berechnende Körper in endliche, kleine Elemente, die man jeweils mit Näherungsansätzen berechnet. Die Ergebnisse sind auf Grund der verfügbaren Rechnerleistungen sehr genau. Diese Berechnungsmethoden lassen sich auch für andere Problemstellungen verwenden.

Bei der Umsetzung der Statik in eine reale Konstruktion werden die Modellannahmen nicht immer so umgesetzt, dass sie dem Betrachter sichtbar werden. Vor allem im Betonbau ist zum Beispiel die in der Statik angenommene gelenkige Lagerung einer Stütze vor Ort nur durch die Verlegung der Bewehrung vor dem Betonieren erkennbar. Nach dem Betonieren ist die statische Annahme eines Gelenkes oder einer Einspannung nicht mehr sichtbar. Selbst die gelenkig angenommene Stütze mit einer entsprechenden Ausführung der Bewehrung ist allerdings nicht wirklich gelenkig. Die Verbindung ist allerdings nicht in der Lage, planmäßig entstehende Biegemomente aufzunehmen. Wenn also an einem solchen, als Gelenk angenommenen Punkt eine Belastung mit Momenten auftritt, kann die Verbindung diese nicht aufnehmen. Es entstehen dann zumindest Risse. Daher muss die Konstruktion so ausgelegt sein, dass an den entsprechenden Verbindungen auch nur die Kräfte auftreten, für die sie bemessen sind. Weiterhin ist darauf zu achten, dass zum Beispiel durch thermische Dehnung eines Bauwerkes keine Zwängungen auftreten. Man muss daher für Konstruktionen entsprechende Fugen vorsehen, welche die Bewegungen oder Dehnungen aufnehmen. Bei alten Stahlbauwerken war es dagegen üblich, die statischen Vorgaben der Modelle in die Wirklichkeit umzusetzen. Man erkennt in alten Bahnhöfen an den Fußpunkten der Stahlstützen noch die reale Ausbildung von Gelenken.

3. Häufig auftretende Probleme in der Praxis

Eine Gefährdung der Standsicherheit von Bauwerken auf Grund einer falschen Statik ist selten. **Standsicherheitsprobleme** treten eher auf, wenn Bauteile durch spätere Manipulation geschwächt oder überlastet werden, sowie bei Korrosion. Letzteres kommt insbesondere bei Bauwerken aus Beton vor, wenn der innen liegende, nicht sichtbare Bewehrungsstahl rostet.

Probleme bezüglich der **Verträglichkeit** bestehen allerdings häufig, vor allem in Form von Rissbildung oder zu starker Durchbiegung der Bauteile. Auch in diesen Fällen liegt meist kein Problem einer unzutreffenden Statik vor. Die Ursachen sind meist bei einer mangelhaften Ausführung zu suchen. Für nicht tragende Konstruktionen und standardisierte Systeme, für die im Einzelfall keine Statik erforderlich ist, werden häufig nicht die vorgeschriebenen Bauteile oder die vorgesehenen Abmessungen der Herstellervorgaben eingehalten. Ausführungsmängel bestehen vielfach bei den Verbindungen von Bauteilen, die nicht entsprechend den statischen Erfordernissen oder den Vorgaben der Statik ausgeführt werden. Das liegt beispielsweise bei Schraubverbindungen und bei Schweißverbindungen vor.

Bei Pauschalpreisen für Betonarbeiten besteht wegen der hohen Preise für den Bewehrungsstahl die Besonderheit, dass die ausführende Firma über eine Optimierung des statischen Systems und die daraus resultierende Einsparung von Bewehrungsstahl versuchen wird, die eigenen Herstellkosten zu senken. Auch in diesen Fällen besteht kein Problem einer unzutreffenden Statik. Allerdings sind die vorgegebenen Stahlteile sorgfältigst und maßhaltig einzubauen, da die Reserven eines solchen, ausgereizten Systems geringer sind. Folge unzutreffender Bewehrungslagen sind Risse im Beton.

4. Weiterführende Literatur

Die DIN 1055 Einwirkungen auf Tragwerke ist die wichtigste Norm für die Lasten auf Bauteile und Bauwerke. Sie befasst sich in Teil 1, ersetzt durch DIN EN 1991-1-1:2010-12, DIN EN 1991-1-1/NA:2010-12, mit Wichten und Flächenlasten von verschiedenen Baustoffen und Bauteilen, wie zum Beispiel Beton oder Mauerwerk. Im Teil 2 werden Bodenkenngrößen von bindigen und nichtbindigen Böden angegeben. DIN EN 1991-1-1:2010-12, DIN EN 1991-1-1/NA:2010-12 beschäftigt sich mit Eigen- und Nutzlasten von Hochbauten. DIN EN 1991-1-4:2010-12, DIN EN 1991-1-4/NA:2010-12 widmet sich den Windlasten, DIN EN 1991-1-3:2010-12, DIN EN 1991-1-3/NA:2010-12 den Schnee- und Eislasten. DIN EN 1991-4:2010-12, DIN EN 1991-4/NA:2010-12 behandelt die Einwirkungen auf Silos und Flüssigkeitsbehälter. DIN EN 1991-1-5:2010-12, DIN EN 1991-1-5/NA:2010-12 widmet sich den Temperatureinwirkungen. DIN EN 1991-1-6:2010-12, DIN EN 1991-1-6/NA:2010-12 setzt sich mit den Einwirkungen auf ein Tragwerk während der Bauausführung auseinander. In DIN EN 1991-1-7:2010-12, DIN EN 1991-1-7/NA:2010-12 werden außergewöhnliche Einwirkungen behandelt. Hierunter fallen zum Beispiel Einwirkungen aus Explosion oder Anprall. DIN EN 1991-3:2010-12, DIN EN 1991-3/NA:2010-12 regelt die Einwirkungen auf ein Tragwerk durch Krane und Maschinen. DIN EN 1990:2010-12, DIN EN 1990/NA:2010-12 enthält Grundlagen der Tragwerksplanung, des Sicherheitskonzepts und Bemessungsregeln.

Die DIN 1080 Begriffe, Formelzeichen und Einheiten im Bauingenieurwesen, die allerdings zurückgezogen worden ist, gibt für Berechnungen und Veröffentlichungen im Bauingenieurwesen allgemeine Grundlagen an. So werden z. B. die Begriffe Masse, Gewicht, Kraft oder Last erläutert. Hier findet man die Grundbegriffe.

Für eine Vertiefung kommen die Lehrbücher der Statik in Frage. Sie beinhalten häufig mehr den mathematischen Teil. Für den anschaulicheren

Teil sind die Lehrbücher über Tragwerke in den Formen des Stabtragwerkes, also z. B. eines Stahlträgers, der Flächentragwerke, wie z. B. Wände und Decken, oder der Schalentragwerke einschlägig.

IV. Baustoffe

1. Einführende Erläuterungen

Ein Baustoff ist ein Werkstoff, der zum Errichten von Bauwerken genutzt werden kann. Dafür müssen die Baustoffe bauaufsichtlich zugelassen sein. Die meisten Baustoffe werden nicht in der Form eingesetzt, in der sie in der Natur vorkommen, sondern werden weiterverarbeitet und veredelt. Die Auswahl der Baustoffe erfolgt nicht nur nach der vorgesehenen Verwendung und den geforderten Eigenschaften, sondern auch nach dem Preis. Der Preis bestimmt sich allerdings nicht nur durch das Material, sondern in vielen Fällen durch die Lohnkosten der Verarbeitung.

Baustoffe können verschiedene Funktionen übernehmen. Sie können tragende Funktionen haben, z. B. eine Stütze aus Stahlbeton oder Stahl, verbessernde Eigenschaften für das Bauwerk bewirken, z. B als Dämmung gegen Kälte, Hitze oder Schall. Weiterhin können sie nur als Bekleidung oder zur Dekoration verwendet werden, z. B. Tapeten. Je nach der Verwendung der Baustoffe gibt es spezifische Messverfahren, um die jeweiligen Eigenschaften zu prüfen. Dabei kommt es allerdings auch darauf an, dass der Werkstoff bestimmte, für einen Vergleich erforderliche Eigenschaften aufweist. Aus diesem Grund darf Holz nur eine gewisse Feuchte enthalten, da sich seine Festigkeit mit änderndem Feuchtegehalt ebenfalls verändert. Das gilt z. B. auch für die Wärmedämmeigenschaften von Faserdämmstoffen, deren Wärmeleitfähigkeit mit zunehmendem Feuchtegehalt ebenfalls ansteigt, was ungünstig ist. Die Baustoffe müssen daher vor Ort so eingebaut werden, dass sie die ermittelten Eigenschaften auch über die Nutzungszeit beibehalten können und sich nicht durch äußere Einflüsse nachteilig verändern.

Übernehmen Baustoffe tragende Funktionen in einem Gebäude, so ist es wichtig ihre Eigenschaften bezüglich ihrer Tragfähigkeit zu kennen. Die verschiedenen Baustoffe unterscheiden sich stark in ihrer Möglichkeit Druck- oder Zugkräfte aufzunehmen. Man gibt deshalb für Baustoffe mit tragender Funktion deren **Druck- bzw. Zugfestigkeit** an.

Die Werte der Druck- bzw. Zugfestigkeit dienen der Beurteilung, wie viel Kraft pro Fläche der Baustoffe „aushalten“ kann, bevor er zerbricht. Dabei ist zu beachten, dass es Baustoffe gibt, die in unterschiedlichen Richtungen der Belastung nicht gleich widerstandsfähig sind. Natürliches

Holz ist z. B. in Richtung der Faser zug- und druckfester als senkrecht zur Faserrichtung. Die Werte für die Zug- und Druckfestigkeit unterscheiden sich ebenfalls für die gleiche Belastungsrichtung. Man bezeichnet diese Baustoffe als **anisotrop**. Dem gegenüber gibt es Baustoffe, die unabhängig von der Belastungsrichtung gleiche Festigkeiten zeigen, z. B. die Druckfestigkeit von Beton. Die Werte, wie viel der Baustoff „aushalten" muss, kommen aus der Bemessung.

Eigenschaften von Baustoffen ändern sich auch mit der Zeit. **Kriechen** nennt man die Formänderungen eines Baustoffes, der einer konstanten Belastung ausgesetzt ist. Das bedeutet, dass sich der Baustoff der äußeren Belastung durch die Verformung entziehen will. Dem gegenüber wird als **Relaxation** der Spannungsabbau innerhalb des Werkstoffes bezeichnet, der trotz gleich bleibendem Volumen eintritt. Die Relaxation ist also die dauerhafte Übernahme einer eingeprägten Verformung durch den Werkstoff, mit der er sich der Belastung entzieht. Eine weitere Unterscheidung ist das **plastisch**e oder **elastisch**e Verhalten eines Baustoffes. Diese Eigenschaften müssen nicht dauerhaft und unter allen Umständen gleich bleibend sein. Neben dem sprichwörtlichen Fließen des Stückes Butter in der Sonne erkennt man die sich ändernden Eigenschaften auch an dem „Büroklammertest". Wenn man eine Büroklammer mehrfach an der gleichen Stelle hin und her biegt, wird sie sich nach einer gewissen Anzahl von Biegevorgängen an der benachbarten Stelle verbiegen. Durch das Verformen hat sich das Metall versprödet und ist härter geworden. Es verliert also seine elastischen Eigenschaften, wenn man es weiter an der Stelle verbiegt, bricht die Büroklammer. Das Material erleidet einen **Sprödbruch**. Man kann die Versprödung des Metalls der Büroklammer kurz vor dem Bruch gut fühlen. Es bewirkt ein Kribbeln in den Fingerspitzen. Benutzt man Büroklammern aus unterschiedlichem Material, erkennt man bereits nach wenigen Biegevorgängen, dass manche Materialien deutlich öfter gebogen werden müssen, bevor sie brechen. Sie sind elastischer.

Alle Baustoffe reagieren auf sich ändernde Temperaturen mit Formänderungen. Diese **Wärmedehnungen** werden durch den materialspezifischen Wärmedehnkoeffizienten beschrieben. Diese **Formänderungen** der Baustoffe sind vielfach sehr klein, müssen aber trotzdem bei der Konstruktion von Bauwerken berücksichtigt werden. Für Stahl und Beton liegt der Wert ungefähr bei einem 1/100 mm pro Grad **Temperaturänderung** und bezogen auf 1 m Bauteillänge. Das bedeutet, dass sich ein 1 m langes Betonbauteil bei sommerlichen 40 °C in der Sonne zu – 10 °C im Winter um ca. 0,5 mm verändert. Bei einer Straßenbrücke mit 100 m Länge treten bei diesen Temperaturunterschieden dem zufolge schon Längenänderungen von 5 cm auf. Wenn Baustoffe bei bestimmten Temperaturen in einen plastischen Zustand übergehen, nennt man diese Baustoffe **thermoplas-**

tisch. Beispiel hierfür sind vor allem Bitumen, für Straßenbeläge der so genannte Asphalt, und Kunststoffe.

Für die Anwendung von Baustoffen ist eine Vielzahl von DIN-Normen zu beachten. Gängige Baustoffe haben eine Zulassung und ein Prüfzeichen des Institutes für Bautechnik in Berlin. Nicht zugelassene und geprüfte Baustoffe dürfen üblicherweise nicht verwendet werden. Bei den Baustoffen sind Technische Vorschriften, Merkblätter und Herstellerrichtlinien einzuhalten. Nur bei einer sachgemäßen Anwendung eines zugelassenen Baustoffes werden die Eigenschaften erreicht, die der Baustoff erbringen muss.

Die Güteüberwachung bei der Herstellung von Baustoffen sieht eine **Eigen- und eine Fremdüberwachung** vor. Die Eigenüberwachung wird von dem Hersteller selbst durchgeführt und besteht in der Hauptsache aus der Kontrolle und der Protokollierung der Herstellung. Fremdüberwachung wird durch anerkannte Prüfstellen durchgeführt, wie z. B. Prüfstellen und Institute der Hochschulen etc. Sie überwachen die Eigenüberwachung und führen Prüfungen durch.

2. Fachliche Erläuterungen

Es gibt eine Vielzahl von Baustoffen, die jeweils durch ihre Verarbeitung oder die Kombination mit anderen Stoffen unterschiedliche Eigenschaften zeigen. Die so genannten **Verbundbaustoffe** sind in der Entwicklung, insbesondere die Kunststoffe, z. B. als Fasern zur Verbesserung der Zugfestigkeit, die Klebetechnik zur Verbindung, die Kombination unterschiedlicher Materialien zur Erzielung besserer Eigenschaften als die einzelnen Ausgangsstoffe etc. Meistens sind diese Baustoffe aber sehr teuer und in der Praxis nicht zu finden. Für die gängigen Baustoffe wird im Folgenden eine kurze Erläuterung gegeben.

- **Zement**
  Zement dient – zusammen mit Wasser – als Bindemittel für Beton oder Mörtel. Zement besteht aus Kalkstein oder Kreide und tonhaltigem Gestein, welches zunächst gemahlen und vermischt wird. Dieses Rohmehl wird bei ca. 1450 °C in einem speziellen Ofen bis zur Sinterung erhitzt. Dadurch entsteht der Portlandzementklinker. Dieser wird ebenfalls sehr fein gemahlen, so dass die im Ausgangszustand graue, staubige Substanz entsteht. Durch die Beigabe anderer Stoffe, wie z. B. Hochofenschlacken, Flugasche etc., kann man die Eigenschaften der Zemente beeinflussen. Im Zusammenhang mit der **Mahlfeinheit** entstehen Zemente, die schneller erstarren, dabei aber sehr viel Wärme entwickeln, festere Strukturen bilden, oder langsamer erstarren, we-

niger Schwinden zeigen usw. Entsprechend ihren Druckfestigkeiten werden die Zemente in **Festigkeitsklassen** eingeteilt.

Zement ist ein **hydraulisches Bindemittel.** Das bedeutet, dass es durch die chemische Reaktion mit Wasser zu der Erhärtung kommt. Daher kann Beton auch unter Wasser abbinden und es entsteht eine wasserunlösliche Verbindung. Das unterscheidet die hydraulischen Bindemittel von den Luftbindemitteln, die nur an der Luft erhärten, z. B. Baugipse. Da der Zement in gebrauchsfertigem Zustand stark mit Wasser reagiert und feuchteempfindlich ist, muss er immer trocken gelagert werden.

Der Wassergehalt im Verhältnis zum Zementgehalt wird als **w/z-Wert** bezeichnet. Er ist eine der wesentlichen Größen bei der Betonrezeptur. Vom Grundsatz her gilt, dass für die chemische Reaktion genug Wasser in dem Zement vorhanden sein muss, da er sonst seine Festigkeit nicht entwickeln kann. Ist der Wassergehalt zu hoch, verbleibt es als **Porenwasser** in dem Zementschleim und wird nicht chemisch oder physikalisch gebunden. Wenn das Wasser im Laufe der Zeit verdunstet, entstehen Hohlräume. Auch diese vermindern die Festigkeit des erhärteten Bindemittels.

Der Wasseranteil ist auch verantwortlich für das **Schwinden** des Zementes während der Erhärtung. Durch die Wasserabgabe entsteht eine Volumenverkleinerung. Gleichzeitig bewirkt das Erhärten mittels der chemischen Reaktion eine Erwärmung des Zementes, wodurch sich zunächst sein Volumen vergrößert. Wenn die Wärme abnimmt, bewirkt die Temperatursenkung in dem Zementschleim ebenfalls eine Verkleinerung des Volumens. Daher ist bei der Zusammensetzung des Zementes und seiner Verarbeitung auf sehr viele Umstände zu achten.

– **Beton**
Bei Beton handelt es sich im Prinzip um ein künstliches Gestein. Beton besteht in der Hauptsache aus dem Zement als Bindemittel, Zuschlag und Wasser. Als **Zuschlag** wird in der Regel ein Gemisch aus Gesteinskörnern unterschiedlicher Größe verwendet. Je nach Größe und Art der Körner wird der Zuschlag unterschiedlich benannt – Sand, Kies und Grobkies für ungebrochene Körner, Brechsand, Split und Schotter für gebrochene Körner. Als ungebrochene Körner versteht man den natürlich vorkommenden Kies, der üblicherweise eine runde, glatte Form aufweist. Siehe hierzu Abbildung 3.

Gebrochene Körner werden aus großen Steinen mittels Brecheranlagen hergestellt. Dadurch weisen diese Körner rauhe Oberflächen und eine ungleichmäßige Form auf. Als Zuschlag in Beton wird gebrochenes Gestein üblicherweise nicht verwendet, da sich die einzelnen Körner

Abbildung 3: Kies

In dem Glas ist Kies enthalten. Das erkennt man an der gerundeten Form der einzelnen Körner. Die einzelnen Körner weisen Durchmesser zwischen minimal 8 mm und maximal 16 mm auf. Das wurde durch Siebungen des Kieses erreicht, indem man mit bestimmten Maschenweiten der Siebe die Körner mit den gewünschten Durchmessern separiert.

gegeneinander verkeilen und sich nicht gut in die Schalung einbringen und verdichten lassen.

Damit die Festigkeit des Betons möglichst hoch ist, sollten die Zuschlagskörner eine möglichst enge Lagerung einnehmen. Die ergibt sich anschaulich am Modell mit Kugeln einer Größe, wenn man die Kugeln ordentlich aneinanderlegt, um dann die zweite Schicht genau in die Vertiefungen der ersten Schicht zu legen. Wenn man nun die verbleibenden Hohlräume mit kleineren Kugeln füllt, nimmt das Hohlraumvolumen stark ab. Lässt man die Kugeln mit gleichem Durchmesser dagegen zufällig in ein Glas fallen, ergibt sich eine Lagerung mit sehr viel Hohlraumvolumen. Sind die Kugeln in ihren Durchmessern gemischt, ergibt sich ein wesentlich geringeres Hohlraumvolumen. Anschaulich ist der Vergleich an einer Dose Zucker. Wenn man diese auf den Tisch klopft, setzen sich die Zuckerkörner in eine dichtere Lagerung. Man erkennt das daran, dass mehr Zucker in die Dose passt.

Daher ist ein geringerer **Porenanteil** im Beton vorhanden, wenn man die Körner des Zuschlages so in der Größe mischt, dass trotz des zufälligen Zusammentreffens eine möglichst dichte Packung entsteht. Um dies zu erreichen, wird der in Kiesgruben, Flüssen und Steinbrüchen gewonnene Zuschlag mit Sieben unterschiedlicher Maschenweite nach bestimmten Korndurchmessern getrennt. Verwendung finden Körner von 0,125 bis 63 mm Durchmesser, unterteilt in zehn so genannte Fraktionen. Sie werden je nach den Voraussetzungen der einzelnen Anwendungsfälle entsprechend zusammengestellt. Die Zusammensetzung des Zuschlages wird durch die so genannte **Sieblinie** beschrieben. Einfluss auf die Sieblinie haben die Verarbeitung des Betons, z. B. die geforderte Pumpfähigkeit, der Abstand der Bewehrung wegen der Wahl des Größtkorns, aber auch die geforderten Eigenschaften des Betons nach dem Einbau, wie z. B. bei Waschbeton ersichtlich.

Wasser für den Beton muss sauber sein, weshalb in Deutschland in aller Regel das Wasser der öffentlichen Versorgungsunternehmen verwendet wird. Weiterhin können dem Beton **Zusatzstoffe** oder **Zusatzmittel** zugefügt werden, die bestimmte Betoneigenschaften beeinflussen können. Beispielweise kann die Beständigkeit gegen chemischen Angriff erhöht, ein hoher Widerstand gegen Frost und Tausalz gewährleistet oder die Fließfähigkeit des Betons beeinflusst werden.

Beton wird in verschiedene **Betonfestigkeitsklassen** eingeordnet. Die Druckfestigkeit wird als Kraft pro Fläche angegeben, also wie viel Druckkraft kann der Beton pro Fläche aufnehmen, ohne dass er zerstört wird. Die Druckfestigkeit wird durch die Kombination des Buchstabens C mit zwei Zahlen getrennt durch einen Schrägstrich angegeben, z. B. C 25/30. Die Abkürzung C steht für concrete, das englische Wort für Beton. Die Zahlen geben die Druckfestigkeiten in N/mm^2 an, die ein Beton dieser Sorte unter bestimmten Laborbedingungen „aushalten" kann. Die beiden Zahlenpaare resultieren daraus, dass die Druckfestigkeit zum einem an einer Zylinder- und zum anderen an einer Würfelform getestet wird. Die DIN-Normen gaben früher die Betonfestigkeit durch die Kombination des Buchstabens B mit einer Zahl an, z. B. B5 oder B25. Alle Angaben zur Druckfestigkeit beziehen sich auf die Druckfestigkeit, die ein Beton nach 28 Tagen besitzt. Die Druckfestigkeit des Betons richtet sich hauptsächlich nach der Druckfestigkeit des verwendeten Zementes und dem w/z Wert, der übliche Zuschlag hat eine höhere Druckfestigkeit. Ab einer Druckfestigkeitsklasse von C 55/67 spricht man von **Hochfestem Beton**.

Beton wird fest, indem eine chemische Reaktion zwischen dem Zement und dem Wasser stattfindet, die so genannte **Hydratation**. Dafür ist kein Sauerstoff notwendig, so dass Beton auch unter Wasser erhärten kann. Da der Beton also nicht an der Luft „trocknet", löst sich dieser bei Kontakt mit Wasser auch nicht wieder auf. Der Vorgang der Hydratation benötigt Zeit. Die Festigkeit des Betons entwickelt sich unterschiedlich. Man kann den Beton mittels des Zementes je nach den Anforderungen so einstellen, dass er schneller oder langsamer erhärtet. Man bezeichnet die verschiedenen Phasen unterschiedlich, so z. B. als junger oder grüner Beton, als 28-Tage Festigkeit etc. Selbst nach Ablauf von Jahren kann der Beton fester werden, wenn die Bedingungen für eine fortschreitende Hydratation vorliegen. Während des chemischen Vorgangs der Erhärtung wird Energie in Form von Wärme freigesetzt, die so genannte **Hydratationswärme**.

Damit Beton dauerhaft ist, muss er widerstandsfähig gegenüber seinen Umgebungsbedingungen sein. Unter den Umgebungsbedingungen versteht man chemische und physikalische Einwirkungen, denen der Beton und die Bewehrung ausgesetzt sind. Die Einwirkungen der Umgebungsbedingungen werden in **Expositionsklassen** eingeteilt. Aus den verschiedenen Expositionsklassen ergeben sich Anforderungen an die Ausgangsstoffe und die Zusammensetzung des Betons, wie auch an die Mindestmaße für die Betondeckung über dem Bewehrungsstahl. Besondere Anforderungen sind z. B. Verschleißwiderstand, geringe Wassereindringtiefe, Widerstand gegen Frost und Tausalz, Feuerbeton, der Temperaturen über 250 °C ausgesetzt wird etc.

Grundsätzlich wird für die Anwendungen eine spezielle **Betonrezeptur** erstellt, die für die jeweilige Anwendung optimiert wird. In den meisten Fällen müssen dabei Kompromisse eingegangen werden, da verschiedene Eigenschaften voneinander abhängig sind, so dass sich manche verschlechtern, wenn man andere verbessert. Betonlieferanten und Bauunternehmen unterhalten spezielle Laboratorien, welche die entsprechenden Zusammensetzungen entwickeln.

Beton unterscheidet man entsprechend seiner Rohdichte in **Normalbeton** mit 2000 bis 2600 kg/m^3, das entspricht 2 bis 2,6 t pro Kubikmeter. Um das Gewicht zu reduzieren, stellt man **Leichtbeton** her, der zwischen 800 und 2000 kg/m^3 wiegt. Man erreicht die geringere Rohdichte durch die Verwendung von leichterem Zuschlag, z. B. Bimsstein, oder anderen Mitteln, um Hohlräume zu schaffen, z. B. der Zugabe von Aluminiumpulver, das mit dem alkalischen Zement reagiert und Wasserstoffgas freisetzt. Daher nannte man diesen Beton Gasbeton. Die Druckfestigkeitsklassen für Leichtbeton werden mit der Abkürzung LC in Kombination mit einem Zahlenpaar, das durch einen Schrägstrich getrennt ist, angegeben, z. B. LC 20/22. **Schwerbeton** hingegen hat eine Rohdichte, die größer als 2600 kg/m^3 ist, die durch die Verwendung von Zuschlägen mit einer hohen Rohdichte erreicht wird. Schwerbetone werden für den Strahlenschutz eingesetzt, oder wenn es auf das Gewicht ankommt, z. B. als Maschinenfundament etc.

Beton wird in drei **Betongruppen** eingeteilt und zwar in **Beton nach Eigenschaften**, **Beton nach Zusammensetzung** und **Standardbeton**. Unter Standardbeton versteht man einen Normalbeton bis Druckfestigkeitsklasse C 16/20, seine Anwendungsfälle sind in der Norm eingegrenzt. Bei einem Beton nach Eigenschaften legt der Verfasser der Betonbestellung, also meist der Ausschreibende, die Eigenschaften fest, die der Beton haben soll. Die Festlegung der Zusammensetzung ist dann unter anderem die Aufgabe des Herstellers. Bei Beton nach Zusammensetzung legt der Besteller neben den Eigenschaften auch die Zusammensetzung des Betons fest, so bleibt, ausgenommen von Kontrollaufgaben, dem Hersteller nur noch die Herstellung des Betons.

– **Stahlbeton**

Stahlbeton ist ein kombinierter Baustoff, bei dem die positiven Eigenschaften des Betons mit denen des Stahls kombiniert werden. Beton ist ein relativ günstiger Baustoff, der aber nur über eine hohe Druckfestigkeit verfügt. Beton darf planmäßig nicht auf Zug belastet werden. Der Stahl verfügt im Gegensatz zu Beton über eine hohe Zugfestigkeit. Da in einem Bauteil Druck- und Zugkräfte auftreten, kombiniert man beide Baustoffe. Man legt den Stahl in die im Beton durch Zug beanspruchten Bereiche. Diese Bereiche nennt man **Zugzone**. Die Stellen, an denen Zugkräfte auftreten, weiß man aus der statischen Berechnung.

Da der Beton auf Zug den großen Dehnungen des Stahls nicht folgen kann, reißt er im Zugbereich. **Risse im Beton** sind also normal und zulässig. Man kann aber Maßnahmen gegen zu große Rissbreiten ergreifen. Man legt die so genannte **konstruktive, risssteuernde Bewehrung** ein, die die Risse zwar nicht verhindert, aber dafür sorgt, dass statt einiger weniger, breiter Risse entsprechend mehr, aber schmale und somit ungefährliche Risse entstehen.

Der sonst korrosionsanfällige Stahl wird im Beton durch dessen Alkalität vor **Korrosion** geschützt, wenn bestimmte Anforderungen an den Beton erfüllt sind. Wichtig ist hier, dass der eingelegte Stahl von genügend Beton überdeckt ist, die so genannte **Betondeckung**. Ist dies nicht der Fall und der Stahl fängt an zu rosten, vermindert sich der tragende Stahlquerschnitt, das Volumen des rostenden Stahls nimmt zu und der überdeckende Beton wird abgesprengt. Die erforderliche Betondeckung ergibt sich aus den Normen. Die Einhaltung der Mindestbetondeckung ist, neben dem Schutz des einbetonierten Stahls vor Korrosion, auch für die Sicherstellung der Übertragung der Verbundkräfte und zur Sicherstellung des erforderlichen Feuerwiderstandes notwendig.

– **Bewehrungsstahl**
Die Erfindung des Bewehrungsstahls wird dem Franzosen Joseph Monier zugeschrieben, weshalb die Bewehrung auch **Moniereisen** genannt wird. Andere übliche Bezeichnungen sind Armierungsstahl oder Schlaffstahl, im Gegensatz zu Spannstahl. Der Stahl dient der Abtragung der Zugkräfte im Betonbauteil, die der spröde Werkstoff Beton nicht aufnehmen kann. Nur in seltenen Fällen dient der eingelegte Bewehrungsstahl als Druckbewehrung, also zur Übertragung von Druckkräften, die der Beton nicht aufnehmen kann. Um die Kräfte zu übertragen und den kraftschlüssigen Verbund zwischen dem Beton und dem Bewehrungsstahl herzustellen, ist der Stahl auf der Oberseite gerippt. Siehe hierzu Abbildung 4.

Abbildung 4: Rippenstahl

Auf dem Bild ist Stabstahl zu sehen, der in den Beton als Bewehrung eingebaut wird. Um einen besseren Halt des Stahls im Beton zu gewährleisten, ist die Oberfläche mit Rippen versehen. Rechts im Bild erkennt man bereits vorgefertigte und gebogene Bügel.

Konstruktive Bewehrung ist im Gegensatz zu der statisch erforderlichen Bewehrung nicht für den Lastabtrag der aus der statischen Berechnung resultierenden Zugkräfte erforderlich. Sie wird aber an Stellen eingelegt, an denen Zugkräfte auftreten können und man aus der Erfahrung weiß, dass eine Bewehrung die Rissbildung, die Lage und die Kraftverteilung positiv beeinflusst.

Man unterscheidet Bewehrungsstahl je nach seiner Form in Stabstahl und Mattenstahl. Der Bewehrungsstahl ist gerippt, um einen besseren Verbund und Kraftschluss mit dem ihn umgebenden Beton herzustellen. Die Verlegung einzelner Bewehrung nennt man flechten. Die Stahlstäbe werden mit dem **Rödeldraht** miteinander verbunden. Diese Tätigkeit heißt Knippern. Um die Bewehrung in ihrer Lage zu halten, insbesondere den notwendigen Abstand von den Schalungen einzuhalten, damit die Betondeckung eingehalten wird, werden **Abstandhalter** eingebracht. Für die Verlegung der Bewehrung werden eigens **Bewehrungspläne** erstellt. Aus ihnen geht hervor, welche Art und wie viel Bewehrung an den entsprechenden Stellen zu verlegen ist. Hierfür werden die Geometrien der Bauteile und die genaue Lage der Bewehrung zeichnerisch dargestellt. Auf dem Plan befindet sich in aller Regel auch eine Stahlliste, in der die notwendigen Bewehrungsteile nach Art und Anzahl angegeben sind. Siehe hierzu Abbildung 5.

Abbildung 5: Abstandhalter

Auf der bereits fertig verlegten Bewehrung ist ein Abstandshalter angebracht. Er stellt sicher, dass die noch aufzubringende Schalung den richtigen Abstand zu dem Bewehrungsteilen einhält. Dadurch wird erreicht, dass der Stahl mit einer ausreichenden Betondeckung versehen ist. Ebenfalls auf dem Bild erkennbar ist die Befestigung des Abstandshalters und der Bewehrungseisen aneinander mit Rödeldraht.

Stabstahl gibt es in verschiedenen Durchmessern von 6 bis 28 mm. Damit wird es ermöglicht, den Stahl entsprechend den vorliegenden Zugkräften zu dimensionieren. Er wird entsprechend abgelängt. Wegen der begrenzten, zulässigen Transportlängen im öffentlichen Straßenverkehr ist die Maximallänge eingeschränkt. An den entstehenden Stößen von Bewehrungsstäben müssen die Zugkräfte von dem einen auf den anderen Stab übertragen werden. Dafür sind die angrenzenden Stäbe entweder in einer vorgeschriebenen Länge nebeneinander zu verlegen, man nennt dies **Übergreifungslänge.** Eine andere Möglichkeit ist das Schweißen der Stäbe oder die Verbindung mit Schraubmuffen. Bei angrenzenden Bauteilen erkennt man die Übergreifungslängen durch die hervorstehenden Bewehrungsstäbe, die in das anbetonierte Bauteil eingeflochten werden.

Mattenstahl liegt in unterschiedlichen Varianten vor. Im Prinzip handelt es sich um Stabstahl, der für die Bewehrung werksseitig in zwei Richtungen netzartig in bestimmten Abständen und mit bestimmten Stabdurchmessern rechtwinklig verschweißt wird. Bei der Verlegung wird damit erheblich Zeit eingespart. Es gibt **Lagermatten**, die nur mit bestimmten, vorgegebenen Stabdurchmessern von 4 bis 12 mm erhältlich sind. Wenn man andere Stabdurchmesser benötigt, kann man entweder die Matten anfertigen lassen, es handelt sich dann um **Listenmatten** oder **Zeichnungsmatten**. Eine andere Möglichkeit ist die Verlegung von Lagermatten, die mit einzelnen Bewehrungsstäben bis auf den notwendigen Stahlquerschnitt ergänzt werden, der so genannten **Zulage**. Auch Matten müssen an Stößen mit vorgegebenen Übergreifungslängen verlegt werden.

Für bestimmte Anwendungen werden u-förmige Bewehrungsteile aus Stabstahl gebogen. Man nennt diese **Bügel**. Sie können z. B. wie ein Haken Zugkräfte an Endstücken aufnehmen, die Übertragung von Schubkräften sicherstellen oder konstruktiv der Zusammenfassung von Bewehrungsstäben dienen. Sie werden mit Biegemaschinen hergestellt, die dafür mit Biegerollen von bestimmten Durchmessern ausgerüstet werden. Der **Biegerollendurchmesser** hängt nicht allein von der Geometrie des Bauteiles ab, sondern es sind je nach Stabdurchmesser vorgeschriebene Biegerollendurchmesser einzuhalten.

Bewehrung wird auch als **Bewehrungsdraht** in Ringform geliefert. Er dient zur Herstellung von Bewehrungsteilen, z. B. Wendelbewehrung für Stützen. Für sich wiederholende Anwendungen werden **Bewehrungskörbe** vorgefertigt und auf die Baustelle geliefert, auch für Wände, Bohrpfähle etc.

Der Bewehrungsstahl kann im Beton nicht rosten, da das alkalische Milieu des Betons den Stahl vor dem Rosten, der Korrosion schützt. Allerdings wird die **Alkalität** des Kalkhydrats im Beton durch eindringende Kohlensäure der Luft abgebaut. Dies nennt man **Karbonatisierung.** Durch die Karbonatisierung kommt es daher im Laufe der Zeit zu einem Verlust der rostschützenden Wirkung des Betons.

– **Spannbeton**
  Auch der Spannbeton ist wie der Stahlbeton ein aus Stahl und Beton kombinierter Baustoff. Der Unterschied zum Stahlbeton, bei dem die Bewehrung nur eingelegt wird, also schlaffe Bewehrung, besteht darin, dass der eingelegte Stahl mit einer Zugkraft **vorgespannt** wird. Dafür werden die in **Hüllrohre**n verlegten Stahllitzen mit hydraulischen Pressen entsprechen gezogen und dann mittels Halterungen und Verankerungen so an dem Betonbauteil befestigt, dass die Vorspannung erhalten bleibt. Das bewirkt, dass der Betonquerschnitt zusammengedrückt wird. Siehe hierzu Abbildung 6.

Abbildung 6: Spannstahllitzen für Spannbeton

Bei der Herstellung von Bauteilen als Spannbeton werden Stahllitzen eingebracht, die nachträglich mit hydraulischen Pressen gespannt werden. In der Mitte des Bildes sieht man ein solches Bündel von Spannstahllitzen, welches noch nicht vorgespannt ist.

Vergleichbar ist dies mit einem Stück Schaumstoff, das an beiden Seiten zusammengedrückt wird, dadurch wölbt sich das Schaumstoffstück nach oben. Drückt man jetzt von oben darauf, belastet es also wie ein Betonbauteil von oben, bewirkt der Druck erstmal, das sich das Stück in seine Ausgangslage zurückverformt. Es kann somit mehr Druck aufnehmen, als ein nicht „vorgebogenes" Stück. Spannbeton wird besonders bei weit gespannten Bauwerken, wie zum Beispiel Brücken oder Hallen mit großen Spannweiten, eingesetzt. Der Stahl, der im Spannbeton verwendet wird, heißt **Spannstahl** oder **Spanndrahtlitzen**. Für Spannbeton sind Stähle mit besonders hoher Festigkeit notwendig.

– **Mörtel**
Im Gegensatz zu Beton, bei dem nur Zement als Bindemittel dient, wird Mörtel aus verschiedenen Bindemitteln hergestellt. Daher wird Mörtel nach der Art des Bindemittels unterschieden, z. B. Kalkzementmörtel oder Gipsmörtel. Mörtel wird für Ausgleichsschichten, z. B. als Putz oder Estrich, oder als Füll- und Bindematerial, z. B. in Mauerfugen verwendet. Man unterscheidet Mörtel daher auch je nach der Verwendung, z. B. in Mauermörtel, Putzmörtel oder Estrichmörtel. Weitere Anwendung findet Mörtel zum Verpressen von Spannkanälen von Betonspannstahl oder bei Ankern im Tiefbau. Im Ausbau wird Mörtel zum Verkleben von Fliesen, Bodenbelägen etc. verwendet, Fugenmörtel zum Schließen der verbleibenden Fugen. Bei der Verwendung von Fertigteilen im Betonbau dient der Mörtel dem Verbund und der Lagerung der einzelnen Bauteile. Für die verschiedenen Mörtel sind unterschiedliche DIN-Normen zu beachten.

Wie bei Beton kann in dem Mörtel Zuschlag enthalten sein, der allerdings höchstens eine Korngröße von 8 mm aufweist. Für andere Anwendungen wird auf Zuschlag verzichtet. Zusatzmittel und -stoffe werden ebenfalls verwendet, um die Eigenschaften des Erhärtens, die Verarbeitbarkeit etc. zu beeinflussen.

Während man früher den Mörtel auf der Baustelle aus seinen Bestandteilen angemischt hat, so genannter Baustellenmörtel, wird er heute meist bereits vorgemischt als Werk-Trockenmörtel in Säcken oder Silos geliefert. Wenn er bereits mit Wasser angemacht vom Werk geliefert wird, handelt es sich um gebrauchsfertigen Frischmörtel ab Werk. Die entsprechenden Silos werden ab Werk mit dem LKW liegend angeliefert und auf der Baustelle aufgestellt. Vielfach wird der Frischmörtel gepumpt und durch Aufspritzen aufgebracht, wodurch eine schnelle Verarbeitung möglich wird.

- **Mauerwerksteine**
  Mauerwerksteine können aus natürlichen oder aus künstlichen Steinen bestehen. Mauerwerk aus natürlichen Steinen wird als Natursteinmauerwerk bezeichnet. Im Allgemeinen werden aber nur künstlich hergestellte Steine als Mauersteine bezeichnet und verwendet. Es gibt verschiedene Arten Mauersteine, die sich zunächst durch die Ausgangsstoffe und die Herstellung unterscheiden. Am bekanntesten sind der Kalksandstein, der Mauerziegel und der Porenbetonstein.

  Ziegel und **Klinker** sind keramische Baustoffe, die in der Hauptsache aus Ton, Lehm und Quarzsand hergestellt werden. Die geformten Rohlinge werden in Trocknungsöfen bei ca. 1000 °C gebrannt, wodurch das chemisch gebundene Wasser des Tones entweicht. Der bei diesen Temperaturen gebrannte Ton, auch Scherben genannt, ist porös. Daher saugen sich so hergestellte Mauerziegel voll Wasser und platzen bei Frost auf. Sie sind deshalb nur für Innenräume zu verwenden oder mit entsprechenden Wetterschutzschichten zu versehen, z. B. Putz. Brennt man die Rohlinge bei ca. 1300 °C, tritt die Sinterung ein. Dadurch wird das Gefüge des Scherbens dichter. Die entsprechend gebrannten Steine heißen Vormauerziegel oder Klinker. Sie sind kleinformatig, druckfester, kaum wassersaugend und daher frostbeständig. Sie können deshalb für Außenmauerwerk eingesetzt werden. Dachziegel werden entsprechend hergestellt.

  Kalksandsteine werden aus Kalk und Quarzsand hergestellt, der zu Rohlingen gepresst und bei ca. 200 °C unter Dampfdruck gehärtet wird. Kalksandsteine werden meist zur Gewichtsreduzierung und zur Verbesserung der Wärmedämmeigenschaften mit Löchern versehen. Sie heißen dem entsprechend nach der Art und dem Anteil der Hohlräume Lochstein, Hohlblockstein etc. Kalksandsteine sind wassersaugend, es gibt sie aber auch als frostbeständige Vormauersteine.

  Betonsteine werden als **Hohlblocksteine** gefertigt. Dachsteine gibt es ebenso aus Beton, der in vielen Fällen eingefärbt wird. Betonwerksteinerzeugnisse sind vor allem Pflastersteine und Gehwegplatten.

  Für alle Steine gibt es verschiedene Klassen, die sich nach den Druckfestigkeiten richten. Die Festigkeitsklassen sind den jeweiligen Normen zu entnehmen. Die notwendigen Festigkeiten ergeben sich aus der Bemessung des Mauerwerks für den jeweiligen Zweck und unter den entsprechenden Lastannahmen.

  Mauerwerksteine gibt es in verschiedenen, genormten Formaten. Unterschiedliche Formate dürfen nicht gemischt werden. Es werden vier Vorzugsgrößen unterschieden: DF, NF, 2 DF, 3 DF. Außerdem gibt es verschiedene Großformate, die eine Höhe von 23,8 cm aufweisen. Alle

Steinhöhen sind so bemessen, dass mit ihnen, einschließlich der Fugendicken, eine gleiche Mauerabschnittshöhe von 25 cm erreicht wird. Von den oben erwähnten Formaten werden dazu 4, bzw. 3, bzw. 2 Schichten oder 1 Schicht benötigt. Zum Verbund der Mauerwerksteine siehe im Kapitel Bauverfahren – Mauerwerksbau.

– **Kunststoffe**

Kunststoffe sind synthetisch hergestellte Werkstoffe und haben sich weit verbreitet. Als Werkstoff für den Einsatz im Bauwesen entwickeln sich stetig neue Produkte. Vorteilhaft ist die gute Verarbeitbarkeit, die Verfügbarkeit und der geringe Preis, allerdings sind viele Kunststoffe nicht ausreichend langzeit- und witterungsstabil. Nachteilig sind auch die Brennbarkeit und die Temperaturabhängigkeit der Materialeigenschaften. Die Kunststoffe werden als feste, plastische, elastische und flüssige Erzeugnisse eingesetzt. Sie kommen im Bauwesen in unterschiedlichster Form zur Anwendung, z. B. als Folien, Rohre, Dichtungsbahnen, Dichtungsmassen, Leime, Beschichtungsstoffe, Schaumstoffe oder Formteile. Als Materialien lassen sich exemplarisch Polyethylen für Folien und Behälter, Polypropylen für Abwasserrohre, Polystyrol für Formteile und Dämmplatten, Polyester- und Epoxidharze für Lacke, Mörtel, Leime, Platten usw. nennen.

Im Außenbereich werden Platten für Fassaden und als Bedachung eingesetzt, Formteile finden sich als Oberlichter, Acrylglas genannt, aber auch als Rollläden, Fensterrahmen, Briefkästen, Profile etc. Weit verbreitet sind der Einsatz von Folien für die Bauwerksabdichtung und der Wärmeschutz mittels Polystyrolplatten. Fugendichtmassen aus Acryl finden vielfache Anwendung neben dem so genannten Bauschaum. Beschichtungsstoffe für Anstriche sind Kunstharzdispersions- und Dispersionsfarben, die heute in aller Regel auf Wasserbasis hergestellt werden. Imprägnierungen für Außenflächen sind auch durch eingefärbte Kunstharzputze möglich.

Im Innenausbau kennt man aus der Anschauung bereits die vielfachen Einsatzmöglichkeiten von Kunststoffen. Neben den bereits erwähnten Farben und Klebstoffen sind dies aber auch Tapeten, Sanitärartikel, Wasserleitungen, Türen, Beschläge, Einbauteile, z. B. Lüftungsgitter, Lampen, Halterungen, Fußleisten und Bodenbeläge. In letzter Zeit sind Kunststoffe im Innenbereich allerdings in Verruf geraten, da die in ihnen enthaltenen Weichmacher oder andere Stoffe an die Umgebung abgegeben werden. Dies hatte vielfache Untersuchungen bezüglich einer Gesundheitsgefährdung zur Folge, z. B. Formaldehyt, und auch der so genannte **Fogging-Effekt**, der wohl im Zusammenhang mit der Abgabe von Weichmachern neuer Baustoffe steht, ging durch die Medien.

Kunststoffe werden allerdings auch als Lager für Fertigteile eingesetzt oder im Bereich von Brückenlagern. Spektakulärer Einsatz war die Verschiebung eines Gebäudes am Potsdamer Platz mittels Teflonlagern. Kunststofffasern dienen vielfach als Armierung anderer Baustoffe zur Erhöhung der Zugfestigkeit, z. B. in vielen Spachteln, Putzen und Beton.

- **Holz**

  Bei **Holz** handelt es sich um einen natürlichen, organischen Baustoff, der durch seinen natürlichen Wuchs erheblichen Schwankungen unterliegt. Auch der für die Verarbeitung zur Verfügung stehende Baumstamm besteht aus unterschiedlichen Bereichen in seinem ringförmigen Querschnitt. So hat das mittige Kernholz in aller Regel eine höhere Festigkeit als das außen liegende Holz, der Splint. Auch der Wassergehalt unterscheidet sich. Innerhalb der Schichten entstehen die Jahresringe, wobei das im Frühjahr gewachsene Holz großporiger und weicher ist als das Spätholz des Wachstums in der zweiten Jahreshälfte. Daher kommt der Verarbeitung des Baumes durch die richtigen Sägeschnitte eine erhebliche Bedeutung zu. Falsch oder noch zu feucht gesägtes Holz verformt sich stärker. Anschaulich ist das in vielen Baumärkten, in denen Kanthölzer oder Bretter zu finden sind, die stark verdreht oder verwölbt sind. In vielen Gegenden gibt es für die Holzwirtschaft spezielle Kalender, in welchen vermerkt ist, zu welchen Tagen welche Baumarten zu schlagen sind, wie sie weiter verarbeitet werden müssen usw., um ein besonders festes und verformungsarmes Bauholz zu bekommen.

  Da Holz durch seinen natürlichen Wuchs Fehlstellen aufweist, z. B. Astwuchs, Drehwuchs etc., aber auch unterschiedliche Färbung, Risse usw., wird es je nach Holzart in verschiedene Sortierklassen eingeteilt. Sie spiegeln die Qualität der Hölzer gleicher Art wider. Für die unterschiedlichen Hölzer, also Nadel- oder Laubhölzer, und weiter unterteilt in die verschiedenen Baumarten, sind jeweils die zulässigen Fehlstellen nach Art und Umfang beschrieben. Ergänzend geben die Normen die Eigenschaften der unterschiedlichen Holzsorten an.

  Holz hat als Vorteil eine geringe Masse, geringe Wärmeleitfähigkeit und lässt sich gut verarbeiten. Nachteilig ist allerdings seine Empfindlichkeit gegen Feuchtigkeit und Schädlinge, sowie seine Brennbarkeit. Die Nachteile versucht man durch Tränken und Beschichten des Holzes mit Holzschutzmitteln und Feuerschutzmitteln auszugleichen. Wegen der unterschiedlichen Struktur des Holzes weist es in verschiedenen Richtungen unterschiedliche Eigenschaften und Festigkeiten auf. Bei natürlichem Holz ist die Größe der Bauteile durch die Größe des Baumwachstums begrenzt. Daher findet man bei alten Häusern nur geringe Spannweiten bei flachen Decken, deren Träger Holzbalken sind.

Natürliche Hölzer werden in verschiedenen Formen ausgeliefert. Man unterscheidet **Balken** als rechteckige Querschnitte von 10 bis 24 cm, quadratische oder kleinere Querschnitte als **Kanthölzer** von 6 bis 18 cm und noch kleinere Querschnitte als **Latten**. Bretter werden ab einer Dicke von 4 cm als **Bohlen** bezeichnet. Weitere Holzlieferform sind Rundhölzer. Als Belag für den Boden werden Fußbodenbretter, die Dielen, Parkett in unterschiedlichen Formen und Holzpflaster geliefert. Holzpflaster unterscheidet sich von Parkett dadurch, dass die axiale Schnittfläche nach oben zeigt. Für Wandvertäfelungen werden große Furnierplatten auf Trägerplatten verleimt.

Um die positiven Eigenschaften des Holzes unabhängig von seinen Einschränkungen durch den natürlichen Wuchs nutzen zu können, wurden Holzwerkstoffe entwickelt. Dabei werden kleine Holzteile zusammengesetzt, wodurch die inhomogenen Holzeigenschaften ausgeglichen werden können. In vielen Fällen werden die Holzteile verleimt. Auf Grund der Fortschritte der Klebetechnik ist es daher heute möglich, Holzträger mit großen Spannweiten zu konstruieren. Je nach der Feuchteeinwirkung sind unterschiedliche Klebstoffe vorgeschrieben.

Als Holzwerkstoffe kann man verschiedene Platten unterscheiden. Die so genannten Lagenhölzer werden als Tischlerplatte oder **Sperrholz** bezeichnet. Es handelt sich um eine mittlere Lage aus verleimten Holzstäben, die beiderseits furniert werden. **Spanplatten** bestehen aus verleimten Holzspänen, die ohne oder mit unterschiedlichen Furnieren geliefert werden, wobei sich in der Masse Furniere aus Kunststoffen durchgesetzt haben. Neben weiteren Arten gibt es noch Holzfaserplatten, die z. B. in MDF (Mitteldichte Holzfaserplatte) , HFH (Hartfaserplatte hart) und HFM (Mittelharte Holzfaserplatte) unterschieden werden, und Holzwolleleichtbauplatten als Dämmstoff mit mineralischen Bindemitteln, meist Zement.

- **Metalle**
  Im Bauwesen kommen verschiedene Metalle zur Anwendung. Sie zeichnen sich durch hohe Festigkeiten bei geringem Gewicht aus. Metalle können durch Schrauben, Nieten, Schweißen, Löten und Kleben miteinander verbunden werden. Für andere Werkstoffe bestehen die Verbindungsmittel häufig aus Metall, z. B. Schrauben, Nägel, Bleche, Profile etc. Im Prinzip gibt es kein Bauwerk, welches ohne die Verwendung von metallenen Bauteilen errichtet wird.

Stahl spielt eine große Rolle im Bauwesen. Baustahl wird originär aus Erz gewonnen, heute aber auch vielfach aus Recycling – Material. Der Stahl wird auf verschiedene Arten in seinen Eigenschaften verbessert. Dazu wird er auf bestimmte Temperaturen erhitzt. Dadurch entstehen unterschiedliche Kristallformen der Schmelze. Durch das Abschrecken wird das Kristallgefüge, welches erst bei hohen Temperaturen vorliegt, erhalten. Es kann sich nicht wie bei einem langsamen Abkühlen zurückbilden und ist fester, aber auch spröder. Eine weitere Möglichkeit ist das **Legieren** von Stahl. Dafür werden dem Stahl andere Metalle zugesetzt, wie z. B. Chrom, Nickel, Molybdän etc. Dadurch erhält man z. B. nichtrostenden Stahl, den so genannten **Edelstahl.** Auch durch die mechanische Bearbeitung des Stahls durch Walzen, Recken und Verformen entstehen andere Gefüge, die einen Einfluss auf die Eigenschaften des Stahls haben. Die verschiedenen Stahlsorten für das Bauwesen werden gekennzeichnet. Die Bezeichnungen sind nun europäisch.

Stahl wird in den Beton eingelegt, damit dieser größere Druckkräfte und vor allem Zugkräfte aufnehmen kann. Auf Betonstähle, also Bewehrungsstähle, wird im Zusammenhang mit Stahlbeton und Spannbeton näher eingegangen.

Im eigentlichen Stahlbau wird hauptsächlich mit vorgefertigten Stahlprofilen gearbeitet, die als tragende Bauteile Verwendung finden. Die Stahlprofile werden ab Werk als gewalzte oder gepresste Bauteile geliefert. Warmgewalzte Form und Profilstähle werden meist nach ihrer äußeren Erscheinung als **I-Profil**, **Doppel-T-Träger**, **U-Profil** etc. bezeichnet. Die genauen Bezeichnungen weichen davon ab, da sie auch die Breiten und Höhen etc. beinhalten, z. B. mittelbreite I-Träger als IPE, breite I-Träger als HEB etc.

Neben Stahl hat vor allem **Aluminium** eine weite Verbreitung gefunden. Durch verschiedene Legierungen kann es wie Stahl beeinflusst werden. Es kommt vor allem für Fenster, Türen, Bleche, Fassadenbekleidungen, Bedachungen und Rohre im Bauwesen zur Anwendung. Der Vorteil des Aluminiums liegt in seinem geringen Gewicht und der guten Festigkeit. Allerdings ist es korrosionsanfällig und lässt sich nur erschwert schweißen. In der Praxis hat der Korrosionsschutz durch anodische Oxidation Verbreitung gefunden. Dabei wird das Aluminium in einem Eloxalbad behandelt, so dass sich eine schützende Oxidschicht bildet, die in verschiedenen, aber durch das Material vorgegebenen Tönen hergestellt werden kann.

Wasserleitungen wurden früher vorwiegend aus Eisenrohren hergestellt, die mit Hanf abgedichtet und verschraubt wurden. In Altbauten erkennt man das, wenn das Zuwasser längere Zeit nicht gelaufen ist, an dem anfänglich rostigen Wasser, bzw. an den Rostbröckchen in den Perkulatoren der Wasserhähne. Heute verwendet man vorwiegend Kupferrohre, die verlötet werden. Dabei finden Kupferlegierungen als Formstücke und Armaturen Verwendung, so Messing, als Kupfer-Zink-Legierung und Bronze als Kupfer-Zinn-Legierung.

Da **Kupfer** gut formbar ist, wird es auch häufig als Blech eingesetzt. Neben vielfachen, nicht sichtbaren Anwendungen in Dichtungsbahnen etc. wird Kupfer vermehrt als Verblechung für Dächer, Dachrinnen und Rohre verwendet. Als poliertes Blech ist es allerdings sehr schnell mit der von Altbauten bekannten Patina überzogen, einer grünlichen, matten Schicht, wenn es dem Wetter ausgesetzt wird. Die grüne Oxydschicht wirkt allerdings als Schutz für das Material, weshalb Kupfer sehr dauerhaft ist.

Zinkbleche werden vor allem für Dächer, Dachrinnen und Regenfallrohre verwendet. Allerdings hat das Verzinken auch als Korrosionsschutz für Stahlbauteile weite Verbreitung gefunden. Der Überzug aus Zink ist häufig an seiner kristallinen Erscheinung und seiner feinrauhen Oberfläche erkennbar. Aus **Blei** werden vor allem Bleche für die Einfassung von Dachdurchdringungen hergestellt, z. B. Antennen, Schornsteine etc. Die Verwendung von Blei als Wasserrohr findet man wegen der möglichen Gesundheitsschädigung heute nicht mehr.

– **Verbundbauweise**
  Bei der Verbundbauweise, genauer der **Stahlverbundbauweise**, werden einzelne Bauteile aus Stahl und Beton miteinander zu einem einheitlichen Bauteil verbunden. Dies geschieht aus Optimierungsgründen. Mit Stahl lassen sich leichtere und schlankere Konstruktionen ausführen, die schneller zu montieren sind. Beton ist billiger als Stahl und vor allem für waagerechte, flächenhafte Bauteile ökonomischer. Im Gegensatz zu Stahlbeton, bei dem die Zugkräfte innerhalb des Betons durch den Bewehrungsstahl aufgenommen werden, werden bei der Verbundbauweise das Stahlbauteil und der Beton schubfest miteinander verbunden. Dafür werden auf die Stahlteile üblicherweise so genannte **Kopfbolzen** aufgeschweißt. Sie sehen aus wie aus den Stahlflächen herausragende Nägel mit Kopf. Diese Kopfbolzendübel werden einbetoniert. Solche Konstruktionen finden sich in Form untenliegender Stahlträger mit aufbetonierten Platten bei Brücken, Parkhäusern, Industriebauten etc. Siehe hierzu Abbildung 7.

Verbundstützen bestehen aus Hohlprofilen aus Stahl, die ausbetoniert werden, oder einbetonierten I-Profilen. Für flächige Konstruktionen werden auch Profilbleche mit Kopfbolzendübeln versehen.

Abbildung 7: Kopfbolzen für Stahlverbundbauweise

Rechts im Bild befindet sich ein Stahlträger, der an seiner Oberseite und an der Seite mit pilzförmigen Kopfbolzen versehen ist. In der Mitte des Bildes wurde die Bewehrung für den einzubringenden Beton verlegt. Im Vordergrund ist die bereits betonierte Fläche erkennbar, aus der die Anschlussbewehrung und weitere Kopfbolzen eines Querträgers herausragen. Mit den Kopfbolzen wird der Verbund zwischen dem Stahlträger und dem einzubringenden Beton sichergestellt. Im fertigen Zustand wird daraus eine Brücke in Verbundbauweise.

– **Glas**

Glas besteht zum weit überwiegenden Teil aus geschmolzenem Quarzsand. Es wird im Glaswerk durch Walzen, Ziehen oder Pressen in seine scheibenartige Form gebracht. Die üblichen Scheiben werden als Flachglas bezeichnet. Es gibt sie außer als handelsübliches, einfaches Glas in verschiedenen Ausführungen, z. B. als mit Drahtnetz versehene Scheiben, die bei einer Beschädigung in kleine Scherben zerfallen, die zum großen Teil am Draht hängen bleiben, als strukturiertes Glas, welches eine verminderte Durchsichtigkeit hat, so genanntes Ornamentglas, welches z. B. in Glastüren eingesetzt wird, oder als Sicherheitsglas.

Sicherheitsglas wird als Einscheibenglas geliefert, Sekuritglas genannt. Durch besondere Temperaturbehandlung wird in der Scheibe eine innere Spannung erzeugt, welche die Festigkeit erhöht. Bei Überlastung zerspringt die Scheibe in kleine Teile, wodurch die Verletzungsgefahr vermindert wird. Mehrscheibengläser bestehen aus zwei und mehr Scheiben, zwischen ihnen werden Kunststofffolien eingeklebt. Diese Scheiben sind erheblich stabiler und dienen der Einbruchhemmung, können schusssicher ausgeführt werden etc. Gebräuchlich heißen diese Scheiben **Verbundsicherheitsglas,** oder kurz Verbundglas.

Davon zu unterscheiden sind die **Isoliergläser,** die in Isolierfenstern verwendet werden. Bei ihnen werden nicht mehrere Scheiben aufeinander geklebt, sondern zwischen den Scheiben wird ein Luftspalt belassen, der luftdicht eingeschlossen wird. Diese Scheiben werden im Werk auf Maß gefertigt. Durch die Verwendung von zwei oder drei Scheiben wird die Wärme- und Schalldämmung gegenüber einschichtigem Fensterglas erheblich erhöht, die Dämmung ist auch wesentlich besser als bei Kastendoppelfenstern, die zudem den Nachteil haben, dass auch die beiden inneren Glasflächen verschmutzen, was bei den Isolierscheiben durch den Verschluss der Scheibenzwischenräume nicht vorkommen kann.

Eine weitere Steigerung der Dämmwirkungen wird durch die Befüllung des Luftspaltes mit speziellen Gasgemischen und die Verwendung von absorbierenden, reflektierenden oder getönten Scheiben erzielt. Durch die Reduzierung der Infrarotstrahlung und des Wärmeeintrages in den Raum kommt es allerdings auch zu einer Reduzierung der Lichtdurchlässigkeit. Durch diese Glasarten wird es möglich, die in Außenwänden eingebauten Fenster so auszubilden, dass sie die bauphysikalischen Anforderungen einhalten.

Weiterhin gibt es noch eingefärbte Gläser für die Fassadengestaltung, Glasprofile für die Konstruktion von Trennwänden etc., **Glasbausteine** für Wände und Dachziegel aus Glas. **Glaswolle** und **Glasfasern** sind feine mineralische Fäden und dienen der Wärme- und Schalldämmung. Glasfasern finden sich in vielen anderen Baustoffen als Bewehrung zur Aufnahme der Zugkräfte, z. B. in Glasfaserspachtel.

– **Gips**

Bei **Gips** handelt es sich um ein Luftbindemittel im Gegensatz zu Zement, der ein hydraulisches Bindemittel ist. Das bedeutet, dass der Gips zum Erhärten Luft benötigt, aber nicht unter Wasser hydraulisch erhärten kann. Er wird hart, indem er trocknet. Kommt der Gips nach dem Erhärten wieder mit Wasser in Kontakt, beginnt er zu quellen und verliert sein festes Gefüge. Daher sind Baugipse nur bedingt in Räumen anwendbar, in denen ein feuchtes Raumklima vorherrscht. Vorteil der Baugipse ist das geringe Schwinden und die einfache Verarbeitung.

Es gibt unterschiedliche Gipsarten, die sich nicht nur durch die Herstellung unterscheiden, sondern auch durch die unterschiedliche Zusammensetzung und verschiedene Zusätze. Je nach der Anwendung unterscheidet man bei den Baugipsen Putzgips, Fugen- und Spachtelgips, Stuckgips etc. Sie weisen unterschiedliche Festigkeiten auf und sind nach dem Anmachen unterschiedlich lange verarbeitbar.

Baugipse finden hauptsächlich Anwendung zum Verputzen von Innenbauteilen, zum Verfugen und Verspachteln, aber auch wieder für die vermehrt ausgeführten Stuckarbeiten. Im Bereich des Trockenbaus bestehen nicht nur die verwendeten Platten aus kaschiertem Gips, die früher so genannten Gipskartonplatten, sondern er wird auch zum Ansetzen und Verspachteln verwendet.

Anhydritbindemittel hat ähnliche Eigenschaften wie Gips. Anwendung findet es ebenfalls als Innenputz, mit größerer Festigkeit auch als Estrichmörtel, dem so genannten Anhydritestrich.

– **Bitumen**

Bitumen ist ein Nebenprodukt bei der Erdöldestillation, welches je nach weiterer Destillation härter oder weicher ist. Es gibt auch noch in geringerem Umfang natürlich vorkommendes Bitumen aus Trinidad. Bitumen findet hauptsächlich als Bindemittel und für Abdichtungen Anwendung. Das aus Steinkohle gewonnene Teerpech wird wegen seiner karzinogenen Wirkung kaum noch verwendet.

Für Abdichtungen wird Bitumen als **Bitumendichtbahn** geliefert. Die Dichtungsbahnen werden verklebt, verschweißt oder können durch Erhitzen geschmolzen und verklebt werden. Sie sind mit unterschiedlichen Materialien als Träger für das Bitumen und als Zugbewehrung versehen, z. B. Glasvlies, Polyestervlies, oder Filz. Man kann so genannte nackte Bitumenbahnen unterscheiden, die keine Bestreuung auf den Oberflächen besitzen, während die normalen Bitumenbahnen beiderseitig mit Feinsand bestreut sind. Das verhindert ein Verkleben der Bahnen auf den Rollen und erleichtert die Verarbeitung.

Bitumen gibt es auch als Beschichtungsmittel, in flüssiger Form als Abdichtung oder als Korrosionsschutz. Im Außenbereich werden Vergussmassen aus Bitumen verwendet, insbesondere für den Verschluss von Fugen. Im Hochbau wird Bitumen auch als Estrich verwendet, der **Gussasphaltestrich**. Hierfür werden dem Bitumen Zuschläge beigemischt, die je nach der Verwendung verschiedenartig sind. Meist handelt es sich um Sand und so genannten Füller, das sind Gesteinsmehle.

Als **Asphalt** findet Bitumen im Straßenbau weit verbreitet Anwendung. Es handelt sich hierbei um ein Gemisch aus Bitumen und Gesteinskörnern. Das Bitumen dient dabei, wie der Zement im Beton, dem Zuschlag als Bindemittel oder so genannte Matrix. Die tragende Funktion übernehmen die Zuschläge. Der Zuschlag wird je nach den Anforderungen nach Sieblinien und der Art des Gesteins zusammengestellt. Entsprechend der Belastung wird das Bitumen nach der erforderlichen Härte ausgewählt. Dem entsprechend hat das Bitumen Bezeichnungen, z. B. B 45, B 65, B 80 etc. Insoweit lässt sich Asphalt mit Beton vergleichen.

– **Dämmstoffe**

Bei **Dämmstoffen** handelt es sich um Werkstoffe, die zur Wärme – oder Schalldämmung verwendet werden. Man spricht als Techniker von Wärme- oder Schalldämmung, nicht von Isolierung. Die gute Wärmedämmung entsteht durch die geringe Wärmeleitfähigkeit der Materialien. Früher verwendete man natürliche Materialien, wie z. B. Holzwolle, Schafswolle, Stroh etc. Nachteilig an diesen Materialien ist jedoch, dass sie feuchteempfindlich sind, so dass bei ansteigender Feuchte die dämmende Wirkung nachlässt, und ein möglicher Schädlingsbefall.

Heute kommen hauptsächlich Platten aus **Mineralwolle**, auch **Steinwolle** genannt, und **Styropor** zum Einsatz. Bei Styropor, eigentlich technisch als Polystyrol bezeichnet, unterscheidet man je nach dem Herstellungsprozess zwischen expandiertem und extrudiertem Material. Die Wärmedämmmaterialien werden in der Hauptsache nach Wärmeleitfähigkeitsgruppen unterschieden und nach ihrer Druckfestigkeit. Die Druckfestigkeiten dieser Materialien sind allerdings eingeschränkt. Daher wird für besondere Anwendungen **Schaumglas**, oder auch Foamglas genannt, eingesetzt. Es handelt sich um einen druck- und feuchtebeständigen Dämmstoff, der aus Glaspulver und Kohlenstoff besteht. Er wird für befahr- und begehbare Außendämmung verwendet, z. B. für Dämmung unter Bodenplatten.

Die schalldämmende Wirkung von entsprechenden Dämmstoffen entsteht durch die Vernichtung von Schallenergie. In den faserigen Platten verlieren sich die Schallwellen in den vielfachen Hohlräumen und werden gebrochen. Dadurch werden auch Resonanzen vermieden. Die Platten müssen dafür allerdings eine offene Struktur aufweisen, z. B. faserig sein. Für diese Zwecke kommen daher Holzwolleplatten und Steinwolle in Betracht, die in Bauteile eingelegt werden oder für eine akustische Innenraumgestaltung hinter Wandpaneelen aufgebracht werden.

3. Häufig auftretende Probleme in der Praxis

Im Zusammenhang mit Baustoffen tritt eine Vielzahl von Problemen auf. Es lassen sich nicht alle auftretenden Mängel und Schäden an Bauwerken aufzählen, da die Ursachen zu vielfältig sind. Allerdings lassen sich die Probleme immer auch auf eine falsche Handhabung der Verwender, falsche Verarbeitung und eine unzulängliche Konstruktion zurückführen, oder kurz gesagt, „Der Baustoff kann nichts dafür!“. Man kann die Schadensverursachung zunächst auf abstrakter Ebene gliedern.

Erste Ursache ist ein mangelhaft hergestellter Baustoff. Gerade bei der notwendigen Zusammensetzung der Baustoffe aus mehreren einzelnen Komponenten kommt es zu Fehlern beim Anmischen, bzw. der Dosierung der Ausgangsstoffe. „Viel hilft viel“ stimmt eben nicht immer. Typisches Beispiel ist Beton. Ein zu hoher Bindemittelanteil oder ein zu hoher Zementanteil führt nicht zu einem festeren Beton, sondern zu verminderten Festigkeiten und Rissen. Viele Farben neigen ebenfalls zur Rissbildung, wenn sie nicht ausreichend verdünnt werden oder der Farbauftrag zu dick ist.

Zweite Ursache ist der Einsatz von Baustoffen an ungeeigneten Stellen. Das bedeutet, dass der Werkstoff an sich in Ordnung ist, jedoch durch die Verwendung schadhaft wird. Dazu zählt insbesondere, wenn der Werkstoff äußeren Einflüssen ausgesetzt wird, für die er nicht oder nicht dauerhaft geeignet ist. Typisches Beispiel ist die Verwendung von gipshaltigen Werkstoffen in Feuchträumen, die durch die einwirkende Feuchte quellen. Dies führt z. B. zu Schäden an den Wand- oder Bodenbelägen. Andere Materialien sind nicht für die Verwendung im Außenbereich geeignet. Dazu zählen viele Kunststoffe, die nicht gegen UV-Strahlung beständig sind und die Färbung verlieren und verspröden. Das betrifft z. B. Oberlichter mit Kunststoffscheiben, die vergilben und durch die Versprödung Risse bekommen. Anschaulich ist dieser Effekt auch bei den Stoßstangen älterer Fahrzeuge, deren im Neuzustand schwarzer Kunststoff weißlich wird und brüchig.

Viele keramische Werkstoffe vertragen keinen Frost. Bei ihnen saugen sich die Poren voll Wasser, welches in den Hohlräumen gefriert, sich ausdehnt und zu Abplatzungen führt. Die Einwirkung von Feuchtigkeit führt in Dämmstoffen zu einer Funktionsbeeinträchtigung, in Holzwerkstoffen zu einem Festigkeitsverlust oder einem Quellen und zu Schimmelbildung.

Die Verwendung von unterschiedlichen Baustoffen muss aufeinander abgestimmt werden. Sie beeinflussen sich gegenseitig in vielfacher Weise. Wird dieser Umstand vernachlässigt, ist das eine weitere Ursache für Schäden. So kann die Verwendung unterschiedlicher, sich berührender Metalle zu Kontaktkorrosion führen. Die Verwendung von Edelstahlschrauben auf einfachem Eisen ist daher nicht zielführend. Der „korrosionsfreie Stahl" korrodiert, da über die Kontaktfläche der Materialien Elektronen wandern und die unterschiedliche Spannung ausgleichen. Metalle sind ebenfalls gegen andere Materialien zu schützen. Viele Profile, die als Abschluss verwendet werden, sind aus Aluminium und verzinktem Eisen. Diese Metalle vertragen sich beispielsweise nicht mit zementhaltigen Werkstoffen in Estrichmörtel oder Putz. Die Verträglichkeit von hydraulischen und lufttrocknenden Bindemitteln ist ebenfalls in vielen Fällen nicht gegeben. Bei falscher Verwendung kann es zu Ausblühungen oder Verfärbungen kommen.

Die Kombination der Werkstoffe ist insbesondere aufeinander abzustimmen, wenn unterschiedliche Werkstoffe miteinander verbunden werden. Bei Verklebungen müssen die Klebstoffe nicht nur zu den Materialien passen, sondern auch in der Lage sein, die im Gebrauch auftretenden Kräfte aufzunehmen. So nützt eine Klebeverbindung nichts, die eine hohe Zugkraft übertragen kann, wenn die Verbindung aber mit Schubkräften belastet wird. Beispiel hierfür ist die Verklebung von Wandhaken auf Fliesen, die nach einer Weile abscheren.

Wärme führt zur Ausdehnung der Werkstoffe. Jedes Material hat einen bestimmten Wärmeausdehnungskoeffizienten, der angibt, um wie viel Millimeter sich das Material bei einer bestimmten Temperaturänderung verlängert oder verkürzt. Bei angrenzenden oder verbundenen Materialien müssen diese zueinander verträglich sein, sonst kommt es durch die unterschiedliche Längenänderung zu Beschädigungen.

Bei der Verwendung von Kunststoffen und ähnlichen Materialien wird häufig nicht bedacht, dass diese Materialien Inhaltsstoffe durch Diffusion abgeben und vielfache Wechselwirkungen entstehen. So geben Teppichböden den in ihren flexiblen Unterschichten enthaltenen Weichmacher an darunter liegende Bodenbeläge ab, wenn diese nicht entfernt worden sind. In der Folge werden die Unterschichten krümelig und der Oberboden wellt sich. Bei der Verwendung von Farben und Klebstoffen können in angrenzenden Baustoffen Verfärbungen auftreten.

Bereits die Verarbeitung vieler Baustoffe verlangt bestimmte Bedingungen. Lufttemperatur und Luftfeuchte sind für Werkstoffe maßgeblich, die Abbindevorgänge durchlaufen. Allerdings sind dabei auch die Temperaturen angrenzender Bauteile zu beachten. Dies gilt z. B. für die Verarbeitung von Putz. Sollte der Rohbau noch eine zu hohe Restfeuchte und eine zu niedrige Temperatur aufweisen, kann der Verbund des Putzes mit den Wand- und Deckenflächen gestört sein. In der Folge kommt es zu dem Abfallen ganzer Putzlagen. Auch die Reinigung und Vorbehandlung von Untergründen wird häufig vernachlässigt, so dass dem aufgetragenen Material die zum Abbinden notwendigen Substanzen durch den nicht vorbehandelten Untergrund entzogen werden oder die Adhäsion gestört ist.

Mangelnde Wartung, Pflege und Instandhaltung ist eine weitere Ursache für Schäden. Viele Werkstoffe müssen zum Erhalt ihrer Eigenschaften z. B. regelmäßig gereinigt, geschmiert oder mit Korrosions- und Oberflächenschutz versehen werden. Während man dies bei einem Auto als gegeben hinnimmt und es nach der Reinigung mit Wachs als Oberflächenschutz für den Lack versieht, werden Bauteile häufig vernachlässigt. Insbesondere natürliche Werkstoffe, wie z. B. Holz, bedürfen einer Pflege, „Holz lebt" sagt man zu Recht. Allerdings führen falsche Pflegemittel auch zu Schäden. Aus diesem Grund werden für viele Baustoffe Pflegehinweise der Hersteller mitgegeben, die vom Unternehmer nach dem Einbau an den Auftraggeber übergeben werden müssen.

Bei Bauschäden, die in Verbindung mit mangelhaften Baustoffen auftreten, gibt es viele Ursachen, die sich häufig auch erst durch eine Kombination von ungünstigen Einflüssen ergeben. Daher ist in aller Regel die Konsultation eines Bausachverständigen erforderlich. Aber selbst nach dem Erkennen der Ursache ist in vielen Fällen auch die Verantwortung nur schwer zu bestimmen. In aller Regel wird der Planer in der Mitverantwortung stehen, wenn die Konstruktion ursächlich ist oder falsche Baustoffe zum Einsatz gekommen sind. In vielen Fällen allerdings trifft den Ausführenden zumindest auch eine Mitverantwortung. Er hat vor der Ausführung Bedenken zu äußern, wenn er glaubt, dass die Konstruktion oder der Werkstoff ungeeignet ist. Wenn zuletzt der Nutzer durch unsachgemäßen Gebrauch oder unterlassene Wartung mit zu dem Schaden beigetragen hat, lässt sich vielfach eine Quotelung des Schadens kaum sinnvoll vornehmen. Typisches Beispiel aus dem Alltag sind innenliegende Bäder, bei denen es zu Schimmelbildung kommt. Schlechte Be- und Entlüftungsinstallationen und die Verwendung von feuchteempfindlichen Baustoffen stellen einen konstruktiven Mangel in der Planung dar. Möglicherweise treten handwerkliche Mängel hinzu und eine unterlassene Bedenkenanmeldung des ausführenden Unternehmens. Letztlich lüftet der Nutzer den Raum nicht und trägt durch eine unsachgemäße Nutzung übermäßige Feuchte in den Raum ein.

4. Weiterführende Literatur

Für die Baustoffe gibt es eine Vielzahl von Normen, die sich mit den Stoffen selbst beschäftigen. Darin ist geregelt, welche Zusammensetzung der Baustoff haben muss, Kennwerte etc. Ergänzt werden diese Normen durch andere Normen, welche Prüfverfahren für die Baustoffe festlegen. Die Bemessung, die Verarbeitung usw. kann in weiteren Normen und Merkblättern der einschlägigen Verbände vorgeschrieben sein. Die Normen sind nicht einheitlich strukturiert und unterscheiden sich in ihren

Regelungsgehalten. In der Reihenfolge des vorhergehenden Kapitels sind für die wichtigsten Baustoffe im Folgenden die zentralen Normen und ihre Inhalte angegeben.

zu Beton: Die DIN EN 1992-1-1/NA:2011-01, DIN EN 1992-1-1/NA:2013-04, DIN EN 1992-3:2011-01, DIN EN 1992-3/NA:2011-01 Tragwerke aus Beton, Stahlbeton und Spannbeton ist die zentrale Norm für den Betonbau insgesamt. Sie enthält Ausführungen zur Bemessung und Konstruktion von Betonbauteilen. Zunächst finden sich Begriffsdefinitionen, die in der Norm verwendet werden. Dann folgen die Anleitung zur Berechnung der Schnittgrößen und weitere Berechnungsvorschriften. Der Baustoff Beton, der Bewehrungsstahl und seine Eigenschaften werden erläutert, sowie allgemeine Regelungen zur Verlegung der Bewehrung und der Konstruktion der Bauteile. Die Norm wird allerdings zurückgezogen und durch den Eurocode EC2-1-1 (Allgemeine Bemessungsregeln und Regeln für den Hochbau) ersetzt.

DIN 1045 Teil 2 behandelt den Werkstoff Beton. Hier finden sich Ausführungen zu den Expositionsklassen, also den Widerständen des Betons gegen Umwelteinflüsse, Zement, Zuschlag, und die anderen Bestandteile des Betons. Die entsprechende europäische Norm ist die DIN EN 206. Teil 3 gibt Hinweise zur Ausführung von Betonbauteilen. Das betrifft die Schalung, Bewehrung, den Einbau von Spannstahl und das eigentliche Betonieren. Wichtig sind auch die Anmerkungen zur Nachbehandlung des Betons, da hiervon die Güte des Bauteiles abhängen kann. Für Betonfertigteile werden ebenso Hinweise gegeben, wie für die Überwachung der Arbeiten durch das Bauunternehmen und eventuell erforderliche Überwachungsstellen.

In Teil 4 werden weitere Regelungen für die Herstellung von Fertigteilen gegeben. Ergänzend gibt es Richtlinien des deutschen Ausschusses für Stahlbeton, die Hinweise für die Bemessung und Ausführung enthalten.

Zuordnungen der Bezeichnungen finden sich z. B. in Klaus-Jürgen Schneider, Bautabellen für Ingenieure, erschienen im Werner-Verlag, Kapitel 5.

Die einzelnen Bestandteile des Werkstoffes Beton werden jeweils in eigenen Normen behandelt. Die folgenden Normen regeln die wichtigsten Inhaltsstoffe.

zu Betonstahl: Die sechs Teile der DIN 488 Betonstahl; Sorten, Eigenschaften, Kennzeichen erläutern jeweils die verschiedenen, für Bewehrung vorgesehenen Stahlarten, also Stabstahl, Ringstahl, Bewehrungsmatten etc. Für das Schweißen von Bewehrungsstahl gilt DIN EN ISO 17660 Schweißen von Betonstahl.

zu Zement: Die DIN EN 197 Zement behandelt den Werkstoff Zement, der als Bindematrix in Beton Verwendung findet. Hier findet man die Anforderungen, die Zusammensetzungen usw.

Die DIN EN 196 beschäftigt sich mit den Prüfverfahren für Zement. In den verschiedenen Teilen geht es u. a. um die Bestimmung der Festigkeit oder der Mahlfeinheit und die chemische Analyse von Zement. Es werden Verfahren für die Probenahme und Probenauswahl von Zement beschrieben, sowie Verfahren zur Messung der Hydratationswärme. Die DIN EN 14216 ist eine Norm für Zement, die sich mit der Zusammensetzung, den Anforderungen und den Konformitätskriterien von sechs verschiedenen Sonderzementen mit sehr niedriger Hydratationswärme beschäftigt.

zu Zuschlag: Vor Einführung europäischer Normen gilt DIN 4226 für die Prüfung, die Anforderungen etc. von verschiedenen Gesteinskörnungen. DIN EN 12620 beschäftigt sich mit Gesteinskörnungen für Beton. Dabei geht es um geometrische, physikalische und chemische Anforderungen an Gesteinskörnungen für den Betonzuschlag. Die Normen DIN EN 932, 933, 1097, 1367 und 1744, befassen sich mit den Prüfverfahren für bestimmte Eigenschaften von Gesteinskörnungen, die DIN EN 13055-1 mit leichten Gesteinskörnungen für Beton, Mörtel und Einpressmörtel. Als leicht gilt eine Gesteinskörnung, wenn die Rohdichte nicht mehr als 2000 kg/m^3 beträgt.

Neben diesen Inhaltsstoffen gibt es eine Vielzahl von weiteren Zusatzmitteln für die Verflüssigung, das Beschleunigen oder Verlangsamen des Aushärtens etc., für die es ebenfalls jeweils eigene Regelungen gibt, z. B. die DIN EN 934 Zusatzmittel für Beton, Mörtel und Einpressmörtel. Für Zusatzstoffe gelten je nach Art eigene Normen, z. B. die DIN EN 450 für Flugasche etc.

Da Beton der wichtigste Baustoff ist und in den meisten Fällen tragende Funktionen innerhalb der Bauwerke übernimmt, unterliegt er vielen Regelungen für die Prüfung. Dabei wird nicht nur der Beton bei der Herstellung im Werk überprüft, sondern es wird auch eine Probe von dem vor Ort einzubauenden Beton genommen und nach dem Erhärten im Labor geprüft, meistens in Form von Probewürfeln. Letztlich können aber auch Proben aus dem fertig erstellten, ausgeschalten Bauteil genommen werden, meist als so genannte Kernbohrung.

Die DIN EN 12350 behandelt die Prüfung von Frischbeton, sie ist ein Ersatz für die DIN 1048. Es geht um Verfahren der Probenahmen, der Bestimmung des Setz-, Verdichtungs-, und Ausbreitmaßes etc. Die DIN EN 12390 – Prüfung von Festbeton beinhaltet Festlegungen über Form, Maße und zulässige Abweichungen von Probekörpern aus Beton.

In DIN EN 12504 – Prüfung von Beton in Bauwerken beschäftigt sich in mehreren Teilen mit Bohrkernproben, den Zerstörungsfreien Prüfungen, der Bestimmung der Ausziehkraft usw.

zu Mörtel: Für Mauerwerk regelt der Anhang A der DIN EN 1996-1-1/NA:2012-05 die Voraussetzungen für Mörtel. Man unterscheidet in Mörtel der Mörtelgruppe I, II, IIa, III und IIIa, die jeweils andere Zusammensetzungen und Anwendungsbereiche haben. Der so genannte Dünnbettmörtel ist für Steine, deren Maßabweichung kleiner als 1 mm ist. Die DIN 18555 behandelt in mehreren Teilen die Prüfung von Mörtel mit mineralischen Bindemitteln. Teilweise wurde diese Norm zurückgezogen und die Anwendung von DIN EN 1015 empfohlen.

Die DIN 18550 gilt für die Verwendung von Putzen auf Wänden und Decken von Baukörpern. Hier wird der Putzmörtel behandelt. Prüfverfahren und Einpressverfahren für Einpressmörtel bei Spanngliedern regeln die DIN EN 445-447.

zu Mauersteinen: Für die verschiedenen Steine gibt es jeweils eigene Normen, in denen die entsprechenden Eigenschaften etc. geregelt sind. Beispielhaft sind dies die DIN 105 für Mauerziegel, DIN V 106 für Kalksandsteine, DIN V 18151 bis 18153 für Steine aus Leichtbeton und Beton. Für Dachziegel und Formziegel gilt DIN EN 1304. Die DIN EN 771 ist die europäische Norm für Festlegungen für Mauersteine.

zu Kunststoffen: Kunststoffe als Baustoffe unterliegen vielen Regelungen, die sich zum Großteil bereits auf die aus den Ausgangsstoffen hergestellten Produkte beziehen. Daher gelten vorrangig für das Bauwesen diese Normen. Solche sind beispielsweise die DIN 8061 für Rohre etc.

zu Holz: Die DIN 1052-10 ist die Norm für den Entwurf, die Berechnung und Bemessung von Holzbauwerken im Hochbau. Hierzu zählen auch tragende und aussteifende Bauteile aus Holz und Holzwerkstoffen. DIN 18203 für Toleranzen im Hochbau beschäftigt sich in einem Teil speziell mit Bauteilen aus Holz und Holzwerkstoffen, wobei die DIN EN 13369:2013-08 Teile der Norm ersetzt.

Die DIN 4074 besteht aus mehreren Teilen und beschäftigt sich mit der Sortierung von Holz nach der Tragfähigkeit. Behandelt werden Nadelschnittholz, Nadelrundholz und Laubschnittholz. Weiterhin geht es um die Anforderung und Prüfung von Sortiermaschinen für Schnittholz, sowie um den Nachweis der Eignung zur maschinellen Schnittholzsortierung.

Die DIN EN 13986 dient der Definition von Holzwerkstoffen für die Verwendung im Bauwesen. Es werden wesentliche Eigenschaften festgelegt und Prüfverfahren zur Bestimmung dieser Eigenschaften beschrieben. Die DIN 68364 enthält Kennwerte von Holzarten. Sie dient dem Vergleich verschiedener Holzarten untereinander. In DIN EN 14080 werden Leistungsanforderungen und Mindestanforderungen an die Herstellung von Universal-Keilzinkenverbindungen von Brettschichtholz behandelt, also für eine Art der Verbindung.

Die DIN 68800 beinhaltet den Schutz von Holz und Holzwerkstoffen im Hochbau. Zerstörende Einflüsse durch Pilze, Insekten und Feuer sollen durch die dort beschriebenen Maßnahmen vermieden werden.

zu Metall: Baustahl ist in verschiedene Sorten eingeteilt, die Bezeichnungen finden sich in der DIN EN 10025. Sie enthält die neuen, europäischen Bezeichnungen für Stahlsorten, die in der DIN 17100 mit den heute immer noch verwendeten deutschen Bezeichnungen, z. B. St 37-2 oder St 52-3, enthalten sind. Die DIN 17100 wurde aber zurückgezogen und ersetzt durch DIN EN 10025.

Die DIN EN 10027 legt Kennbuchstaben und -zahlen für die kurz gefasste Identifizierung von Stählen fest. Die Kennbuchstaben und -zahlen geben Hinweise auf wesentliche Merkmale, wie z. B. das Hauptanwendungsgebiet oder mechanische Eigenschaften. Die DIN 1025 Warmgewalzte I-Träger beschäftigt sich in mehreren Teilen mit schmalen, mittelbreiten und breiten I-Trägern, die DIN 1026 für warmgewalzten U-Profilstahl. Diese Profile werden häufig eingesetzt.

Die DIN EN 1993 Stahlbauten dient der Bemessung und Konstruktion von Stahlbauten. Die DIN EN 1993 Eurocode 3: Bemessung und Konstruktion von Stahlbauten gilt für den Entwurf, die Berechnung und die Bemessung von Bauwerken aus Stahl. Sie besteht aus allgemeinen Bemessungsregeln für den Hochbau und beschäftigt sich in verschiedenen Teilen mit unterschiedlichen Bauwerken aus Stahl, wie z. B. Stahlbrücken, Türmen oder Spundwänden.

Die DIN EN 1993, Stahlhochbau – Bemessung, Konstruktion, Herstellung, DIN EN 1993-1-11/NA 2010-12 Nationaler Anhang – National festgelegte Parameter – Eurocode 3: Bemessung und Konstruktion von Stahlbauten – Teil 1-11: Bemessung und Konstruktion von Tragwerken mit Zuggliedern aus Stahl gelten für tragende Bauteile aus Stahl von Hochbauten mit überwiegend ruhender Beanspruchung mit Materialdicken größer gleich 1,5 mm. DIN 18807 Stahltrapezprofile beschäftigt sich in verschiedenen Teilen mit Trapezprofilen im Hochbau unter vorwiegend ruhender Belastung. Behandelt werden Dächer, Decken, Wände und Wandbekleidungen. Teile dieser Norm wurden allerdings zurückgezogen.

Der Korrosionsschutz wird in eigenen Normen geregelt. Es gilt beispielsweise die DIN EN ISO 12944 Korrosionsschutz von Stahlbauten durch Beschichtungen und Überzüge. Daneben existieren aber auch viele andere Normen, welche im Bereich des Korrosionsschutzes Anwendung finden.

Für Kranbahnen, die sich hauptsächlich in industriellen Anlagen befinden, gilt neben der DIN EN 1993 auch die DIN EN 1993-6 als Eurocode 3 Bemessung und Konstruktion von Stahlbauten – Teil 6: Kranbahnen.

Für Schrauben, Muttern und Unterlegscheiben gibt es jeweils eigene Normen, die sich auch für die verschiedenen Ausführungen von Schrauben etc. unterscheiden. Beispielhaft sind Stahlschrauben in der DIN 6917, DIN 7968, DIN 7969, DIN 7990 oder DIN EN ISO 4014, 4016 und 4017 geregelt, Muttern in den DIN EN ISO 4032 und 4034, Scheiben in den DIN 7989, DIN 434 und DIN 6917 ff.

Weitere Regelungen finden sich bei den jeweiligen Produkten, die aus den Metallen hergestellt werden.

zu Verbundbauweise: Für Verbundtragwerke aus Stahl und Beton regelt die Bemessung und Konstruktion die europäische Norm DIN EN 1994-1-1 Bemessung und Konstruktion von Verbundtragwerken aus Stahl und Beton – Teil 1-1: Allgemeine Bemessungsregeln und Anwendungsregeln für den Hochbau, der so genannte Eurocode 4.

zu Glas: Glas gibt es in vielen Zusammensetzungen und Sorten. Daher gibt es sehr viele Normen, allerdings betreffen nicht alle das Bauwesen. Für die üblichen Glassorten, die für Gebäude verwendet werden, gelten folgende Normen:

Die DIN 1259 Glas, Begriffe für Glasarten und Glasgruppen, DIN 1249 für Flachglas, DIN EN ISO 12543 für Verbundglas und Verbund-Sicherheitsglas, DIN EN 13022 für geklebte Verglasungen, DIN EN 12488 mit Anforderungen an Verglasungen, DIN EN 1279 für Mehrscheiben Isolierglas, DIN EN 1051 für Glassteine, DIN 18008 für die Bemessung und Konstruktion, sowie zahlreiche weitere Normen für die verschiedenen Glasarten und für verschiedene Anforderungen, z. B. Brandschutz, Sicherheit etc., z. B. die DIN EN 13541 für Sicherheitssonderverglasung, welche die Prüfverfahren und Klasseneinteilungen für den Widerstand gegen manuellen Angriff beinhaltet.

Für die Arbeiten an Gebäuden gilt die DIN 18 361 Verglasungsarbeiten, die in der VOB/C enthalten ist.

zu Gips: DIN EN 13279 ist die Norm für Gipsbinder und Gips-Trockenmörtel, DIN 18180 beschäftigt sich mit den Gipskartonplatten und DIN EN 12859 Gips-Wandbauplatten – Begriffe Anforderungen und Prüfverfahren mit den Gipswandbauplatten.

zu Bitumen: Die DIN 1995 beschäftigt sich in verschiedenen Teilen mit Bitumen, bitumenhaltigen Bindemitteln und Steinkohlenteerpech. Die DIN 1996 Prüfung bituminöser Massen für den Straßenbau und verwandte Gebiete ist eine Norm, die sich in sehr vielen Teilen mit der Prüfung bzw. verschiedenen Prüfverfahren für bitumöse Massen, wie z. B. Asphalt auseinandersetzt. Für Asphalt finden sich die entsprechenden Regelungen in den ZTV-Stb, der Zusätzlichen Technischen Vertragsbedingung Straßenbau.

Bituminöse Dichtungsbahnen sind jeweils nach ihrem Material und der Verwendung einzeln in Normen geregelt. Die DIN EN 13707 gilt für Bitumendachbahnen mit Filzeinlage, DIN 52129 für so genannte Nackte Bitumenbahnen. Unter Nackten Bitumenbahnen versteht man Bitumenbahnen, die durch Tränken von Rohfilzpappe mit Bitumen oder Naturasphalt hergestellt wurden. Darüber hinaus gibt es aber auch Bitumen-Dachdichtungsbahnen, Bitumen-Schweißbahnen, Polymerbitumen-Dachdichtungsbahnen und Polymerbitumen-Schweißbahnen, so dass man den Baustoff genau kennen muss, um die zutreffenden Normen anzuwenden.

Die DIN 18560 beschäftigt sich mit Estrichen im Bauwesen. Hier wird auch der Gussasphaltestrich behandelt.

zu Dämmstoffe: Die verschiedenen Materialien für Dämmstoffe und die daraus hergestellten Produkte sind in einer Vielzahl von Normen geregelt. Die DIN EN 13162 Wärmedämmstoffe für Gebäude legt Anforderungen für Produkte aus Mineralwolle fest, die für die Wärmedämmung von Gebäuden genutzt werden. Es werden u. a. Stoffeigenschaften beschrieben und Prüfverfahren festgelegt. Die DIN EN 13163 gilt für Expandierten Polystyrolschaum, DIN EN 13164 für Extrudierten Polystyrolschaum, DIN EN 13165 für Polyurethan-Hartschaum, DIN EN 13166 für Phenolharzschaum und DIN EN 13167 für Schaumglas.

Die Dämmstoffe müssen jedoch alle so eingesetzt werden, dass die bauphysikalischen Anforderungen erfüllt werden. Daher sind die Anforderungen, z. B. an den Wärmeschutz, in jedem Fall zu erfüllen. Allerdings ergeben sich durch die verschiedenen Materialien z. B. unterschiedliche Schichtdicken der Wärmedämmung etc.

Weitere Erläuterungen zu den Baustoffen findet man in Büchern für das Fach Baustoffkunde. Einen guten Überblick vermittelt z. B. das Buch Baustoffkunde für Praktiker von der Gert Wolfarth GmbH, erschienen im Verlag Fachtechnik + Mercator Verlag.

V. Bauphysik

Unter dem Fachgebiet der Bauphysik versteht man hauptsächlich die Themenkreise des sommerlichen und winterlichen Wärmeschutzes, sowie des Schall-, Brand- und Feuchteschutzes von Gebäuden. Ergänzend fällt auch die Innenraumakustik darunter, die allerdings nur im gewerblichen Bereich für Konferenz- und Veranstaltungsräume größere Bedeutung hat.

1. Sommerlicher Wärmeschutz

a) Einführende Erläuterungen

In Bürogebäuden und anderen gewerblich genutzten Räumen ist auch im Sommer eine Innenraumtemperatur einzuhalten, welche die uneingeschränkte Nutzung durch Mitarbeiter gewährleistet. Es ist daher üblich geworden, Klimaanlagen zu installieren. Der Energieaufwand für das Kühlen von Innenräumen ist aber erheblich größer als der energetische Aufwand zum Erwärmen um eine gleiche Temperaturdifferenz. Im Rahmen der Energieeinsparung und der kostengünstigen Gebäudebewirtschaftung kommt daher baulichen Maßnahmen des sommerlichen Wärmeschutzes eine große Bedeutung zu. Mit Hilfe einer Ermittlung des Wärmezuflusses in das Gebäude, der durch Sonneneinstrahlung verursacht wird, werden die erforderlichen Maßnahmen für den sommerlichen Wärmeschutz bestimmt. Die DIN-Norm 4108 gibt Empfehlungen und Vorgaben.

b) Fachliche Erläuterungen

Die Maßnahmen des sommerlichen Wärmeschutzes hängen von verschiedenen Faktoren ab. Der Einfluss der nichttransparenten, außen liegenden Bauteile, wie z. B. Wänden, ist von Bedeutung, da eine hohe Wärmeleitfähigkeit zur Aufheizung des Innenraumes beitragen kann. Aus der Anschauung kennt man den Unterschied. Bei Baracken oder Baucontainern kommt es an Sonnentagen schnell zu hohen Innentemperaturen, während in Kirchen und Burgen mit dicken Mauern auch nach vielen Sonnentagen noch niedrige Innentemperaturen vorherrschen. Die Bedeutung der nichttransparenten Bauteile hat aber nachgelassen, da die Außenwände und Dächer der Gebäude entweder mit Wärmedämmung versehen werden, oder bei Bürogebäuden keine Außenwände mehr errichtet werden, sondern die Fassadenkonstruktionen die Außenhülle bilden.

Überwiegenden Einfluss haben daher die Fläche und die Energiedurchlässigkeit der transparenten Bauteile, also hauptsächlich der Fenster und der gläsernen Fassaden. Konstruktiv versucht man bei diesen Bauteilen mittels **Wärmeschutzverglasung und Sonnenschutzeinrichtungen,** also außen oder innen liegenden Rollos, die Sonneneinstrahlung in den Innenraum und daraus folgende Erwärmung zu vermindern.

Da man ebenfalls mit anderen **konstruktiven Maßnahmen** versucht, die Innenraumtemperaturen mit geringem Energieaufwand niedrig zu halten, stehen auch Konstruktionen doppelter Fassaden zur Unterstützung natürlicher Be- und Entlüftung und die Ausbildung von **Kühldecken** mit dem sommerlichen Wärmeschutz in Zusammenhang. Kühldecken sind Betondecken, in denen mittels darin verlegter Wasserleitungen die aufgenommene Wärme abtransportiert werden kann. Mit Systemen der Gebäudeautomation regelt man die eingebrachte Technik je nach Witterung und Temperatur. Dabei können nicht nur Rollos automatisch gesteuert, Kühlkreisläufe in Betrieb genommen und geregelt, sondern auch nachts die Fenster automatisch geöffnet werden, um einen Luftaustausch mit der kühleren Nachtluft zu bewirken.

Auf der Planungsseite kann die Gebäudeausrichtung nach der Himmelsrichtung erfolgen. Bei der Planung der Maßnahmen des sommerlichen Wärmeschutzes sind aber nicht nur die Sonneneinstrahlung und die daraus folgende Erwärmung als so genannte **äußere Wärmelasten** zu berücksichtigen, sondern für die Innenraumklimatisierung auch die **inneren Wärmelasten.** Darunter versteht man die Erzeugung von Wärme durch Beleuchtungskörper, elektrische Geräte, wie z. B. Computer, Drucker, Kopierer, aber auch den Menschen selbst. Im Gegensatz zu den äußeren Wärmelasten, bei denen man versucht sie von den Innenräumen fernzuhalten, entstehen die inneren Wärmelasten innerhalb der zu klimatisierenden Räume. Daher kann man diese Wärmeenergie nur durch Luftaustausch reduzieren oder abführen, wenn nicht durch planerische und konstruktive Maßnahmen eine Erwärmung vermieden werden kann, so zum Beispiel durch eine Bündelung wärmeerzeugender Geräte in separaten Räumen, die Verwendung von Leuchtmitteln mit geringer Abwärme etc.

c) Häufig auftretende Probleme in der Praxis

Anhaltenden Konfliktstoff bieten Verträge, in denen ein Unternehmer maximale Innenraumtemperaturen zugesagt hat, die aber nach Angaben des Nutzers überschritten werden. In diesen Fällen kann die Ursache in einer falschen Planung und Berechnung der Maßnahmen des sommerlichen Wärmeschutzes liegen, der falsch eingestellten Steuerung der entsprechenden haustechnischen Anlagen, aber auch in Fehlbedienungen durch die Nutzer. Hierzu zählt häufig das manuelle Öffnen der Sonnenschutzeinrichtungen, um Tageslicht für bestimmte Arbeiten zu haben.

Durch den mit der Mangeleinrede konfrontierten Unternehmer wird häufig eingewendet, dass Nutzungsänderungen die Ursache seien, durch die erhöhte innere Wärmelasten auftreten. In der Praxis zeigt sich häufig, dass verschiedene Ursachen kumulieren. Abhilfe schaffen nur vertraglich genau definierte Randbedingungen des Betriebes und der Umweltbedingungen, unter denen die Temperatur in zu bestimmenden Räumen einzuhalten ist.

Weitere Streitpunkte ergeben sich durch hohe Betriebskosten und teure Unterhaltung der außen liegenden Sonnenschutzanlagen. Dies gilt auch für die Reinigung doppelter Fassaden, deren Zugänglichkeit vielfach nicht beachtet wird. Außenliegende Sonnenrollos sind häufig mit automatischen Steuerungen versehen, die über Sensoren die Richtung und den Winkel der Sonneneinstrahlung, deren Vorhandensein, die Jahreszeit, Bewölkung, Wind etc. aufnehmen und daraus das Steuersignal für die Motoren der Rollos generieren. Die Rollos werden dann entsprechend hoch und runter gefahren, die Lamellen im Winkel verstellt oder wegen starken Windes wieder hochgefahren. Viele Steuerungen haben aber nicht gewünschte Nebeneffekte, wie zum Beispiel das kurzfristige Auf- und Abfahren der Rollos, was zu ständigen Änderungen der Lichtverhältnisse am Arbeitsplatz führt.

d) Weiterführende Literatur

Die DIN 4108 Wärmeschutz im Hochbau befasst sich in ihren verschiedenen Teilen mit der Wärmedämmung und Wärmespeicherung, dem klimabedingten Feuchteschutz, wärme- und feuchteschutztechnischen Kennwerten und den nötigen Berechnungsverfahren, z. B. zum Jahresheizenergiebedarf. Es werden Anforderungen und Hinweise für die Planung und Ausführung gegeben. Für den Wärmeschutz ist das die zentrale Norm.

In DIN EN ISO 10456 Wärme- und feuchteschutztechnische Eigenschaften von Baustoffen und -produkten sind Bemessungswerte in Form von Tabellen für wärmeschutztechnisch homogene Stoffe und Produkte zu finden, um den Wärme- und Feuchtetransport im Bauwesen zu berechnen. Die DIN EN 1934 Wärmetechnische Verhalten von Gebäuden beschäftigt sich mit der Messung des Wärmedurchlasswiderstandes.

Viele Anforderungen an den Wärmeschutz von Gebäuden ergeben sich aus der Verordnung über energiesparenden Wärmeschutz und energiesparende Anlagentechnik bei Gebäuden, kurz Energieeinsparverordnung (EnEV) genannt. Es werden Mindeststandards für neu zu errichtende Gebäude, sowie für bestehende Gebäude und Anlangen bei Änderung oder Nachrüstung definiert. Weiterhin werden heizungstechnische Anlagen und Warmwasseranlagen behandelt. Problematisch ist der häufige Wechsel der Vorschriften, so dass deren Anwendung auf Bestandsgebäude bei deren Veränderung ohne eingehende Studien nicht mehr zu überschauen ist.

In der Arbeitsstätten-Richtlinie werden Mindestvorschriften für die Sicherheit und den Gesundheitsschutz in Arbeitsstätten definiert. Hierdurch sollen die Sicherheit und die Gesundheit von Arbeitnehmern verstärkt werden. Ein Bestandteil der Richtlinie sind auskömmliche Raumtemperaturen.

Einführende Erläuterungen, Berechnungen etc. finden sich z. B. in dem Buch Praktische Bauphysik von Gottfried Lohmeyer, Heinz Bergmann und Matthias Post, erschienen im Teubner Verlag.

2. Winterlicher Wärmeschutz

a) Einführende Erläuterungen

Der winterliche Wärmeschutz hat zwei grundlegende Aspekte. Der erste ist die Behaglichkeit und Gesundheit der Bewohner in Gebäuden. Dazu ist es erforderlich, dass man nicht nur die Möglichkeit der Wärmeerzeugung hat, sondern die Wärme in dem geschlossenen Raum verbleiben kann. Es hängt allerdings von der Gestaltung der Innenräume und der Nutzung durch die Personen ab, wie sich das Innenraumklima einstellt. Der Wärmeschutz gibt lediglich Standards für eine äußere Hülle des Gebäudes mit einer Schutzfunktion vor. Der Schutz erstreckt sich allerdings nicht nur auf die Nutzer, sondern auch auf technische Einrichtungen und das Gebäude selbst. Beispiel hierfür sind Wasserleitungen, die im Winter vor einem Einfrieren zu schützen sind.

Der zweite Aspekt sind die aus dem Gedanken des Umweltschutzes resultierende Minderung des Verbrauches von Energie und die Reduzierung von Schadstoffen. Dazu ist es erforderlich, die Gebäudehülle möglichst so zu gestalten, dass wenig eingebrachte Energie ungewollt nach außen dringt. Diese Anforderungen an die Gebäudehülle sind zwingende Vorgaben des öffentlichen Baurechts und unterliegen nicht der Disposition durch den Bauherren.

b) Fachliche Erläuterungen

Um die Einhaltung der Vorschriften zu prüfen, ist bereits bei der Planung ein **Wärmeschutznachweis** zu führen. Dabei wird der Wärmedurchgang der einzelnen Bauteile und des gesamten Gebäudes berechnet. Diese Werte dürfen vorgegebene Maximalwerte nicht überschreiten. Weiterhin wird der Heizwärmebedarf für ein Jahr ermittelt, bei dem ergänzend der Wärmeverlust durch Lüftung, aber auch die Wärmegewinne durch Sonneneinstrahlung angesetzt werden. Der **Jahresheizwärmebedarf** muss vorgeschriebene Grenzwerte einhalten.

Im Zusammenhang mit den geforderten Nachweisen werden in der **Wärmeschutzverordnung,** den DIN-Normen etc. verschiedene Werte verwendet, z. B. der Wärmedurchlasswiderstand, der Wärmedurchgangskoeffizient oder der Fugendurchlasskoeffizient. Sie dienen den jeweiligen Berechnungen in den Nachweisen und haben für den Laien keine besondere Bedeutung.

Die Ausführung der geplanten und nachgewiesenen Konstruktion darf von den Voraussetzungen des Wärmeschutznachweises nicht abweichen, sonst ist für die geänderte Ausführung ein erneuter Wärmeschutznachweis zu führen. Bei der Modernisierung von Bestandsbauten sind ebenfalls Vorschriften des Wärmeschutzes einzuhalten.

c) Häufig auftretende Probleme in der Praxis

Das Führen des Wärmeschutznachweises ist in aller Regel unproblematisch. Allerdings sind Planungsfehler und Ausführungsmängel Ursachen für Schäden. Diese treten meist nicht innerhalb kurzer Zeit auf, sondern erst nach einem gewissen Zeitraum und abhängig von den Jahreszeiten. Daher handelt es sich häufig um Mängel in der Gewährleistungszeit.

Nicht ausreichende Wärmedämmung an exponierten Stellen oder unsachgemäß angebrachte Wärmedämmung führt zu so genannten **Wärmebrücken.** Das sind Stellen in der Außenhülle eines Gebäudes, an denen wegen unzureichender Wärmedämmung, der Konstruktion oder der Geometrie ein größerer Wärmeverlust eintritt als an anderen Flächen des Gebäudes. Folge davon sind erhöhte Heizkosten. Solche Stellen kann man mit Infrarotmessverfahren aufspüren, mit denen die Temperaturunterschiede der Gebäudehülle gemessen werden können. Vielfach wird aber anhand der Messbilder versucht, mit den konkret angezeigte Temperaturen oder Farben quantitative Aussagen über Wärmeverluste zu treffen. Man sollte bei diesen Interpretationen von Infrarotbildern eine gewisse Vorsicht, Erfahrung und Sachverstand walten lassen.

An der Rauminnenseite ist es infolge von Wärmebrücken kalt. Das ergibt häufig ein unangenehmes Innenraumklima, selbst wenn durch hohe Heizleistung die Raumluft entsprechend temperiert wird, da die menschliche Sensorik den Temperaturunterschied zwischen den Umgebungsflächen und der Luft empfindet.

Weitere Folge kalter Innenraumflächen ist, dass an diesen Stellen Feuchte ausfällt. Dieser Vorgang wird als Ausfall von Tauwasser bezeichnet, umgangssprachlich als **Kondenswasser** oder Schwitzwasser. Der Entstehungsvorgang wird in dem folgenden Kapitel Feuchteschutz näher beschrieben. Die Folge von anhaltendem Tauwasserausfall ist **Schimmelwachstum**. Dieses tritt zum Beispiel an Fensterleibungen auf, in Raumecken und Raumkanten. Hohe Luftfeuchte führt in Bädern und Küchen verstärkt zu Tauwasserausfall. In der Praxis ist die Ursache von Feuchteschäden häufig nur durch Gutachter zu ermitteln, da Nutzungsfehler eingewendet werden, die in mangelhafter Lüftung zu suchen seien.

Bei hölzernen Bauteilen kommt es zu Faulen, Schimmel und Pilzbefall. Dadurch lässt die Tragwirkung der Holzbauteile nach. Diese Problematik tritt häufig im Bestand bei Altbauten mit Holzbalkendecken auf, aber auch infolge unfachgerechter Sanierung.

d) Weiterführende Literatur

Der winterliche Wärmeschutz wird weitgehend in den gleichen Normen und der gleichen Literatur behandelt, in der auch der sommerliche Wärmeschutz ausgeführt wird. Daher findet man die Hinweise im vorstehenden Kapitel sommerlicher Wärmeschutz.

3. Feuchteschutz

a) Einführende Erläuterungen

Der Feuchteschutz für Gebäude umfasst jegliche Maßnahmen gegen die schädliche Einwirkung von Wasser.

Das ist zum einen der Schutz gegen Wasser, welches außerhalb des Bauwerkes vorhanden ist. Im Bereich des Bodens ist anstehendes Grundwasser und Bodenfeuchtigkeit, die durch Niederschläge entsteht und sich als Sickerwasser anstauen kann, fernzuhalten. Die sonstige Gebäudehülle oberhalb des Bodens ist gegen Niederschläge, also zum Beispiel Schlagregen, im Bereich der Außenwände und des Daches zu schützen.

Ein weiterer Problemkreis ist das Entstehen von Feuchte innerhalb der Bauteile oder der Innenräume des Gebäudes, genauer gesagt der Niederschlag von Feuchtigkeit. Fachsprachlich handelt es sich um **Tauwasserbildung**. Diese hat nichts mit von außen eindringender Feuchtigkeit zu tun, sondern es handelt sich um Feuchtigkeit, die in der Luft der Innenräume vorhanden ist.

Grundsätzlich ist der Einfluss von Wasser aus technischen und optischen Gründen für Bauwerke schädlich. Dem Feuchteschutz kommt daher eine sehr große Bedeutung zu.

b) Fachliche Erläuterungen

Bei der so genannten direkten Beaufschlagung der Gebäudehülle mit flüssigem Wasser wird heute ein Eindringen mit Abdichtungen oder wasserabweisenden Baustoffen verhindert. Früher hat man eher so genannte Speicherkonstruktionen hergestellt. Das bedeutet, dass zum Beispiel die Außenwand Regenwasser aufnimmt, in Trockenperioden durch Verdunstung wieder abgibt. Es handelt sich also in jedem Fall um konstruktive Maßnahmen an der Gebäudehülle.

Die erdberührten Gebäudeteile werden außen mit **Abdichtungen** versehen. Hierbei handelt es sich meist um bituminöse Aufstriche oder Dichtungsbahnen. Sie müssen vollflächig aufgebracht werden und sind an den Stößen ebenfalls mit Sorgfalt dichtend zu verarbeiten. Diese Abdichtungen sind nach Fertigstellung nicht mehr oder nur schwer zugänglich, so dass auf eine einwandfreie Ausführung großer Wert zu legen ist. Man unterscheidet je nach der Beanspruchung verschiedene Konstruktionen gegen so genanntes **drückendes Wasser** und **nicht drückendes Wasser.** Horizontale Flächen sind auch im Boden mit Gefälle auszuführen, z. B. Decken über Tiefgaragen. Die Abdichtungen sind gegen mechanische Beschädigungen zu schützen. Dazu werden meist Noppenfolien aufgebracht, die gleichzeitig das Wasser von der Abdichtung wegführen. Vielfach wird dieses Wasser durch **Drainagen** gesammelt und planmäßig in die Kanalisation oder Versickerungsschächte abgeführt. Siehe hierzu Abbildung 8.

Abbildung 8: Abdichtung

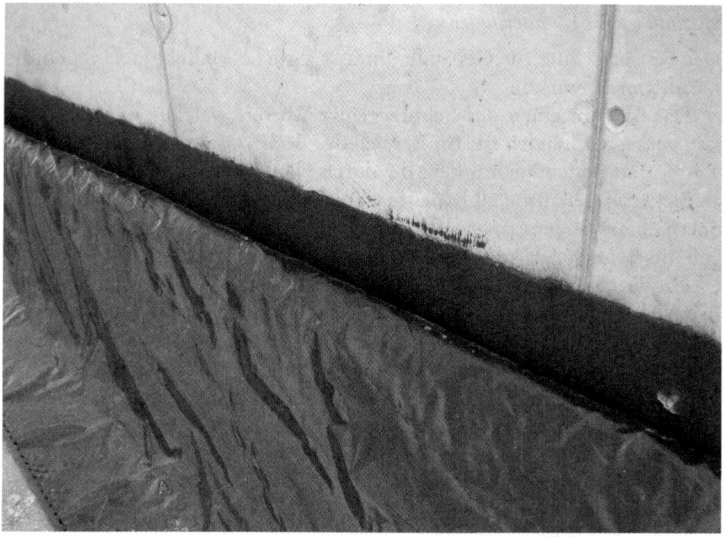

Die Abbildung zeigt eine Außenwand aus Beton. Um sie gegen Wasser von außen zu schützen wurde ein bituminöser Anstrich aufgebracht. Zusätzlich wird eine Folie zum Schutz und zur Abdichtung verlegt. Die spätere Geländeoberkante befindet sich kurz unterhalb der Oberkante der Abdichtung. Dafür wird noch Boden angeschüttet.

Für die Regenbeanspruchung der Außenwände gibt es vom Fraunhofer Institut für Bauphysik eine geographische Zuordnung, die für bestimmte Gebiete Beanspruchungsgruppen ausweist. Danach werden entsprechende Konstruktionen empfohlen mit verschiedenen Außenputzen, für Holzbauarten etc.

Dächer werden ebenfalls wasserabweisend oder wasserdicht ausgeführt. Als Dachdeckung verwendet man je nach der Neigung des Daches unterschiedliche Dachsteine, Bleche oder bei Flachdächern ebenfalls bituminöse Abdichtungen. Näheres zu den Konstruktionen findet sich bei den Ausführungen zu den einzelnen Bauteilen.

Auch im Inneren des Gebäudes oder in Bauteilen kann Feuchte zu Schäden führen, die nicht von außen eindringt, sondern durch **Ausfall von Tauwasser** entsteht. Luft enthält im Allgemeinen Wasser in Form von Wasserdampf. Wenn die Luft mit Wasserdampf gesättigt ist, beträgt die relative Luftfeuchte 100%. Je höher die Lufttemperatur ist, desto mehr Wasserdampf kann die Luft enthalten. Wenn die Lufttemperatur bei gleichem Feuchtegehalt absinkt, steigt die relative Luftfeuchte bis zu 100% an. Diese Temperatur wird Taupunkttemperatur genannt. Sinkt die Lufttemperatur unter die Taupunkttemperatur, fällt der überschüssige Wasserdampfanteil aus. Er fällt als flüssiges Wasser an, das so genannte Tauwasser. In der Natur zeigt sich dieses Phänomen als Regen oder als Tau. Den gleichen Effekt des Tauwasserausfalles hat man auch auf Gläsern mit kalten Getränken, an deren Außenfläche das Glas beschlägt und sich Wassertropfen bilden. In Gebäuden kommt es ebenfalls zu diesem Phänomen, wenn die warme Luft im Raum mit kalten Flächen in Berührung kommt und dort die Temperatur unter der Taupunkttemperatur liegt. Konstruktiv versucht man dem durch so genannte **Dampfsperren** zu begegnen. Es handelt sich dabei um wasserdampfdiffusionsdichte Folien, die eine Weiterleitung des Wasserdampfes aus wärmeren Zonen in kältere Zonen verhindern. Ein Beispiel hierfür sind Dachräume, deren warme Luft in die darüber liegende Dachkonstruktion strömt. Wenn es innerhalb der obere Dachkonstruktion kalt ist, fällt Wasserdampf aus und kann dort befindliche Holzteile, Wärmedämmmatten etc. schädigen. Wasserdampf diffundiert auch in massive Bauteile, bspw. in Wände, so dass es innerhalb dieser Bauteile ebenfalls zu einem Tauwasserausfall kommen kann, wenn im Bauteil die Temperatur absinkt. Dies ist zum Beispiel bei Außenwänden von Wohnräumen der Fall. Im Gegensatz zu Dampfsperren spricht man von **Dampfbremsen**, wenn die Folien nur eine bestimmte Menge Wasserdampf durchlassen.

Um zu prüfen, ob in einem Bauteil Tauwasser anfällt, wird unter Beachtung der verschiedenen Materialien, der Nutzung und daraus resultierender Umgebungsbedingungen der mögliche Tauwasseranfall berechnet. Man verwendet hierzu so genannte **Glaser-Diagramme.**

c) Häufig auftretende Probleme in der Praxis

Die Abdichtung der erdberührten Gebäudeteile ist häufig undicht. Das liegt meist nicht an Planungsfehlern, sondern an einer mangelhaften Ausführung. Besonders im Bereich von Kanten, Ecken und Stößen kommt es zu mangelhafter Verbindung oder Verklebung der Dichtbahnen. Ebenfalls sind Durchdringungen der Abdichtung kritische Bereiche, z.B. Hausanschlüsse für Wasser, Abwasser, Strom etc.

Als Ursache einer mangelhaften Ausführung der Abdichtung stellt sich allerdings häufig eine nachträgliche Beschädigung heraus. Die Erdarbeiten werden üblicherweise mit scharfkantigen Werkzeugen ausgeführt, ebenso verursachen Steine in angeschüttetem Boden eine Beschädigung der aufgebrachten Dichtbahnen. Es ist daher sinnvoll, direkt nach dem Aufbringen der Abdichtung Schutzmaßnahmen vornehmen zu lassen.

Streitigkeiten über die Verursachung der Beschädigung lassen sich so am sinnvollsten vermeiden.

Undichtigkeiten bei Flachdächern resultieren aus ähnlichen Gründen wie bei erdberührten Bauteilen. Es kommt allerdings hinzu, dass Flachdächer einer erhöhten Temperaturschwankung ausgesetzt sind, zumindest im Bauzustand betreten werden und horizontal sind, so dass sich bei unsachgemäßer Gefälleausbildung Stauwasser bildet. Die Feuchtigkeit tritt in den darunter liegenden Räumen häufig nicht dort aus, wo die Undichtigkeit des Daches ist. Schadenstellen sind daher schwer zu finden. Hilfreich sind verschiedene Messverfahren zum Auffinden der Leckagen.

Dachdeckungen aus Blechen werden üblicherweise aufgeschraubt oder genagelt. Undichtigkeiten an diesen Durchdringungen sind ebenso häufig, wie an Falzen und Lötverbindungen. Da die Dachdeckungen ebenfalls starken Temperaturschwankungen und hohen Windlasten ausgesetzt sind, sind diese Verbindungsstellen auch mechanisch beansprucht, so dass sich die Ursache der Undichtigkeit häufig nicht eindeutig feststellen lässt. Dachdeckungen mit Dachsteinen, auch Dachziegel genannt, benötigen eine Unterspannbahn. Es handelt sich um eine Kunststofffolie, die Niederschlag, der durch den Wind unter das Dach gedrückt wird, abführt. Es handelt sich um das Bauteil, welches das Dach erst dicht macht. Diese Unterspannbahnen sind häufig nachlässig angebracht, so dass sie nicht wirksam sind.

Durch Tauwasserausfall kommt es zu **Schimmelwachstum.** In sichtbaren Bereichen von Fensterlaibungen etc. kann man durch Trocknen und vermehrtes Lüften Abhilfe schaffen. Wenn aber in ausgebauten Dachwohnungen die Dampfsperre zu den kalten Luftschichten im Dach nicht dicht ist, bildet sich in dem Dachaufbau Tauwasser. Dadurch kommt es nicht nur zu Schimmel, der sich nicht sichtbar im Dachaufbau befindet, sondern die Dämmstoffe können sich mit Wasser anreichern. Die dämmende Wirkung lässt in diesen Fällen erheblich nach, wodurch der Tauwasseranfall zunehmen kann. Man bezeichnet das als „abgesoffene Dämmung“. Bereits kleine Undichtigkeiten in den Dampfsperren verursachen so große Schäden. Meistens sind es Ausführungsmängel.

d) Weiterführende Literatur

Die DIN 4108 Wärmeschutz im Hochbau beschäftigt sich mit dem klimabedingten Feuchteschutz. Es werden Begrifflichkeiten erläutert, sowie der Tauwasserschutz und der Schutz von Wänden gegen Schlagregen behandelt. Weiterhin werden wärme- und feuchteschutztechnische Kennwerte geliefert.

Die DIN 4095 Baugrund – Dränung zum Schutz baulicher Anlagen dient der Planung, Bemessung und Ausführung der Dränung, also der

Entwässerung des Bodens, um das Entstehen von drückendem Wasser rund um die Außenwände eines Bauwerkes zu verhindern. Die DIN 18195 Bauwerksabdichtungen beschäftigt sich in verschiedenen Teilen mit der Abdichtung von nicht wasserdichten Bauwerken oder Bauteilen gegen Bodenfeuchte, nichtdrückendes Wasser und drückendes Wasser. Sie gilt auch für die Abdichtung von intensiv begrünten Dachflächen und das Abdichten von Bewegungsfugen. Auch das Abdichten von Durchdringungen, Übergängen und Abschlüssen wird behandelt.

Einführende Erläuterungen, Berechnungen etc. finden sich z. B. in dem Buch Praktische Bauphysik von Gottfried Lohmeyer, Heinz Bergmann und Matthias Post, erschienen im Teubner Verlag. Da das Thema der Abdichtung einen sehr hohen Stellenwert hat, gibt es auch in vielen Büchern konstruktive Details, die sich mit Einzelfällen der Ausführung von Abdichtungen beschäftigen.

4. Brandschutz

a) Einführende Erläuterungen

Die Anforderungen an den Brandschutz ergeben sich aus den Landesbauordnungen und sind zwingende Vorschriften. Der bauliche Brandschutz dient dem Schutz der Nutzer und Bewohner, des Gebäudes und der angrenzenden Bebauung.

b) Fachliche Erläuterungen

Die Baustoffe werden gemäß der DIN 4102 eingeteilt in brennbare, aber nicht leicht entflammbare, schwerentflammbare und nichtbrennbare Baustoffe. Die Verwendung leicht entflammbarer Baustoffe ist nicht zulässig. Die vorgeschriebenen Anforderungen an die Baustoffe richten sich nach der Nutzung.

Für Bauteile gibt es **Feuerwiderstandsklassen**. Bauteile sind Wände und Decken zwischen unterschiedlichen Räumen, zwischen Gebäuden und mit unterschiedlichen Funktionen, also tragende Wände, abschließende Wände etc., aber auch Türen, Fenster usw. Die Feuerwiderstandsklassen bezeichnen die Anforderungen durch einen Buchstaben und eine Zahl, z. B. F 90. Der Buchstabe dient der näheren Bezeichnung des Bauteils, die Zahl gibt die Anzahl der Minuten an, die das Bauteil bei einem Brandversuch widerstehen kann.

In größeren Gebäuden werden darüber hinaus so genannte **Brandabschnitte** gebildet. Dabei handelt es sich um abgeschlossene Teile des Gebäudes, die im Brandfall so verschlossen werden können, so dass eine Ausbreitung des Brandes eingedämmt, zumindest aber zeitlich verzögert werden kann. Die Brandabschnitte werden untereinander mit selbstschließenden **Brandschutztüren** getrennt. Lüftungskanäle, Kabeldurchführungen und Installationsschächte müssen mit **Kabelschotts** oder **Rohrabschottungen** versehen werden, siehe Abbildung 9. Diese Maßnahmen dienen dazu, die Übertragung von Feuer und Rauch zu verhindern. Weitere Installationen dienen der Abführung von Rauch und der Bekämpfung des Brandes. Hierzu zählen Rauchabzugsklappen, Hydranten und Sprinkleranlagen. Um die Rettung der Personen zu erleichtern, müssen die Gebäude mit Fluchtschildern und Fluchtplänen ausgerüstet werden. Die verschiedenen Anforderungen ergeben sich aus der Art der Nutzung des Gebäudes, wobei für Schulen, Krankenhäuser, Gaststätten, Geschäftshäuser, Industrieanlagen, Hochhäuser etc. besondere Anforderungen gelten.

Abbildung 9: Brandschott

Die Abbildung zeigt ein Brandschott in einer Trockenbauwand. Die Durchbrüche für die Rohrleitungen und die Kabeltrasse wurden nach deren Installation verschlossen.

Auch nicht brennbare Materialien sind in Bauwerken brandschutztechnisch zu beachten. Stahlträger müssen mit Ummantelungen versehen werden, da der Stahl im Brandfall sehr schnell heiß wird und dadurch seine Tragfähigkeit einbüßt. Bei Stahlbetonbauteilen ist eine entsprechende Verlegung der Bewehrung erforderlich.

Als **Brandwände** bezeichnet man Wände, die auch im Brandfall ihre Standsicherheit nicht verlieren. Sie dienen auch als Abschluss eines Hauses zur Nachbarbebauung. Man erkennt sie häufig daran, dass die Wände noch höher geführt werden müssen als die Dachdeckung um den Feuerüberschlag zu verhindern.

c) Häufig auftretende Probleme in der Praxis

Der Brandschutz betrifft die gesamte Bauausführung. Schon beim Rohbau müssen Öffnungen in Wänden und Decken, die Ausführung der Bauteile und die Brandabschnitte beachtet werden. Daher ist der Brandschutz bereits in den Entwurfs- und Ausführungsplanungen zu berücksichtigen. Wenn im Nachhinein weitere behördliche Auflagen erteilt werden, führt das zu baulichen Änderungen. Es folgen Streitigkeiten über Mehrleistungen und deren Vergütung.

Die Ausführung der brandschutztechnischen Einrichtungen und Maßnahmen ist häufig nicht mangelfrei. Allerdings werden viele Mängel nicht bemerkt, da sie für die normale Nutzung des Gebäudes keine Rolle spielen und bei der Abnahme des Gebäudes nicht gesehen werden. Automatisierte Brandschutzeinrichtungen werden durch die Nutzung in ihrer Funktion eingeschränkt. Standardfall ist die Offenhaltung von selbstschließenden Brandschutztüren in Fluren, aber auch die Funktionslosigkeit von Rauchabzugsklappen etc.

d) Weiterführende Literatur

Jedes Bundesland hat seine eigene Landesbauordnung. Diese enthalten Verordnungen über die Anordnung, Beschaffenheit und Benutzung von baulichen Anlagen. Weiterhin sind Anforderungen der Gefahrenabwehr (öffentliche Sicherheit und Ordnung) enthalten.

Zentrale Norm ist die DIN 4102 Brandverhalten von Baustoffen und Bauteilen. Sie klassifiziert in ihren verschiedenen Teilen das Brandverhalten von Baustoffen, um das Risiko eines Einzelbaustoffes oder eines Baustoffes im Verbund mit anderen Baustoffen zu beurteilen. Sie beschäftigt sich auch mit dem Verbund selbst, den Verbindungsmitteln und der Verarbeitungstechnik. Die Norm legt brandschutztechnische Begriffe, Anforderungen, Prüfungen und Kennzeichnungen für Baustoffe fest. Unter Baustoffen werden hier zum Beispiel Verbundwerkstoffe, Dämmstoffe, Beschichtungen usw. verstanden.

Die DIN 18230 Baulicher Brandschutz im Industriebau ermöglicht die Ermittlung der rechnerisch erforderlichen Feuerwiderstandsdauer von Bauteilen im Industriebau. So soll eine einheitliche brandschutztechnische Bemessung von Industriebauten in Bezug auf die Standsicherheit im Brandfall möglich sein.

Für Fragestellungen des Brandschutzes findet man ein sehr umfassendes Werk in dem Brandschutzatlas, der aus drei Teilen besteht, von Josef Mayr und Lutz Battran, erschienen als Loseblattsammlung bei Feuer Trutz GmbH, Verlag für Brandschutzpublikationen.

5. Schallschutz

a) Einführende Erläuterungen

Der Schallschutz umfasst Maßnahmen an und in Gebäuden, um ungewollte Schalleinwirkung auf Personen zu vermeiden oder zu vermindern. Hierzu zählen einerseits bauliche Maßnahmen, um ein Eindringen von Schall in das Gebäude zu vermeiden, wie z. B. Schallschutzfenster. Andererseits betrifft der Schallschutz in der Hauptsache die Vermeidung der Übertragung von Schall innerhalb eines Gebäudes, z. B. von verschiedenen Nutzern oder Bewohnern eines Hauses untereinander.

b) Fachliche Erläuterungen

Die DIN 4109 beschreibt bauaufsichtliche Anforderungen an den Schallschutz. In dem Beiblatt 2 zur DIN 4109 werden Vorschläge für den so genannten „erhöhten Schallschutz" gegeben, der von Bauherren bei Bedarf für Bauwerke vorgesehen werden kann.

Grundsätzlich breitet sich Schall als **Luftschall** aus, der auf Bauteile einwirkt, die er zum Schwingen anregt. Schwingende Bauteile geben wieder Schall ab, also z. B. eine Wand. Beispielhaft hierfür ist die Übertragung von Schall aus Nachbarräumen, wenn dort laute Geräusche sind. Man kann aber auch Bauteile direkt zum Schwingen anregen, so dass sie in anderen Räumen Schall abgeben. Beispiel hierfür ist der **Trittschall,** bei dem eine Person durch das Laufen den Boden in Schwingungen versetzt, und man in den Räumen darunter diese Geräusche hört.

Im Prinzip kann man **Schallübertragung** auf zwei Arten verringern. Je mehr Masse ein Bauteil hat, desto schwerer kann es zu Schwingungen angeregt werden. Daher haben Wände mit mehr Gewicht bessere Schalldämmeigenschaften. Andererseits kann man auch die Übertragung von Schwingungen durch dämpfende Elemente verhindern. In der praktischen Umsetzung sind dämpfende und entkoppelnde Systeme z. B. Fußböden als schwimmender Estrich, Treppenläufe auf Gummilagern etc. Entscheidend ist dabei, dass das Bauteil, welches zu Schwingungen angeregt wird, keine Verbindung zu anderen Bauteilen hat.

Eine **Schallbrücke** ist eine ungewollte, schalltechnische Koppelung von Räumen. Sie entsteht, wenn man Bauteile einbringt, die den Schall gut leiten, z. B. Installationsrohre, Lüftungskanäle oder Kabelschächte. Ein ebenso ungewolltes Phänomen ist die Bildung von **Resonanzen.** Darunter versteht man die Anregung eines Gegenstandes in einer Frequenz, die dazu führt, dass sich die Schwingungen verstärken. Wenn man zum Beispiel Wände in ihrer Eigenresonanz anregt, verstärken sie den Schall. Das tritt bei dem Betrieb von Musikanlagen in Wohnungen auf mit der Folge, dass in Nachbarwohnungen nur bestimmte Frequenzen hörbar sind, diese aber sehr laut. Vor allem in Altbauten mit Holzdecken führt das zu Dröhnen.

Für die Bestimmung von Schutzmaßnahmen gegen Außenlärm wird der maßgebliche **Außenlärmpegel** bestimmt, der sich nach der Art der Straße, der Intensität der Nutzung und der Entfernung des Gebäudes von der Straßenmitte richtet. Dem entsprechend kann man aus Tabellen das jeweils erforderliche **Schalldämmmaß** ermitteln. Die bauliche Konstruktion muss sicherstellen, dass das erforderliche Schalldämmmaß, welches sich auch nach der Nutzung richtet, erreicht wird.

Die **Vermeidung der Lärmübertragung** in Gebäuden sieht zunächst die Ausführung von haustechnischen Anlagen in einer Art und Weise vor, dass die von ihnen ausgehenden Geräusche bestimmte Werte nicht überschreiten. Ansonsten werden für die Lärmübertragung bestimmte Grenzwerte festgelegt, die von der Nutzung der Räume abhängen. Die Erfüllung der Anforderungen wird durch die Verwendung bestimmter, geeigneter Konstruktionen sichergestellt, für die man Schalldämmmaße bestimmt hat.

c) Häufig auftretende Probleme in der Praxis

Die Praxis zeigt, dass die Schallschutzmaßnahmen oft als nicht ausreichend empfunden werden. In vielen Fällen handelt es sich um Befindlichkeiten der Nutzer. Es gibt daher verschiedene Messmethoden, mit denen man die Schallausbreitung, den Schallpegel etc. messen kann.

Ausführungsmängel liegen häufig vor, wenn bestimmte Konstruktionen als System zugelassen sind, und nur in dieser Form bestimmte Schalldämmmaße erreichen. Wird durch den Ausführenden von diesen Systemen regelwidrig abgewichen, indem sie mit anderen Bauteilen ausgeführt werden, andere Befestigungen gewählt werden, anzubringende Dämmstreifen weggelassen werden etc., verschlechtert sich die Schalldämmung teilweise erheblich. Ebenfalls liegen häufig Ausführungsmängel vor, wenn Bauteile schallentkoppelt ausgeführt werden, aber Folgegewerke kraftschlüssige Verbindungen herstellen. Beispiele sind schwimmende Estriche, bei denen durch das Aufbringen von Mörtel für Bodenbeläge eine Verbindung zur Wand hergestellt wird, bei Treppenläufen die notwendigen Trennfugen zugeputzt werden, Rohrleitungen starr an Mauerwerk angeschlossen oder angeputzt werden etc.

d) Weiterführende Literatur

Zentrale Norm für den Schallschutz ist die DIN 4109 Schallschutz im Hochbau. Sie legt Anforderungen an den Schallschutz fest. Es werden Verfahren zum Nachweis des geforderten Schallschutzes geregelt. Die Norm gilt für den Schutz von Aufenthaltsräumen gegen Geräusche aus fremden Räumen, gegen Geräusche aus haustechnischen Anlagen, wie z. B. Geräte der Wasserinstallation, und gegen Außenlärm.

Für die Planung ergeben sich aus der DIN 18005 Schallschutz im Städtebau ergänzende Angaben. DIN 18005 dient der Berücksichtigung des Schallschutzes bei der städtebaulichen Planung. Gedacht ist sie für Gemeinden, Städteplaner, Architekten und Bauaufsichtsbehörden. Hier erfolgt nur eine sehr einfache Darstellung der Ermittlung von Schallemissionen von verschiedenen Arten von Schallquellen.

Einführende Erläuterungen, Berechnungen etc. finden sich z. B. in dem Buch Praktische Bauphysik von Gottfried Lohmeyer, Heinz Bergmann und Matthias Post, erschienen im Teubner Verlag.

VI. Baugrund

Der Baugrund ist das natürliche Fundament aller Bauwerke. Auf ihm sollte das Bauwerk im wahrsten Sinn des Wortes ruhen. Er ist aber auch Baustoff, indem er ausgehoben, transportiert, verarbeitet oder wiedereingebaut wird. Da er von grundlegender Bedeutung für das Bauwesen ist, wird er als übergreifendes Thema vorab erläutert.

1. Einführende Erläuterungen

Unter Baugrund versteht man die Schichten des Bodens, die zur Herstellung eines Bauwerkes bewegt werden müssen oder auf denen ein Gebäude gegründet wird. Der Boden ist in der Hauptsache ein Gemisch aus Gesteinskörnern, Luft und Wasser. Hierzu gehört auch das Grundwasser. Allerdings können sich in dem Boden auch andere organische Bestandteile befinden, z. B. Pflanzenteile, oder aus vorangegangener Bodennutzung Reststoffe, wie z. B. Chemikalien, Baustoffe etc.

Um vor der Bauausführung zu wissen, wie der Boden beschaffen ist und ob der anstehende Baugrund die Lasten aus dem zu errichtenden Gebäuden auch tragen kann, bzw. welche Art der Gründung notwendig wird, bedarf es einer **Baugrunderkundung.** Die notwendigen Untersuchungen werden von darauf spezialisierten Baugrundgutachtern durchgeführt. Dabei handelt es sich um Bauingenieure oder Geologen. Das **Baugrund-**

gutachten gibt Auskunft über den Aufbau des Baugrundes und vorhandenes Grundwasser, womit die notwendigen Bauverfahren und die richtige Gründung geplant werden können.

Der Baugrund ist ein vom Auftraggeber bereitgestellter Baustoff, für den er verantwortlich ist, sofern nicht auf Grund des Bauvertrages die Verantwortlichkeit auf den Auftragnehmer übergegangen ist. Der Boden wird vielfach nicht einfach ausgehoben und entsorgt, sondern für das Bauwerk verwendet. Daher ist seine Beschaffenheit und Menge von entscheidender Bedeutung. Der Boden wird z. B. als Verfüllmaterial wieder eingebaut, kann als Zuschlag dienen und zum Verkauf angeboten werden.

2. Fachliche Erläuterungen

Grundlegend kann man Boden in verschiedene Arten einteilen. In vielen Fällen handelt es sich um einen Bauplatz, auf dem noch nicht zuvor gebaut worden ist. Der Boden ist also noch in seiner natürlichen Form vorhanden. Er wird dann als **gewachsener Boden** bezeichnet. Hierbei handelt es sich um Böden, die in einem mehr oder weniger lockeren Verbund vorliegen. Ebenfalls natürlicher Boden ist **Fels**. Er zeichnet sich dadurch aus, dass er einen mineralischen Verbund aufweist, also „am Stück" vorliegt.

Sollte der Boden bereits bearbeitet sein, so handelt es sich nicht mehr um gewachsenen Boden. Man bezeichnet diese Böden als geschüttete Böden. **Schüttungen** können sich auch natürlich einstellen, z. B. durch Erdrutsch, Lawinen und Ablagerungen von Gewässern. Sollte der Boden bereits mit Zement oder anderen Bindemitteln bearbeitet sein, handelt es sich um künstlich veränderte Böden, die im Prinzip bereits Bauwerke sind.

Gewachsene Böden werden weiter in drei **Bodenarten** unterschieden. **Bindiger Boden** besteht aus Lehm, Ton, Schluff, Mergel etc. Umgangssprachlich werden sie auch als Erde bezeichnet, was aber geotechnisch insoweit keine eindeutige Aussage ist. Der bindige Boden weist einen gewissen Zusammenhalt auf, ist also in aller Regel klebrig. Viele Eigenschaften eines bindigen Bodens werden von seinem Wassergehalt bestimmt. Da sich der Wassergehalt ändern kann, variieren die Konsistenzen zwischen flüssig bei einem hohen Wassergehalt bis fest, wenn der Wassergehalt niedrig ist. Dabei können bindige Böden in trockenem Zustand hart wie Beton sein. Daher ist der Wassergehalt eine wesentliche Kenngröße und bestimmt direkt die Tragfähigkeit dieser Böden. In bindigen Böden vorhandenes Wasser fließt schlecht ab, da der Hohlraumanteil klein ist.

Die Kornzusammensetzung der bindigen Böden weist einen Anteil von mehr als 15 % auf, der kleiner als 0,063 mm ist, also sehr klein. Daher bestimmen die Oberflächenkräfte der Körner und das zwischen ihnen angelagerte Wasser die Eigenschaften des Bodens. Diese Kräfte werden als **Kohäsion** bezeichnet, die den inneren Verbund des Bodens ausmacht. Je höher die Kohäsion ist, desto größer ist auch die **Scherfestigkeit** und damit die Tragfähigkeit dieser Böden. Daraus ergeben sich zwei Besonderheiten. Die feinen Bestandteile füllen nicht nur die Hohlräume der größeren Körner aus, sondern liegen auch zwischen den Kontaktflächen der gröberen Körner. Daher tragen sie die auf den Boden einwirkenden Lasten mit ab und sind bei der Tragfähigkeit zu berücksichtigen. Andererseits können diese Bestandteile viel Wasser aufnehmen, welches bei Frost gefriert. Da Eis ein größeres Volumen einnimmt als Wasser und der Boden kaum Hohlräume aufweist, vergrößert sich auch das Volumen des Bodens und es kommt zu Hebungen. Andererseits können sich in diesen Böden Eislinsen ausbilden, da bei der Kristallisation Wasser aus dem umliegenden Boden in die Frostzone gezogen wird. Nach dem Auftauen bilden sich dort Bodenschichten mit einem erhöhten Wassergehalt, die sehr weich sind und zu einem Abrutschen führen können. Diese Böden sind daher frostgefährdet und haben schädigende Auswirkungen auf angrenzende Bauteile. Als Faustregel geht man davon aus, dass Boden bis zu einer Tiefe von ca. einem Meter „frieren kann“, genauer gesagt, das in ihm enthaltene Wasser gefriert.

Nichtbindige Böden werden auch **rollige Böden** genannt. Unter nichtbindigen Böden versteht man Boden, bei dem mindestens 85 % der Körner mindestens 0,063 mm groß sind, also Sande, Kiese etc. Nichtbindige Böden können unterschiedlich dicht gelagert sein. Der Kennwert dafür ist die so genannte **Lagerungsdichte.** Eine lockere Lagerung ergibt sich, wenn der Boden bereits bewegt wurde, die so genannte **Schüttdichte.** In diesem Zusammenhang war schon das Beispiel des in eine Dose geschütteten Zuckers erwähnt worden. Durch ein Bewegen oder Aufklopfen der Dose wird der Zucker verdichtet, da die Körner eine engere Lagerung einnehmen. Auch rollige Böden können verdichtet werden, z. B. durch Walzen oder Rütteln. Wenn die Körner eine „ideale“ Lagerung erreicht haben, lassen sich die Böden nicht weiter verdichten.

Wenn rollige Böden eine natürliche Lagerung aufweisen, also noch nicht bewegt wurden, hängt die Lagerungsdichte von ihrer Entstehung ab. Insbesondere Bodenschichten, die in der Eiszeit durch die aufliegenden Gletscher bewegt wurden, haben eine sehr hohe Lagerungsdichte, da sie dadurch verdichtet worden sind. Daher kann man auch keine generelle Aussage treffen, dass rollige Böden dichter gelagert sind, je tiefer die Schichten liegen.

Da rollige Böden über einen großen Hohlraumanteil verfügen, sind sie in aller Regel nicht frostgefährdet. Das gefrierende Wasser kann sich in den Hohlräumen ausdehnen ohne dass es zu einer Volumenvergrößerung des Bodens kommt. Das setzt voraus, dass der Boden nicht mit Wasser gesättigt ist. Das ist in höheren Bodenschichten nicht der Fall, da das Wasser durch die großen Hohlraumanteile schnell abfließen kann.

Locker gelagerte Böden sind bei der Gründung von Bauwerken problematisch, da sie sich durch die Belastung aus dem Bauwerk setzen können. Sie bilden eine dichtere Lagerung aus, was zu Setzungen oder Rissen am Gebäude führen kann. Die rolligen Böden tragen die Lasten durch die innere **Reibung** zwischen den Körnern ab.

Die dritte Bodenart unterscheidet sich von den aus anorganischem Material bestehenden bindigen und rolligen Böden durch ihre organischen Substanzen. Hierbei handelt es sich um Verfallsprodukte von Pflanzen, z. B. Faulschlämme, Torf und Humus. Diese Böden sind für Bauwerksgründungen nicht geeignet. Ihre Tragfähigkeit ist gering. Weiterhin ist ihre Langzeitbeständigkeit nicht sichergestellt, da sich die Bestandteile weiter zersetzen können.

Die verschiedenen Böden kommen in der Natur nicht nur in der einen oder anderen Form vor, sondern es handelt sich meistens um Bodengemische. Außerdem können sich die Bodenarten mit zunehmender Tiefe ändern. Es handelt sich um **Bodenschichten**, siehe hierzu Abbildung 10. Man muss daher nicht nur den einzelnen Boden bezüglich seiner Eigenschaften untersuchen, sondern auch die unter dem Baugelände anstehenden Bodenschichten bezüglich ihres Aufbaus und ihrer **Mächtigkeit.** Als Mächtigkeit wird die Dicke der einzelnen Bodenschichten bezeichnet. Das Vorkommen der Bodenarten und die Ausbildung der Schichten können auf einem Baugrundstück ständigen Wechseln unterliegen, da die Schichten nicht waagerecht verlaufen müssen, Einschlüsse eines anderen Bodens nur lokal vorliegen etc.

Lastet das Gewicht eines Bauwerkes auf einer Bodenschicht, die nicht in der Lage ist die Lasten sicher abzutragen, kann sich das Gebäude schief stellen, es kann zu Rissen im Gebäude kommen, es kann sich erheblich setzen oder schlimmstenfalls einstürzen. Aus diesem Grund ist es wichtig, den anstehenden Baugrund, auf dem man bauen möchte, zu untersuchen. Der Umfang der Baugrunderkundung bestimmt sich nicht nur nach der oberflächlichen Geometrie des geplanten Bauwerkes und der Baugrube, sondern auch nach den Lasten des Bauwerks. Die in den Baugrund eingeleiteten Lasten verteilen sich in der Tiefe über eine größere Fläche. Vereinfacht nimmt man an, dass sich die Lasten allseitig unter einem Winkel von ca. 45° verteilen. Dieser **Lastausbreitungswinkel** kann allerdings bei ungewöhnlichen Böden anders sein. Mit der zunehmenden Fläche, auf die sich die Kräfte verteilen, werden die „Kräfte" kleiner, das bedeutet die Bodenspannungen nehmen ab. Gleichzeitig übertragen sich die Lasten durch den Kornaufbau und die innere Reibung der Körner. Die sich daraus ergebende Verteilung der Spannung in dem Boden unter einer Last gleicht einer Zwiebel. Außerhalb dieser **Druckzwiebel** geht man davon aus, dass die aufgebrachte Last keinen Einfluss mehr auf den anstehenden Boden hat. Bei besonderen Gründungsarten, wie z. B. großen Platten oder Pfählen, können sich abweichende Druckverteilungen einstellen.

Abbildung 10: Bodenschichten

Die Abbildung zeigt verschiedene Bodenschichten. Bei der obersten Schicht handelt es sich um Mutterboden, in dem Humus, Nährstoffe und Bodenlebewesen enthalten sind. Der Mutterboden ist für der Baumaßnahme zu entfernen, zu lagern und nach Beendigung der Baumaßnahme wieder anzudecken. Man erkennt weitere Schichten mit Kiesanteilen und Sanden.

Um den Baugrund zu erkunden, werden verschiedene Methoden der **Bodenuntersuchung** angewendet. Bei den direkten Verfahren werden auf dem Baugelände vor Ort, also **in situ**, Beprobungen vorgenommen. Durch Schürfung, Rammsondierung oder Plattendruckversuche etc. erhält man direkt Informationen über den anstehenden Boden. **Schürfungen** werden meist als Gräben ausgeführt und geben Einblick auf den anstehenden Boden. Tiefer liegende Bodenschichten lassen sich so aber nicht erkunden. Bei **Rammsondierungen** werden mittels stabförmiger Rammpfähle, die durch Bohrungen auf die unteren Bodenschichten aufgesetzt werden, bestimmte Kräfte in den Boden eingeleitet. Aus den auftretenden Setzungen, sowie der aufgewendeten Kraft und Anzahl der Schläge auf die Sonde kann man Rückschlüsse auf die Lagerungsdichte und die Tragfähigkeit ziehen. **Plattendruckversuche** werden auf dem anstehenden Baugrund durchgeführt und geben ebenfalls Aufschluss auf verschiedene Bodenkennwerte.

Bei indirekten Verfahren werden vor Ort **Bodenproben** entnommen. Sie werden im Labor untersucht. Durch die gewonnenen Messwerte kann man Rückschlüsse auf die Eigenschaften des anstehenden Bodens ziehen. Damit lässt sich z. B. bestimmen, wie sich ein bindiger Boden bei unterschiedlichen Wassergehalten verhält. Bei Mischböden lassen sich die Anteile der enthaltenen Korngrößen und der Bodenarten bestimmen. Um Bodenproben aus unteren Bodenschichten zu gewinnen, werden Bohrungen mit hohlen Rohren abgeteuft. In dem Rohr kann man dann die Bodenproben nach oben ziehen. Wenn man die Proben so gewinnen kann, dass sich der Boden nicht auflockert, in der Lage verändert etc., nennt man dies **ungestörte Bodenproben**. Wenn man den Boden aus den unteren Schichten z. B. mit einem Spiralbohrer nach oben befördert, verändert man die Lagerung. Mit diesen **gestörten Bodenproben** lassen sich daher die anstehenden Böden nur eingeschränkt beurteilen. Mit den Bodenproben kann man eine Aussage treffen, welche Bodenarten in welchen Tiefen und Schichtdicken anstehen. Die gewonnenen Informationen über den Aufbau des Bodens bilden die Grundlage für das Gründungskonzept des geplanten Neubaus.

Die Ergebnisse der Baugrunderkundung werden in einem **Baugrundgutachten** zusammengestellt. In aller Regel enthält es die Beschreibung der vorkommenden Bodenarten und den Schichtenaufbau. Dadurch ergeben sich die weiteren Angaben der Belastbarkeit des Baugrundes und sich ergebender Risiken, wie z. B. der Gefahr des Grundbruches und von Setzungen der zu errichtenden oder bereits vorhandenen Bebauung. Die Ergebnisse werden nicht nur schriftlich, sondern auch in Plänen dargestellt, aus denen sich die Lage der Probestellen ergibt, so dass die ebenfalls graphisch dargestellten Bodenschichten in Form von **Bohrprofilen** zugeordnet werden können, siehe hierzu Abbildung 11.

Trifft man auf nicht ausreichend standfesten Baugrund zur Gründung eines Bauvorhabens, gibt es verschiedene Möglichkeiten. Die einfachste Variante besteht darin, den Boden gegen tragfähigen Boden auszutauschen, der so genannte **Bodenaustausch.** Das bietet sich an, wenn es sich nur um eine begrenzte Menge handelt, z. B. eine lokale Ansammlung von Lehm. Die unzureichenden Eigenschaften des nicht tragfähigen Bodens kann man auch durch gezielte Maßnahmen verbessern. Man spricht dann von **Bodenverbesserung.** Das kann beispielsweise durch die Untermischung von Kies oder Bindemitteln geschehen, durch das Einpressen von Zementsuspension etc. Bodenverbesserungen sind manchem eventuell dadurch schon aufgefallen, dass bei Baustellen an der Autobahn bestimmte Lastwagen mit einem markanten, weißen Staub überzogen sind. Sie werden für den Eintrag von Kalk verwendet.

Abbildung 11: Bohrprofil

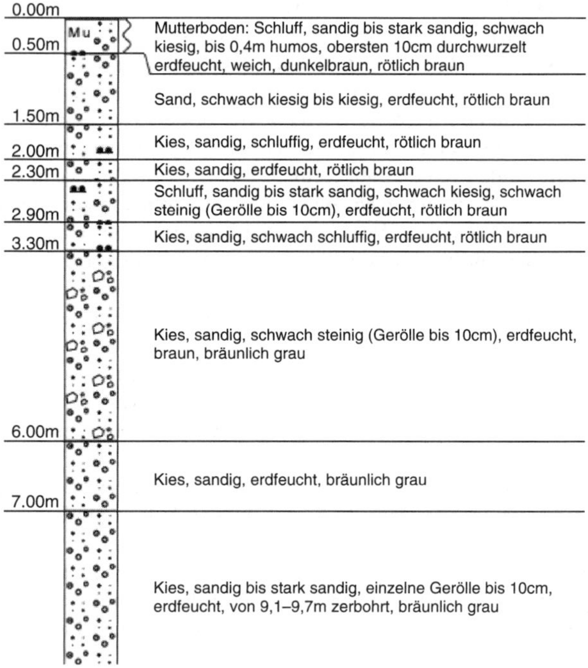

Die Abbildung zeigt die Darstellung eines Bohrprofils als Auswertung einer Bodenprobe. Innerhalb der Säule wird die Art des Bodens durch die Schraffierung angegeben. Links ist das Profil vermaßt, so dass man ablesen kann, in welcher Tiefe die Bodenschichten beginnen und enden. Rechts finden sich die technischen Bezeichnungen für die Bodenarten.

Boden, der über keine ausreichende Lagerungsdichte verfügt oder eingebaut wird, setzt sich mehr oder weniger, da er sein Hohlraumvolumen oder das in ihm enthaltene Wasser verliert. Er muss daher verdichtet werden. Das Verdichten geschieht durch den mechanischen Eintrag von Energie, also z. B. durch Walzen, Klopfen, Pressen usw., mittels geeigneter Baugeräte und Baumaschinen. Ein Maß für den Grad der Verdichtung ist die **Proctordichte**. Sie wird in einem Versuch mit bestimmter Verdichtungsenergie ermittelt, so dass Böden auch durch eine Bearbeitung auf der Baustelle mit einer höheren Verdichtungsenergie eine Proctordichte von über 100 % erreichen können.

Während einer Baugrunduntersuchung oder aber auch erst im Laufe des Erdaushubes kann festgestellt werden, dass der Baugrund verunreinigt, also kontaminiert ist. **Kontaminationen** können z. B. durch eine vorherige Nutzung des Geländes eingetreten sein, also Baustoffreste, aber auch Abfälle oder Verschmutzungen durch Öl oder Chemikalien. Das kontaminierte Erdreich wird in verschiedene Klassen eingeteilt, die so genannten **LAGA-Klassen** der Bund/Länder-Arbeitsgemeinschaft Abfall. Der kontaminierte Boden ist je nach der Art der Kontamination zu entsorgen, zu reinigen oder anderen Verwendungen zuzuführen.

Böden werden für bautechnische Zwecke entsprechend ihrer Lösbarkeit gemäß der DIN 18300 in sieben **Bodenklassen** unterteilt. Boden der Klasse 1 ist **Mutterboden.** Es handelt sich dabei um die oberste Bodenschicht, in der Humus, Nährstoffe und Bodenlebewesen enthalten sind. Dieser Boden wird abgeschoben und für den Wiedereinbau vorgesehen, also nach Fertigstellung der Baumaßnahme wieder angedeckt. Die anderen Bodenarten staffeln sich nach dem inneren Zusammenhalt und ihrer Zusammensetzung. Bodenklasse 2 bedeutet fließende Bodenarten. Sie sind wegen ihrer flüssigen Konsistenz bei hohen Wassergehalten nur unter erschwerten Bedingungen zu bearbeiten oder zu transportieren. Bodenklasse 3 sind leicht lösbare Bodenarten gemischter Zusammensetzung. Bodenklasse 4 sind mittelschwer lösbare Böden, entsprechend Bodenklasse 5 schwer lösbare Böden, jeweils mit definierten Zusammensetzungen aus verschiedenen Arten von rolligen und bindigen Böden mit anderen Bestandteilen. Die Bodenarten 6 und 7 Fels unterschiedlicher Lösbarkeit. So ist die Bodenklasse 7 z. B. schwer lösbarer Fels.

In den Normen der VOB/C wurden nun die Beschreibungen der Böden geändert und so genannte Homogenbereiche eingeführt. Grundlage ist nach wie vor die Baugrunderkundung und die Ermittlung der anstehenden Bodenschichten mit ihren Kennwerten. Allerdings werden dann die Bodenschichten in Homogenbereiche zusammengefasst. Ein Homogenbereich stellt dabei nach DIN 4020 den begrenzten Bereich von untersuchtem Boden oder Fels dar, dessen Eigenschaften eine definierte Streubreite aufweisen und sich von den Eigenschaften der abgegrenzten Bereiche abheben. Das bedeutet, dass der als ein Homogenbereich definierte Baugrund zwar aus mehreren verschiedenen Boden- und Felsschichten bestehen kann, aber für die Art der vorgesehenen Bearbeitung gleiche Eigenschaften hat. Diese Eigenschaften sind anzugeben.

Für den Aushub eines Bodens stellen daher beispielsweise Sande und Kiese einen Homogenbereich aus unterschiedlichen Bodenklassen dar, da der Sand und Kies für die Bearbeitungsvorgänge Lösen, Laden und Transport gleich zu bearbeiten sind. Es sind die gleichen Bagger mit den gleichen Löffeln einsetzbar, der Leistungswert der eingesetzten Geräte ist bei den

Böden im Homogenbereich ungefähr gleich und der Abtransport erfordert keine unterschiedlichen LKW. Allerdings würde das Vorhandensein von Fels für das Lösen, Laden und den Transport erheblich aufwändiger sein als bei Kies und Sand. Daher wäre der Fels hier als ein anderer Homogenbereich vorzusehen.

Geht es bei den auszuführenden Arbeiten allerdings um Bohrarbeiten, können auch Fels und bindiger Boden einen Homogenbereich darstellen, wenn für das Bohren der Fels keine abweichenden Eigenschaften aufweist als der bindige Boden, also gleich gut bohrbar ist. Die anzugebenden Bodenkennwerte für den Homogenbereich sind dann allerdings andere für den Arbeitsvorgang Bohren als für einen Arbeitsvorgang Lösen und Laden. Daher muss bei der Ausschreibung von Homogenbereichen durch den Planer und den Baugrundsachverständigen bereits bekannt sein, welches Bauverfahren eingesetzt werden soll. Im Prinzip wird daher die Baugrunderkundung und Beschreibung eine weitergehende Tätigkeit des Ausschreibenden und eine abgestimmte Erkundung des Baugrundsachverständigen in Abstimmung mit dem Objektplaner erfordern. Im Ergebnis sollte sich die Beschreibung des Baugrundes für das vorgesehene Bauverfahren deutlich verbessern.

Boden wird beim Ausheben aufgelockert, d. h. er benötigt nach dem Ausheben mehr Platz, bzw. hat ein größeres Volumen, als vor dem Ausheben im Boden. Daher muss ein größeres Volumen Erde abtransportiert und zwischengelagert werden, als tatsächlich in der Abbaustelle enthalten war. Der **Auflockerungsfaktor,** oder auch Auflockerungsgrad genannt, gibt das Verhältnis des Volumens eines Bodens in der gewachsenen, also vorgefundenen Lagerungsdichte zu dem im aufgelockerten Zustand an.

Wenn man Boden aufschüttet oder abträgt, stellt sich ein bestimmter Winkel ein, ab dem der Boden nicht mehr weiter abrutscht. Das ist der natürliche **Böschungswinkel.** In diesem Winkel lassen sich Baugruben ausheben, wenn man den Baugrubenrand nicht durch andere Maßnahmen befestigt. Dieser Winkel ist für die Bodenarten unterschiedlich. Bei Fels ist ein senkrechter Abtrag oder sogar ein Überhang möglich, während Sand einen flachen Winkel ausbildet. Siehe hierzu Abbildung 12.

Zum Baugrund zählen aber nicht nur der Boden selbst, sondern auch die anstehenden Grundwasserverhältnisse. Das **Grundwasser** bildet sich hauptsächlich aus versickerndem Niederschlag. Dieser durchdringt die oberen Bodenschichten und sinkt soweit ab, bis das Wasser auf Bodenschichten trifft, die kaum, bzw. nicht wasserdurchlässig sind. Auf diesen Schichten staut sich das Niederschlagswasser als Grundwasser an. Wenn die Schichten ein Gefälle aufweisen oder das Wasser ablaufen kann, entsteht eine Grundwasserströmung. Die Bodenschichten, in denen das Grundwasser fließt oder ansteht, sind die **Grundwasserleiter.**

Abbildung 12: Natürlicher Böschungswinkel

Links in der Abbildung wurde Fels abgetragen. Es ergibt sich durch den hohen inneren Verbund des Materials ein steiler Böschungswinkel, hier fast senkrecht. Im Gegensatz dazu ist rechts im Bild geschüttetes Material zu sehen, bei dem sich ein flacherer Böschungswinkel ausbildet, hier ca. 45°.

Grundwasser befindet sich in unterschiedlichen Tiefen unter der Oberfläche, je nachdem, in welcher Tiefe sich der Grundwasserleiter befindet. Es kommt aber auch vor, dass sich Grundwasser in mehreren Schichten, die übereinander liegen, befindet. Diese werden als **Grundwasserstockwerke** angegeben. Normalerweise fließt das Grundwasser auf Grund der Gefälledifferenz aus dem Boden, wenn man im Zuge der Aushubarbeiten den Grundwasserleiter aufgräbt. Die Menge des austretenden Grundwassers richtet sich dann nach der möglichen Fließgeschwindigkeit in dem Boden und der Größe der Fläche, an der das Grundwasser austreten kann. Die Wasserdurchlässigkeit eines Bodens bestimmt sich hauptsächlich durch seine Korngrößen und den Porenanteil. Kennwert dafür ist der Durchlässigkeitsbeiwert k. Dieses **freie Grundwasser** steigt nur so weit, wie sein Wasserspiegel in dem Grundwasserleiter ansteht. Anschaulich wird dies bei Kiesgruben. Der Wasserspiegel entspricht dem des Grundwassers. Baggert man weiter Kies aus, läuft entsprechend das Grundwasser nach, der Wasserspiegel bleibt gleich.

Allerdings kann es auch aufgrund einer schräg verlaufenden, wasserundurchlässigen Bodenschicht dazu kommen, dass sich das Grundwasser hinter dieser Bodenschicht anstaut. Wenn man diese Bodenschicht im unteren Bereich abträgt, tritt das Wasser mit einem Wasserdruck aus, der sich durch den höheren Wasserstand einstellt. Man spricht dann von **gespanntem Grundwasser**, welches sich bevorzugt in Hanglagen ergeben kann. In der freien Natur ergeben sich viele Quellen durch diesen Effekt, indem sich das angestaute Grundwasser einen Abfluss geschaffen hat.

Das Grundwasser hat nicht nur einen großen Einfluss auf die Standfestigkeit des Bodens, sondern ist auch entscheidend für die Auswahl des richtigen Bauverfahrens und des Gründungskonzeptes. Gebäudeteile die nach der Errichtung mit Grundwasser in Berührung kommen, müssen geschützt werden. Sie sind besonders gegen das auf den Außenwänden anstehende Grundwasser abzudichten. Dabei ist zu beachten, dass sich das Grundwasser durch vermehrten Niederschlag höher einstellen kann, bzw. dass ein Gebäude in einer Grundwasserströmung als Hindernis wirkt und sich das Grundwasser aufstaut.

Es ist aber nicht nur der Stand des Grundwassers und seine Strömung wichtig, sondern auch die Zusammensetzung des Wassers. Dafür muss auch die Qualität des Grundwassers untersucht werden. Es können sich betonschädigende Bestandteile im Wasser befinden, man spricht dann von **aggressivem Grundwasser.** In diesen Fällen sind ebenfalls besondere Maßnahmen notwendig.

3. Häufig auftretende Probleme in der Praxis

Das größte Problem in der Praxis ist die Abweichung des vorgefundenen Baugrundes von dem in einem Baugrundgutachten beschriebenen Boden. Da ein ordnungsgemäß durchgeführtes Baugrundgutachten auch nur an bestimmten Probestellen den Boden untersucht, kann es in den zwischen den Probestellen liegenden Flächen zu Abweichungen kommen. Das können z. B. Findlinge, Schlammlinsen, Bauteilreste oder archäologische Funde sein. Wenn diese Stellen entdeckt werden, kann es zu Mehraufwand kommen und Fragen der Vergütungsänderung.

Wenn Bodenformationen mit geringer Tragfähigkeit nicht offengelegt werden, kann es zu Setzungen und anderen Schäden kommen. Insbesondere bei Hanggrundstücken und abgeböschten Baugruben kommt es vor, dass der Boden aus dem nicht weiter untersuchten Gelände nachrutscht.

4. Weiterführende Literatur

Für Arbeiten im Baugrund existieren sehr viele Normen. Für die Ausführung der Arbeiten finden sich die Normen in dem Kapitel Tiefbau. Darüber hinaus gibt es Normen, die sich speziell mit dem Baugrund als Baustoff beschäftigen.

Die wichtigste Norm ist die DIN 1054 Baugrund – Sicherheitsnachweise im Erd- und Grundbau. Sie regelt die Bestimmung der Tragfähigkeit des Baugrundes und der entsprechenden Nachweise. Diese Norm gilt nicht nur für Neubauten, sondern auch für Arbeiten an bestehenden Gebäuden. Am Anfang der Norm findet man Begriffe und Formelzeichen. Für die verschiedenen Gründungsarten werden die Nachweise für die Standsicherheit erläutert. Behandelt werden aber auch Anker, der hydraulische Grundbruch etc.

Für einzelne Nachweise und Berechnungen gelten die DIN 4017 Baugrund – Berechnung des Grundbruchwiderstandes von Flachgründungen, die DIN 4019 Baugrund – Setzungsberechnung bei lotrechter, mittiger Belastung, DIN 4084 Baugrund, Gelände- und Böschungsbruchberechnungen, DIN 4085 Baugrund – Berechnung des Erddrucks etc.

Baugrunduntersuchungen sind in der DIN 4020 Geotechnische Untersuchungen für bautechnische Zwecke, geregelt. Darin sind neben den allgemeinen Voraussetzungen für geotechnische Untersuchungen, deren Veranlassung und Ablauf, auch Art und Umfang der Untersuchungen geregelt. Ergänzende Ausführungen zu der DIN 4020 sind z. B. die DIN 18121–18137 und die DIN EN ISO 17892 für Versuche, die DIN EN ISO 22475 Geotechnische Erkundung und Untersuchung – Probeentnahmeverfahren und Grundwassermessungen etc. Auch die DIN 4094, teilweise ersetzt durch die DIN EN ISO 22476, beschreibt Baugrunduntersuchungen, allerdings solche, die vor Ort ausgeführt werden, so genannte Feldversuche.

Für die Durchführung von Setzungsbeobachtungen und die Feststellung von Setzungen gilt DIN EN ISO 18674 Baugrund; Setzungsbeobachtungen an entstehenden und fertigen Bauten. Hier werden die Verfahren und die Auswertung beschrieben.

Die DIN 18196 Erd- und Grundbau; Bodenklassifikation für bautechnische Zwecke, gibt die Unterteilung der verschiedenen Bodenarten nach dem stofflichen Aufbau und nach ihren bodenphysikalischen Eigenschaften an. Sie beschreibt auch die Klassifizierung von Bodenproben.

Für die verschiedenen Stoffe, deren Vorkommen in der Natur und ihre Beurteilung für die schädlichen Einflüsse auf Beton gilt die DIN 4030 Beurteilung betonangreifender Wässer, Böden und Gase.

In der DIN 18300 Erdarbeiten werden die Bodenklassen unterteilt nach ihrer mechanischen Lösbarkeit beim Ausschachten. Sie ist Teil der VOB/C und damit maßgebend für die Ausschreibung und Abrechnung von Erdarbeiten.

Weitergehende Vertiefung mit dem Thema Baugrund bedeutet die Beschäftigung mit der Bodenmechanik. Neben den Berechnungsverfahren wird in dem Buch Bodenmechanik und Grundbau von Hans-Jürgen Lang, Jochen Huder und Peter Amann, erschienen im Springer Verlag, auch in die Verfahrenstechnik eingeführt.

3. Teil Bauverfahren

In diesem Kapitel werden Erläuterungen gegeben, welche sich auf die speziellen Bauausführungen mit bestimmten, vorab beschriebenen Baustoffen beziehen. Das betrifft diejenigen Baustoffe, die durch ihre häufige und zunächst singuläre Verwendung eine dominierende Stellung einnehmen. Für den Baugrund ist daher die Ausführung von Baugruben und Erdbauwerken relevant, weiterhin der Beton-, Mauerwerks-, Holz-, sowie der Stahl- und Fertigteilbau.

I. Baugruben und Erdbauwerke

1. Einführende Erläuterungen

Auf Grund hoher Grundstückspreise ist es in Deutschland üblich, dass man für eine optimale Ausnutzung der bebaubaren Fläche unterhalb der Geländeoberfläche nutzbare Räume schafft. Hierzu zählen bei Wohnbebauung traditionell Kellerräume, bei Bürogebäuden in Innenstadtbereichen Tiefgaragen, die mehrgeschossig ausgeführt sein können. Um diese Bauteile unterhalb der Geländeoberkante zu errichten, muss der Baugrund ausgehoben werden. Auch zur Verlegung eines Kanals kann es notwendig sein, den Baugrund auszuheben. So entsteht die Baugrube. Je nach den Bodenverhältnissen und den Gegebenheiten vor Ort unterscheidet man in abgeböschte Baugruben und in Baugruben mit Verbau, z.B. Berliner Verbau, Spundwand, Schlitzwand.

Während man bei den Baugruben den Baugrund entfernt, errichtet man mit dem Baugrund auch Bauwerke, indem man Boden aufträgt. Hierzu zählen Dämme, Deiche, Rampen und Freianlagen. Dabei sind Besonderheiten des Baustoffes Boden zu beachten, damit diese Bauwerke dauerhaft ihren Zweck erfüllen.

2. Fachliche Erläuterungen

Bevor mit dem Aushub einer Baugrube begonnen werden kann, sind umfangreiche andere Maßnahmen durchzuführen. Zunächst ist der vorhandene Bewuchs zu roden oder umzupflanzen. Danach ist der vorhandene Mutterboden abzuschieben und für den Wiedereinbau zu lagern. Wenn das Gelände soweit vorbereitet ist, hat durch einen Vermesser die **Einmessung** des Baukörpers zu erfolgen. Die Lage wird abgesteckt, indem man Messpunkte mit Holzpflöcken markiert. Die Markierungen werden so angebracht, dass sie nicht durch die Bauarbeiten beschädigt oder verändert werden. Bei kleineren Bauvorhaben werden diese Einmessungen mittels einer Konstruktion aus Pflöcken und waagerecht an ihnen angebrachten Latten markiert. Von dieser Konstruktion ausgehend werden weitere Messpunkte mit Schnüren ermittelt, die gespannt oder als Lot eingehängt wurden. Man nennt diese Art der weiteren Einmessung ein **Schnurgerüst.** Bei größeren Bauvorhaben ist dieses Vorgehen nicht ausreichend, so dass weitere Punkte ebenfalls durch Vermessungsinstrumente ermittelt werden.

Die Lage von im Boden verlegten **Versorgungsleitungen** muss bekannt sein. Diese Leitungen sind gegen Beschädigung zu sichern. Sollte Unklarheit über die Anzahl und die Lage von Leitungen herrschen, sind Suchgrabungen durchzuführen. Der maschinelle Aushub mit Baggern führt in aller Regel zu einer Zerstörung der Leitungen, weshalb die Grabungen per Hand durchzuführen sind. Zum typischen Zustand siehe Abbildung 13.

Abbildung 13: Versorgungsleitungen

Eine übliche Situation bei einem innerstädtischen Aushub. Viele Versorgungsleitungen liegen teilweise kunterbunt über- und untereinander. Gut zu erkennen ist auch, dass die Leitungen unterschiedlichen Zwecken dienen, so z. B. Leerrohre, Elektrokabel, Medienkabel und Abwasserleitungen. In der Mitte erkennt man ein rotes Band. Das wird über eingebauten Leitungen mit Höhenabstand verlegt und warnt bei einem nachfolgenden Aushub davor, dass unterhalb dieses Bandes Leitungen verlegt sind.

Die Lage und der Zustand eventuell vorhandener Nachbarbebauungen sind festzustellen und zu dokumentieren.

Durch die fortschreitende Technik ist es heute möglich, den Aushub einer Baugrube in vielfacher Art den technischen Randbedingungen anzupassen. Dadurch ist der ursprüngliche Erdbau für den Aushub immer mehr in den Hintergrund getreten, während der Spezialtiefbau zur Sicherung der Baugrube immer mehr Raum eingenommen hat. Grundsätzlich unterscheidet man in abgeböschte Baugruben und solche mit Verbau. Bei den Baugruben mit Verbau kann man weiter unterscheiden in einen Verbau, der vor dem Aushub hergestellt wird, und den mit dem Aushub parallel hergestellten Verbau.

Abgeböschte Baugruben werden, vereinfacht ausgedrückt, ausgeführt, indem man den Boden einfach aushebt. Unter einer Abböschung versteht man das Abgraben des Bodens in einem Winkel, in dem er entsprechend seiner Eigenschaften standfest ist. Diesen Winkel nennt man den **Böschungswinkel.** Aus der Anschauung kennt man das von einem Sandhaufen, der bei trockenem Sand und loser Schüttung einen bestimmten Winkel am Rand einnimmt, der sich immer wieder einstellt, wenn man Sand nachkippt. Fels hingegen kann man senkrecht abbauen.

Aus Sicherheitsgründen darf man allerdings die Baugrube nicht einfach in einem sich ergebenden Winkel ausheben, sondern man muss bestimmte Abmessungen einhalten. Zunächst gilt für die Bodenarten jeweils ein einzuhaltender maximaler Böschungswinkel, der auch von der Baugrubentiefe abhängt. Da es durch Regen, Frostbrüche, Erschütterungen etc. zu einem Nachrutschen des Bodens oder einzelner Steine kommen kann, sind Sicherungsmaßnahmen zu treffen. Die Böschung kann durch ein Abdecken mit Planen, Entwässerungsmaßnahmen etc. gesichert werden. Bei tieferen Baugruben ist eine **Berme** anzulegen. Dabei handelt es sich um einen waagerechten Geländestreifen von mindestens 1,5 m Breite, der die Böschung unterbricht. Am oberen Baugrubenrand ist ein Streifen von mindestens 60 cm einzuhalten, auf dem keine Lasten aufgebracht werden dürfen, also z. B. Fahrzeugbetrieb, Kranfundamente etc. In der Baugrube ist zwischen der Böschung und der Außenwand des Bauwerkes ein **Arbeitsraum** vorzusehen, der mindestens 50 cm breit sein muss. Dem entsprechend ergibt sich der Platz für eine abgeböschte Baugrube nach der erforderlichen Grundfläche des Bauwerkes, zuzüglich dem notwendigen und vorgeschriebenen Arbeitsraum auf der Baugrubensohle, der sich aus dem Böschungswinkel und der Tiefe des Aushubes ergebenden Strecke bis zum Rand einschließlich eventueller Bermen und dem oberen Schutzstreifen zusammensetzt. Nachteilig ist daher, dass weit mehr Aushub erfolgen muss, als er für das Bauwerk notwendig ist. Danach muss der Boden wieder eingebaut werden. Abgeböschte Baugruben kommen in jedem Fall nur in Betracht, wenn die Platzverhältnisse ausreichend sind. Bei vorhandener Nachbarbebauung sind in den meisten Fällen Verbau- oder andere Sicherungsmaßnahmen notwendig.

Benötigt eine Baugrube einen **Verbau,** muss der anstehende, verbleibende Boden vor dem Aushub abgestützt werden, damit er nicht in die Baugrube stürzt. Als Verbau werden die meist senkrechten Wände bezeichnet, die zu diesem Zweck eingebracht werden. Problematisch ist allerdings, dass die Verbauwände dem Erddruck des verbleibenden Bodens standhalten müssen, wenn der Erdaushub auf der Baugrubenseite erfolgt ist. Das bedeutet nicht nur, dass die Wände standfest sein müssen, sondern in den meisten Fällen dürfen sich die Verbauwände auch nur geringfügig verformen, da sich sonst der dahinter befindliche Boden auflockert. Das kann zu Setzungen der Nachbarbebauung führen. Daher ist der Verbau zu sichern.

Gegenüberliegende Verbauwände können durch horizontale **Aussteifungen** gegeneinander abgestützt werden. Dieses Verfahren ist einfach und sehr wirkungsvoll. Es bietet sich vor allem an, wenn die Entfernung nicht groß ist. Es findet sich daher üblicherweise bei den Verbaugeräten für den Kanalbau im städtischen Bereich, bei dem langgestreckte Gräben ausgehoben werden. Bei größeren Baugruben werden Aussteifungen in zwei Richtungen erforderlich, die je nach der Tiefe der Verbauwände auch in mehreren Höhenlagen einzubringen sind. Allerdings behindern die Aussteifungen die Bauarbeiten in der Baugrube erheblich und erschweren vor allem auch die nachfolgende Errichtung des Bauwerkes. Siehe hierzu die folgenden Abbildungen 14 und 15.

Aus diesen Gründen werden für die Sicherung der Verbauwände meist so genannte **Rückverankerungen** verwendet. Das heißt, man befestigt den Verbau, indem man ihn nach hinten in die anstehende Erde rückverankert. Dies geschieht mit Hilfe von **Erdankern** oder auch **Verpressanker** genannt. Dafür werden durch den Verbau Löcher in den anstehenden Boden gebohrt, deren Tiefe sich nach den zu übertragenden Lasten und dem Boden richtet. In die Löcher wird ein Spannstahl eingeführt, der danach mit Zementsuspension innerhalb des Loches gegen den anstehenden Boden verpresst wird. Nach dem Erhärten kann man an dem in der Baugrube herausstehenden Ende des Spannstahles mittels Ankerköpfen die Verbauwand sichern, da der Anker Zugkräfte aufnehmen kann. Um zu verhindern, dass der Anker anfänglich durch die Zugbelastung der Verbauwand nachgibt, werden die Anker bei Bedarf entsprechend vorgespannt.

Nachteilig ist bei den Rückverankerungen, dass man meist auf die Erlaubnis des angrenzenden Nachbarn angewiesen ist, die Anker in sein Gelände bohren zu dürfen. Sollte die angrenzende Bebauung tief in den Boden reichen, lassen sich keine Anker einsetzen, da das Gebäude durchbohrt werden müsste. Auf Grund solcher Zwänge werden in vielen Fällen die Konstruktionen für Baugruben sehr teuer und aufwändig.

Abbildung 14: Grabenverbaugerät

Das Grabenverbaugerät wird eingesetzt, wenn im Boden Leitungen verlegt werden sollen. Das Verbaugerät wird während oder nach dem Bauaushub in den Schlitz eingebracht und stützt den Boden seitlich ab, damit er nicht in den ausgehobenen Graben fällt. Die mittleren Verbindungen dienen als Aussteifung und zum Einstellen für verschiedene Weiten.

Abbildung 15: Aussteifung einer Baugrube

Im Vordergrund sind große, quer verlaufende Betonstreben zu sehen, mit denen die seitlichen Baugrubenwände gegeneinander ausgesteift werden.

Als Verbauwände kommen verschiedene Arten zur Ausführung. Die **Trägerbohlwand** ist eine weit verbreitete Methode, die auch **Berliner Verbau** genannt wird. Für die Herstellung der Verbauwand werden Stahlprofile verwendet. Es handelt sich um Doppel-T-Profile, deren Taschen zueinander weisen. Sie werden in den Baugrund gerammt oder auch in vorgebohrte Löcher eingestellt. Anschließend wird lagenweise der Boden ausgehoben und sukzessive mit dem Aushub werden entsprechend abgelängte Holzbohlen zwischen die Stahlprofile eingebracht. Die eingeschoben Holzbohlen werden verkeilt und stützen so den verbleibenden Boden. Auf dem noch anstehenden Baugrund innerhalb der Baugrube kann auch ein Ankerbohrgerät eingesetzt werden, mit dem die Rückverankerung lagenweise mit dem fortschreitenden Aushub eingebracht wird. Diese Art des Verbaus ist gut auszuführen und preisgünstig, allerdings ist der fertige Verbau nicht wasserdicht und relativ weich, so dass Auflockerungen des anstehenden, rückwärtigen Baugrundes und Setzungen nicht auszuschließen sind. Siehe hierzu Abbildung 16.

Abbildung 16: Trägerbohlwand

Die in der Abbildung zu sehende Trägerbohlwand besteht aus senkrechten Stahlträgern mit Doppel-T-Profil, in die quer Holzbohlen eingebracht werden. Dieser Verbau heißt auch Berliner Verbau. Zu sehen ist ebenfalls, dass bei größeren Höhen der Verbauwand eine Sicherung gegen Umfallen erforderlich ist, da die hinter dem Verbau befindliche Erde gegen die Wand drückt. Die horizontale Strebe dient der Befestigung von Ankern, die durch die Wand hindurch in dem dahinter befindlichen Erdreich befestigt sind. Man nennt dies auch Rückverhängung oder Rückverankerung.

Ebenfalls sehr häufig zur Anwendung kommen **Spundwände**. Dabei handelt es sich um Stahlprofile, die eine flache Z- oder U-Form aufweisen. Die Spundwandbohlen werden in den Boden gerammt, also eingeschlagen, oder in den Boden gerüttelt und vibriert. Die Abmessungen, die Form und die Länge der Profile richten sich nach den Anforderungen der einzelnen Anwendung. Die **Spundwandbohlen** müssen so gewählt werden, dass sie einerseits die Kräfte in Längsrichtung aufnehmen um sie einzurammen oder zu rütteln, andererseits die waagerechten Erddruckkräfte abtragen können, die auf die Bohle nach dem Aushub von hinten einwirken. An ihren langen Seiten haben die Spundbohlen umgefalzte Ränder, die so genannten Spundwandschlösser. Diese Schlösser dienen als Führung beim Einschlagen der angrenzenden Bohlen und sollen sicherstellen, dass die Bohlen miteinander verbunden sind. Wenn die Bohlen gerammt sind, kann innerhalb des sich bildenden Kastens der Baugrund ausgehoben werden, siehe hierzu Abbildung 17. Im Bedarfsfall werden mit dem fortschreitenden Aushub die Rückverankerungen eingebracht.

Die **Spundwandschlösser** können wasserdicht ausgeführt oder nachträglich verschweißt werden. Dann übernimmt die Spundwand die abdichtende Funktion gegen eindringendes Wasser aus dem Baugrund. Wegen der hohen Stahlpreise werden die Spundbohlen in aller Regel wieder gezogen. Nach einer eventuellen Aufarbeitung können sie dann wieder

Abbildung 17: Spundwandkasten

Der in der Abbildung zu sehende **Spundwandkasten** befindet sich in einem Fluss. Innerhalb des Spundwandkastens wurde der Pfeiler für eine Brücke errichtet.

verwendet werden. Nachteilig an Spundwandkonstruktionen ist das Entstehen starker Erschütterungen durch das Einschlagen oder das Rütteln der Bohlen. Siehe hierzu die Abbildungen 18 und 19.

Bei einer **Bohrpfahlwand** werden vorab mit einem Bohrgerät Bohrpfähle nebeneinander hergestellt, so dass eine Wand entsteht. Die Bohrpfähle bestehen aus Beton. Sie können direkt nebeneinander stehen und werden dann tangierende Bohrpfahlwand genannt, oder sie werden überschneidend hergestellt, also als überschnittene Bohrpfahlwand. Bei dem nachfolgenden Bodenaushub wird die Verbauwand im Bedarfsfall rückverankert. Die Bohrpfähle als massive Stahlbetonwände ergeben eine wasserdichte Baugrubenumschließung. In aller Regel werden diese Verbauwände gleichzeitig als tragende Bauteile für das Bauwerk verwendet. Siehe hierzu Abbildung 20.

Abbildung 18: Spundwand

Die in den Boden eingerammte Spundwand dient der Sicherung der links befindlichen Baugrube gegen ein Abrutschen des rechts anstehenden Bodens. Zum Schutz gegen ein Abrutschen des Bodens durch Regen wurde eine Folie aufgebracht.

Abbildung 19: Spundwandschloss

Zwei Spunddielen werden mit einem Spundwandschloss verbunden. Auf der Abbildung ist ersichtlich, wie die zwei gekrümmten Enden der Spunddielen ineinander greifen und so dafür sorgen, dass die einzelnen Spunddielen zu einer Wand verbunden werden. Beim Einrammen der Spunddielen muss darauf geachtet werden, dass die Schlösser nicht aufspringen. Bei einer Verwendung in anstehendem Grundwasser können die Spundwandschlösser auch mit Abdichtungen versehen werden.

Abbildung 20: Bohrpfahlwand

Bei der abgebildeten Verbauwand sind die einzelnen Bohrpfähle gut zu erkennen. Sie wurden vor dem Aushub von der Geländeoberkante aus hergestellt und durch den nachfolgenden Aushub freigelegt. Die horizontalen Verstrebungen dienen der Sicherung der Bohrpfahlwand durch eine rückwärtige Aufhängung im Boden mittels Ankern.

Ebenfalls eine massive und im Boden verbleibende Konstruktion sind Schlitzwände. Zur Herstellung einer **Schlitzwand** wird mit Hilfe eines Seilbaggers mit einem speziellen Schlitzwandgreifer ein Schlitz in der erforderlichen Tiefe ausgehoben. Die Breite des Schlitzes ergibt sich zunächst durch die Maulweite des Greifers. Im so genannten Pilgerschrittverfahren wird jeweils durch den Greifer eine Lamelle bis auf die erforderliche Endtiefe ausgehoben, dann ein Bewehrungskorb eingestellt und betoniert. Danach wird die übernächste Lamelle auf die gleiche Art hergestellt. Letztlich wird zwischen den beiden fertig hergestellten Lamellen der erforderliche Schlitz ausgehoben und betoniert. Dadurch entsteht eine geschlossene Wand rund um die Baugrube. Die Dicke der Schlitzwand richtet sich nach den statischen Erfordernissen. Siehe hierzu die Abbildungen 21 und 22.

Abbildung 21: Schlitzwandgreifer

Zur Herstellung von Schlitzwänden wird ein großer Greifer verwendet, der an einem Seilbagger hängt. Mit ihm wird der Schlitz bis in große Tiefen ausgehoben, wobei nur eine bestimmte Breite und Länge des Schlitzabschnitts ausgehoben wird. Der Greifer weist eine große Höhe auf, damit er bei dem Herablassen in den Schlitz eine gute Führung hat und der Schlitz möglichst senkrecht ausgehoben wird.

Während des Aushubs der bis über 40 Meter und tiefer reichenden Schlitzwandlamellen müssen die angrenzenden Bodenbereiche daran gehindert werden nachzurutschen. Der nachrutschende Boden würde nicht nur den Schlitz wieder verschließen, sondern letztlich auch zu Setzungen in angrenzenden Bereichen führen. Daher wird in den offenen Schlitz eine Stützflüssigkeit, das **Bentonit**, gepumpt. Bentonit hat thixotrope Eigen-

Abbildung 22: Schlitz Bewehrung

Die Schlitzwand wird vor dem Betonieren bewehrt. Dafür wird ein vorgefertigter Bewehrungskorb in den ausgehobenen Schlitz eingehoben. Die Abbildung zeigt das Einheben eines Bewehrungskorbes. An der Höhe des Korbes lässt sich die Tiefe der Schlitzwand erkennen.

schaften. Das bedeutet, dass es in bewegtem Zustand flüssig ist, während es sich in unbewegtem Zustand verfestigt. Da es annähernd die gleiche Dichte wie das anstehende Erdreich aufweist, stabilisiert es den Schlitz und verhindert, dass das anstehende Erdreich hineinfallen kann oder der Schlitz einstürzt. Siehe Abbildung 23. Wenn die Lamelle betoniert wird, verdrängt der Beton das Bentonit. Das Bentonit wird oben abgepumpt und der Wiederverwendung zugeführt.

Wenn die Schlitzwände fertig gestellt sind, kann die Baugrube ausgehoben werden. Schlitzwände ergeben ebenfalls eine weitgehend wasserdichte Baugrube. Im Bedarfsfall werden auch sie rückverankert oder ausgesteift. Wegen ihrer massiven Bauart bietet es sich an, die Schlitzwände als tragende Bauteile in die spätere Konstruktion zu integrieren.

Die verschiedenen Verbaumethoden werden auch in Kombination ausgeführt. So kann es nach den örtlichen Gegebenheiten wegen einer Nachbarbe-

Abbildung 23: Bentonit

Zu sehen ist der Schlitzwandgreifer und der obere Rand einer Lamelle der herzustellenden Schlitzwand. Man erkennt ebenfalls die so genannten Leitwände, die dem Greifer zur Führung dienen und sicherstellen, dass die Lamelle die vorgesehenen Dimensionen und Lage im Erdreich hat. Der Schlitz selbst ist mit Bentonit gefüllt. Mit fortschreitendem Aushub der Lamelle wird Bentonit nachgefüllt, so dass es immer den Schlitz ausfüllt und damit ausreichend gegen einstürzendes Erdreich sichert.

bauung erforderlich sein, an dieser Seite der Baugrube einen Verbau, z. B. mit einer Bohrpfahlwand herzustellen, während an einer Seite ohne Nachbarbebauung die Baugrube abgeböscht wird. Auch die kombinierte Ausführung von massiven Verbauwänden und Spundwänden etc. ist möglich.

Neben den beschriebenen Verbaumethoden gibt es noch weitere Konstruktionen und Bauverfahren, die in besonderen Fällen Anwendung finden. Für kleinere Baugrubenumschließungen kann man einen **Senkkasten** verwenden. Hierbei handelt es sich um Betonteile in Form von eckigen oder runden Ringen, die auf den Boden aufgesetzt werden. Dann wird mittels Aushub oder durch Spülung mit Wasser der Boden unter den Kästen und in ihrem Inneren entfernt, so dass sie sich absenken. Von oben können weitere Kästen aufgesetzt werden. Bei der **Deckelbauweise** werden die Untergeschosse von oben nach unten gebaut. Dabei wird jeweils ein Geschoss betoniert, bevor danach das darunter liegende Geschoss ausgehoben wird. Hierbei wird häufig die äußere Umschließung vorab mit Schlitzwänden hergestellt. Die fertigen Deckenscheiben wirken bei dem weiteren Aushub als Aussteifung.

Wenn Baugruben so tief in den anstehenden Baugrund eingebracht werden, dass die Baugrubensohle unterhalb des anstehenden Grundwasserspiegels liegt, besteht die Gefahr, dass das Grundwasser in die Baugrube eindringt. In diesen Fällen können die Bauarbeiten nicht ausgeführt werden. Zum einen bestehen sicherheitstechnische Bedenken, zum anderen müssen die Bauarbeiten im Trockenen ausgeführt werden.

Um die Baugrube vor dem einströmenden Grundwasser zu schützen gibt es mehrere Möglichkeiten. Alle Maßnahmen die dazu dienen, das im Baugrund vorhandene oder beim Aushub auftretende Grundwasser von der Baugrube fernzuhalten, die Baugrubensohle trockenzulegen oder trockenzuhalten, werden als **Wasserhaltung** bezeichnet. Man unterscheidet zwischen einer offenen Wasserhaltung und einer Grundwasserabsenkung.

Die **offene Wasserhaltung** ist so benannt, weil bei ihr das Grundwasser zu Tage tritt. Man legt in der Baugrube Gräben an, durch die das auftretende Wasser gesammelt wird. Das Wasser läuft in den Gräben ab und in so genannte Pumpensümpfe. Dies sind Vertiefungen, die z. B. mit Betonschachtringen befestigt und mit Kies ausgelegt werden. In den Pumpensümpfen steigt das gesammelte Wasser an. Bei Erreichen eines gewissen Wasserstandes in dem Pumpensumpf wird dann mittels der dort installierten Pumpen, die über einen Schwimmer gesteuert werden, das Wasser herausgepumpt. Die Anzahl der Pumpensümpfe richtet sich nach der Größe der Baugrube und der Menge des eindringenden Grundwassers. Eine offene Wasserhaltung funktioniert allerdings nur, wenn der Grundwasserspiegel nur wenig über der Baugrubensohle liegt und der Boden über eine feste Lagerung verfügt. Die Grundwasserströmungen dürfen die Standsicherheit des Baugrubenverbaus oder der Böschung nicht durch Ausspülungen gefährden.

In vielen Fällen ist eine offene Wasserhaltung in der Baugrube aber nicht möglich, da zu viel Wasser einströmt. Alternativ kommt eine **geschlossene Wasserhaltung** in Betracht. Dafür legt man um die Baugrube herum ringförmig mehrere Brunnen an, die bis in die grundwasserführenden Bodenschichten reichen. In den Brunnen sammelt sich das Grundwasser, wird abgepumpt und weitergeleitet. Ziel der Grundwasserabsenkung ist es, den Grundwasserspiegel im Bereich der Baugrube bis unter die Baugrubensohle abzusenken, um somit einen Wasserzutritt zu verhindern. Wenn das Gebäude in der Baugrube errichtet ist, wird die geschlossene Wasserhaltung beendet und die Brunnen werden wieder verschlossen. Danach stellt sich der natürliche Grundwasserspiegel wieder ein.

Nachteilig bei der geschlossenen Wasserhaltung ist die Senkung des Grundwasserspiegels in einem Bereich um die Baugrube herum. Durch den Entzug des Wassers verändert der Boden seine Zusammensetzung und sein „Gewicht“, da der Boden durch das Grundwasser Auftriebskräften unterliegt, die nach dem Entzug des Grundwassers entfallen. Dies kann zu so genannten **Mitnahmesetzungen** führen, die bei Gebäuden im Einflussbereich der **Grundwasserabsenkung** zu Setzungen und Rissen führen können. Weiterhin kann die großflächige Grundwasserabsenkung nicht nur Pflanzen schädigen, sondern auch alte Gebäude, die noch auf Holzpfählen gegründet sind. Durch den wechselnden Grundwasserspiegel kommt es zu einer Schädigung des Holzes.

In Fällen, in denen das Grundwasser nicht durch eine geschlossene oder offene Wasserhaltung entfernt werden kann, sind Bauverfahren zu wählen, die ohne eine Wasserhaltung auskommen. Eine Möglichkeit ist die Konstruktion mit wasserdichten Verbauwänden als Baugrubenumschließung, die bis in eine Bodenschicht reichen müssen, die kein Grundwasser mehr leitet. Wenn die Baugrube allseits geschlossen ist, und von unten kein Grundwasser einströmen kann, kann innerhalb der Verbauwände ausgehoben werden.

Liegen die nicht mehr wasserführenden Schichten zu tief, wird ebenfalls eine wasserdichte Baugrubenumschließung errichtet. Sodann wird der Boden ausgehoben. Das einströmende Grundwasser wird in der Baugrube belassen. Wenn man auf eine entsprechende Tiefe ausgehoben hat, wird unter Wasser die Baugrubensohle betoniert. Danach kann die Baugrube ausgepumpt werden, sie wird **gelenzt**. Alternativ zu der **Unterwasserbetonsohle** kann man auch die untere Baugrubensohle mittels Hochdruckinjektionen vor dem Aushub einbringen. Bei der so genannten **HDI-Sohle** wird mittels Bohrungen und Hochdruck Zementsuspension auf der Höhe der Baugrubensohle in den Boden eingebracht. Durch eine lückenlose Anordnung der entstehenden „Zementkorken" entsteht so bereits vor dem Aushub die dichte Sohle.

In Baugruben ist trotz der an sich wasserdichten Umschließungen eine **Restwasserhaltung** notwendig. Einerseits dringt doch eine gewisse Menge des Grundwassers ein, andererseits kommt durch Niederschläge ebenfalls Wasser in die Baugrube, welches entfernt werden muss. Eine besondere Gefahr besteht bei Baugruben, bei denen der Grundwasserspiegel oberhalb der Baugrubesohle liegt, durch **hydraulischen Grundbruch.** Da das Wasser in den Bereich der Baugrube nachströmen will, sickert es durch die Bodenschichten und unterhalb der Verbauwände durch. Wenn der Wasserdruck entsprechend hoch ist, kann es zu einem schlagartigen Wassereinbruch kommen, bei dem der Boden aufgeschwemmt wird. Der Wasserdruck und die Auftriebskräfte sind so groß, dass sogar Gebäudeteile mit aufgeschwemmt werden. Anschauliches Beispiel für die herrschenden Kräfte ist der Schürmannbau. Um dem hydraulischen Grundbruch vorzubeugen, ist daher der anstehende Baugrund und das Gebäude so zu bemessen, dass sie genügend Auflast durch das Gewicht aufbieten, damit das Wasser nicht von unten größere Kräfte aufbauen kann. Bis genügend Auflast auf der Baugrubensohle vorhanden ist kann es erforderlich sein, die Baugrubensohle gegen Auftrieb mit Ankern im Baugrund zu sichern.

Bei der Herstellung von **Erdbauwerken** wird Boden als Baustoff verwendet. Bei der Errichtung von Rampen und Aufschüttungen sollen die Bauwerke häufig später Lasten abtragen, die z. B. durch auf ihnen errichtete Straßen entstehen. Andererseits haben Dämme und Deiche anströmendem Oberflächenwasser standzuhalten. Damit der Boden dauerhaft seine Funktion als Bauwerk erfüllen kann, reicht es üblicherweise nicht aus, den Boden einfach aufzuschütten, da er sich unter den Lasten setzen würde, durch Niederschlag oder andere Wassereinwirkung abschwemmen würde, bei Frost aufbrechen kann etc. Daher sind bei der Verwendung des Baustoffes Boden ebenfalls technische Notwendigkeiten einzuhalten.

Da der einzubauende Boden durch seinen vorherigen Aushub aufgelockert worden ist, muss er während seines Einbaus verdichtet werden. Dies geschieht lagenweise, damit der Boden auch gleichmäßig und ausreichend verdichtet wird. Damit der Boden nicht durch eindringendes Wasser abgetragen oder ausgespült wird, müssen **Drainagen** für eine geregelte Abfuhr des Wassers sorgen. Dafür werden Rohre im Boden verlegt, die perforiert sind. In ihnen sammelt sich das Wasser und wird von dem Erdbauwerk abgeleitet.

Als Drainage können auch grobkörnige Sande und Kiese verwendet werden. Sie bieten ebenso den Vorteil, dass sie frostbeständige Unterlagen bilden. Daher werden sie auch als Frostschutzschicht unter den eigentlichen Bauwerken, z. B. Straßen und Gleisanlagen, eingebaut. Damit die wasserführende Eigenschaft erhalten bleibt, dürfen sich keine feinkörnigen Böden mit diesen Schichten vermengen.

Durch Sickerwasser wird aber der feinkörnige Boden in den grobkörnigen Boden eingetragen, andererseits werden die groben Körner durch Auflasten in den weicheren Boden eingedrückt. Damit diese ungewollte Durchmischung der unterschiedlichen Böden nicht eintritt, müssen die Bodenkörnungen so aufeinander abgestimmt werden, dass sich die unterschiedlichen Schichten nicht vermischen. Dazu sind jeweils Böden gestaffelt in mehreren Lagen einzubauen, deren Korngrößen so abgestimmt sind, dass sie so groß sind, dass sie nicht mehr in die Zwischenräume der gröberen Körner eindringen können. Damit ist die so genannte **Filterstabilität** erreicht. Um nicht den aufwendigen Prozess des Siebens der Böden für die Staffelung der Körnungen und den lagenweisen Einbau durchführen zu müssen, werden heute **Geotextilien** eingesetzt. Dabei handelt es sich um als Bahnen gelieferte, feinmaschige Kunststoffnetze oder Folien, die zwischen den verschiedenen Bodenarten ausgelegt werden und so die Vermischung verhindern.

Für Deiche und Dämme wird der tragende Kern aus eher rolligen Böden hergestellt, während zur Abdichtung der wasserseitigen Deichschürze oder gegen eine Unterspülung des Deiches sehr feinkörnige Böden eingesetzt werden, z. B. Ton oder Lehm. Sie dienen als natürliches Abdichtungsmaterial. Gegen die Erosion des Bodens durch Wind und Regen wird bei Erdbauwerken eine Deckschicht aufgetragen, die mit einem für die Zwecke geeigneten Pflanzenbewuchs bestückt wird. Die Wurzeln verfestigen den Boden und die Pflanzen entziehen dem Boden Wasser.

Wenn bei Erdbauwerken der Böschungswinkel eine zu große Dimension des Bauwerkes bewirken würde, stützt man den Boden ab. Hierfür werden entweder Verbauformen eingesetzt, Stützwände als Schwergewichtsmauern errichtet, mittels Spritzbetonauftrag und Rückverankerung der Hang gesichert, oder man benutzt Betonfertigteile, die übereinander gestapelt als Verbau dienen und jeweils Öffnungen für eine Bepflanzung freigeben. Dies hat sich auch für die Gestaltung von Böschungen an Autobahnen bewährt. Eine andere Bauart ist die bewehrte Erde. Man legt in den Boden Geotextilien oder Stahlmatten ein. Damit wird erreicht, dass sich der Boden an diesen Netzen abstützen kann und man den Böschungswinkel steiler ausbilden kann oder der Boden mehr Last abträgt ohne abzurutschen.

3. Häufig auftretende Probleme in der Praxis

Bei der Herstellung von Baugruben besteht oft das Problem, dass der vorgefundene Baugrund nicht dem entspricht, was man erwartet hat. Trotz vorliegender Baugrundgutachten kann es sein, dass sich die Bodenverhältnisse anders einstellen. Das jeweilige Verfahren für den Baugrubenverbau hängt stark von den Baugrundverhältnissen ab. Bei Änderungen der Voraussetzungen muss häufig das Verfahren umgestellt werden. Das bedingt eine erhebliche Umstellung der Baustelleneinrichtung und der Geräte.

Insbesondere die modernen Hochdruckinjektionstechniken reagieren sensibel auf unvorhergesehene Änderungen des Baugrundes oder lokale Störungen. Einerseits wird z. B. die Injektion gestört, wenn durch unbekannte größere Steine oder Findlinge ein unbedüster Bereich entsteht, ein so genannter Düsschatten. Andererseits können Bodenbestandteile das Abbinden der Zementsuspension stören oder die Festigkeit vermindern. Da die Injektionen in aller Regel eine statische oder abdichtende Funktion übernehmen, sind diese Techniken sehr risikobehaftet und auf eine zutreffende Beurteilung des Baugrundes angewiesen.

Die Verwendung von Zementsuspension für das Verpressen von Ankern etc., aber auch von Bentonit für Stützflüssigkeiten etc., ist bezüglich des Verbrauches stark abhängig von den Bodenverhältnissen. Je klüftiger oder grobkörniger ein Boden ist, desto mehr Flüssigkeit nimmt er auf. Zwar ist immer einen gewisser Verlust oder Mehrverbrauch möglich, bei sich ändernden Bodenverhältnissen kann es aber auch zu einem erheblichen, nicht vorhersehbaren Mehrverbrauch oder Verlust kommen.

Durch Störungen im Boden kommt es bei Bohrvorgängen zu Schäden an den Bohrgestängen oder zu erhöhtem Verschleiß. Das gilt insbesondere für Gestein, welches möglicherweise eine erhöhte Abrasivität und Festigkeit aufweisen kann. Da Spundbohlen gerammt werden, können sie durch Hindernisse abgelenkt werden. Zwar soll das Spundschloss die Führung der gerammten Bohle sicherstellen und den kraftschlüssigen Verbund der Bohlen, doch kann es durch die Hindernisse zu einem Aufspringen der Schlösser kommen. In der Folge ist der Baugrubenverbau nicht ausreichend, was oft erst bei dem Aushub bemerkt wird. Dann ist eine Sanierung aufwändig.

Da die Spundbohlen meist längere Zeit im Boden verbleiben und der Korrosion ausgesetzt sind, gehen sie einen guten Verbund mit dem sie umgebenden Boden ein. Die Wiederverwendung der Spundbohlen ist im kalkulierten Preis meist eingerechnet, andererseits möchte man auch aus ökologischen und ästhetischen Gründen die Spundbohlen entfernen. Allerdings lassen sich die Bohlen nicht immer wieder ziehen, da der Stahl nur begrenzt belastbar ist. Der Verlust von Spundbohlen führt häufig zu Streitigkeiten.

Ein weiteres Problem stellen bestehende Versorgungsleitungen im Baugrund dar. Oftmals ist nicht genau dokumentiert, ob und wenn ja, wo diese verlaufen. Trifft man auf Versorgungsleitungen, muss geklärt werden, um welche Art der Leitung es sich handelt, wer dafür verantwortlich ist und was damit zu geschehen hat. Wenn die Leitungen im Baufeld liegen, müssen sie umgelegt werden. Das führt meist zu Behinderungen oder dem Stillstand der Bauarbeiten.

Sollten bei dem Aushub des Baugrundes Kontaminationen auftreten, sind die kontaminierten Erdanteile gesondert zu entsorgen. Um festzustellen, welcher Art die Kontamination ist, müssen Bodenproben gezogen werden. Der Aushub muss zwischengelagert werden, bis die Entsorgung geklärt ist. In jedem Fall ist die Entsorgung mit hohen Kosten verbunden, so dass bei vorher unbekannter Kontamination außergewöhnlich hohe Kosten entstehen können.

Das Einbringen des Verbaus in das Erdreich wird mit schweren Geräten durchgeführt. Dadurch entstehen erhebliche Erschütterungen des umliegenden Erdreichs, z. B. durch das Rammen von Spundwänden. In der Folge kann es zu Setzungen oder Rissbildung bei der Nachbarbebauung kommen. Eine vorherige Bestandsdokumentation ist unerlässlich. Das gilt auch für Grundwasserabsenkungen, die zu Setzungen führen können.

Wie auch der Verbau ist die Art der Wasserhaltung durch die Baugrundgutachten vorbestimmt, bzw. gewählt worden. Es kann sich aber durch Veränderungen des Bodens eine größere Menge von Grundwasser einstellen, so dass zusätzliche Maßnahmen erforderlich werden oder sogar eine andere Methode der Wasserhaltung zu installieren ist. Sollte dies nicht möglich sein, ist der gesamte Baugrubenverbau zu ändern, um ohne eine Wasserhaltung auszukommen. Geänderte Bodenverhältnisse oder eine unvorhergesehene Grundwasserströmung können auch zu einem erhöhten Sand- oder Bodeneintrag in die Pumpensümpfe oder Brunnen führen. Auch die vermehrte Instandsetzung der Wasserhaltungstechnik führt zu Vergütungsfragen.

4. Weiterführende Literatur

Die DIN 4124 Baugruben und Gräben gilt für geböschte und für verbaute Baugruben und Gräben. Diese können von Hand oder auch maschinell ausgehoben werden. Sie gibt an, wie Baugruben und Gräben zu bemessen und auszuführen sind.

Die DIN 4126 Ortbetonschlitzwände – Konstruktion und Ausführung, dient dem Standsicherheitsnachweis für vertikale flüssigkeitsgestützte Schlitzwände. Die DIN EN 1538 Ausführung von besonderen geotechnischen Arbeiten (Spezialtiefbau) – Schlitzwände beschäftigt sich mit den bautechnischen Unterlagen für die Ausführung von Schlitzwänden, der notwendigen Baugrunderkundung und den benötigten Baustoffen. Sie gibt Erläuterungen zu den Entwurfskriterien, der Ausführung sowie der Überwachung der Ausführung. Die DIN 18 313 Schlitzwandarbeiten mit stützenden Flüssigkeiten ist Bestandteil der VOB/C.

Die DIN EN 1536 Ausführung von besonderen geotechnischen Arbeiten (Spezialtiefbau) – Bohrpfähle enthält allgemeine Grundlagen für die Herstellung von Bohrpfählen. Sie behandelt die Anforderungen an die Baugrunduntersuchung und die benötigten Baustoffe, wie z. B. den Beton oder den Stahl. Weiterhin gibt sie Hinweise zum Entwurf und der Bemessung von Bohrpfählen sowie der Ausführung und Überwachung.

Die DIN EN 1537 mit Berichtigung 1 Ausführung von besonderen geotechnischen Arbeiten (Spezialtiefbau) – Verpressanker gilt für Einbau, Prüfung und Überwachung von Dauer- und Kurzzeitankern, deren Tragfähigkeit geprüft wird. Weiterhin werden die Grundlagen der Ankertechnik festgelegt und definiert.

Die DIN EN 12 063 Ausführung von besonderen geotechnischen Arbeiten (Spezialtiefbau) – Spundwandkonstruktionen gibt Anforderungen, Empfehlungen und Hinweise über die Ausführung von bleibenden sowie temporären Spundwandkonstruktionen. Es wird auch über die dafür erforderliche Handhabung von Geräten und Materialen ausgeführt. Sie gilt allerdings nur für Stahlspundwände, kombinierte Spundwände und Holzspundwände.

Weitere Normen finden sich in dem Kapitel Baustoffe – Baugrund. Dort findet sich auch der Hinweis auf Literatur zu diesem Thema. Es gibt auch zahlreiche andere Fachbücher, die sich teilweise speziell mit bestimmten Verfahren beschäftigen.

II. Betonbau

1. Einführende Erläuterungen

Unter Betonbau versteht man die Planung und Errichtung von Bauwerken aus Beton. Der Beton wird meist mit Stahleinlagen bewehrt, man spricht dann auch von Stahlbetonbau. In der Praxis ist die Unterscheidung nicht mehr üblich, da es kaum unbewehrte Betonbauteile gibt. Werden Bewehrungsteile in den Bauwerken vorgespannt ausgeführt, handelt es sich um Spannbetonbau. Zum Betonbau gehören das Einschalen, das Bewehren, das Betonieren, die Nachbehandlung und das Ausschalen.

Beton hat den grundsätzlichen Vorteil, dass sich der Baustoff durch seine plastischen Eigenschaften gut transportieren lässt und beliebigen Formen anpassen kann, bevor er erhärtet. Die Herstellung der Formen, in die der flüssige Beton eingebracht wird, ist der Schalungsbau. Die Herstellung von Betonbauteilen mit frischem Beton, der vor Ort verarbeitet wird, nennt man **Ortbeton** in Unterscheidung zu der Fertigteilbauweise. Der Ortbeton kann entweder mit einem Fahrmischer angeliefert werden, also einem LKW mit einer Mischtrommel, oder in einem vor Ort errichteten Mischwerk hergestellt werden. Der im Werk angemischte Beton, der mit Fahrmischern angeliefert wird, heißt **Transportbeton**.

Fertigteile werden in Fabriken hergestellt. Wenn bei einer Baumaßnahme viele Fertigteile benötigt werden und ausreichend Platz vorhanden ist, werden die Fabriken eigens für diesen Zweck vor Ort errichtet. Diese Feldfabriken werden nach Fertigstellung des Bauwerkes wieder demontiert. Die Verwendung von Fertigteilen lohnt sich, wenn viele Bauteile mit gleichem Aufbau benötigt werden und die Abmessungen noch einen Transport über die Straße ermöglichen.

2. Fachliche Erläuterungen

Vorbereitend sind für den Betonbau zunächst die Schalungs- und Bewehrungspläne erforderlich. Aus den **Schalungsplänen** ergeben sich die Abmessungen und die Lage der aufzustellenden Schalungen, üblicherweise im Grundriss pro Geschoss dargestellt. Mittels einer daraus ermittelten Materialliste kann das entsprechende Schalungsmaterial disponiert werden. Mit der Schalungseinsatzplanung wird versucht, die Schalung möglichst effektiv wiederholt in den Bauteilen einzusetzen.

Analog enthalten die **Bewehrungspläne** Art und Lage der zu verlegenden Bewehrung. Stab- oder Mattenstahl wird kenntlich ausgewiesen, Details werden gesondert dargestellt, wenn die Bewehrungsführung in dem Bauteil sonst nicht eindeutig ist. Angegeben werden auch die einzuhaltenden Maßangaben, wie bspw. die Betondeckung, Biegerollendurchmesser, Übergreifungslängen etc. Die benötigten Bewehrungseisen werden in jedem Plan zu einer Stahlliste zusammengefasst. Der entsprechende Bewehrungsstahl muss vorab bestellt werden. Da meist nicht der gesamte Bewehrungsstahl auf der Baustelle gelagert werden kann, muss die Bestellung entsprechend zeitlich disponiert werden.

Grundsätzlich werden für die Betonbauteile in einem ersten Arbeitsschritt Schalungen gestellt, bzw. errichtet, die der späteren Form der Bauteile entsprechen, das **Einschalen.** Damit die Bauteile an der richtigen Stelle stehen, werden die Schalungen nach der Position und der Höhe eingemessen. Siehe hierzu die Abbildung 24.

Abbildung 24: Vermessung

Ein typisches Vermessungsgerät ist der Theodolit. Mit ihm können Winkel gemessen werden, womit man die Lage von Bauteilen einmessen kann. Die eingemessenen Punkte werden vor Ort markiert. Daran können sich dann die Mitarbeiter ausrichten, da sie an diesen markierten Stellen die Wände, Stützen etc. errichten müssen.

Für die meisten Anwendungen werden heute **Systemschalungen** angeboten. Dabei handelt es sich um Schalungsplatten, Trägergerüste, Sprieße und alle anderen notwendigen Schalungsteile, die jeweils von den verschiedenen Herstellern in ihrem System angeboten werden. Sie sind mit Verbindungsteilen, Abmessungen etc. so gestaltet, dass der Schalungsbau möglichst schnell und einfach durchzuführen ist. Die Systemschalungen verfügen über glatte Schalungsoberflächen aus beschichteten Holzplatten oder Metall und lassen sich durch verschiedene Trägerabmessungen in allen Größen installieren. Für besondere Anwendungen gibt es Sonderschalungen als System, z.B. Rundschalungen, Stützenschalungen, Fundamentschalungen etc. Für große Flächen werden die Systemschalungen einmal aufgebaut und lassen sich auf Grund ihrer Stabilität für den nächsten Einsatz durch ein Hebewerkzeug einfach versetzen. Die Flächen der Schalung, die mit dem Beton in Berührung kommen, nennt man **Schalhaut**. Siehe hierzu die Abbildung 25 und 26.

Abbildung 25: Systemschalung für Wände

Systemschalungen bestehen aus Metallrahmen, die auf dem Bild erkennbar sind. Auf ihnen ist die Schalhaut aufgebracht, von denen man die Rückseiten sieht. Die Elemente der Systemschalungen werden durch Klemmen und Verstrebungen zusammengefügt und ergeben so große, versetzbare Schalungsteile.

Abbildung 26: Schalung für Decken

Auf der Abbildung befindet sich vorne eine Stütze unter der Deckenschalung, auf der ein Längsträger aufliegt. Das Gewinde dient der Anpassung der Länge der Stütze. Auf dem Längsträger liegen die Querträger. Sie liegen sehr dicht, da sie die Schalungsplatten tragen, die sich nicht durchbiegen sollen.

Der Schalungsbau aus Naturholz, wie er früher auf Baustellen vor Ort hergerichtet worden ist, findet heute nur noch vereinzelt statt. Nachteilig ist bei der **Holzschalung,** dass die spätere Betonoberfläche rau ist, das Holz meist nicht wieder verwendet werden kann und in der Hauptsache, dass diese Arbeiten sehr zeitaufwändig und damit sehr kostenintensiv sind. Im Gegensatz zu den Systemschalungen, die durch ihre Metallrahmen sehr formstabil und dicht sind, müssen Holzschalungen ausreichend verstrebt und abgedichtet werden.

Bei vertikalen Bauteilen wird die Schalung meist in zwei Schritten aufgebaut. So wird z. B. bei einer Wand zunächst nur die Schalung der einen Seite errichtet. Danach wird die Bewehrung verlegt. Ist sie fertig gestellt, wird die Schalung geschlossen, also die zweite Seite eingeschalt. Bei horizontalen Bauteilen, wie Bodenplatten oder Decken, entfällt dieser Arbeitsschritt. Bei schlanken Bauteilen wird die Bewehrung auch in die fertig errichtete Schalung eingehoben.

Die Schalung wird mit Schalungsöl, oder auch **Schalöl** genannt, bestrichen. Dabei handelt es sich um eine wässrige Emulsion, die das spätere

Ausschalen, also das Entfernen der Schalung, erleichtert. Die Flüssigkeit soll den Verbund zwischen dem Beton und der Schalhaut möglichst gering halten um zu vermeiden, dass es bei dem Lösen der Schalung von dem erhärteten Betonteil zu Beschädigungen der Oberflächen kommt und der Arbeitsvorgang erleichtert wird. Daher handelt es sich bei Schalöl um Trennmittel.

Da der Beton zunächst flüssig in die Schalung eingebracht wird, übt er durch sein Gewicht einen seitlichen Druck auf die Schalung aus, den so genannten **Schalungsdruck.** Die Schalung muss in der Lage sein, diesen Druck aufzunehmen. Dabei darf sie sich weder verrücken, noch darf sich die Schalungshaut verformen. Daher ist die Schalung entsprechend abzustützen und zu befestigen. Die zwei Schalungsseiten vertikaler Schalungen werden mit durchgehenden Schalungsankern aus Stahlstangen zusammengehalten, die jeweils von außen verschraubt werden. Sie werden beim Ausschalen entfernt und hinterlassen die typischen Löcher im Beton. Siehe hierzu Abbildung 27.

Abbildung 27: Schalungsanker

Links sieht man die Bewehrung, den Abstandshalter und den durchlaufenden Schalungsanker einer Wand. Die vordere Schalung ist noch nicht montiert. Auf der rechten Abbildung sieht man die verbleibenden Löcher der Schalungsanker nach dem Ausschalen der Wand, sowie die Stöße der Schalungsplatten.

Bei waagerechten Schalungen trägt die Schalungshaut das gesamte Betongewicht. Daher ist eine entsprechend stabile und tragfähige **Rüstung** notwendig, welche das Gewicht des Frischbetons abträgt, bis das Bauteil ausreichend ausgehärtet ist um sich selbst zu tragen. Schalungen und Rüstungen werden entsprechend diesen Belastungen berechnet und bemessen. Bei großen Bauteilen, wie z. B. Brücken, haben die Rüstungen erhebliche Ausmaße und stellen bereits selbst Bauwerke dar. Siehe hierzu Abbildung 28.

Abbildung 28: Rüstung einer Brücke

Die Abbildung zeigt die Rüstung unterhalb der Schalung einer Autobahnbrücke. Auf den waagerecht verlaufenden Stahlträgern ist eine Vielzahl kleiner Streben montiert, die eine örtliche Durchbiegung der Schalung verhindern soll. Erkennbar wird auch der hohe Aufwand für die Herstellung einer Rüstung.

Sonderformen der Schalung sind die **Gleit- und** die **Kletterschalung.** Sie werden eingesetzt, wenn bei hohen Gebäuden ein möglichst gleich bleibender Querschnitt betoniert werden muss. Die Schalungen werden einmal aufgebaut und nach dem abschnittsweisen Betonieren und Erhärten der Abschnitte von unten nach oben bewegt. Dabei kann man die Schalungen mittels eines Kranes anheben, andere Systeme stützen sich hydraulisch an den unteren Bauteilen ab und drücken die Schalungen nach oben.

Das Einbringen der Bewehrung wird **Bewehren,** Verlegen oder Flechten genannt. Dabei werden die Stahlmatten, der abgelängte Stabstahl und die Bügel so verlegt, dass die im Bewehrungsplan angegebenen Maße eingehalten werden. Um die Verlegung an den entsprechenden Stellen zu ermöglichen und auch während des Betonierens die Lage des Stahles sicherzustellen, werden die Bewehrungsteile mit dem so genannten Rödeldraht miteinander verbunden, das Knippern. Um den notwendigen Abstand zwischen Schalungsoberfläche und Bewehrung zu gewährleisten, also die Betondeckung einzuhalten, werden **Abstandhalter** benutzt. Sie werden vorgefertigt aus Beton oder Kunststoff hergestellt, oder aus Bewehrungsstahl nach Bedarf gebogen. Siehe hierzu die folgende Abbildung 29.

Abbildung 29: Abstandshalter

Die Abbildung zeigt ein Widerlager einer Brücke. Der hohe Bewehrungsgehalt und die dichte Lage der einzelnen Stäbe werden deutlich. Auf den äußeren Bewehrungsstäben sind Abstandshalter angebracht.

Wenn Bewehrungsstahl nicht in ausreichender Länge vorhanden ist, die Geometrie des Bauteils es erfordert oder aus anderen Gründen der Bewehrungsstahl kraftschlüssig zu verbinden ist, kann dies auf unterschiedliche Weise vorgenommen werden. Meistens wird der Stahl einfach überlappend verlegt. Die **Übergreifungslänge** ergibt sich je nach dem Durchmesser und der Geometrie und ist vorgegeben. Der Kraftschluss wird dann über den Beton, der sich im Bereich der Übergreifungslänge zwischen dem Bewehrungsstahl befindet, hergestellt. Es ist aber auch möglich, den Bewehrungsstahl direkt miteinander zu verbinden. Dazu werden Gewindehülsen verwendet, die auf die zuvor an den Enden des Stahls aufgewalzten Gewinde aufgeschraubt werden, oder man verschweißt die Enden miteinander. In diesen Fällen überträgt die Verbindung die Kräfte direkt. Solche direkten Verbindungen sind in aller Regel aber teurer als eine überlappende Verlegung, so dass sie nur bei sich ergebenden Zwängen eingesetzt werden.

Bewehrungsmatten erlauben eine schnellere Verlegung. In vielen Fällen ist der Stahlquerschnitt der Mattenstäbe aber nicht ausreichend. Man kann trotzdem die Matten verwenden, legt aber Stabstahl mit dem erforderlichen Querschnitt dazu. Man bezeichnet diese Stabstähle als **Zulage.** Beispielsweise bedeutet „Ein 16er alle 40“, dass ein Stabstahl mit dem Durchmesser 16 mm alle 40 cm einzulegen ist. Der Begriff Zulage wird auch für die zusätzliche Bewehrung verwendet, mit der eine konstant verlegte Bewehrung punktuell verstärkt werden muss, z. B. wegen einer späteren Krafteinleitung in das Bauteil.

Gleichzeitig mit der Bewehrung werden auch **Einbauteile** montiert. Teilweise müssen sie kraftschlüssig an der Bewehrung befestigt werden. Dazu gehören Winkel, Gewindeplatten, Bolzen und andere Teile, z. B. Halfenschienen. Sie dienen für eine folgende Befestigung von Fassaden, Ausbauteilen, Kabelpritschen etc. Andere Einbauteile müssen nicht kraftschlüssig mit dem Betonbauteil verbunden werden, sondern sie übernehmen eine Funktion innerhalb des Bauteiles, so dass ihre Lage innerhalb des Bauteiles sein soll. Hierzu zählen **Leerrohre** und Imbetonkanäle. Sie dienen der nachträglichen Montage von Kabeln und Leitungen. Wenn die Decken für die spätere Klimatisierung des Gebäudes genutzt werden sollen, müssen vor dem Betonieren bereits die wasserführenden Schläuche eingebracht werden. Siehe hierzu Abbildung 30.

Wenn das Bewehren und Einschalen des Bauteiles fertig gestellt ist, kann der **Frischbeton** eingebracht werden, der so genannte **Betoneinbau.** Als Frischbeton wird der bereits einbaufertig angemischte Beton bezeichnet. Das Transportieren des Betons zur Baustelle wird **Befördern** genannt. Der in einem Betonwerk fertig angemischte Beton wird mit Fahrmischern zur Baustelle gebracht. Dies bezeichnet man als **Transportbeton.** Andererseits kann man den Frischbeton auch mit einem auf der Baustelle installierten Mischwerk herstellen. Das erfordert allerdings ausreichenden Platz und lohnt sich nur, wenn erhebliche Betonmengen benötigt werden.

Als **Fördern** wird nur das Verteilen des Betons auf der Baustelle zum Transport in die Schalung bezeichnet. Der Beton kann auf unterschied-

Abbildung 30: Leerrohre und Bewehrung einer Wand

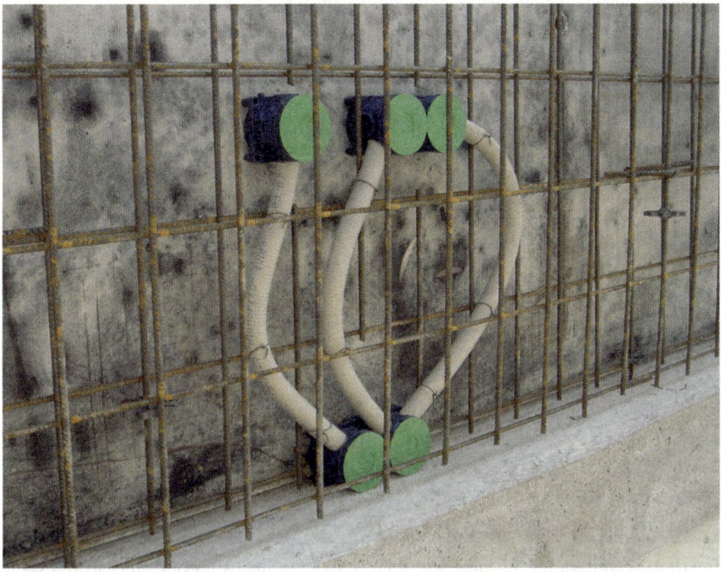

Nach dem Aufstellen der ersten Schalungsfläche einer zu betonierenden Wand werden an der inneren Schalhaut die Einbaudosen und Kabelführungen für die späteren Elektromontage befestigt. Die Bewehrung ist auch schon verlegt, so dass in einem nächsten Arbeitsschritt die zweite Schalungsfläche der Wand montiert werden kann. Nach dem Ausschalen kann in die Einbaudosen eine Steckdose, eine Telefondose usw. montiert werden. Dadurch wird das spätere Einstemmen von Schlitzen und Öffnungen überflüssig.

liche Weise zur Schalung gefördert werden. Üblicherweise verwendet man den Kran und einen angehängten Kübel. Möglich ist aber auch die Verwendung einer Rutsche oder von Förderbändern. Dieses Vorgehen ist in der Praxis allerdings selten, alternativ zu dem **Kran-Kübelbetrieb** wird Beton mit speziellen **Betonpumpen** gefördert. Sie sind meist auf Lastkraftwagen montiert, die über ein hydraulisches Gestänge den montierten Förderschlauch bis zur Schalung bewegen können. Für Pumpbeton sind allerdings geeignete Rezepturen notwendig, da nicht jeder Beton pumpfähig ist. Die Art der Förderung ist daher von den Notwendigkeiten der Betonrezeptur, der einzubringenden Menge des Betons und dem Standort des zu betonierenden Bauteiles abhängig. Siehe hierzu Abbildung 31 und 32.

Abbildung 31: Krankübel – Betrieb

Bei dem abgebildeten Betonieren mit einem Kran und angehängtem Kübel sieht man den befestigten Schlauch, durch den der Beton in die Schalung eingefüllt wird. Links am Kübel befindet sich die daran angebrachte Plattform für das Bedienpersonal, wobei der dort befindliche Mitarbeiter bei den Hubbewegungen des Kranes auf dem Kübel verbleibt.

Der Beton wird in die Schalung eingefüllt. Hierzu muss bei größeren Fallhöhen ein Schlauch verwendet werden, da sonst die Gefahr besteht, dass sich der Beton entmischt. Durch die Fallhöhe schlagen die größeren Zuschlagskörner weiter durch und sammeln sich unten an. Es werden Lagen in Höhe von jeweils ca. 30 bis 50 cm eingefüllt. Dann muss der Beton verdichtet werden. Während des **Verdichtens** werden Lufteinschlüsse im Beton ausgetrieben, damit ein dichtes Gefüge entsteht. Verdichtet wird mit Hilfe von so genannten Rüttlern. Meistens werden **Rüttelflaschen** eingesetzt. Hierbei handelt es sich um flaschenförmige Kapseln an einem Schlauch, die mechanisch in Schwingungen versetzt und in den Frischbeton gehalten werden. Siehe hierzu die folgende Abbildung 33. Es können auch an der Schalung Rüttler angebracht werden. Sie verdichten den Beton, indem sie die Schalung in Schwingung versetzen.

Die Körnung des Zuschlages, insbesondere das Größtkorn, und die Bewehrungsverlegung sind aufeinander abzustimmen. Der Beton muss gleichmäßig um die Bewehrung herum fließen können, so dass er die

Abbildung 32: Einbau mit Betonpumpe

Hier steht eine Betonpumpe auf dem oberen Rand der Baugrube. Mit dem Ausleger wird der Beton in die Bodenplatte eingebracht. Die Betonpumpe ist auf einem straßengängigen Fahrwerk montiert, wobei hier im Betrieb das Fahrzeug von Auslegern standsicher gehalten wird. Rechts sieht man einen Fahrmischer, der seinen Frischbeton in die Pumpe leert.

Schalung vollständig ausfüllt. Für das Verdichten mit Rüttelflaschen ist ebenfalls die Bewehrungsführung so zu planen, dass man den Beton an allen Stellen verdichten kann. Dazu werden in der Bewehrung so genannte **Rüttelgassen** freigelassen, in denen man beim Betonieren die Rüttelflaschen hindurchführen kann. Wenn der Beton zu erstarren beginnt, darf er nicht weiter verarbeitet werden.

Damit der Beton während des Erhärtens ungestört seine Festigkeit entwickeln kann, muss während dieser Zeit dafür gesorgt werden, dass keine störenden Einflüsse auf ihn einwirken. Das nennt man die **Nachbehandlung.** Sie dient in erster Linie dem Ziel, an den Betonoberflächen ein möglichst dichtes Gefüge zu erreichen und die Festigkeiten sicherzustellen. Die Dauer der Nachbehandlung ist von den Umgebungsbedingungen und anderen betonspezifischen Werten abhängig. So ist z.B. bei hohen Außentemperaturen ein Verdunsten des Wassers im Beton, insbesondere an den Oberflächen, zu verhindern. Da der Beton das Wasser bei dem Ab-

Abbildung 33: Betonieren und Verdichten mit Rüttelflaschen

Die Mitarbeiter stehen auf der Bewehrung einer Bodenplatte und Betonieren. In der Mitte wird mittels des Schlauchs der Beton eingebracht, der durch eine Betonpumpe gespeist wird. Die Mitarbeiter rechts und links haben je eine Rüttelflasche am Ende der Leitung, die sie eine gewisse Zeit in den Frischbeton halten. Vorne links ist das Versorgungsgerät für die Rüttelflaschen zu sehen.

bindevorgang chemisch bindet, kann er seine Festigkeit nicht entwickeln, wenn ihm das Wasser vorher durch Verdunstung entzogen wird. Daher wird im Rahmen der Nachbehandlung der Beton abgedeckt, so dass das Anmachwasser nicht verdunsten kann, oder er wird feucht gehalten. Sollte der junge Beton während des Erstarrens gefrieren, dehnt sich das Anmachwasser aus. Dadurch kommt es zu Gefügeveränderungen innerhalb des Betons, die zu verminderten Festigkeiten in diesen Bereichen führen. Daher muss der Beton auch vor Frost geschützt werden.

Bei massigen Bauteilen, in die beim Betonieren viel Beton in hoher Schichtdicke eingebracht wird, entsteht durch die Hydratation sehr viel Wärme im Bauteilinneren. Dadurch dehnt sich der Beton in diesen wärmeren Bereichen aus. Das einsetzende Erstarren des Betons behindert ihn bei dem späteren Abkühlen daran, sich wieder zusammenzuziehen. Dadurch kommt es zu Rissen im Bauteil. Um diese Effekte zu verhindern muss eine gleichmäßige Temperatur in dem Betonbauteil erreicht werden. Dazu montiert man vor dem Betonieren auf der Bewehrung Kunststoffrohre, durch die man den Beton beim Abbinden im Inneren mit Wasser temperieren kann.

Für das **Ausschalen** muss das Erhärten des Betons abgewartet werden, bevor die Schalung entfernt werden kann. Der Beton muss eine ausreichende Standfestigkeit erreicht haben. Die Ausschalfristen hängen von den verschiedenen Parametern ab, z. B. dem Bauteil, der eingesetzten Zementsorte oder den Außentemperaturen. Die Ausschalfristen sind entsprechend vorgegeben und einzuhalten. Da die Rüstung die weiteren Bauarbeiten hindert und die Schalung für die nächsten Bauteile wieder eingesetzt werden soll, strebt man möglichst kurze Ausschalfristen an.

Auch nach dem fristgerechten Ausschalen hat der Beton noch nicht seine endgültige Festigkeit erreicht. Er härtet auch nach dem Ausschalen über einen langen Zeitraum weiter aus. Um die weiteren Bauarbeiten fortführen zu können und die auf das Bauteil wirkenden Lasten abzutragen, werden daher z. B. ausgeschalte Decken noch über einen weiteren Zeitraum mit Sprießen abgestützt. Die Decken würden sich sonst unter den Lasten der auf ihnen weitergeführten Bauarbeiten verformen und dauerhaft durchbiegen.

Wenn Betonbauteile wegen ihrer Größe nicht in einem Zug gefertigt werden können, werden die Bauteile in **Betonierabschnitten** geplant. Das ist z. B. bei Bodenplatten der Fall, wenn die Tagesleistung des Betonierens nicht ausreicht, um die Bodenplatte in einem Zug herzustellen, oder z. B. die Geometrie eines Bauteiles dazu führt, dass der eingebrachte Beton bereits beginnt zu erhärten, so dass er nicht mehr verarbeitet werden darf. In diesen Fällen werden **Arbeitsfugen** ausgebildet. Dafür wird die Bewehrung zwischen den angrenzenden Bauteilen fortgeführt und die Oberfläche des bereits erhärtenden Betons für den guten Anschluss des frischen Betons gereinigt und entsprechend angefeuchtet. Die Fuge muss den statischen Anforderungen genügen, also Kräfte übertragen. Der kraftschlüssige Verbund ergibt sich also über die angeschlossene Bewehrung, aber auch durch den Verbund des alten Betons mit dem neu eingebrachten.

Fugen ergeben sich auch auf Grund der Geometrie der Bauteile. Bspw. können Stützen erst bewehrt und eingeschalt werden, wenn die darunter befindliche Decke betoniert worden ist und eine entsprechende Festigkeit aufweist. In diesen Fällen ist nicht immer ein Verbund der Bauteile über eine Bewehrung statisch erforderlich, eine Anschlussbewehrung wird aber konstruktiv vorgesehen und durch die Normen vorgegeben.

Wasserundurchlässiger Beton, kurz **wu-Beton**, wird korrekter Weise nach DIN 1045 als „Beton mit hohem Wassereindringwiderstand" bezeichnet. Die frühere Bezeichnung als wasserundurchlässiger Beton war insoweit nicht zutreffend, da der Beton nicht wasserdicht ist. Er verhindert zwar den Durchtritt von flüssigem Wasser, allerdings nicht die Diffusion von Wasserdampf. Als Faustregel gilt, dass ein Schnapsglas Wasser pro Quadratmeter Fläche am Tag nach innen tritt. Voraussetzung für den Beton ist, dass eine nachzuweisende Wassereindringtiefe von 50 mm nicht überschritten wird. Technisch wird der wu-Beton mit bestimmten Rezepturen und in bestimmten Verfahren hergestellt. Für Arbeitsfugen müssen besondere Dichtungsmaßnahmen getroffen werden. Hierfür werden z. B. Dichtungsbänder eingelegt oder **Verpressschläuche** montiert. Die Verpressschläuche können im Bedarfsfall mittels Injektionen befüllt werden und sollen so nachträglich undichte Stellen im bereits betonierten Bauteil abdichten. Eine spezielle, oberflächennahe Bewehrung wird so verlegt, dass sich beim Erhärten des Betons auftretende Risse gleichmäßig verteilen und so statt einiger größerer Risse viele kleine, unschädliche Risse entstehen. Man nennt diese Bewehrung, die keinen statischen Zweck erfüllt, **rissverteilende Bewehrung**.

Man setzt wu-Beton bei Bauteilen ein, die eine gegen Wasser sperrende Wirkung haben sollen. Verbreitet ist dies bei der Herstellung von Tiefgeschossen von Bauwerken, die im Grundwasser stehen. Man nennt diese Bauweise **Weiße Wanne** im Gegensatz zu der schwarzen Wanne, die dadurch entsteht, dass Betonbauteile durch eine schwarze, bituminöse Abdichtung gegen eindringendes Wasser geschützt werden.

Bei **Unterwasserbeton** wird der Beton unterhalb der Wasseroberfläche eingebaut. Beim Einbau ist darauf zu achten, dass sich der Beton nicht entmischt, da das Wasser einerseits den Zement ausspült, andererseits der Auftrieb des Wassers die Bestandteile des Betons trennt. Daher wird für das Betonieren das **Kontraktorverfahren** angewendet. Dabei wird der Beton mit einem Schüttrohr eingebracht. Die untere Öffnung des Rohres verbleibt stets im Frischbeton.

Bei **Sichtbeton** handelt es sich im Prinzip um Betonoberflächen mit besonderen Anforderungen an das Aussehen. Die Ansichtsfläche übernimmt eine gestalterische Funktion. Heute wird unter Sichtbeton eine möglichst einheitliche, glatte graue Fläche verstanden, die sich bei Architekten zunehmender Beliebtheit erfreut. Allerdings lassen sich Sichtbetonflächen auch mit profilierten Schalhäuten herstellen, so dass die Betonoberflächen ein einheitliches Muster bekommen. Durch das Einmischen von Pigmenten oder die Auswahl der Farbe des Zuschlags lässt sich die Oberfläche des Betons ebenfalls gestalten. Unter dem Begriff **Waschbeton** ist eine andere Art der Oberflächenausbildung bekannt. Hierbei wird der Zement aus dem oberflächennahen Bereich des Betons durch Strahlen mit Wasser, ev. mit Hochdruck, entfernt. Auch durch Schleifen und Polieren der Oberflächen kann man eine Gestaltung vornehmen. In jedem Fall haben

Betone mit Anforderungen an die Oberfläche spezielle Rezepturen und ihre Verarbeitung muss mit besonderer Sorgfalt vorgenommen werden.

Entwicklungen im Betonbau betreffen **Selbstverdichtenden Beton, SVB** oder englisch SCC, self compacting concrete. Er ist durch seine flüssige Konsistenz in der Lage, die beim Mischen und Betonieren entstehenden Luftblasen entweichen zu lassen. Der Arbeitsgang des Verdichtens kann entfallen. **Faserbeton** ist ebenfalls in der Entwicklung. Zur Aufnahme der Zugkräfte und für eine gleichmäßige Rissverteilung werden dem Beton Fasern aus Metall, Kunststoffen, Textilien etc. beigemischt. In aller Regel wird für den statisch erforderlichen Lastabtrag eine herkömmlich Bewehrung beibehalten.

Der **Spannbetonbau** entspricht weitestgehend dem Betonbau. Allerdings werden die Spannstahllitzen in vorab einbetonierte Rohre verlegt. Allein durch das Spannen entsteht in dem gesamten Querschnitt des Bauteiles eine Druckbelastung. Auch im Gebrauch führen die aufgebrachten Lasten daher nicht dazu, dass in dem Betonbauteil eine Zugbelastung eintritt. Dadurch werden schlankere Bauteile möglich, z. B. bei Brückenträgern. Siehe hierzu Abbildung 34.

Abbildung 34: Öffnungen für Spannlitzen

Die Abbildung zeigt das Kopfende einer Autobahnbrücke. Gut zu sehen sind im unteren Teil die Öffnungen, in welche die Spannlitzen für die Herstellung als Spannbetonteile eingebracht werden.

Bei der Verarbeitung von Beton müssen auf den Baustellen Kontrollmaßnahmen durchgeführt werden. Sie sind im Einzelnen vorgeschrieben in den **Überwachungsklassen** für Beton gemäß DIN 1045, Teil 3. Welche Maßnahmen der Eigen- oder Fremdüberwachung durchzuführen sind, richtet sich nach der Druckfestigkeit, der Expositionsklasse und den vom Beton erwarteten besonderen Eigenschaften.

3. Häufig auftretende Probleme in der Praxis

Mängel im Betonbau lassen sich in aller Regel erst feststellen, wenn das Bauteil erhärtet und ausgeschalt ist. Das erschwert in vielen Fällen die Mangelbeseitigung, da ein mangelhaftes Betonbauteil in aller Regel schwer zu sanieren ist. Ein Abriss ist in vielen Fällen unumgänglich und führt zu Verzögerungen der weiteren Ausführung. Daher ist der Überwachung beim Einbau von Beton erhöhte Aufmerksamkeit zu widmen.

Mängel beim Betonbau resultieren zunächst aus einem unzutreffenden Beton. Die Eigenschaften sollten jeweils vor dem Einbau geprüft werden. Trotzdem kann es vorkommen, dass ein Beton mit minderer Festigkeit eingebaut wird. Das ist in aller Regel erst nach dem Erhärten feststellbar. Beton besitzt nur eine gewisse Verarbeitungszeit. Deshalb muss bei Transportbeton beachtet werden, dass der Fahrmischer in der Regel spätestens nach 90 Minuten komplett entleert ist. Das bedeutet, dass der Weg vom Betonwerk bis in die Schalung nicht mehr als 90 Minuten in Anspruch nehmen darf. Werden an den Beton besondere Anforderungen gestellt oder herrschen extreme Temperaturen, kann sich diese Zeit verkürzen. Dies stellt, gerade im innerstädtischen Bereich mit hohem Verkehrsaufkommen, oft ein großes Problem dar. Beton mit einer unzulässig hohen Transportzeit darf von der Baustelle nicht mehr angenommen werden. Sollte er dennoch eingebaut werden, hat dies Auswirkungen auf die Qualität und die Festigkeit.

Weit überwiegend resultieren die Mängel im Betonbau aber aus einer unsachgemäßen Verarbeitung. Eine falsch oder nachlässig montierte Schalung führt zu Maßabweichungen der Bauteile. Insbesondere eine unzureichende Stützung und Befestigung der Schalhaut hat zur Folge, dass sie sich beim Betonieren verbiegt und das Bauteil dauerhaft verformt ist.

Der überschüssige Auftrag von Trennmitteln oder Schalöl kann Verfärbungen des Betons zur Folge haben, ebenso defekte, unsaubere oder verschlissene Schalungsoberflächen. Rostflecken resultieren allerdings häufig durch den Einbau der Bewehrung. Wird dabei unsauber gearbeitet, bleiben abgeschnittene Teile des Rödeldrahts auf der Schalung liegen. Werden diese vor dem Betonieren nicht entfernt, entstehen an der Unterseite des zu betonierenden Bauteils Rostflecken. Das ist z. B. an Deckenuntersichten häufig zu beobachten, stellt aber in aller Regel keinen Mangel in der Festigkeit und Haltbarkeit dar.

Anders verhält es sich allerdings, wenn die Rostflecken durch die Bewehrung selbst verursacht werden, die an der Betonoberfläche sichtbar ist. Bei nicht ausreichender Betondeckung ist der damit freiliegende Bewehrungsstahl nicht mehr vor Korrosion geschützt und beginnt zu rosten. In der Folge kommt es zu Abplatzungen am Beton. Damit reduziert sich die Tragfähigkeit des Bauteils. Mangelnde Betondeckung bei horizontalen Bauteilen ist häufig durch das Bewehren selbst verursacht, wenn die untere Bewehrungslage für die nachfolgenden Arbeiten begangen wird und sich durchbiegt.

Mängel beim Betonieren sind nicht immer sichtbar. Zunächst verhindert die Schalung eine Sichtkontrolle. Nach dem Ausschalen kann es sein, dass die Betonoberfläche keinen Anlass zu Beanstandungen gibt. Dennoch kann es im Inneren des Bauteiles zu Stellen kommen, an denen der Beton die Schalung nicht einwandfrei ausgefüllt hat. Im Zusammenhang mit dicht verlegter Bewehrung und dem Einbau des Betons können sich durch Ansammlungen von Zuschlag unter den Engstellen Hohlräume bilden. Dies lässt sich nur durch Kernbohrungen ermitteln. Nach dem Ausschalen sind allerdings Fehlstellen sichtbar, wenn sich der Beton an der Oberfläche entsprechend absetzt. Diese Ansammlungen von Zuschlagskörnern, die nicht ausreichend mit einer Zementmatrix umgeben sind, nennt man **Kiesnester.** Sie entstehen beispielsweise, wenn aus großer Höhe der Beton in die Schalung fallen gelassen wird und sich die größeren Zuschlagskörner unten absetzen. Dieser Effekt entsteht auch durch mangelnde Verdichtung. Sie bewirkt ebenfalls vermehrte Lufteinschlüsse, die nach dem Ausschalen als **Lunker** an der Oberfläche sichtbar bleiben. Im Bauteilinneren führen die verbleibenden Lufteinschlüsse zu einer verminderten Festigkeit. Siehe hierzu Abbildung 35.

Da Beton ein spröder Baustoff ist, stellen sich an allen Betonbauteilen Risse ein. Rissbildung ist unvermeidbar. Allerdings hängt es von der Konstruktion und der Bewehrung ab, inwieweit sich eine Rissbildung sichtbar einstellen darf. Größere und tiefere Risse deuten auf eine mangelhafte Herstellung hin, in jedem Fall, wenn die Risstiefe bis zu der Bewehrung reicht. Die Risse zeigen sich jedoch nicht unbedingt gleich nach dem Ausschalen, sondern stellen sich erst nach Ablauf einer gewissen Zeit durch das Abkühlen, Schwinden oder Kriechen des Bauteiles ein. Undichtigkeiten in Weißen Wannen und Bodenplatten durch Risse sind funktionsstörend und zu sanieren.

Spröde und absandende Oberflächen des Betons sind meist ein Zeichen für unzureichende Nachbehandlung. Wenn das oberflächennahe Anmachwasser verdunstet und nicht ausreichend für das Erhärten des Betons zur Verfügung steht, kann der Zement seine Festigkeit nicht ausbilden. Ein

Abbildung 35: Mangelhafter Beton

Der ausgeschalte Unterzug zeigt an der Unterkante deutlich, dass der Beton die Schalung im Eckbereich nicht vollständig ausgefüllt hat. Bei einer ordnungsgemäß durchgeführten Betonage und Verdichtung des Betons dürfen solche Mängel nicht auftreten.

weiterer Effekt ist ein zu frühes Ausschalen. Wenn der Beton noch keine ausreichende Festigkeit erreicht hat, kann er sich verformen, bzw. kann es dann ebenso zu einem Austrocknen der freigelegten Flächen kommen.

Verfärbungen des Betons und ein Abzeichnen der Schalungsteile ist in aller Regel normal. Die Grautönung des Betons variiert mehr oder weniger auf Grund seiner Bestandteile und seiner Bedingungen beim Erhärten. Arbeitsfugen bleiben ebenso sichtbar wie auch die Betonierschritte beim Füllen der Schalung ohne besondere Maßnahmen sichtbare Linien hinterlassen können. Die Stöße der Schalungshaut hinterlassen meist Erhebungen in der Betonoberfläche, während die Schalungsanker ein Loch ergeben.

Werden besondere Anforderungen an das Erscheinungsbild des Betons gestellt, z.B. wenn **Sichtbetonqualität** gefordert wird, gibt es häufig Streitigkeiten bezüglich der ausgeführten Qualität. Dies kann zum einen an falschen Vorstellungen des Auftraggebers liegen, was technisch überhaupt möglich ist, oder aber auch an der mangelnden Ausführung der Bauunternehmung. Reproduzierbare Qualität nach Musterflächen in Sichtbeton ist nach momentanem, technischem Stand nur unter Laborbedingungen möglich. Ein Auftreten von Lunkern und leichte Farbunterschiede lassen sich trotz großer Sorgfalt nicht ausschließen.

Optische Mängel lassen sich durch **„Betonkosmetik"** beheben. Dabei werden Überstände entfernt und Löcher, Lunker etc. verspachtelt. Dabei wird heute eine sehr hohe Qualität erreicht, so dass kaum sichtbare Spuren verbleiben. Ob diese Maßnahmen ausreichen für eine Instandsetzung von Sichtbeton, ist allerdings ebenfalls in vielen Fällen Ursache für Streitigkeiten. In den meisten Fällen wird eine sachverständige Beurteilung unumgänglich sein. Wenn die Betonbauteile verputzt oder beschichtet werden, ist eine Betonkosmetik ausreichend.

Für die Funktionen eines Gebäudes werden Installationen für den technischen Ausbau, wie z. B. Lüftungsrohre, Kabelführungen etc. benötigt. Dafür werden Aussparungen in Wänden, Unterzügen und Decken vorgesehen. Sollte sich in Folge von Änderungen des Ausbaus die Notwendigkeit ergeben, dass auch die Aussparungen geändert werden müssen, so hat das erhebliche Konsequenzen. Die Bauteile sind nicht nur statisch so bemessen, dass sie die Lasten trotz des fehlenden, mittragenden Querschnittes aufnehmen können, sondern die Bewehrung ist ebenfalls auch rund um die Aussparung anzuordnen. Die Aussparungen selbst erhalten ebenfalls eine Bewehrung, z. B. Randbügel, Eckbewehrung etc. Eine Änderung vor dem Betoniervorgang ist daher schon weitreichend, im fertig betonierten Bauteil ist der Aufwand immens. Siehe hierzu die Abbildung 36.

Sollen in bestehenden Bauteilen Änderungen vorgenommen werden, so muss mittels spezieller Betonsägen das Bauteil entsprechend geöffnet werden. Die Öffnung ist größer zu gestalten, damit die neue Randbewehrung eingebaut werden kann. Sie ist mittels Bohrungen in den bestehenden Beton und seine Bewehrung einzubinden, wobei sie mittels Klebeharzen befestigt wird. Danach ist der Rand einzuschalen und anzubetonieren. Statisch tragende Bewehrung muss erhalten bleiben.

4. Weiterführende Literatur

Im Kapitel Baustoffe – Beton, Stahlbeton, Spannbeton, wurde bereits auf die zentralen Normen DIN 1045, DIN EN 1992, EC 2 und die DIN EN 206 hingewiesen. Hier sind Ausführungen zur Bemessung und Konstruktion von Betonbauteilen enthalten.

Für Schalungen gelten die DIN 18216, Schalungsanker für Betonschalung, DIN 18218 Frischbetondruck auf lotrechte Schalungen. Die DIN 4235 Verdichten von Beton durch Rütteln, gibt gesonderte Regelungen vor.

Die Prüfung von Frischbeton ist in der DIN EN 12350 geregelt. Für den Festbeton macht DIN EN 12390-1 entsprechende Vorgaben, ergänzend finden sich in DIN 52170 Ausführungen zur Bestimmung der Zusammensetzung von erhärtetem Beton. Für Einbauteile etc. gelten jeweils auch eigene Normen, so z. B. für Fugenbänder etc.

Abbildung 36: Aussparungen in einer zu betonierenden Wand

Auf dem Bild sieht man die Schalung einer Seite einer Wand. Auf die Schalung wurden verschiedene Holzbohlen und -bretter aufgebracht, so dass beim Betonieren der Beton nicht in die dadurch hergestellten Hohlräume läuft. Der mit Brettern hergestellte kleine Kasten ergibt später einen Wanddurchbruch für die Montage von Haustechnikleitungen, während der Holzrahmen auf der rechten Hälfte der Schalung eine Türöffnung ergibt.

Neben den Normen und als erläuternde Ergänzung haben verschiedene Gremien Merkblätter, Richtlinien usw. herausgegeben. Sie erleichtern das Verständnis für die Ausführungen der Normen erheblich. Der Deutsche Ausschuss für Stahlbeton, DAfStb, hat eine Reihe von Heften veröffentlicht. Die Hefte 220, 425, 525 und 526 behandeln Betonverarbeitung, Bemessung und Erläuterungen zu den entsprechenden DIN-Normen. Die DAfStb-Richtlinien geben Anforderungen für wu-Beton, Selbstverdichtenden Beton und die Instandsetzung von Beton.

Vom Bundesverband der deutschen Zementindustrie gibt es Merkblätter für Zement, Zuschlag, Betonzusätze, die Verarbeitung von Beton, das Nachbehandeln, die Überwachung, Expositionsklassen, Arbeitsfugen etc. Der Deutsche Beton- und Bautechnikverein hat ebenfalls Merkblätter zu diesen Themen, ebenso zu Sichtbeton.

Ein Lehrbuch zu dem Thema ist Stahlbetonbau von Gottfried Lohmeyer, erschienen im Teubner Verlag. Es gibt auch zahlreiche andere Bücher, die sich mehr mit den einzelnen Konstruktionen beschäftigen, und daher in den Buchkatalogen unter den Stichworten Konstruktionslehre zu finden sind.

III. Mauerwerksbau

1. Einführende Erläuterungen

In Deutschland wird der klassische Mauerwerksbau heute fast ausschließlich bei kleineren Wohngebäuden eingesetzt. Er dient dabei zur Errichtung der tragenden Wände des Gebäudes. Weite Verbreitung hat der Mauerwerksbau aber als Innenausbau für Skelettkonstruktionen gefunden, insbesondere für nicht tragende Innenwände. Hierbei bedeutet „nicht tragend", dass die Wände keine statische Funktion für das Gebäude wahrnehmen, sondern nur ihre Eigenlast und an ihnen selbst befestigte Lasten, z. B. Regale, Lampen etc., abtragen. Die häufig vorkommenden Fassaden aus Mauerwerk bei größeren Bauwerken haben keine tragende Funktion, sondern es handelt sich um vorgehängte Schalen. Sie dienen dem Wetterschutz der dahinter befindlichen Wärmedämmschichten auf dem eigentlich tragenden Betonbau und der Optik.

Im Gegensatz zu Beton, der als plastischer Werkstoff in Formen, also der Schalung, seine endgültige Gestalt erhält, werden bei Mauerwerk die Bauteile aus den vorgefertigten Steinen gebildet. Durch die Steinformate sind daher gewisse Einschränkungen vorgegeben, allerdings entfällt der Schalungsbau.

In aller Regel wird das Mauerwerk als tragendes Element ausgebildet und im Sichtbereich verputzt. Ähnlich den Entwicklungen des Betons als gestalterischem Element in Form des Sichtbetons gibt es aber auch Mauerwerk, welches in besonders sorgfältiger Art erstellt wird, unverputzt bleibt und als **Sichtmauerwerk** bezeichnet wird. Es findet sich im Innen- und Außenbereich.

2. Fachliche Erläuterungen

Der Mauerwerksbau hat eine lange Tradition im Handwerk. Entsprechend wurde früher die Ausführung von Mauerwerk durch die Erfahrungswerte geprägt. Bevor man künstliche Steine herstellte, wurden natürliche Steine verwendet. Mit der Entwicklung von Werkzeugen konnte man die Steine behauen und so in eine Form bringen, die eine einfachere Verarbeitung zuließ. **Natursteinmauerwerk** findet man heute nur vereinzelt. Allerdings hat sich eine Form der Verarbeitung entwickelt, die streng genommen kein Mauerwerk im ursprünglichen Sinne darstellt. Man befüllt würfelförmige Körbe aus Stahldraht mit Natursteinen. Diese Körbe werden zu Wänden gestapelt und dienen vor allem als Stützwände zur Befestigung von anstehendem Boden im Straßen- und Landschaftsbau. Der Zusammenhalt der Steine wird durch die Körbe sichergestellt, da die Steine untereinander nicht vermörtelt werden. Diese Wände nennt man **Gabionen**. Siehe hierzu Abbildung 37.

Abbildung 37: Gabionen

Die Abbildung zeigt eine Gabione. Dabei werden Körbe aus Stahldraht mit Natursteinen befüllt. Es kursieren verschiedene Bezeichnungen für Gabionen, wie z. B. Drahtkörbe, Steinkorb, etc.

Zum Errichten von Wänden stehen heute unterschiedliche Steine zur Verfügung. Diese unterscheiden sich durch das Material, die Eigenschaften, in ihrer Form, Größe und Druckfestigkeit. Die Steine wurden im Kapitel

Baustoffe bereits vorgestellt. Grundsätzlich dürfen für eine Wand oder Mauer nur Steine derselben Sorte verwendet werden. Für die konkrete Anwendung wird die Art der verwendeten Steine nach den erforderlichen Bauteilabmessungen, den statischen Erfordernissen und den notwendigen bauphysikalischen Eigenschaften ausgesucht. Im Prinzip verwendet man möglichst große Steine, da sich die Fugenfläche verringert und ein schnelleres Arbeiten ermöglicht wird.

Die Steine können entweder miteinander verklebt oder mit **Mörtel** miteinander verbunden werden. Der schwächste Teil des Mauerwerks sind üblicherweise die Fugen. Allerdings gibt es heute hochfeste Mörtel, so dass die Festigkeiten der Materialien aufeinander abgestimmt werden. Die Wärmedämmeigenschaften der üblichen Mörtel sind ebenfalls meist schlechter als die der Steine. Allerdings gibt es auch entsprechende Entwicklungen beim Mörtel, um dessen Eigenschaften möglichst gleichwertig zu den Steinen zu machen. Andere Entwicklungen verringern die Dicke der Mörtelschicht, z. B. die Dünnbettmörtelverfahren. Bei ihnen kann die sonst notwendige Schichtdicke des Mörtels von ca. 10 mm erheblich verringert werden, so dass der Mörtel auf die Eigenschaften des Mauerwerks kaum einen verschlechternden Einfluss nimmt.

Mauerwerk kann im Prinzip nur Druckkräfte aufnehmen. Das führt zu einigen Besonderheiten im Mauerwerksbau, die bei alten Bauwerken sehr anschaulich sind. Wandöffnungen konnten nur mit Gewölben überbrückt werden. Das **Gewölbe** wurde auf einem Lehrgerüst gemauert und oben mit dem Schlussstein geschlossen. Es verursacht aber seitlich wirkende Schubkräfte, die abgetragen werden müssen. Das konnte durch Zugbänder aus Stahl oder die Holzbalken der Decken erreicht werden. Häufig sind bei alten Häusern außen noch die Verkeilungen der Zugbänder sichtbar. Wo das nicht möglich war, wurde der seitliche Schub durch andere Bauteile abgetragen. Hierzu dienten bei Kirchen die angebauten Seitenschiffe und weitergeführte Stützwände. Eine andere Möglichkeit ist das „Überdrücken" der Schubkräfte mit vertikalen Lasten, also mit Gewicht. Hierfür wurden an Ecken Türme oder andere höhere Bauteile aufgesetzt, die für das nötige Gewicht in den seitlichen Bereichen sorgten, in denen Schubkräfte auftraten. Siehe hierzu die Abbildung 38.

Diese konstruktiven Besonderheiten gelten auch heute noch für Mauerwerk, sind aber in aller Regel nicht mehr sichtbar. Gemauerte Gewölbe sind nicht mehr notwendig, da man über Öffnungen einen Sturz einbaut. Hierbei handelt es sich um Betonfertigteile, die trotz der waagerechten Abgrenzung der Öffnung die einwirkenden Lasten zur Seite auf das angrenzende Mauerwerk abtragen können. Dadurch entstehen keine Schubkräfte. Zur Aussteifung der Wände und zur Aufnahme von entstehenden Zugkräften werden heute entweder die Deckenscheiben aus Beton mit

Abbildung 38: Schlussstein eines Gewölbes

Über beiden Fenstern erkennt man die alte Bauweise von Fensterstürzen, die ebenfalls mit Mauerwerksteinen errichtet wurden. In der Mitte von jedem Fenstersturz sieht man den so genannten Schlussstein, der wie ein Keil dafür sorgt, dass die Steine des gewölbeartig gemauerten Fenstersturzes in ihrer Lage verbleiben. Auch bei alten Brücken, die mit Mauersteinen hergestellt wurden, befinden sich in der Mitte der Gewölbe Schlusssteine.

Zwischen beiden Fenstern erkennt man ein ornamentartiges Bauteil. Hierbei handelt es sich um die Kopfplatte des Zugankers, der dafür sorgt, dass in Höhe der Deckenscheibe die gegenüberliegenden Wände zusammengehalten werden.

einer umlaufenden Bewehrung verwendet, oder es werden so genannte **Ringbalken oder- anker** auf dem Mauerwerk aufgelegt, die ebenfalls aus Stahlbeton bestehen. Dies ermöglicht auch die Aufnahme von Kräften, die waagerecht auf die Fläche der Wand einwirken, z. B. Windlasten. Siehe hierzu Abbildung 39.

Die Steine in einem Mauerwerk nehmen die Kräfte auf und leiten sie an die darunter befindlichen Steine ab. Würde man Stein auf Stein mauern, würden die Lasten nur in den jeweils darunter befindlichen Stein abgetragen. Dadurch käme es zu völlig unterschiedlichen Belastungen der Steine und Mauerwerksabschnitte, sowie der Fundamente. Um eine möglichst gleichmäßige Lastausbreitung und -verteilung zu bewirken, wird Mauerwerk im **Verband** hergestellt. Darunter versteht man allgemein, dass sich die einzelnen Mauersteine gegenseitig übergreifen, also versetzt angeordnet werden. Das gilt sowohl in der Längsrichtung, aber auch in Querrichtung und an Ecken, Übergängen etc.

Regional entwickelten sich verschiedene Mauerwerksverbandsarten, die heute noch üblich sind. Allgemein bezeichnet man die Mauersteine, die mit der langen Seite außen sichtbar sind, als Läufer. Wenn die Köpfe der

Abbildung 39: Fenstersturz

Heute werden Fensterstürze im Mauerwerk aus Betonfertigteilen hergestellt. Ein solches Fertigteil wurde über der Fensteröffnung montiert. Ob die Auflagertiefe des rechten Endes des Fenstersturzes ausreichend ist, mag bezweifelt werden.

Steine sichtbar sind, heißen sie Binder. In den Verbänden ordnet man mit unterschiedlichen Versätzen zwischen den Schichten jeweils Läufer- und/ oder Binderschichten übereinander an. Dadurch werden die Stoßfugen, also die Fugen zwischen den senkrechten Steinflächen, versetzt, die Lagerfugen laufen waagerecht durch. Die verschiedenen Verbände ergeben unterschiedliche Ansichten des Mauerwerkes und werden entsprechend als Läuferverband, Binderverband, Kreuzverband etc. bezeichnet.

Aus optischen Gründen werden Rollschichten ausgeführt, bei denen die Steine einer Binderschicht auf ihre Schmalseite gestellt werden, oder Grenadierschichten, bei denen die Steine aufrecht auf den Köpfen stehen, so dass die längliche Seite hochkant sichtbar ist. Bei Klinkern werden auch Steine unterschiedlicher Färbung verwendet, um Fassaden ein charakteristisches Aussehen zu geben. Da in aller Regel außen liegendes Mauerwerk heute mit Wärmedämmung und Putz versehen wird, hat die Bedeutung der Optik verschiedener Verbandsarten für Fassaden abgenommen.

Sichtmauerwerk findet man daher vor allem im Innenbereich in Büro- und Verwaltungsgebäuden. Aus optischen Gründen muss nicht nur auf ein genaues Setzen der Steine geachtet werden, sondern besonders auf die sorgfältige und gleichmäßige Ausbildung der Fugen. Einheitliche Kriterien für das optische Erscheinungsbild von Sichtmauerwerk gibt es bislang nicht.

In besonderen Fällen kann man **bewehrtes Mauerwerk** ausführen. Es ist daher vergleichbar mit dem Stahlbeton. Wie beim Stahlbeton übernimmt die Bewehrung die Aufnahme der Zugkräfte, das Mauerwerk nimmt die Druckkräfte auf. Dafür wird in die Fugen des Mauerwerks Stabstahl eingelegt. Damit lassen sich Risse vermeiden, z. B. bei ungleichmäßiger Belastung zwischen lastabtragenden Mauerwerksteilen und angrenzenden Mauerwerksabschnitten unter Öffnungen, die kaum Lastabtrag übernehmen. Vor allem in der Altbausanierung kann mit einem bewehrten Mauerwerk einer Rissbildung vorgebeugt werden, da häufig die Holzbalkendecken keinen gleichmäßigen Lastabtrag gewährleisten können.

Entwicklungen im Mauerwerksbau dienen der Rationalisierung. Daher werden die Steine großformatiger, erhalten Grifföffnungen und werden in minimalen Toleranzen hergestellt. Durch Nut und Feder ermöglichen sie ein sehr maßhaltiges Mauern. Die Eigenschaften der Steine werden durch eine Anordnung von Hohlräumen und verbesserte Materialien hinsichtlich der bauphysikalischen Eigenschaften verbessert. Gleichzeitig werden die Steine druckfester. Durch die guten Maßtoleranzen der Steine wird es möglich, im Dünnbettmörtelverfahren zu arbeiten, bzw. Trockenmauerwerk herzustellen, also gänzlich ohne Mörtel. Gleichzeitig werden auch beim Mörtel die wärmedämmenden Eigenschaften entwickelt. Einen sehr gleichmäßigen Mörtelauftrag bewirkt man mit entsprechend entwickelten Geräten, dem Mörtelschlitten. Werksseitig werden Mauerwerksteile und Wände vorgefertigt und auf die Baustelle geliefert und dienen der weiteren Senkung der lohnintensiven Arbeiten und der Steigerung der Fertigungsqualität. Siehe hierzu die Abbildung 40.

Abbildung 40: Großformatige Mauerwerksteine

Während man früher hauptsächlich mit den üblichen Backsteinen gemauert hat, ist heute die Verarbeitung von großformatigen Steinen üblich. Hierdurch lassen sich erheblich kürzere Bauzeiten erreichen. Man erkennt bei der gemauerten Wand weiterhin, dass die Steine an ihren Kopfenden Rillen aufweisen, die für einen guten Verbund der Steine sorgen. Der Mörtel wird nicht mehr als Fuge aufgetragen, sondern die Steine werden verklebt.

3. Häufig auftretende Probleme in der Praxis

Risse im Mauerwerk sind häufig anzutreffende Mängel. Sie können konstruktive, planerische Ursachen haben, wenn z. B. unterschiedliche Setzungen innerhalb des Gebäudes eintreten. Auch nicht tragende Innenwände folgen Bewegungen eines Skelettbaus möglicherweise nicht, so dass auch dort Risse auftreten können. Weitere Ursache sind Erschütterungen durch angrenzende Bauarbeiten oder von einer Nachbarbebauung ausgelöste Setzungen.

Rissbildung zeigt sich auch bei falscher Konstruktion der Krafteinleitungspunkte. Dies tritt beispielsweise an den Auflagern von Deckenplatten in den Rand- und Eckbereichen auf. Typisch ist auch die Rissbildung in den Eckbereichen von Öffnungen und unter Stürzen. Dabei kann auch die Druckfestigkeit des Steines überschritten werden, so dass Risse und

Abplatzungen im Stein entstehen. Üblicherweise zeigen sich zuerst Risse in den Fugen des Mauerwerks, wenn dieses unzulässig auf Schub oder Zug belastet wird. Sollten die Mörtelfugen zu dick ausgeführt werden, wird bei anschließender Druckbelastung der Mörtel gedehnt. Der härtere Stein kann dieser Dehnung allerdings nicht folgen, so dass er reißt.

Fehler in der Ausführung sind eine weitere Ursache. Die Verwendung ungeeigneter Steine anderen Formates und mit anderem Material zur Füllung von Lücken und in Randbereichen sind immer als Mangel zu werten. Da unterschiedliche Steine auch ein anderes Setzungsverhalten aufweisen, sind Risse unvermeidbare Folge. Der Glaube, dass der Putz solche Mängel unsichtbar macht, bewahrheitet sich nicht. Die Risse setzen sich im Putz fort und treten so nach außen.

Ebenfalls eine mangelnde Ausführung stellt die unzureichende Auflagerung oder ein unzureichender Steinversatz dar. Vor allem bei der Montage von Stürzen wird das Betonteil nicht mittig aufgelegt, sondern dem angemauerten Stein folgend. Dabei kann es zu einer Unterschreitung der erforderlichen Auflagerfläche kommen. Risse sind auch in diesen Fällen unabwendbar.

Da Mauerwerksmörtel ein hydraulisches Bindemittel enthält, sind seine Eigenschaften mit denen des Betons vergleichbar. Zur vollständigen Erhärtung muss der Mörtel ausreichend Wasser zur Verfügung haben. Bei der Verwendung von saugfähigen Steinen, bei großer Hitze etc. kann es durch einen Entzug von Wasser zur mangelnden Aushärtung des Mörtels kommen. Gleiches gilt, wenn der frische Mörtel Frosttemperaturen ausgesetzt wird. In diesen Fällen ist die Druckfestigkeit des gesamten Mauerwerkes beeinträchtigt.

Während durch den Putz Unebenheiten und Unregelmäßigkeiten des Mauerwerks verdeckt werden, führen sie zu optischen Mängeln bei Sichtmauerwerk. Ein gleichmäßiger Fugenverlauf, auch bei der Ausführung von Verbänden, prägt entscheidend das Erscheinungsbild. Bei der Verwendung von Kalksandsteinen, die weiß sind, stellen sich sehr schnell Verschmutzungen ein. Sollten diese durch die Maurerarbeiten mit dem Mörtel entstanden sein, lässt sich die Ursache schnell feststellen. Allerdings sind auch häufig weitere Ausbaugewerke ursächlich für Verschmutzungen. Es sollte daher nicht nur die Qualität des Sichtmauerwerks festgelegt werden, z. B. über eine Musterfläche, erhöhte Toleranzmaße etc., sondern auch sichergestellt werden, dass das Gewerk ausreichend geschützt werden kann.

Durch die Verdunstung von salzhaltigen Lösungen oder Säuren auf dem Mauerwerk oder dem Mörtel kann es zu hellen Ablagerungen an der Außenseite oder Abplatzungen kommen. Diese Ausblühungen an Mauerwerk treten in aller Regel erst nach einer gewissen Zeit auf. In vielen Fällen ist die Ursache nicht eindeutig festzustellen, da die Ausblühungen auch durch den äußerlichen Einsatz von Chemikalien hervorgerufen sein können. So ist es weit verbreitet, Mörtelverunreinigungen durch Absäuern zu beseitigen. Eine sachverständige Begutachtung zur Mangelursache ist in diesen Fällen erforderlich.

Ebenfalls können sich nach einiger Zeit im Innenbereich auf dem Putz und den Tapeten die Fugen oder andere Stellen abzeichnen. Während bei Häusern ohne Wärmedämmung, insbesondere bei älteren Häusern, die dunklen Streifen auf eine schlechtere Wärmedämmung der Fugen zurückzuführen ist, an denen bevorzugt auf der Innenseite der Staub anhaftet, kann dies bei moderneren Häusern mit Wärmedämmung ein Zeichen für eine Wärmebrücke sein, die einen Mangel darstellen kann. Auch in diesen Fällen sollte ein Gutachter zu Rate gezogen werden.

Das nachträgliche Einbringen von Schlitzen in tragende oder aussteifende Wände ist in der DIN EN 1996 Nationaler Anhang – National festgelegte Parameter – Eurocode 6: Bemessung und Konstruktion von Mauerwerksbauten – Allgemeine Regeln für bewehrtes und unbewehrtes Mauerwerk geregelt. Danach ist es nicht zulässig, Schlitze und Öffnungen beliebigen Ausmaßes in die Wände einzubringen. Das Stemmen ist untersagt, Schlitze müssen gefräst werden. Bei nachträglichen Installationsarbeiten werden diese Vorschriften meist nicht beachtet. In der Folge kann es bei Außenwänden zu einer Mangelhaftigkeit des Wärmeschutzes kommen. Bei Innenwänden sind Schallbrücken eine häufige Folge.

4. Weiterführende Literatur

Bezüglich der einschlägigen Normen wurden bereits im Kapitel Baustoffe die zahlreichen Normen für die verschiedenen Steine und Mörtel aufgeführt. Zentrale Norm für die Ausführung von Mauerwerk ist die DIN EN 1996. Sie enthält in Teil 1 Allgemeine Regelungen zur Berechnung und Ausführung, in Teil 2 Planung, Auswahl der Baustoffe und Ausführung; Teil 3 ist für vereinfachte Berechnungsmethoden für unbewehrtes Mauerwerk. Früher war die DIN 1053 für Mauerwerk einschlägig, die viele Handwerker noch sehr gut kennen.

Für die Ausführung sieht die DIN 18330 Mauerarbeiten weitere Regelungen vor. Sie ist Bestandteil der VOB/C und daher möglicher Vertragsbestandteil. Sie enthält die üblichen fünf Abschnitte dieser Normen zur Ausführung, dem Aufmaß, aber auch zu den Nebenleistungen und den besonderen Leistungen. Für Naturwerksteinarbeiten gilt die DIN 18332.

Umfangreiche, bebilderte Erläuterungen findet man in dem Mauerwerk Atlas von Günter Pfeife, Rolf Ramcke, Joachim Achtziger und Konrad Zilch, erschienen beim Institut für internationale Architektur und der Deutschen Gesellschaft für Mauerwerksbau in München. Neben den

Konstruktionen mehr im Schwerpunkt auf der ingenieurtechnischen Seite erläuternd Mauerwerksbau von Klaus-Jürgen Schneider, Peter Schubert und Rüdiger Wormuth, erschienen im Werner Verlag.

IV. Stahlbau und Betonfertigteile

1. Einführende Erläuterungen

Der Begriff Stahlbau ist nicht eindeutig, da er verschieden verwendet wird. Im Bauwesen versteht man darunter im engeren Sinne die Errichtung von Bauwerken oder Bauwerksteilen aus Stahlträgern und anderen Profilen. Dabei kommt den Stahlteilen eine statische Funktion zu, da sie Teil des Tragwerkes sind. Beispiel hierfür ist der Brücken- oder der Hallenbau. In diesem, engeren Sinn ist auch die vorab errichtete Tragkonstruktion eines Verbundbauteiles als Stahlbau anzusehen, da sie ebenfalls aus Stahlprofilen errichtet und danach mit Beton ergänzt wird.

Vielfach wird auch die Verarbeitung von Blechen als Stahlbau bezeichnet, da z. B. Dachdeckungen mit Trapezblechen häufig einen Unterbau aus Stahlträgern haben, und die gleiche Firma die Stahlkonstruktion einschließlich der Bleche montiert. Das gilt auch für Fassaden mit einer Tragkonstruktion aus Stahl. Bei diesen werden aber Fassadenelemente aus Aluminium, Glas etc. montiert, so dass es sich nicht im engeren Sinn um Stahlbau handelt, sondern um Fassadenbau.

Ein großer Bereich der Verwendung von Stahlbauteilen hat zwar auch die Errichtung von Bauwerken zum Ziel, allerdings handelt es sich hierbei schon weitergehend um funktionale Bauteile, deren Konstruktion zum Fachgebiet des Maschinenbaus gehört, oder durch andere spezialisierte Fachingenieure und Firmen durchgeführt wird. Hierzu zählt z. B. der Anlagenbau zur Errichtung von Industrie- und Produktionsanlagen, Stahlbehältern, Krananlagen, der Rohrleitungsbau etc. Für diese Bauwerke gelten besondere Vorschriften, da sie nicht nur dem Lastabtrag dienen, sondern durch die weitergehenden Funktionen Gefahren entstehen können, z. B. durch Chemikalien, hohen Innendruck etc. Diese Bauwerke werden daher vorliegend nicht behandelt, auch wenn grundsätzlich die weiteren Ausführungen zum Stahlbau Geltung haben.

Die Verlegung von Bewehrung betrifft zwar auch eine Verarbeitung von Stahl. Diese Tätigkeiten werden aber zum Betonbau gezählt, wie auch die Verlegung von Spannstahl für Spannbeton. Die Verlegung von Schienen gehört zu den Gleisarbeiten und wird in dem Kapitel Verkehrswegebau behandelt. Ausgenommen hiervon sind Schienen für den Kranbetrieb. Diese werden durch die Gewerke des Anlagenbaus eingebracht. Im Gegensatz zu den Schienen für den Bahnbetrieb sind sie nicht den dynamischen Lasten der Radsätze bei höheren Geschwindigkeiten ausgesetzt.

In diesem Kapitel werden auch die Betonfertigteile mit behandelt. Sie haben zwar keine Gemeinsamkeiten bezüglich ihrer Herstellung, der Verarbeitung und des Materials. Allerdings haben sie unter dem Aspekt des Baubetriebes viele Gemeinsamkeiten. Stahlbauteile und Betonfertigteile werden vorgefertigt auf die Baustelle geliefert und dort montiert. Sie ermöglichen daher eine sehr schnelle Errichtung von Bauwerken, sowie eine schnelle Inbetriebnahme. Insoweit sind sie vergleichbar.

Als Fertigteile werden vorgefertigte Stahlbetonelemente verstanden, die erst nach der Fertigung zur Einbaulage verbracht und montiert werden. Hierzu zählen beispielsweise Stützen, Träger und Wandelemente. **Halbfertigteile**, zum Beispiel Filigrandecken etc., werden in der Praxis häufig auch als Fertigteile bezeichnet. Halbfertigteile sind allerdings vor Ort noch mit Frischbeton zu ergänzen, weshalb die Halbfertigteile baubetrieblich dem Betonbau gleichzustellen sind.

2. Fachliche Erläuterungen

Stahlbauteile werden aus unterschiedlichen Stahlsorten hergestellt. Hierzu wurden bereits im Kapitel Baustoffe Ausführungen gemacht. Die Materialien werden für die entsprechenden Anwendungen und die daraus resultierenden Anforderungen ausgewählt. Sie differieren in ihrer Belastbarkeit, Korrosionsbeständigkeit, Schweißeignung etc.

Je nach der Form unterscheidet man die im Walzwerk hergestellten Profilerzeugnisse. Die umgangssprachlichen Bezeichnungen lehnen sich größtenteils an die Form der Profile an. Sie heißen dem entsprechend z. B. **Hohl-, U-, L-, T- oder Doppel T-Profil**. Das Profil wird nach seiner Verwendung ausgewählt, wobei die Form maßgeblich sein kann, z. B. um andere Bauteile befestigen zu können, oder aber das Profil wird rein nach statischen Erfordernissen gewählt. Dabei spielt eine Rolle, dass die Höhe des Profiles in Richtung des Lasteintrages entscheidend zu der möglichen Maximalbelastung des Profiles beiträgt. Technisch ausgedrückt: Das Flächenmoment 2. Grades wird größer, je höher das Profil ist.

Aus diesem Grund werden Profile entsprechend konstruiert. Stahlträger ermöglichen aufgrund ihrer im Vergleich zu Holz oder Beton sehr hohen Tragfähigkeit schlanke Bauteile. Dies hat allerdings zu Folge, dass diese schlanken Bauteile auf eine andere Art versagen können. Hierzu zählen neben dem Knicken eines druckbelasteten Trägers auch das Beulen, das Biegedrillknicken und möglicherweise sind auch weitere Untersuchungen zur Dauerschwingfestigkeit, Betriebsfestigkeit etc. notwendig. Um entsprechende Lastfälle mit Trägern bewältigen zu können ist es üblich, an den entsprechenden Stellen durch zusätzliche Bleche, Streben oder andere Verstärkungen die Träger zu ertüchtigen, so dass sie für die Anwendung geeignet sind. Es ist allerdings im Einzelfall zu entscheiden, ob ein größerer Träger mit Normmaßen nicht kostengünstiger ist als die Verstärkung eines kleineren Profiles.

Im Stahlbau stehen verschiedene **Verbindungsmittel** für eine Befestigung der Stahlteile untereinander zur Verfügung. Die Verbindungen müssen in jedem Fall so beschaffen sein, dass sie die auftretenden Kräfte sicher von einem Bauteil auf das andere Bauteil übertragen können. Man unterscheidet allgemein zwischen lösbaren und unlösbaren Verbindungen.

Schrauben und Bolzen zählen zu den lösbaren Verbindungen. Schrauben sind ein häufig eingesetztes Verbindungsmittel, da es schnelle Montagezeiten erlaubt. Das gilt insbesondere, wenn die Bauteile bereits im Werk vorgebohrt worden sind. Schraubverbindungen werden nach dem **Nennlochspiel** unterschieden in Verbindungen mit Rohen Schrauben, die unbearbeitet sind und in dem Bohrloch ein größeres Spiel aufweisen, und Passschrauben, die wegen der Nachbearbeitung nur ein sehr geringes Lochspiel aufweisen dürfen. Eine weitere Unterscheidung der Schraubverbindungen ist die Art der Kraftübertragung. Üblicherweise werden die Kräfte von der Lochleibungsfläche des ersten Bauteiles auf die Schraube übertragen, sodann von der Schraube auf die gegenüberliegende Lochleibungsfläche des anderen Bauteiles. Siehe hierzu Abbildung 41.

Allerdings ist es auch möglich, die zwei zu verbindenden Bauteile mittels der Schraube so fest zusammenzuspannen, dass die aneinander liegenden Flächen der Bauteile verpresst werden. Diese Verbindungen

Abbildung 41: Kräfte einer Schraubenverbindung

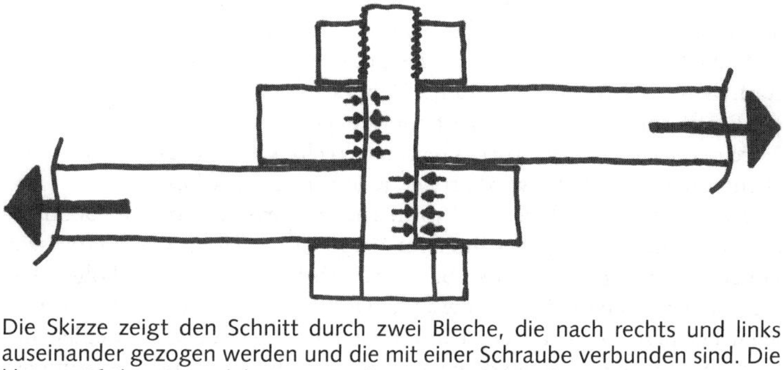

Die Skizze zeigt den Schnitt durch zwei Bleche, die nach rechts und links auseinander gezogen werden und die mit einer Schraube verbunden sind. Die kleinen Pfeile zeigen dabei an, wo die eigentliche Kraft von den Blechen auf die Schraube übertragen wird. Bei einer Überlastung der Schraube wird diese in der Mitte zwischen den beiden Blechen abscheren.

mit planmäßiger Vorspannung können also über die Reibung der Flächen Kräfte übertragen. Dabei sind aber hochfeste Schrauben zu verwenden und die Kontaktflächen sind vor dem Zusammenbau zu reinigen, z.B. durch Sandstrahlen.

Schraubverbindungen werden je nach den zu übertragenden Kräften berechnet und nachgewiesen. Dabei spielt nicht nur die Anzahl der zu verwendenden Schrauben eine Rolle, sondern die Schrauben sind auch in bestimmten geometrischen Lagen anzuordnen, also z.B. mit einem erforderlichen Randabstand, mit Abstand zwischen den Schrauben etc., je nach den zu übertragenden Kräften. Schraubverbindungen für die Übertragung hoher Lasten bestehen daher aus einer Vielzahl von Schrauben, die häufig für die Lastübertragung auch mit Verstärkungen an den Bauteilen versehen werden müssen, z.B. durch aufgebrachte Bleche.

Verbindungen mit Bolzen finden sich heute kaum noch. Mit ihnen wurden früher gelenkige Verbindungen hergestellt, z.B. für gelenkige Stützen. Im Einsatz findet man sie aber noch an kleineren Bauteilen und Beschlägen, wie z.B. bei Scharnieren für Türen und Tore. Die Lagesicherung ist dabei zu beachten, die z.B. mittels Splinten sichergestellt wird.

Schweißnähte und Nieten gehören zu den unlösbaren Verbindungen. Das **Schweißen** bedeutet, die zu verbindenden Bauteile so zu erhitzen, dass sie in erforderlichem Umfang schmelzen und sich dadurch mit dem anderen Bauteil verbinden. Die erforderliche Hitze zum Verflüssigen des Stahls wird üblicherweise durch eine Gasflamme, das autogene Schweißen, oder durch Strom, das Elektroschweißen, erzeugt. Dabei kann Schweißgut aufgebracht werden um Material hinzuzufügen. Dabei handelt es sich in aller Regel um Schweißdraht. Je nach zu schweißendem Material ist ein dafür geeigneter Schweißdraht zu verwenden, der auch mit anderen Mitteln ausgestattet sein kann, die beim Schweißvorgang das Fließen verbessern, die Oxidation verringern usw. Bestimmte vergütete Stähle dürfen beim Schweißen nicht mit der Luft in Verbindung kommen. Bei ihnen wird um den Schweißbereich herum ein Gas freigesetzt, welches sich als Schutzhülle um den flüssigen Stahl legt, das **Schutzgasschweißen**.

Je nach der Geometrie der zu verschweißenden Bauteile zueinander, deren Abmessungen, der Materialstärke etc., kommen verschiedene **Schweißnähte** zum Einsatz. Sie werden nach ihrer Lage und dem Aussehen des Nahtbereiches bezeichnet, z.B. die Kehlnaht im Kehlbereich von winklig aufeinander stehenden Blechen, die V-Naht als v-förmiger Nahtbereich, usw. Dabei dürfen nicht alle Arten frei gewählt werden, sondern es müssen bestimmte Voraussetzungen eingehalten werden. Das betrifft auch die Form der Bauteile, da durch das Erhitzen beim Schweißen bleibende Verformungen in den Bauteilen auftreten können. Daher sind Schweißverbindungen nicht überall einsetzbar. Die entsprechenden Regelungen ergeben sich, wie bei den Schraubverbindungen, aus den Normen. Dort finden sich auch die Werte und Vorschriften für die Bemessung von Schweißverbindungen.

In der Praxis werden die Schweißverbindungen möglichst bereits im Werk hergestellt, wo die Bedingungen für das Schweißen erheblich günstiger gestaltet werden können als auf der Baustelle. Eine Einhausung für Schweißarbeiten auf der Baustelle zeigt Abbildung 42. Vielfach werden auch Schweißroboter eingesetzt, so dass die Qualität der werksseitig hergestellten Verbindungen hoch ist. Da auch die Fertigungsgenauigkeiten einer werksseitigen Vorfertigung sehr hoch sind, können passgenaue Verbindungen optimal vorbereitet werde. Dafür werden die Träger bereits mit den entsprechenden Anschlussblechen, Kopfplatten, Laschen und Winkeln versehen und gebohrt. Auf der Baustelle werden die Teile dann mittels Schraubverbindungen zusammengesetzt, was auch unter Baustellenbedingungen handwerklich gut ausführbar ist.

Für eine **Nietverbindung** wird der Niet in ein vorgebohrtes Loch eingeführt und dann gestaucht. Dadurch überlappt er das Bohrloch und

Abbildung 42: Schweißen unter Schutz

Die Abbildung zeigt eine Brückenbaustelle in Stahlverbundbauweise. Die Stahlträger sind bereits in ihre Lage gehoben und werden nun unter der grauen Wetterschutzbehausung verschweißt. Die Schutzmaßnahmen haben einen erheblichen Umfang. Sie sind allerdings erforderlich, um unter Baustellenbedingungen einwandfreie Schweißnähte herstellen zu können. Auf die Stahlträger wird später die Fahrbahn aus Beton aufgebracht.

wirkt in der Kraftübertragung wie eine Schraubverbindung durch eine Kraftübertragung mittels der Lochleibungen. Siehe hierzu Abbildung 43. Nietverbindungen werden heute auf Baustellen kaum noch ausgeführt, während sie bei alten Stahlbauwerken die Regel darstellten. Das liegt zum Einen daran, dass die Herstellung von Schrauben erheblich günstiger geworden ist, zum Anderen ist das Nieten mit dem Einsatz von schweren Geräten und einer erheblichen Geräuschentwicklung verbunden. Nietverbindungen findet man allerdings sehr häufig bei der Montage von Blechen etc., bei denen kleine Niete für die Kraftübertragung und daher auch kleine Handapparate für das Stauchen ausreichen. Man kann Stahlteile auch durch Kleben verbinden, diese Technik ist aber noch nicht sehr verbreitet und wird nur für Sonderkonstruktionen verwendet.

Abbildung 43: Nietverbindung

Das Bild zeigt eine alte Stahlbrücke. Die Stahlprofile sind mit Nieten verbunden, deren runde Köpfe man gut erkennen kann.

Stahlkonstruktionen haben den Vorteil, dass sie trotz hoher Belastbarkeit durch die schlanken Bauteile sehr leicht sind. Daher werden Stahltragkonstruktionen im Hochhaus- und Brückenbau eingesetzt. Nachteilig ist allerdings das **Brandverhalten** der tragenden Stahlteile. Zwar brennen die Stahlteile nicht, sie verlieren aber bei der starken Hitze ihre Festigkeit. Daher verformen sie sich und können ihre tragende Funktion nicht mehr erfüllen. Brandschutzmaßnahmen für Stahlbauteile dienen also dazu, die Temperatureinwirkung auf den Stahl zu verringern. Dazu wird das Bauteil mit Putz, Beton, Gipskartonplatten oder Brandschutzbeschichtungen, die erst im Brandfall aufquellen, umgeben.

Weiterer Nachteil der Stahlbauteile ist die Korrosionsanfälligkeit. Zur Vorbeugung werden die Stahlteile beschichtet. Dafür werden sie im Werk mit metallischen Schichten überzogen, üblicherweise durch Feuerverzinkung. Die andere Möglichkeit, die auch auf der Baustelle verwendet wird, ist die **Korrosionsbeschichtung** durch Anstriche.

Entsprechende Maßnahmen können entfallen, wenn rostfreie Stähle verwendet werden, so zum Beispiel V2 A-Stahl, Nirosta etc., allerdings wird auch der Rost selbst als Rostschutz eingesetzt. Bei dem so genannten WT-Stahl bildet sich auf der Oberfläche mit der Zeit eine gleichmäßige, dunkelbraune Rostschicht aus. Sie verhindert eine weitere Oxidation des Stahls.

Betonfertigteile werden, wie auch die Stahlteile, in einem Werk vorgefertigt. Im Prinzip lassen sich alle Teile vorfertigen, jedoch setzen Größe und Gewichte Grenzen. Gegenüber einer Betonage auf der Baustelle besteht der Vorteil, dass unter optimalen Bedingungen gearbeitet werden kann. Im Werk ist es möglich, die Teile nicht in ihrer endgültigen Lage unter erschwerten Bedingungen einschalen, bewehren und betonieren zu müssen, sondern in frei gewählter Lage. Für die Nachbehandlung können optimale Umgebungsbedingungen eingerichtet werden. Darüber hinaus ist auch eine schnellere oder bessere Aushärtung der Fertigteile durch eine besondere Behandlung möglich, zum Beispiel mit Dampf. Die Oberflächenqualität und eine gleichmäßige Festigkeit lassen sich so gegenüber Ortbetonbauteilen verbessern.

Nachteilig bei der Verwendung von Betonfertigteilen sind Kosten, die durch notwendige Einbauten für den **Transport** entstehen. Hierzu zählt nicht nur ein erhöhter Bedarf an Bewehrung, die so genannte **Transportbewehrung**, sondern auch Transporthaken, Verbindungselemente etc. Die Transportbewehrung wird notwendig, da in vielen Fällen das Fertigteil während des Transportes anders belastet wird als in seiner endgültigen Lage in dem Bauwerk. Eine Stütze wird beispielsweise liegend gefertigt, transportiert und erst auf der Baustelle aufgerichtet. Hierbei biegt sie sich durch oder wird auf Zug belastet. In ihrer endgültigen Lage hat sie dann die senkrechten Kräfte abzutragen. Dem entsprechend muss die Bewehrung an verschiedenen Stellen eingelegt werden und ist für den Lastabtrag im Endzustand nicht immer erforderlich.

Die Fertigteile werden auf der Baustelle je nach dem geforderten Lastabtrag eingebaut und miteinander verbunden. Hierbei kommt es darauf an, ob die Verbindungen Druck-, Zug- oder Schubkräfte übertragen sollen. Für die Übertragung von Druckkräften kann man die Fertigteile in entsprechende Aussparungen von anderen Bauteilen einlegen und vermörteln, oder zum Beispiel **Elastomerlager** verwenden, also entsprechend belastbare Gummiplatten. Zugverbindungen werden mit Ankerschienen, als Muffenverbindungen, mit Einbauteilen oder als Schweißverbindung mit Bewehrung ausgeführt. Schubkraft übertragende Verbindungen werden über Verzahnungen hergestellt, die an den Rändern der Fertigteile ausgebildet werden und in andere Fertigteile eingreifen oder entsprechend mit Bewehrung versehen und ausgemörtelt werden. Bolzen, auch Dollen genannt, und Dübel dienen der Lagesicherung und der Übertragung von Kräften. Mittels einbetonierten Ankerschienen und Metallteilen werden Fertigteile auch miteinander verschraubt. Siehe hierzu die Abbildung 44.

Abbildung 44: Schraubanschluss eines Fertigteiles

Die Abbildung zeigt ein Betonfertigteil, welches mit einem Metallwinkel an die im Vordergrund verlaufende Wand angeschraubt ist. Der Metallwinkel wird mit der dunklen runden Hülse auf den richtigen Abstand gebracht, damit die dazwischen befindliche Wärmedämmung aus Styropor nicht zerdrückt wird.

Die Stahlteile und Betonfertigteile werden üblicherweise in Größen und mit Gewichten gefertigt, die ohne Sondererlaubnis auf öffentlichen Straßen transportiert werden dürfen. Daher bestehen in gewissem Umfang

Einschränkungen für eine Verwendung, wenn z. B. große Spannweiten erforderlich sind. Während Stahlteile auf der Baustelle einfacher zwischengelagert werden können, ist es bei Betonfertigteilen üblich, dass die angelieferten Teile direkt von dem Lastwagen in ihre endgültige Einbaulage gehoben werden. Daher ist bei der Verwendung von Fertigteilen das Liefern und Arbeiten zeitlich genau abzustimmen.

Wegen der Anlieferung von fertigen Bauteilen und der schnell herzustellenden Verbindung der Bauteile ist ein sehr schneller Baufortschritt möglich. Die Verbindungen sind meist innerhalb kürzester Zeit belastbar, so dass auch keine Baubehelfe zur Unterstützung, z. B. Schalung oder Rüstung, notwendig sind. Die Bauteile können ebenfalls gleich belastet werden, so dass dem Baufortschritt auch keine notwendigen Zeiten zur Aushärtung etc. entgegenstehen.

Da Bauwerke aus Stahlteilen und Betonfertigteilen aus Einzelteilen und vielen Verbindungen zusammengesetzt werden, muss der Stabilität des gesamten Bauwerkes besonders Rechnung getragen werden, also der Gebäudeaussteifung. Anders als bei dem monolithischen Verbund der vor Ort betonierten Bauteile sind solche Konstruktionen insgesamt weicher, also anfälliger für Verformungen.

3. Häufig auftretende Probleme in der Praxis

Das Hauptproblem der Stahlbauteile ist die **Korrosion.** Rost bildet sich unter optimalen Bedingungen, also bei Vorhandensein von Wasser und Sauerstoff, innerhalb von Minuten. Viele Bauteile werden daher bereits im Werk mit Korrosionsschutz versehen. Dieser kann aber nicht nur durch den Transport beschädigt werden, sondern auch durch den Einbau. Vor allem bei nachträglichem Schweißen und Bohren wird der Korrosionsschutz beeinträchtigt. Daher handelt es sich in vielen Fällen nicht nur um optische Beeinträchtigungen durch eine Beschädigung der Beschichtung, sondern in Bezug auf den Rostschutz auch um funktionale Mängel.

Verarbeitungsfehler treten auf, wenn die Bauteile vor den Beschichtungsarbeiten nicht ausreichend gesäubert werden, also z. B. bereits bestehender Rostanfall nicht beseitigt wird. Unzureichend aufgetragene Beschichtungen, also Anstriche, oder wenn diese nicht in der erforderlichen Schichtdicke aufgetragen werden, stellen ebenso handwerkliche Fehler dar. Häufig zu beobachten ist auch ein schneller Rostanfall an Stößen von Bauteilen. Wenn die Kopfplatten von zwei Trägern aneinander liegen und z. B. verschraubt sind, besteht zwischen den Platten ein kapillarer Spalt. Der Auftrag von Beschichtungen reißt meist genau zwischen den Kopfplatten der Träger, so dass der Spalt nach außen offen ist und Wasser eintritt. Wenn die Kopfplatten vor der Montage nicht ordnungsgemäß geschützt worden sind, bildet sich Rost und tritt als Verfärbung nach außen, später platzt in diesem Bereich die Beschichtung ab, da der Rost ein größeres Volumen einnimmt als der Stahl.

Problematisch sind auch Konstruktionen, die viele enge Winkel, Ecken, überlappende Bleche etc. aufweisen. Die Korrosionsanfälligkeit kann daher durch richtige Planung erheblich vermindert werden. Falsche Verbindungsmittel, Ausführungsfehler beim Schweißen und fehlerhafte Materialkombinationen führen nicht nur an dem Stahl zu Korrosion, sondern auch zu Einwirkungen auf und durch andere Baustoffe. Das gilt auch für rostfreien Stahl, der trotzdem einer Korrosion ausgesetzt ist. Erkennbar wird dies bei rostfreiem Besteck in der Spülmaschine, wo es beim Spülvorgang durch die Umspülung mit warmem Wasser und dem Kontakt zu anderen Metallen zu einer Kontaktkorrosion kommen kann. Man erkennt den Materialverlust an dem rostfreien Besteck vor allem auf edlen Messerschneiden in Form von schwarzen Punkten und Verfärbungen.

Neben der optischen Beeinträchtigung durch Rostbildung an Stahlbauteilen kann es auch zu einer Beschädigung angrenzender Bauteile durch den verlaufenden Rost kommen. Insbesondere Verfärbungen, die nicht entfernt werden können, sind die Folge. Das gilt insbesondere auf hellen Farbbeschichtungen, Mauerwerk, Putz etc.

Da Stahlbauten durch **Temperaturänderungen** verursachten **Längenänderungen** unterworfen sind, müssen angrenzende Bauteile so befestigt werden, dass eine entsprechende Dehnung möglich ist. Häufig kommt es in Übergangsbereichen zwischen den Stahlbauteilen und anderen Materialien zu Rissen. Daher sind die Übergangsbereiche nicht nur entsprechend zu planen, sondern die elastischen Anschlüsse und Fugen müssen handwerklich einwandfrei hergestellt werden. Durch Bauherren wird allerdings häufig das optische Erscheinungsbild von vorhandenen Fugen kritisiert, so dass durch Ausführende zum Beispiel direkt an die Stahlteile der Putz angearbeitet wird. Das führt nach kurzer Zeit zu Rissen.

Fertigteile erleiden ebenfalls durch den Transport und die Montage Beschädigungen in Form von Rissen und Abplatzungen. In den meisten Fällen hat das keinen Einfluss auf die Gebrauchstauglichkeit. Allerdings sind Abplatzungen häufig sichtbar, auch wenn sie durch Spachtelungen ausgebessert werden. Streitigkeiten über Minderungen sind die Folge. Risse an Fertigteilen entstehen ebenfalls, wenn die Montage nicht einwandfrei ausgeführt wird, weil Auflager nicht passen oder falsch dimensioniert sind. Solche Mängel beeinträchtigen meist auch die Statik.

Durch den schnellen Baufortschritt und die Vorfertigung ist es bei der Ausführung von Stahlbauten, bei Konstruktionen mit Betonfertigteilen in noch stärkerem Maße, kaum möglich, Änderungen vorzunehmen. Daher sollten nach der Fertigung der Teile keine Änderungen mehr vorgenommen werden. Der schnelle Baufortschritt führt auch dazu, dass alle Voraussetzungen für die Montage vorliegen müssen. Kommt es zu hindernden Umständen, wirken sie sich direkt im Montagefortschritt aus. Gerade bei Betonfertigteilen kann es dadurch auch zu Störungen in der Produktion und der Lieferkette kommen, so dass hohe Kosten die Folge sind.

4. Weiterführende Literatur

Grundlegende Normen für die Planung und Herstellung von Stahlbauten war die DIN 18800 Stahlbauten und die DIN 18 801 Stahlhochbauten, Bemessung, Konstruktion, Herstellung. Als europäische Norm gilt nunmehr die DIN EN 1993-1-11/NA Nationaler Anhang – National festgelegte Parameter – Eurocode 3: Bemessung und Konstruktion von Stahlbauten. Ergänzend gibt es auch Anpassungsrichtlinien und Richtlinien des Deutschen Ausschusses für Stahlbau.

Im Zusammenhang mit dem Korrosionsschutz gilt die DIN EN ISO 12944 Beschichtungsstoffe – Korrosionsschutz von Stahlbauten durch Beschichtungssysteme.

Für Schweißnähte finden sich Angaben in den genannten Normen und Richtlinien des Deutschen Ausschusses für Stahlbau. Schrauben, Muttern und Scheiben zum Unterlegen für bestimmte Schraubverbindungen sind neben den schon genannten Normen auch in vielen anderen Normen geregelt.

Da bei der Verwendung von Stahl und Fertigteilen häufig auch Bauteile durch Ortbeton und Bewehrung ergänzt werden, entstehen Bauteile in Verbundbauweise. Für diese gilt DIN EN 1994 Eurocode 4: Bemessung und Konstruktion von Verbundtragwerken aus Stahl und Beton.

Ergänzend finden sich Normen in dem Kapitel Baustoffe für Beton, Bewehrung, Betonfertigteile, Stahlteile etc. Für Berechnungen und die konstruktive Ausführung findet man sehr ausführlich Ausführungen in Stahlbau von Christian Petersen, erschienen im Vieweg Verlag, eher anschaulich und mit Schwerpunkt auf den Konstruktionen in dem Stahlbauatlas von Franz Hart, Walter Henn und Hansjürgen Sontag, erschienen im Institut für internationale Architektur in München. Sehr umfassend in drei Bänden, die nach den verschiedenen Bauteilen sortiert sind, ist das Handbuch der Fertigteil-Bauweise von Tihamér Koncz, erschienen im Bauverlag GmbH, Wiesbaden.

V. Holzbau

1. Einführende Erläuterungen

Holz als natürliches Baumaterial hat dem Menschen immer zur Verfügung gestanden. Seine Verarbeitung hat entsprechend eine lange Tradition, die sich bis heute gehalten hat. Entsprechend viele Einsatzgebiete und Verarbeitungstechniken basieren auf diesen Traditionen. Konstruktionen wurden nicht statisch berechnet, sondern durch die Erfahrungswerte des Zimmermanns bestimmt und ausgeführt. Dabei wurden die Werkzeuge und Hilfsmittel ständig entwickelt, so dass auch die Konstruktionen immer anspruchsvoller werden konnten. Heute berechnet man Holzkonstruktionen einschließlich der Verbindungsmittel und erreicht damit eine Optimierung des Materialeinsatzes und der Kosten. Es kennzeichnet den Einfluss des Ingenieurwesens in den Bereich des reinen Handwerks. Gleichzeitig ist für Gebäude Holz als Bestandteil des Tragwerkes ersetzt worden durch den Mauerwerks- und Betonbau.

Der Holzbau findet sich daher heute überwiegend im Wohnungsbau bei Dachkonstruktionen mit üblichen Spannweiten und im Ausbau. Ein weiteres Feld ist die Altbausanierung, bei der auf Grund des Denkmalschutzes Holzbauteile wieder durch ebensolche ersetzt werden müssen. Dabei wird gewachsenes Holz eingesetzt, welches in eine entsprechende Form gebracht wird, indem man es sägt, hobelt etc. Die verschiedenen Holzbauteile mit ihren Bezeichnungen und Maßen wurden bereits im Kapitel Baustoffe erläutert.

Davon zu unterscheiden ist der Holzbau, der für große Bauteile durch die Entwicklung der Klebetechnik attraktiv geworden ist. Dabei werden Holzteile verleimt, so dass man im Ergebnis Bauteilgrößen erreicht, die man aus gewachsenem Holz nicht gewinnen könnte. Weiterer Vorteil ist, dass diese Holzbauteile auf Grund ihrer industriellen Fertigung stabiler sind als natürliches Holz. In letzter Zeit sind diese Bauteile allerdings in Verruf gekommen, da sie bei Dachkonstruktionen durch weitere Umstände zum Einsturz geführt haben.

Ein weiteres, großes Einsatzgebiet für den Holzbau ist der Schalungsbau für Betonarbeiten. Zwar werden vielfach Systemschalungen eingesetzt, die aus Metallständerkonstruktionen mit Schaltafeln bestehen und mit denen sich wiederkehrende Querschnitte und standardisierte Maße gut herstellen lassen. Allerdings werden Rüstungen und Schalungen für den Brückenbau und andere Ingenieurbauwerke häufig mittels Holzkonstruktionen individuell für das jeweilige Bauwerk errichtet. Es handelt sich dabei allerdings um provisorische Baubehelfe, die nach dem Betonieren wieder entfernt, demontiert und meist entsorgt werden. Siehe hierzu die Abbildung 45.

Abbildung 45: Holzschalung und -rüstung einer Brücke

Die Brücke wurde mit einer Holzschalung hergestellt, die im mittleren Brückenabschnitt noch erkennbar ist. An dem ausgeschalten Brückenabschnitt im Vordergrund sind deutlich die Streifen erkennbar, die von den für die Schalung benutzten Holzbrettern auf der Betonoberfläche hinterlassen werden.

Hölzerne Oberflächen haben häufig hauptsächlich dekorative Funktion. Holzoberflächen als Finish, wie z. B. Wandbekleidungen oder Böden aus Holz, zählen aber nicht zu dem Holzbau. Das gilt gleichfalls für raumtrennende Einbaumöbel und dergleichen. Diese Arbeiten mit Holz sind, bezogen auf die Bautechnik, zum Handwerk und dem Ausbau zu rechnen.

Holz wird auch viel im Freiflächenbereich eingesetzt. Zäune, kleinere Schuppen, Gartenhäuser und Carports werden als Bausatz oder als System angeboten. Diese Bauweisen gehen allerdings in den Bereich des genehmigungsfreien Bauens, des Hobbys und des Heimwerkerbereiches über. Sie werden daher nicht gesondert behandelt.

2. Fachliche Erläuterungen

Der klassische Holzbau ist ein Stabtragwerk aus Pfosten, Balken und Streben. Die Verbindungen wurden mit traditionellen Zimmermannskonstruktionen hergestellt, indem man die zu verbindenden Hölzer entsprechend bearbeitete. Solche Verbindungen sind z. B. Zapfen an einem

Balkenende, die in den anderen Balken in eine entsprechende Aussparung eingefügt wurden, so genannte Schwalbenschwänze für die Eckverbindung oder andere Einschnitte in Hölzer, die für eine entsprechende Passung und Lastübertragung sorgten, z. B. ein Versatz, die Klaue oder ein Kamm. Dübel wurden aus Holz gefertigt und in eine entsprechende Bohrung eingeschlagen. Die Verbindungen dienten daher vor allem der Übertragung von Druckkräften und der Lagesicherung. Zugkräfte wurden mittels Stahlstangen oder Stahlbändern abgetragen.

Die zimmermannsmäßige Bearbeitung für die Holzverbindungen wird heute weitgehend durch **Holzverbinder** ersetzt. Hierbei handelt es sich um vorgefertigte Metallteile. Sie haben eine der Anwendung entsprechende Form und sind bereits mit Löchern versehen. Hierbei handelt es sich im einfachsten Fall um Lochbleche oder Winkelverbinder mit und ohne Verstärkungsrippe. Aufwendigere Formteile sind häufig nach ihrem Anwendungsbereich benannt, so z. B. Sparrenpfettenanker, Knaggen oder Balkenschuhe. In der statischen Berechnung werden die entsprechenden Teile bestimmt und entsprechend den zu übertragenden Kräften mit der notwendigen Anzahl von Nägeln oder Schrauben vorgeschrieben. Daher ist es normal, dass nicht alle Löcher der Verbindungsteile mit Nägeln oder Schrauben belegt werden. Durch Holzverbinder wird die Konstruktion nicht nur einfacher, sondern sie sind auch durch die schnellere Anfertigung der Verbindungen vor Ort erheblich günstiger.

Auf diese Art werden nicht nur Dachstühle aus Holz errichtet, sondern Holzverbinder dienen auch beim Innenausbau für Ständerkonstruktionen bei nicht tragenden Wänden, für Fußbodenaufbauten und andere Einbauten. Dabei dienen die Holzverbinder auch dazu, die Holzteile an Beton- oder Mauerwerksteilen zu befestigen. Dabei ist aber zu beachten, dass aus brandschutztechnischen Gründen Befestigungen mit Holzbauteilen nicht zulässig sein können.

Für Holzverbindungen werden hauptsächlich **Nägel** und **Schrauben** verwendet. Sie unterscheiden sich zunächst dadurch, dass Nägel für einmalige Verbindungen gedacht sind, während Schrauben auch für eine lösbare Verbindung verwendet werden können. Zwar weisen Nägel auch einen gewissen Ausziehwiderstand auf, der aber meist nicht für Zugbelastung auf Dauer geeignet ist. Der Ausziehwiderstand von Nägeln wird heute verbessert, indem man die Nageloberfläche profiliert, so genannte Kammnägel. Schrauben gibt es mit verschiedenen Kopfformen und mit unterschiedlichen Gewindearten. Sie sind für bestimmte Holzarten und Verbindungen bestimmt und haben daher auch nur den entsprechenden Einsatzbereich.

Holz ist ein wichtiger **Hilfsstoff am Bau.** Er wird zum Bau von Schalungen im Betonbau verwendet. Die üblichen, sägerauhen Bretter ergeben typische Abdrücke im Beton, so dass man diese Art der Schalung nur noch bei nicht mehr sichtbaren und nicht weiter zu bearbeitenden Bauteilen verwendet, z. B. Fundamenten. Siehe hierzu Abbildung 46. Weit verbreitet ist Holz für Rüstungen und andere Hilfskonstruktionen, wie z. B. Geländer. Für diese gelten die jeweiligen statischen Vorschriften entsprechend. Auch für Vermessungen werden hölzerne Bauteile verwendet. Böschungen und Messpunkte werden mit Holzpflöcken und Holzgerüsten markiert, ein Schnurgerüst wird mit Planken und Pfosten errichtet.

Abbildung 46: Abdrücke einer Bretterschalung

Das Bild zeigt eine Betonoberfläche nach dem Ausschalen, auf der sich die einzelnen, parkettartig versetzten Schalbretter noch deutlich abzeichnen. Die Löcher der Schalungsanker sind ebenfalls erkennbar. Architektonisch wird dies wieder modern.

Während die Bauhilfskonstruktionen nur Provisorien darstellen und daher nur für einen begrenzten Zeitraum vorgesehen sind, müssen dauerhaft eingebaute Holzteile auch dauerhaft den Belastungen standhalten. Da Holz ein organischer Baustoff ist, muss er entsprechend geschützt werden. Der **Holzschutz** umfasst daher alle Maßnahmen, die eine Zerstörung oder Beschädigung der Holzkonstruktionen durch die Witterung, Insektenbefall oder Pilze und anderen Bewuchs verhindern. Insektenbefall findet durch die Larven von Käfern statt, umgangssprachlich Holzwürmer genannt. Sie fressen das eiweißhaltige, weiche Splintholz und verbleiben teilweise Jahre in dem Holz. Bekannt sind der Hausbock, der Nage- und der Splintholzkäfer. Pilze sind hauptsächlich Schwämme, die von den Holzbestandteilen Cellulose und Lignin leben, wie z. B. der Hausschwamm.

Man unterscheidet zwischen dem baulichen und dem chemischen Holzschutz. Der bauliche Holzschutz besteht darin, mit konstruktiven Mitteln sicherzustellen, dass das Holzbauteil möglichst trocken bleibt. Wenn die Holzfeuchte unter 20 % liegt, kann man Pilzbefall ausschließen. Eine möglichst konstante Holzfeuchte ist auch günstig, um ein Quellen und Schwinden des Holzes zu vermeiden. Maßnahmen sind z. B. ein großer Dachüberstand, der eine Beregnung der Holzbauteile verhindert, Tauwasserschutz, Bekleidungen etc. Für Holzbauteile, die mit Wasser in Berührung kommen, muss dafür gesorgt werden, dass das Wasser möglichst schnell wieder abtrocknen kann. Andererseits ist es für Holz nicht schädlich, wenn es dauerhaft im Wasser steht. Viele alte Pfahlgründungen bestehen aus Holzpfählen, die im Grundwasser stehen. Schaden nimmt das Holz bei wechselnden Holzfeuchten.

Der chemische Holzschutz besteht aus einem Beschichten der Holzbauteile mit Holzschutzmitteln, die Fluor, Bor, Chrom, Arsen etc. enthalten. Die Mittel sind jeweils für bestimmte Anwendungen vorgesehen und entsprechend gekennzeichnet. Sie müssen mit einem Prüfzeichen versehen sein. Das beinhaltet auch, dass von den Mitteln keine gesundheitliche Gefährdung ausgeht. Trotzdem sollte ein chemischer Holzschutz möglichst vermieden werden. Holzbauteile kann man in bereits behandeltem Zustand kaufen. Dabei sind die Holzschutzmittel farbig, so dass man sie erkennen kann. Durch eine werksseitige Behandlung durch Kesseldruck-, Trog- oder Einstelltränkung dringt das Holzschutzmittel besser ein und der Holzschutz ist länger anhaltend. Zu bedenken ist dabei allerdings, dass die Holzschutzmittel meist wasserlöslich sind und dadurch stark färben, wodurch es auch zu Verfärbungen angrenzender Bauteile kommen kann.

Sollte Holz bereits befallen sein, ist eine Bekämpfung des Pilz- und Insektenbefalls notwendig. Dafür ist befallenes Holz zu entfernen, die Holzbauteile werden abgebeilt. Das verbleibende, noch gesunde Holz muss behandelt werden, ebenso evtl. befallenes, angrenzendes Mauerwerk. Sollte der statische Querschnitt des verbleibenden Holzbauteiles nicht mehr ausreichen, muss der Querschnitt durch das Anlaschen von Holz- oder Stahlteilen entsprechend verstärkt oder insgesamt ausgetauscht werden.

3. Häufig auftretende Probleme in der Praxis

Typische Mängel an Holzkonstruktionen entstehen durch den Einbau von schadhaftem Holz. Dies ist durch eine Sichtkontrolle zu vermeiden, bei der Schäden an den Holzteilen erkennbar sind, wie z. B. Verformung, Verfärbung als Zeichen beginnender Fäule, Einschlüsse, Risse etc. Allerdings ist auch der Einbau von Holz mit zu hohem Feuchtegehalt eine Mangelursache. Holz sollte beim Einbau eine Feuchte aufweisen, die zu der Luftfeuchte in seinem Gebrauchszustand im Ausgleich steht, also „gleich hoch" ist. Dadurch wird ein Quellen oder Schwinden des montierten Bauteiles vermieden.

Handwerkliche Fehler sind der Einbau von Holzteilen mit zu hoher Feuchte, die durch eine Lagerung am Einbauort vermieden werden kann. Wenn Beschichtungen auf die Holzbauteile aufgebracht werden, z. B. Farben und Lacke, ist ebenfalls darauf zu achten, dass die Holzfeuchte nicht zu hoch ist, da wasserdampfdiffusionsundurchlässige Beschichtungen die Feuchte in dem Holzbauteil einsperren. Auch die Montage der Holzteile in falscher Einbaulage führt zu späteren Schäden. Je nachdem, wie das Holzbauteil aus dem Baumstamm geschnitten worden ist, verformt es sich bevorzugt in einer Richtung beim späteren Austrocknen. Diese Richtung ist durch die Lage der Fasern erkennbar. Beispielsweise bei der Montage von Brettern mit mittiger Verschraubung wölben sie sich bei falscher Lage an den Rändern nach oben, während sie bei richtiger Montagelage die Wölbung nicht ausprägen, da die Ränder durch die Befestigung nach unten verspannt sind.

Die Verwendung falscher Schrauben oder Nägel führt zu einem Aufspalten des Holzes. Dadurch verringert sich die übertragbare Kraft der Verbindung und das Holz ist anfälliger gegen Feuchte, da sie in den inneren Querschnitt eindringen kann. Um dies zu vermeiden sind Schraubenlöcher vorzubohren, bzw. müssen Nägel am spitzen Ende abgeflacht werden. Sie durchschlagen dann die Holzfaser, spalten aber nicht wie eine Spitze das Holz auf.

Planerische Fehler liegen in der Hauptsache darin, dass Holzkonstruktionen wechselnder Feuchte, direktem Kontakt mit Wasser oder anderen Bauteilen ausgesetzt werden, so dass anstehende Feuchte nicht kurzfristig und ungestört verdunsten kann. So sollten Holzbauteile nicht mit dem Kopfende direkt an andere Bauteile montiert werden, da sich in den verbleibenden Spalten Wasser sammelt und zu einem Aufspalten des Holzes führt. Hier sollten Sperrschichten angeordnet werden, die den Beton, das Mauerwerk usw. von dem Holz trennen. Das gilt vor allem für aufgesetzte Holzstiele. Hier gibt es Metallständerkonstruktionen, die einen direkten Kontakt des Holzes mit der Unterlage vermeiden und das Holzbauteil vor Spritzwasser schützen.

Innerhalb von Konstruktionen ist insbesondere zu beachten, dass durch die Einhaltung bauphysikalischer Regeln die Bildung von Tauwasser vermieden wird, welches sich auf den Holzbauteilen sammeln kann. Das ist leider bei Dachkonstruktionen zahlreich zu finden. In der Folge sich bildender Schimmel- und Pilzbewuchs ist dann erst erkennbar, wenn er in fortgeschrittenem Stadium nach außen tritt.

Im Außenbereich ist darauf zu achten, dass Holzbauteile nicht so montiert werden, dass sich stehendes Wasser bilden kann. Das kommt in Kanten und in Eckbereichen vor. Die Abdichtung der Kanten mit dauerelastischen Massen verhindert das Eindringen der Feuchte in das Holzbauteil nicht, so dass es hinter und unter den Dichtungsmassen durch den verbleibenden hohen Feuchtegehalt Schaden nimmt. Anschaulich ist das bei vielen Konstruktionen im Außenbereich, bei denen der untere Bereich, der dem Spritzwasser ausgesetzt ist, aufgewölbtes und gesplittertes Holz aufweist.

Durch mangelnden Holzschutz mit Pilzen oder Insekten befallenes Holz wird in vielen Fällen nicht ausreichend saniert. Dadurch kommt es bereits nach kurzer Zeit zu einem erneuten Befall. Bei sichtbaren Konstruktionen kann der weitere Befall erkannt werden, während bei verdeckten Konstruktionen ein weiterer Befall zu erheblichen Folgekosten führen kann. Beispiel hierfür ist die mangelhafte Sanierung von Holzbalken in Deckenkonstruktionen, die danach nicht mehr sichtbar sind.

Optische Mängel an Holzbauteilen finden sich, wenn das Holz zwar den Vorgaben der Festigkeit entspricht, es aber durch andere Holzfehler in seinem äußeren Erscheinungsbild nicht den Anforderungen genügt, z. B. Astansätze zeigt, ausharzt oder eine Blaufärbung aufweist. Dies kann auch dazu führen, dass eine folgende Beschichtung nur erschwert herzustellen ist. Entsprechende Vorgaben in der Leistungsbeschreibung vermeiden Streitigkeiten, da in vielen Fällen die optischen Anforderungen eines Bestellers höher sind als die zulässigen Voraussetzungen in den Normen. In vielen Fällen bildet das Holz Risse aus. Dies führt dazu, dass man glaubt, dass der Holzquerschnitt die Lasten nicht mehr abträgt. Meistens ist jedoch die Tragfähigkeit des Holzquerschnittes trotz Rissen immer noch mehr als ausreichend. Es handelt sich also nur um optische Beeinträchtigungen, die nur mit abgelagerten Hölzern und der richtigen Holzfeuchte für die Einbaubedingungen vermieden werden können.

4. Weiterführende Literatur

Die einschlägigen Normen für Holz ist die DIN 4074 Sortierung von Holz nach der Tragfähigkeit für Nadelholz. Ergänzend finden sich Erklärungen in der DIN 68364 Kennwerte von Holzarten und DIN EN 350 Dauerhaftigkeit von Holz und Holzprodukten.

Für die Berechnung von Holzbauwerken, die Ausführung und die mechanischen Verbindungen sieht die DIN 1052 Holzbauwerke, Bestimmungen vor. Sie gilt auch für Holzhäuser in Tafelbauart. Der Holzschutz ist in DIN 68800 Holzschutz im Hochbau geregelt, wobei es hier auch europäische Normen gibt, die sich leicht unterscheiden. In der DIN 68800 finden sich sowohl Maßnahmen des baulichen, wie auch des chemischen Holzschutzes.

DIN EN 912 Holzverbindungsmittel und DIN EN 10230 Nägel aus Stahldraht sind ebenfalls zu beachten.

Für die Ausführung ist als Bestandteil der VOB/C die DIN 18334 Zimmer- und Holzbauarbeiten maßgeblich. Sie gilt allerdings nicht für Schalarbeiten und den Verbau von Baugruben. Für Trockenbauarbeiten ist sie ebenfalls nicht anwendbar, auch wenn hölzerne Konstruktionen zum Einsatz kommen.

Der Holzbau Atlas von Julius Natterer, Thomas Herzog und Michael Volz, erschienen von der Arbeitsgemeinschaft Holz und dem Institut für internationale Architektur in München, zeigt die vielfältigen Konstruktionen, die mit Holz ausgeführt werden, sehr anschaulich mit vielen Bildern.

4. Teil Bauteile

In den folgenden Kapiteln werden einzelne Bauteile eines Gebäudes erläutert. Hierbei wird sich zunächst auf den Hochbau und den Rohbau konzentriert. Im Prinzip wird damit in diesem Kapitel die Herstellung eines Bauwerkes oder Gebäudes beschrieben. Für Wohn- und Geschäftshäuser ist das der Rohbau ohne den Innenausbau. Da allerdings zur Außenhülle auch die Fassade und die Fenster gehören, werden sie in diesem Kapitel mit behandelt.

I. Gründungen

1. Einführende Erläuterungen

Gründungen eines Bauwerkes sind die Bauteile, auf denen es steht und mit deren Hilfe das Bauwerk seine Last in den Baugrund abträgt. Die Gründung ermöglicht also die Standsicherheit des Bauwerkes und richtet sich nach dem Gewicht des Bauwerkes, weiteren abzutragenden Lasten und dem anstehenden Baugrund. Im Prinzip dient die Gründung der Verteilung der Gebäudelast aus den tragenden Bauteilen in einer Art und Weise, dass der weniger tragfähige Baugrund diese Lasten aufnehmen kann und das Gebäude keinen Schaden erleidet. Um diese Aufgabe zu erfüllen, werden verschiedene Gründungsarten eingesetzt, z. B. Einzel- und Streifenfundamente, Plattengründung oder Pfahlgründung.

2. Fachliche Erläuterungen

Grundsätzlich kann man eine Gründung nur planen, wenn man das zu errichtende Gebäude und den Baugrund kennt. Man spricht von der Interaktion des Baugrundes mit der Baumaßnahme. Anschaulich lässt sich die Problematik an einer Schüssel mit Wackelpudding erläutern. Hierbei stelle man sich den Wackelpudding als Baugrund vor. Auf der Oberfläche soll nun ein Gebäude errichtet werden, welches durch einen einfachen Backstein dargestellt sei. Wenn man den Backstein senkrecht auf den Wackelpudding stellt, sinkt er ein oder fällt um. Der Wackelpudding als Baugrund ist also nicht tragfähig genug. Wenn man nun einen Teller auf den Wackelpudding stellt, und auf den Teller den Backstein, so erreicht man einen festen Stand. Den Teller kann man sich als eine Gründungsplatte vorstellen, die so genannte **Flächengründung.**

Eine andere Gründungsart stellt es dar, den nicht tragfähigen Baugrund zu durchbohren, bis man auf tragfähige Schichten stößt. In den hohlen Bohrungen werden Betonpfähle hergestellt, die bis zur Unterkante des Gebäudes reichen. Das Gebäude wird dann auf diesen Pfählen aufgebaut. Veranschaulicht würde man Stäbe in den Wackelpudding stecken, die unten auf dem Schüsselboden stehen und bis zur Oberfläche des Puddings reichen. Oben auf die Stäbe stellt man nun den Backstein, das Gebäude. Es handelt sich hierbei um eine **Pfahlgründung.** In dem geschilderten Beispiel würden die Stäbe die Last des Backsteins über ihre Spitzen an den Schüsselboden weitergeben, man spricht von Spitzendruckpfählen und einer **stehenden Pfahlgründung.** Allerdings reiben die Pfähle mit ihrem rauen Schaft auch an dem anstehenden Boden, so dass sie auch über diese **Mantelreibung** bereits Kräfte übertragen. Wenn die tragenden Bodenschichten zu tief liegen, kann man ein Gebäude nur mit Mantelreibungspfählen gründen. Man spricht dann von einer **schwimmenden Pfahlgründung.**

Häufig werden die Pfähle auch mit einem umlaufenden, aufbetonierten Balken verbunden. Der **Pfahlkopfbalken** verbindet die Pfähle und sorgt für mehr Stabilität. Er dient auch einer Verteilung der Kräfte, wenn die Pfähle nicht senkrecht hergestellt werden, sondern schräg zueinander.

In vielen Fällen sind die Gebäudelasten nicht sehr hoch, und der Baugrund ausreichend tragfähig. In diesen Fällen werden unter tragenden Wänden so genannte **Streifenfundamente** eingebracht, welche die Last auf eine größere Fläche verteilen. Unter Stützen oder anderen Gebäudeteilen, welche eine Last punktförmig in den Baugrund ableiten sollen, werden ebenfalls entsprechende Einzelfundamente angeordnet. Für Stützen kommen dabei im Fertigteilbau **Köcherfundamente** zum Einsatz. Es handelt sich um Betonblöcke, die für diesen Einsatzzweck konstruiert werden. Sie haben in der Mitte ein Loch, in welches die Fertigteilstütze eingemörtelt wird. Im Prinzip ist das Köcherfundament vergleichbar mit einem Sonnenschirmständer.

Um die Standsicherheit der Gründung und des Bauwerkes zu überprüfen, müssen die Nachweise bezüglich des **Grundbruches,** des **Kippens** und des **Gleitens** geführt werden. Unter Grundbruch ist das seitliche Ausweichen des Bodens unter der Last zu verstehen. Man kann sich das an dem obigen Beispiel vorstellen, wenn man den Backstein in den Wackelpudding drückt, und unter der Last seitlich der Pudding hervorquillt. Der Kippnachweis berücksichtigt horizontal auf das Gebäude einwirkende Lasten, wie z. B. Wind, und stellt sicher, dass es nicht umfällt. Der Gleitnachweis ist erforderlich, um eine Verschiebung des Baukörpers auszuschließen. Das kann nicht nur auf abschüssigen Geländeabschnitten vorkommen, sondern auch bei Bodenarten, die wenig Reibung zu dem Baukörper aufbauen.

Grundbruch, Kippen oder Gleiten kommen in Deutschland als Ursache von Gebäudeschäden quasi nicht vor. Sollte der Baugrund ausreichend tragfähig sein, kann auf eine Gründung verzichtet werden. Das ist aber nur in seltenen Fällen möglich, z. B. bei Fels.

Setzungen bei Neubauten sind immer vorhanden. Sie resultieren aus einem Zusammendrücken des Bodens durch die Last, welche die Gründung aufbringt. Der Boden gibt nach, weil sich die einzelnen Bodenkörner verformen, sich die Hohlräume zwischen den Bodenkörnern verkleinern oder Porenwasser verdrängt wird. Eine weitere Ursache sind Grundwasserströmungen, die zu einem Abtrag von Boden führen, aber auch undichte Wasserleitungen oder unsachgemäße Drainagen. Wenn der Baugrund vor der Errichtung des Gebäudes bearbeitet worden ist, muss er verdichtet werden, da er sich durch das Lösen aufgelockert hat.

Setzungen in kleinerem Umfang sind unschädlich, wenn sie gleichmäßig auftreten und sich das Gebäude ebenfalls gleichmäßig setzt. In vielen Fällen ist es aber so, dass durch unterschiedliche Böden in inhomogenen Bodenschichtungen unterschiedliche Setzungen auftreten. Das kann auch durch ungleichmäßige Bodenpressung verursacht werden, wenn Gebäudeteile verschiedene Lasten aufbringen, also zum Beispiel ein Gebäudeteil höher ist. Das tritt auch auf, wenn Nachbarbebauung vorhanden ist. Die zusätzlichen Lasten des Neubaus führen dann zu verstärkten Setzungen in dem Bereich, in dem die Lasten aus beiden Gebäuden auf den Baugrund einwirken. Siehe hierzu die Abbildung 47.

Abbildung 47: Setzungen

Links in der Abbildung ist vereinfacht ein Gebäude skizziert, welches durch seine Fundamente an den Rändern die Lasten in den Boden abgibt. Die gekrümmten Linien symbolisieren die Bodenpressung. Die rechte Abbildung zeigt die Situation nach der Errichtung des Neubaus. Der Bereich des Bodens in der Mitte der beiden Gebäude wird nun aber höher belastet, als die beiden äußeren Bereiche. Dadurch kommt es zu Setzungen und nachfolgend zu Schäden an den Gebäuden.

Unterschiedliche Setzungen führen zu Rissen in dem Gebäude oder zu einer Schiefstellung. Durch vorbeugende Setzungsberechnungen und eine entsprechende Auslegung der Gründung kann das vermieden werden. Nachbargebäude sind zu unterfangen. Das bedeutet, dass deren Fundamente verstärkt werden, zum Beispiel durch Injektion von Zement in den Boden unter den alten Gründungen. Solche Bodenverbesserungen sind auch möglich, wenn unterschiedliche Böden unter einem Gebäude vorhanden sind. Der Austausch von ungeeigneten Böden ist eine Alternative.

Ob Setzungen zu Schäden an einem Gebäude führen, hängt auch von den Eigenarten des Gebäudes ab. Insbesondere Altbauten aus sprödem, unbewehrtem Mauerwerk neigen zur Rissbildung, während steife Gebäude aus Beton einen größeren Widerstand aufweisen. Allerdings können sich Risse auch nur in dem Innenausbau zeigen, zum Beispiel in Fliesenbelägen, Innenwänden etc., während die äußere Gebäudehülle die Verformungen noch verkraftet und keine Risse erkennbar sind. Daher ist die gesamte Gebäudekonstruktion auf die erwarteten Setzungen abzustimmen. Man unterscheidet hierbei grundsätzlich zwei Methoden, erstens eine Gebäudekonstruktion, welche die unterschiedlichen Setzungen durch Fugen und andere Aufteilungen örtlich zulässt, oder eine steife Konstruktion, welche den Verformungen Widerstand entgegensetzt und für eine Verteilung der Rissbildung sorgt.

3. Häufig auftretende Probleme in der Praxis

Die Erkundung des Baugrundes durch Aufschlüsse, die in einem Bodengutachten zusammengefasst werden, erfordert bei sachgemäßer Ausführung ein Raster von Untersuchungen auf dem Baufeld. Zwischen den einzelnen Probestellen wird unterstellt, dass der Boden dazwischen die gleiche Beschaffenheit hat und in gleicher Art aufgebaut ist. Das führt allerdings in der Praxis häufig dazu, dass sich bei der Umsetzung der Gründung, den vorweg laufenden Aushubarbeiten oder bei baubegleitenden, weiteren Untersuchungen herausstellt, dass der Boden zwischen den Untersuchungsstellen eine andere Beschaffenheit aufweist. Dadurch kann sich die Art der notwendigen Gründung ändern, was erhebliche Kosten nach sich ziehen kann. Streitigkeiten um die Verantwortlichkeit für den Baugrund und die Planung der Gründung sind die Folge. Das wird zusammengefasst als **Baugrundrisiko** bezeichnet.

Durch Tiefbauarbeiten kommt es zu Veränderungen des Baugrundes. Auftretende Lockerungen des Bodens oder die eingebrachte, zusätzliche Belastung des Bodens durch den Neubau führen in Nachbargebäuden zu Setzungen. In diesen Fällen sollte der Zustand der Bestandsbebauung vor Baubeginn sorgfältig dokumentiert werden.

Setzungen führen auch in den Neubauten zu Rissen. Hierbei kann es sich um Fehler bei der Beurteilung des Baugrundes, um planerische Fehler und um Fehler in der Ausführung handeln. Eine Abgrenzung erfordert meistens eine umfangreiche Begutachtung. Vor allem die erwähnten Risse in den Ausbauleistungen, also in Innenwänden, Wand- oder Bodenbelägen etc., können auf Setzungen beruhen. Ein Beispiel hierfür sind Neubauten, die einen mittleren Kern als Betonturm aufweisen, der durch die massiven Wände, Treppenhäuser und Aufzuganlagen, sowie seine aussteifende Funktion für das gesamte Gebäude sehr hohe Lasten in den Baugrund einbringt, während die angebauten Bürotrakte als Skelettkonstruktionen wenig Lasten in den Baugrund übertragen. Innenausbauten müssen die unterschiedlichen Setzungen und die Bewegungen zwischen diesen Bauteilen konstruktiv ermöglichen, indem Fugen angeordnet werden, wenn nicht bereits durch die Konstruktion der Gründungen oder des Gebäudes unterschiedliche Bewegungen ausgeschlossen sind.

Die beschriebenen Problembereiche betreffen nicht die Gründungen selbst, sondern deren Auswirkungen. Die verschiedenen Gründungen weisen für sich ebenfalls typische Probleme auf. Flächengründungen bestehen aus massiven Betonplatten, den so genannten Bodenplatten. Sie weisen häufig Risse auf, die meistens betontechnologische Ursachen haben. In vielen Fällen handelt es sich um Schwindrisse, die durch den Wasserverlust beim Abbindevorgang des Betons entstehen. Die Risse werden verpresst, indem man Kunstharz injiziert. Neben möglichen optischen Beeinträchtigungen ergeben sich funktionale Mängel, wenn die Bodenplatte im Grundwasser steht, und durch die Risse Wasser austritt.

Pfahlgründungen sind bis auf die Solltiefe zu bohren und zu betonieren. Nach der Pfahlbetonage ist es schwierig, die Lage des Pfahles zu kontrollieren. Gerade bei schwimmenden Gründungen ist die Solltiefe möglichst während der Ausführung zu dokumentieren. Die Betonage sollte in einem Zug erfolgen und bei dem Einbringen des Betons ist eine Entmischung zu verhindern. Bei Setzungen der Pfahlgründungen ist nach dem Errichten des Gebäudes eine nachträgliche Untersuchung der Pfähle hinsichtlich einer mangelhaften Ausführung in vielen Fällen nicht mehr möglich.

Einzel- und Streifenfundamente werden meistens in einer ausgehobenen Baugrube hergestellt. Der vorab durch den Aushub aufgelockerte Boden ist zu verdichten. Die eingebrachte Schicht Beton dient nur als Sauberkeitsschicht, um beim Schalen, Bewehren und Betonieren der Fundamente keine Verunreinigungen durch den anstehenden Boden zu verursachen. In vielen Fällen werden bereits die Fundamente und die Bodenplatten mit Wärmedämmung oder mit Abdichtungen versehen. Durch zahlreiche weitere Arbeiten kann es zu Beschädigungen an diesen teilweise empfindlichen Leistungen kommen. Undichtigkeiten sind die Folge.

Unterfangungen an bestehenden Gebäuden sind grundsätzlich problematisch. Sie bedeuten immer einen Eingriff in einen ruhenden Zustand, so dass es häufig zu Beeinträchtigungen kommen kann. Hierbei kann es nicht nur zu Setzungen kommen, sondern durch die mit hohem Druck ausgeführten Injektionsarbeiten auch zu Hebungen. Vor diesen Arbeiten ist daher eine Bestandsdokumentation unerlässlich.

4. Weiterführende Literatur

Viele Normen wurden bereits in dem Kapitel Baustoffe, dort Baugrund, vorgestellt. Für Gründungen sind sie ebenfalls zu beachten. Die DIN 1054 Baugrund – Sicherheitsnachweise im Erd- und Grundbau, die DIN 4019 Baugrund Setzungsberechnungen bei lotrechter, mittiger Belastung und die DIN EN ISO 18674 Baugrund Setzungsbeobachtungen an entstehenden und fertigen Bauwerken sind für Gründungen und Setzungen einschlägig. Die DIN 4123 Ausschachtungen, Gründungen und Unterfangungen im Bereich bestehender Gebäude beschäftigt sich ebenfalls mit dieser Thematik. Ergänzend wird nochmals auf die DIN 18137 Baugrund, Versuche und Versuchsgeräte, Bestimmung der Scherfestigkeit, Begriffe und grundsätzliche Versuchsbedingungen, hingewiesen.

Mit der Berechnung und der Konstruktion beschäftigt sich weiterführend und anschaulich das Buch Gründung von Hochbauten von Achim Hettler, erschienen bei Ernst & Sohn. Hier werden auch die Verfahren vorgestellt.

II. Wände

1. Einführende Erläuterungen

Die Begriffe Wand und Mauer werden umgangssprachlich häufig synonym verwendet. Eine exakte Trennung der Begriffe ist auch im Bauwesen nicht vorhanden. Im Folgenden werden Wände als vertikale, raumumschließende Bauteile im Hochbau verstanden. Daher werden an dieser Stelle freistehende Mauern nicht behandelt, die zum Beispiel zur Einfriedung von Gelände oder als Stützmauern verwendet werden.

Grundsätzlich wird zwischen **tragenden** und **nicht tragenden Wänden** unterschieden. Nichttragende Wände leiten nur die unmittelbar auf sie wirkenden Lasten an die tragenden Bauteile weiter. Das sind das Eigengewicht und auf sie einwirkende horizontale Lasten, also bei Außenwänden aus Winddruck und Windsog, sowie beispielsweise Anpralllasten. Im Innenbereich dienen sie dem Raumabschluss. Nichttragende Wände können entfernt werden, ohne die Standsicherheit eines Gebäudes zu gefährden. Die im Zuge des Ausbaus hergestellten nicht tragenden Wände werden im folgenden Kapitel Ausbau behandelt.

Tragende Wände geben nicht nur die unmittelbar auf sie wirkenden Lasten weiter, sondern sind Bestandteil der tragenden Konstruktion. Sie übertragen die vertikalen Lasten aus dem Gebäude zu den Fundamenten und können dem horizontalen Lastabtrag, zum Beispiel von Windlasten auf die Fassade eines Gebäudes, dienen. Sie übernehmen auch aussteifende Funktion. Bildlich kann man sich das an einer Spielkarte vorstellen, die man auf den Tisch stellen möchte. Sie wird umfallen, bis man senkrecht zu ihr eine zweite Karte befestigt, so dass sie zusammen ein liegendes „T" bilden. Die zweite Karte übernimmt die Aussteifung für die erste Karte. Tragende Wände können nicht entfernt werden ohne die Standsicherheit des Gebäudes zu gefährden.

Wände übernehmen als äußerer Abschluss von Bauwerken neben ihrer Tragfunktion auch den Witterungsschutz. Sie müssen daher alle bauphysikalischen Anforderungen erfüllen. Ergänzende Anforderungen an die optische Gestaltung können hinzukommen, die in Bebauungsplänen festgelegt sein können.

2. Fachliche Erläuterungen

Tragende Außenwände werden im Wohnungsbau und bei kleineren gewerblichen Bauten in Mauerwerk hergestellt. Ansonsten hat sich die Herstellung aus Beton durchgesetzt. Hierbei kommen auch Fertigteile zum Einsatz, die z. B. bei Fertighäusern schon Installationen für die Haustechnik enthalten können.

Im Einfamilienhausbau und für Bauwerke mit untergeordneter Nutzung werden auch Holzkonstruktionen ausgeführt, die aber in Deutschland keine allgemeine Verbreitung gefunden haben, im Gegenteil zu Konstruktionen im Ausland. Außenwände aus Holz weisen konstruktive Besonderheiten auf. Man unterscheidet die Skelett-, die Tafel- und die Fachwerkbauweise. Im Prinzip handelt es sich um Holzbauteile, die zur Erfüllung der bauphysikalischen Eigenschaften mit Dämmstoffen gefüllt werden.

Da die Außenwände die größte Fläche des Bauwerkes ausmachen, kommt ihnen bezüglich des Witterungsschutzes besondere Bedeutung zu. Im Fassadenbereich ist das vor allem der Schutz gegen Niederschlag. Da die meisten Mauersteine und Beton nicht wasserabweisend sind, müssen entsprechende Materialien aufgebracht werden. Das sind in aller Regel Außenputze, Farben, Bekleidungen aus Holz, Keramik, Kunststoff etc. Verwendung finden aber auch Klinker. Es handelt sich um Backsteine, die durch ein Brennen im Sinterbereich eine größere Dichte aufweisen. Im Bereich des Sockels werden häufig besondere Maßnahmen vorgesehen, da dort Spritzwasser und eine erhöhte Verschmutzung vorliegen. Ein beständigerer, eventuell leicht zu reinigender Oberflächenbelag als Putz oder mit Fliesen ist üblich.

Erdberührte Außenwände sind die Kellerwände. Sie sind immer tragende Wände, da sie den Erddruck des anstehenden Bodens aufnehmen müssen. Zusätzlich werden sie verstärkt durch anstehendes Wasser belastet. Üblicherweise handelt es sich um versickerndes Niederschlagswasser und Bodenfeuchte, so genanntes **nicht drückendes Wasser.** Durch den anstehenden Boden staut es sich an. Daher werden die erdberührten Wände mit Bitumenbahnen oder -anstrichen abgedichtet. Zusätzlich werden vor den Wänden Drainagen angebracht. Diese bestehen aus Kiesschüttungen und/oder Noppenbahnen. Sollten die Wände im Grundwasser stehen, so wird dies als **drückendes Wasser** bezeichnet. In diesen Fällen sind erhöhte Anforderungen an die Abdichtungen zu stellen.

Die bauphysikalischen Voraussetzungen für den Wärme-, Tauwasser-, Schall- und Brandschutz wurden bereits in dem Kapitel Bauphysik beschrieben. Um diese zu erfüllen, reicht üblicherweise eine einfache Beton- oder Mauerwerkswand nicht aus. Es haben sich verschiedene Konstruktionen entwickelt, die man in ein- und zweischaliges Mauerwerk unterteilt. Einschaliges Mauerwerk besteht aus der Wand, die innen und außen mit weiteren Schichten belegt wird, also Wärmedämmplatten und Putz. Zweischaliges Mauerwerk besteht aus der eigentlichen Wand, vor die außen eine Vorsatzschale montiert wird. Zwischen der Vorsatzschale und der Wand befindet sich ein Hohlraum, bzw. Spalt zur Hinterlüftung. Die Vorsatzschale besteht ebenfalls aus Mauerwerk, oder aus anderen Materialien, wie z. B. Aluminiumplatten, Faserzementplatten etc., und dient dem Wetterschutz. Sie wird mit Dübeln oder eingemauerten Halterungen an der tragenden Wand befestigt. Auf dem inneren Mauerwerk ist die Wärmedämmung angeordnet.

Bei Altbauten kann als nachträgliche Maßnahme zum Wärmeschutz, wie bei Neubauten, ebenfalls eine Wärmedämmung aufgebracht werden. Hierfür kommen heute in aller Regel so genannte **Wärmedämmverbundsysteme** zum Einsatz. Hierbei handelt es sich um Dämmplatten, die je nach Hersteller aus Polystyrol, also umgangssprachlich Styropor, oder aus anderen Dämmstoffen, z. B. Mineralwolle, gefertigt werden. Diese Dämmplatten werden auf die Wände aufgeklebt oder/und angedübelt. Zur Aufnahme von Zugkräften, die auf Grund von Temperaturunterschieden zu Rissen im Putz führen würden, ist eine Armierungsschicht aufzubringen. Sie besteht aus einem Gewebe und einer Spachtelmasse. Den Abschluss bildet der Außenputz.

Wände dienen auch als bauliche Brandschutzmaßnahme zur Bildung von Brandabschnitten. Sie müssen daher entsprechend ihrer Funktion die Voraussetzungen der Landesbauordnungen, der DIN-Normen etc. erfüllen. Daraus können sich Anforderungen ergeben, die über die reinen statischen Anforderungen an die Wand hinausgehen.

Besondere konstruktive Maßnahmen sind an den Übergängen der Wände erforderlich. Je nach der gewählten Wandkonstruktion müssen die Anschlüsse an das Dach, an die innen liegenden Decken, an Balkone, im Sockelbereich und auf den Fundamenten in Bezug auf die notwendigen Abdichtungen, die durchlaufende Wärmedämmung und die Kraftübertragung gestaltet werden. In diesen Bereichen ist in der Planung und Ausführung besondere Sorgfalt notwendig.

3. Häufig auftretende Probleme in der Praxis

Ein weites Problemfeld bei Mauerwerk sind Rissbildungen. Sie haben vielfältige Ursachen. Da es sich bei Mauerwerk um ein sehr sprödes Gefüge handelt, entstehen bei Setzungen Risse. Allerdings können auch unplanmäßig auf das Mauerwerk einwirkende Zugkräfte zu Rissen führen, wenn auf dem Mauerwerk aufliegende Deckenscheiben falsch konstruiert worden sind. In diesen Fällen handelt es sich bereits häufig um Planungsfehler.

Leider ist auch in vielen Fällen die Ausführung von Mauerwerk nicht sachgemäß. Die Verwendung unterschiedlicher Steinsorten, verschiedener Größen und Festigkeiten, die unterdimensionierte Auflagerung von Fenster- und Türstürzen etc., kann nicht nur zu Rissen führen, sondern auch zu unterschiedlichen bauphysikalischen Eigenschaften innerhalb einer Wandscheibe. Folgeerscheinungen sind Verfärbungen oder Schimmelbildung auf der Rauminnenseite. Die Ursache ist häufig nicht leicht erkennbar, da das Mauerwerk durch Putz verdeckt ist. Damit ist bei Rissen zunächst nicht erkennbar, ob nur der Putz, z. B. wegen fehlender Putzarmierung, oder das Mauerwerk mangelhaft ist.

Mängel an Außenwänden haben vielfache Auswirkungen. Sichtbare Schäden sind nicht nur Abplatzungen, Risse, Ausblühungen und Verfärbungen, sondern auch die bekannten „Wasserflecken“ im Innenbereich. Vielfach kommt es bereits im Vorfeld zu anderen Beeinträchtigungen. Bei einer, wenn auch nur teilweisen, Durchfeuchtung der Wände kommt es zu erhöhten Heizkosten, zu Schimmelbildung und zu einem unbehaglichen Innenraumklima. Innerhalb der Wand korrodieren metallene Bauteile. Das führt zu Abplatzungen, die aber auch bei Frost die Folge eingedrungener Feuchtigkeit sind.

In vielen Schadensfällen ist das Mauerwerk ordnungsgemäß hergestellt, aber durch Mängel der an das Mauerwerk anschließenden Bauteile kommt es auch zu Schädigung des Mauerwerkes. Ursache können unsachgemäße Anschlüsse an die anderen Bauteile sein, in vielen Fällen in Verbindung mit der Wärmedämmung. Die Anschlüsse müssen sorgfältig hergestellt werden. Dafür benötigte Zeit wird nicht aufgewendet, so dass handwerkliche Mängel zu sehr großen Schäden führen.

4. Weiterführende Literatur

Für Außenwände gelten die Normen für Beton und Mauerwerk, die bereits bei den Baustoffen und den Bauverfahren vorgestellt worden sind. Da es sich bei Außenwänden um Bauteile handelt, die auch dem Schutz vor der Witterung dienen, sind für die weitere Bearbeitung die DIN 18550 Putz und Putzsysteme – Ausführung, die DIN 18558 Kunstharzputze, Begriffe, Anforderungen, Ausführungen, die DIN 18515 Außenwandbekleidung und die DIN 18516 Außenwandbekleidung hinterlüftet, von Bedeutung. In diesem Zusammenhang sind auch der Wärme- und Feuchtschutz zu beachten.

III. Decken

1. Einführende Erläuterungen

Als Decken werden umgangssprachlich die Untersichten von raumabschließenden Bauteilen verstanden, z.B. die Decke eines Zimmers, im Gegensatz zu den Oberseiten, die als Boden bezeichnet werden. Im ingenieurtechnischen Sinn handelt es sich bei der Decke um das tragende Bauteil, welches den oberen Raumabschluss zu einem weiteren Geschoss bildet.

Deckenkonstruktionen dienen dem Lastabtrag der auf sie einwirkenden Nutzungen. Sie leiten die Lasten an die vertikalen Bauteile weiter, die für den weiteren Lastabtrag bis in die Gründungen vorgesehen sind. Decken sind daher immer auch ein Teil des Tragwerkes. Sie wirken darüber hinaus als Scheibe zur Aufnahme von horizontalen Windlasten auf die Fassaden des Gebäudes, die sie an die aussteifenden, vertikalen Bauteile, z. B. Wände, weiterleiten.

Heute finden sich in Neubauten fast ausnahmslos Decken aus Stahlbeton. Sie weisen eine ausreichend hohe Steifigkeit auf, so dass sie trotz geringer Dicke als waagerechtes Bauteil verwendet werden können. Vor der Entwicklung der Betondecken ließen sich Decken nur mittels Holzbalken herstellen, später mit Stahlträgern. Zwischen die Stahlträger wurden kleine Gewölbe gemauert, die daher nur eine geringe Höhe aufwiesen. Nachteilig an den so genannten Kappendecken war, dass sie als Gewölbe seitliche Widerlager brauchen. Sie wurden daher hauptsächlich in Kellern verwendet, wo der außen anstehende Boden als Widerlager diente, und die Auflasten aus den oberen Geschossen für die Standsicherheit sorgten. Große Spannweiten trotz geringer Bauhöhen waren mit diesen Konstruktionen nicht möglich.

Betondecken erfüllen die bauphysikalischen Anforderungen an den Wärme-, Schall- und Brandschutz. Daher kommen andere Decken fast ausschließlich nur noch in Altbauten vor, bei deren Instandsetzung diese Konstruktionen aus technischen Gründen oder wegen des Denkmalschutzes erhalten werden.

2. Fachliche Erläuterungen

Die konstruktiven Vorgaben für die Ausführung von Decken resultieren aus den Anforderungen. Die vorgesehenen Lasten und die Spannweiten bestimmen zunächst die Abmessungen. Erhöhte Anforderungen können sich aus einer gewünschten verringerten Durchbiegung, Deckeneinbauten, erhöhten Lasten etc. ergeben.

Eine **Stahlbetondecke** besteht im Grundsatz aus der Bewehrung und der Betonschicht. Die Bewehrung liegt dabei hauptsächlich in den Zugzonen. Durch die Lage der Bewehrung wird das Verhalten der Deckenplatten zwischen ihren Auflagern, also Stützen, Wänden und Unterzügen, bestimmt. Mittels der Bewehrungslage werden die statischen Systeme umgesetzt. Man unterscheidet zwischen **einachsig** und **zweiachsig gespannten Decken**. Einachsig gespannte Decken sind Holzbalkendecken, ihre Spannrichtung ergibt sich aus der Lage der Balken. Bildlich kann man sich die einachsig gespannte Decke als Handtuch vorstellen, an dem jeweils an den Kopfenden eine Person zieht. Bei Belastung ergibt sich eine Durchbiegung wie eine Hängematte. Betondecken kann man ebenfalls entsprechend ausbilden.

Zweiachsig gespannte Decken können in beiden Richtungen die Lasten an ihre Auflager abtragen. Bildlich ziehen Personen an den vier Seiten des Handtuches. Die Durchbiegung bei Belastung gleicht dann einer Kuhle in der Mitte. Ersichtlich wird die Durchbiegung der Decke kleiner, allerdings wird ein erhöhter Aufwand in Form weiterer Bewehrung oder eingelegter Querträger notwendig, um die Lasten auch in der zweiten Richtung abtragen zu können.

Eine weitere Möglichkeit der Verringerung der **Durchbiegung** ist die Ausbildung von Durchlaufplatten. Hierfür werden biegesteife Platten über mehr als drei Auflager geführt. Zwischen zwei Auflagern ergibt sich ein Feld, so dass sich bei drei Auflagern eine über zwei Felder geführte Durchlaufplatte ergibt. Entscheidend für die Verringerung der Durchbiegung ist allerdings, dass die Platte über dem mittleren Auflager biegesteif ist, da sich sonst kein Unterschied zu zwei Platten ergibt, die jeweils über ein Feld laufen. Die Durchlaufwirkung lässt sich über beliebig viele Felder ausdehnen. Siehe hierzu Abbildung 48.

Abbildung 48: Durchlaufträger

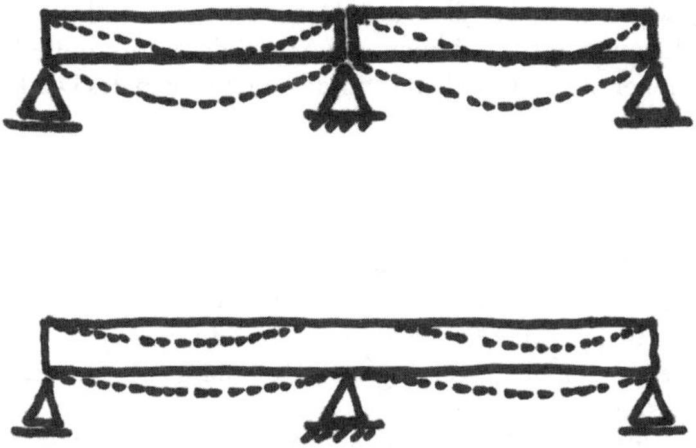

Die Skizze zeigt im oberen Teil zwei Deckenfelder, die als Einfeldträger ausgebildet worden sind. Sie sind über dem mittleren Auflager nicht verbunden. Wenn sie belastet werden, biegt sich jedes Feld einzeln durch. Im unteren Teil der Skizze ist ein Durchlaufträger abgebildet. Das bedeutet, dass die beiden Deckenfelder über dem mittleren Auflager verbunden sind. Dadurch wird die Durchbiegung kleiner. Die Verformung der Deckenfelder ist gestrichelt als Biegelinie eingezeichnet.

Ersichtlich wird, dass bei vierseitig gehaltenen Platten zwar die Durchbiegung kleiner wird, aber die auftretenden Zwängungen in der Platte größer werden. Man kann das leicht veranschaulichen, wenn man ein Blatt Papier auf eine offene Schachtel legt und mit dem Finger in die Mitte des Blattes drückt. Die Ecken des Blattes wölben sich nach oben. Man nennt das **Aufschüsseln,** verursacht durch das **Krempelmoment.** In der Fläche des Blattes entstehen viele unterschiedliche Biegungen. Im Vergleich dazu hängt ein Blatt zwischen zwei Auflagern nur in der Mitte durch und unterliegt keinen Zwängungen. Entsprechend stellen sich Zwängungen ein, wenn man eine Platte auf zwei Wänden auflagert, die im rechten Winkel zueinander stehen, oder wenn sie auf drei Wänden lagert. In einem Bauwerk müssen die entstehenden Zwängungen als Kräfte entsprechend berücksichtigt werden.

Decken werden vielfach in Ortbeton hergestellt, indem auf der stehenden Deckenschalung die Bewehrung verlegt und anschließend betoniert wird. Für kleinere Spannweiten spart man die Schalung ein, indem man **Halbfertigteile** verwendet. Die Gitterplatten bestehen aus der unteren

Bewehrungslage und Gitterträgern, die in Beton vergossen werden. Die Platten werden vor Ort verlegt, die Bewehrung ergänzt und der Aufbeton eingebaut. Damit haben die Decken ihre endgültige Dicke. Es werden auch ganze Deckenplatten als Fertigteil hergestellt. Wegen des hohen Gewichtes und der Abmessungen weisen sie aber gegenüber den Halbfertigteilen Nachteile auf. Daher hat man Hohlplatten entwickelt, die in Plattenlänge Röhren aufweisen. Sie lassen sich allerdings meist nur als Einfeldplatte verwenden. Siehe hierzu die Abbildungen 49 und 50.

Abbildung 49: Filigrandeckenplatte

Die Abbildung zeigt eine Filigrandeckenplatte von oben. Erkennbar ist in der unteren Bildhälfte der von rechts nach links durchlaufende Gitterträger. Weitere Bewehrungseisen wurden quer und längs zu den Gitterträgern bereits ergänzt. Zu einem späteren Zeitpunkt wird auf die Filigrandeckenplatte der Beton aufgebracht.

Weitere Bauarten bestehen aus vorgefertigten Betonbalken, in die besondere Steine eingemörtelt werden, die **Stahlbetonrippendecke**. Bei Verwendung von Deckenziegeln kann man Decken auch „mauern", wobei Stahleinlagen in dem Mörtel die Zugkräfte aufnehmen. Meist werden die Stahlsteindecken vorgefertigt auf die Baustelle geliefert. Diese Decken werden vornehmlich im Wohnungsbau eingesetzt, da sie nur einachsig gespannt werden können.

Decken aus Stahl kommen in Verbindung mit Beton vor. Stahlträger dienen dabei als Unterzug, wobei meist über Kopfdübel ein Verbund mit den Betonplatten hergestellt wird. Verwendung finden auch Konstruktionen, bei denen Trapezbleche oder andere, speziell für einen guten Verbund mit dem Beton profilierte Bleche als Unterseite der Decken und gleich-

Abbildung 50: Filigrandeckenplatte von unten

Diese Abbildung zeigt eine Filigrandeckenplatte von unten. Es ist zu erkennen, dass sie als Schalung für die nachfolgenden Betonierarbeiten dient und nur durch eine entsprechende Tragkonstruktion unterstützt wird. Die Fuge zwischen den beiden Filigrandeckenplatten muss vor dem Betonieren von unten verschlossen werden. In dem Spalt ist die durchlaufende Bewehrung zur Verbindung der Platten untereinander erkennbar.

zeitig als Schalung Verwendung finden. Sie werden vor Ort aufbetoniert. Die eingangs erwähnten Stahlsteindecken aus Trägern mit eingemauerten Gewölben werden nur noch aus optischen Gründen eingebaut. Ihre Herstellung ist aufwendig und teuer.

Holzdecken kommen in älteren Wohnungsbauten häufig vor. Sie wurden aus Holzbalken hergestellt, die auf die Wände aufgelagert wurden. Die Zwischenräume der Tragbalken wurden unterseitig mit Brettern verschlossen, der Stakung, und mit Sand oder anderem Schüttgut aufgefüllt. Das diente der Schalldämmung. Den oberen Abschluss bildete die Beplankung aus Brettern, auch Dielen genannt. Probleme bereitet bei Holzdecken der Schallschutz, der kaum zu gewährleisten ist.

Während früher die Spannweite der Holzdecken durch die Länge der Baumstämme begrenzt war, fertigt man heute **Holzleimbinder.** Dabei werden einzelne Holzteile schichtweise verleimt. Man erreicht mit solchen Konstruktionen höhere Festigkeiten als natürlich gewachsenes Holz und kann Träger mit großen Längen herstellen. In der Praxis finden solche Bauteile als Träger für Dachkonstruktionen Anwendung, wenn optische Anforderungen gestellt werden.

Während früher in Decken nur Kabelrohre für die Beleuchtung eingebaut wurden, sind heute die Decken in Büro- und Geschäftsgebäuden mit vielen Einbauten versehen, die direkt einbetoniert werden. Vor allem für eine spätere, flexible Nutzung werden in die Decken von oben zugängliche Kunststoffrohre und Kisten eingebaut, die Imbetonkanäle oder Bodentanks. Darin lassen sich nachträglich Kabel und Leitungen für Bürokommunikation und Strom verlegen. Zur Senkung der Energiekosten werden die Decken in manchen Gebäuden im Sommer zur Kühlung verwendet, indem man Wasser durch im Beton verlegte Kühlschläuche leitet. Diese **Kühldecken** werden auch mit kühler Nachtluft betrieben, indem man sie durch Hohlräume der Decken leitet. Durch die vielfachen Einbauteile und die multifunktionale Nutzung sind Decken mittlerweile vom „einfachen Betonbauteil“ zu einem Bestandteil für den Innenausbau und die Haustechnik geworden.

3. Häufig auftretende Probleme in der Praxis

Betondecken werden so bemessen, dass eine bestimmte **Durchbiegung** nicht überschritten wird. In den meisten Anwendungen tritt die maximale Durchbiegung nicht auf, da die maximalen Lasten nicht ausgenutzt werden, in den meisten Fällen würde sie auch optisch nicht wahrgenommen. Bei manchen Bauwerken grenzen aber Bauteile an, die durch farbliche Gestaltung oder durch den Werkstoff eine geringere Durchbiegung der Decken erforderlich machen. In diesen Fällen erhöhter Anforderungen werden die Decken mit Überhöhung hergestellt. Das bedeutet, dass die Schalung so hergestellt wird, dass die Decke im unbelasteten Zustand eine Wölbung nach oben aufweist. Unter der Gebrauchslast führt die Durchbiegung dazu, dass die Decke waagerecht ist. Die Überhöhung lässt sich nicht genau vorausbestimmen, so dass die Deckendurchbiegung in vielen Fällen ein Problem wird, welches zu Mangeleinreden führen kann. Das tritt besonders häufig auf, wenn die Decken große Spannweiten aufweisen. Handwerkliche Fehler liegen vor, wenn die Decke zu früh ausgeschalt wird, bzw. die nach dem Ausschalen erforderliche Unterstützung der Decken nicht ausreichend ist. Die Decken weisen zu diesem Zeitpunkt noch nicht die erforderliche Festigkeit auf, den auf ihrer Oberseite weitergehenden Arbeiten standzuhalten ohne sich durchzubiegen. Die verursachte Durchbiegung führt dazu, dass sie bei der weiteren Erhärtung der Decken im Bauteil verbleibt.

Weitere Folge einer planmäßigen Durchbiegung sind Risse in angrenzenden Bauteilen. Insbesondere im Zuge des Innenausbaus eingebrachte Wände müssen so konstruiert sein, dass sie den Verformungen der Decken folgen können. Hierfür sind Fugen einzubringen. Sonst zeigen sich Rissbilder in den Wänden, die meistens von Wandöffnungen als der schwächsten Stelle der Wand ausgehen.

Im Bereich der Auflagerungen von Decken kommt es zu den beschriebenen **Zwängungen.** Dadurch können die Eckbereiche der Wände geschädigt werden, da dort besonders hohe Kräfte wirken. Die erläuterten **Aufschüsselungen** in den Rand- und Eckbereichen zeigen sich als Risse im Außenputz, wenn die Konstruktion fehlerhaft ist. Zwängungen entstehen auch durch das Schwinden des Betons während des Abbindens. Die dadurch entstehenden Kräfte sind durch entsprechende Konstruktionen und die Anordnung von Fugen aufzunehmen.

Bei Fertigteilen sind **elastische Lager** zu verwenden, die für einen gleichmäßigen Lasteintrag sorgen. Bei Verunreinigung der Lagerstellen oder der fehlerhaften Lagerung kommt es zu hohen, punktuellen Kräften, die zu Abplatzungen und Rissen führen.

In der Praxis ist die Ursache von Rissen und anderen Schäden häufig schwierig feststellbar. In vielen Fällen liegt nicht nur eine Ursache vor, sondern mehrere Ursachen aus unterschiedlichen Verantwortungsbereichen überschneiden sich. Eine Zuweisung der Verantwortlichkeiten durch die Leistungsbeschreibung, bzw. anzumeldende Bedenken gegen die Konstruktionen erleichtern die rechtliche Handhabung.

Decken berühren in den Randbereichen die Gebäudeaußenhülle. Sie bilden daher potentiell die Gefahr von **Wärmebrücken.** Daher ist auf die Wärmedämmung besonderer Wert zu legen. In Wohnbereichen zeigt sich die mangelnde Wärmedämmung durch Tauwasserausfall im Boden- und Deckenbereich und nachfolgende Schimmelbildung.

Holzbalkendecken in Altbauten weisen eine ähnliche Symptomatik auf. Die im Mauerwerk aufgelagerten Holzbalken führen dazu, dass an den Stellen der Auflagertaschen nur noch ein sehr dünnes Mauerwerk vorhanden ist. An diesen Stellen tritt warme Raumluft im Bereich der Balkenenden an die kalte Steinschicht und führt zu Tauwasserausfall. In der Folge faulen die Balkenköpfe und neigen zu Schädlingsbefall, z. B. Schwammwachstum. Die Sanierung von Altbaudecken gestaltet sich sehr aufwendig, da der Schädlingsbefall umfassend beseitigt werden muss, damit das eingebrachte, neue Holz nicht ebenfalls in kurzer Zeit befallen wird.

Bei Ortbetondecken kommt es im Zuge der Ausbauleistungen vielfach zu **Änderungen durch eine andere Nutzung.** In diesen Fällen werden nachträglich Öffnungen in den fertig hergestellten Decken notwendig, z. B. für Fahrtreppen, Aufzüge, Installationsschächte etc. In diesen Fällen kann man zwar die notwendigen Öffnungen mittels Betonschneidern oder Stemmwerkzeugen einbringen. Die Öffnungen müssen allerdings mit einer Bewehrung versehen werden, so dass nicht nur die zunächst größer ausgenommene Öffnung wieder anzubetonieren ist, sondern die neuen Bewehrungseisen müssen mit dem bereits betonierten Deckenplatten in Verbund gebracht werden. Dazu sind Löcher in die Deckenplatten zu bohren, in die neue Bewehrungseisen mittels einer Verpressung eingeklebt werden. Diese Leistungen bedeuten einen erheblichen Aufwand. Die Folgen für die geänderte Vergütung und die Verlängerung der Bauzeit sind oft Anlass für Streitigkeiten.

4. Weiterführende Literatur

Berechnungsverfahren für Decken finden sich in der zentralen DIN EN 1992 Betonbau. Für die verschiedenen statischen Systeme, die heute mit Computerprogrammen berechnet werden, finden sich die eigentlichen Berechnungsverfahren für die verschiedenen Plattentypen und die Lagerungsbedingungen an den Rändern in Bautabellen für Ingenieure von Klaus-Jürgen Schneider, erschienen im Werner Verlag.

IV. Stützen

1. Einführende Erläuterungen

Eine Stütze ist ein aufrechtes Bauteil, das dem lotrechten Lastabtrag dient. Es ist Teil des Tragwerks und statisch erforderlich. Es handelt sich um ein so genanntes schlankes Bauteil. Das bedeutet, dass seine Höhe im Vergleich zu den anderen Abmessungen erheblich größer ist. Das unterscheidet die Stütze z. B. von einer Wand, die auch dem lotrechten Lastabtrag dient, aber deren Länge im Vergleich zur Höhe größer ist. Eine Stütze kann auch mit horizontalen Kräften belastet werden, muss dafür aber statisch bemessen werden.

Umgangssprachlich werden die Begriffe Stütze, Pfeiler, Pfosten und Säule nicht einheitlich verwendet. Auch im technischen Bereich besteht kein durchgängiger Sprachgebrauch. Allerdings werden die Begriffe üblicherweise je nach Material verwendet. Ein Pfeiler ist eine Stütze aus Mauerwerk, ein Pfosten besteht aus Holz und eine Säule ist bautechnisch kein verwendeter Begriff. Stütze wird in aller Regel für Stahl- und Betonbauteile als Bezeichnung verwendet. Den abweichenden Sprachgebrauch im technischen Bereich zeigen die Verwendung des Begriffes Pfosten im Zusammenhang mit Fassadenkonstruktionen, obwohl es sich nicht um Holzbauteile handelt, bei Brücken werden die Betonstützen als Pfeiler bezeichnet, was historisch an der damaligen Ausführung aus Mauerwerk liegen dürfte.

2. Fachliche Erläuterungen

Innerhalb des statischen Systems eines Bauwerkes übernehmen Stützen im Regelfall den Lastabtrag der vertikalen Lasten nach unten. Sie sind daher auf Druck belastet. Da es sich um schlanke Bauteile handelt, sind Stützen daher nicht nur auf Druck zu bemessen, sondern auf Grund ihrer Form ist auch ein Knicken der Stützen auszuschließen. Die Versagensform des Knickens ist anschaulich an einem dünnen Holzstab, den man auf den Boden stellt und oben drauf drückt. Bei einer bestimmten Last fängt der Stab an sich zu verbiegen und bricht. Wenn man den Stab von einer zweiten Person in der Mitte so halten lässt, dass er sich nicht verbiegen kann, hält er mehr Druck aus ohne zu zerbrechen.

In seltenen Fällen gibt es auch Stützen, die auf Zug belastet werden. Für diese Sonderkonstruktionen sind andere Bemessungsregeln anzuwenden, da nur zugfeste Baustoffe in Betracht kommen, und bei der Zugbelastung ein Knicken nicht vorkommt. In aller Regel findet man zugbelastete Bauteile nur bei Fachwerken aus Stahl.

Im üblichen Betonbau werden Stützen statisch als **Pendelstützen** konstruiert. Das bedeutet, dass sie planmäßig nicht für die Aufnahme von Biegemomenten vorgesehen sind. Typischer Anwendungsfall ist die Skelettkonstruktion im Hochbau, die aus Stützen und Deckenscheiben besteht. Die Stützen dienen dabei nur dem lotrechten Lastabtrag, werden aber von den Deckenscheiben gehalten. Die Deckenscheiben stützen sich gegen die aussteifenden Bauteile ab, z. B. Treppenhauskerne. Vereinfacht kann man sich Streichhölzer als Stützen zwischen zwei Bierdeckeln vorstellen. Durch Verschiebung der beiden Deckel bricht die Konstruktion zusammen. Werden die Bierdeckel aber seitlich in ihrer Lage gehalten, kann man die Konstruktion durch Druck von oben belasten.

Im Gegensatz zu den Pendelstützen nehmen **eingespannte Stützen** auch Biegemomente an ihren Lagern auf. Anschauliches Beispiel ist ein Fahnenmast, der in seinem Auflager eingespannt wird. Eingespannte Stützen werden vielfach bei dem Bau von Lagerhallen verwendet, insbesondere bei einem Einsatz von Fertigteilen. Die Stützen werden in so genannte Köcherfundamente einbetoniert, so dass sie für die nachfolgende Montage der Unterzüge etc. selbständig stabil sind. Hierbei können Stützen auch mehrere Geschosse hoch sein. Im Ortbetonbau werden statisch über mehrere Geschosse durchlaufende Stützen meist nicht gebaut. Siehe hierzu die Abbildung 51.

Die Lasten aus der Decke müssen in die Stütze weitergeleitet werden. Wenn Unterzüge verwendet werden, leitet man die Kräfte, welche von den Decken in die Unterzüge weitergeleitet werden, über **Konsolen** in die Stützen ein. Diese Konstruktionen sind typisch für die Verwendung von

Abbildung 51: Fertigteilstützen

Für die Errichtung einer Halle wurden bereits Fertigteilstützen aufgestellt. Man erkennt an den Konsolen, dass es sich um ein zweigeschossiges Bauwerk handeln wird. Auf die Konsolen werden in nachfolgenden Arbeitsschritten Unterzüge in Fertigteilbauweise aufgelegt.

Fertigteilen oder Halbfertigteilen. In aller Regel ist man bemüht, jeweils an gegenüberliegenden Seiten Konsolen mit dem gleichen Lasteintrag anzubringen, da die Stützen dann gleichmäßig belastet werden und vermieden wird, dass durch asymmetrische Lasten Biegemomente entstehen würden.

Bei Ortbetonkonstruktionen werden die Decken direkt auf die Stützen betoniert. Bei großen Deckenfeldern und hohen Lasten auf den Decken kann dies in den Bereichen um die Stütze problematisch sein, da sich hier die Lasten konzentrieren. Daher muss die Konstruktion sicherstellen, dass es nicht zu einem **Durchstanzen** kommt. Bei dem Versagensfall des Durchstanzens werden die Schubkräfte in der Decke so groß, dass sie rund um die Stütze bricht. Bildlich kann man sich das Durchstanzen vorstellen, wenn man einen Bierdeckel auf ein Streichholz stützt und mit den Fingern gleichmäßig von oben auf den Bierdeckel drückt. Das Streichholz bricht nicht, der Bierdeckel hält die Kraft ebenfalls aus, aber das Streichholz drückt sich an seinem Auflagerpunkt durch den Bierdeckel, es stanzt durch.

Um das zu vermeiden, wird bei ausreichender Dicke der Decke entsprechende Bewehrung eingelegt. Wenn die Deckenplatte keine ausreichende Dicke aufweist, verstärkt man an der Unterseite die Decke in dem Bereich um die Stützen. Man nennt dies **Pilzkopfdecken.**

Fertigteilstützen werden vor Ort mit Hebewerkzeugen, meist Mobilkränen, in ihre Lage gehoben. Dabei werden sie in ihre Fundamente oder ein vorbereitetes Mörtelbett gesetzt und ausgerichtet. Zusätzliche Befestigungsmittel sind bei der Montage auf Decken etc. erforderlich.

Eckige **Ortbetonstützen** werden mittels Systemschalungen hergestellt, in die für Fasen an den Kanten Styroporprofile eingelegt werden. Die Bewehrung wird als fertiger Korb geliefert, oder sie wird vor Ort hergestellt. Für runde Stützen gibt es als Schalung Stahlringe in unterschiedlichen Durchmessern, die in der benötigten Höhe aufeinander geschraubt werden. Die Stahlringe lassen sich öffnen, so dass man nach dem Härten des Betons die Schalung zur Seite entfernen kann. Rundstützen werden meist mit einer Wendelbewehrung versehen, die vormontiert geliefert wird. Die Schalungen werden ebenfalls vor Ort eingemessen und in ihrer Lage gesichert und abgestützt. Durch die verbleibende obere Öffnung werden die Stützen betoniert und verdichtet.

Stützen aus Stahl werden in aller Regel verschraubt oder verschweißt. Sie finden vor allem bei gewerblichen Bauwerken, wie z. B. Hallen etc., Verwendung. Da Stahl in Bezug auf den Brandschutz problematisch ist, werden Stahlstützen bei entsprechenden Anforderungen an den Brandschutz entsprechend ummantelt, z. B. mit Gipskartonplatten. In den meisten Fällen sind Stahlstützen daher gegenüber Betonbauteilen nicht vorteilhaft.

Holzpfosten finden vor allem im Privatbereich Anwendung, so z. B. bei Gartenlauben, Carports etc. Im Innenbereich haben sie in vielen Fällen keine tragende Funktion, sondern dienen nur der Optik. Echte Tragkonstruktionen aus Holz findet man bei Holzhäusern, die im Zuge des ökologischen Bauens von Herstellern angeboten werden. Im gewerblichen Bereich sind solche Konstruktionen selten.

3. Häufig auftretende Probleme in der Praxis

Fertigteilstützen erleiden häufig durch ihren Transport und die Montage optische Schäden, die durch Spachtelungen nach der Montage behoben werden können. Wenn die Stützen aber im Sichtbereich verbleiben und nicht beschichtet oder anderweitig behandelt werden, verbleiben optische Beeinträchtigungen. Vor der Montage weiterer Fertigteile ist daher das Aussehen zu kontrollieren. Ein späterer Austausch der Fertigteile ist mit erheblichem Aufwand verbunden.

Bei der **Montage von Stützen** kann es zu Abweichungen von der geplanten Lage kommen. Bei der Montage von Unterzügen werden in diesen Fällen die zulässigen Toleranzen der Auflagerung auf den Konsolen nicht eingehalten. Das führt zu Schäden im Auflagerbereich und zu Rissbildungen, Abplatzungen etc. Die in den Konsolen vorgesehenen Auflagerpunkte müssen eingehalten werden, mit den entsprechenden Lagern versehen sein und die notwendigen Fugenmaße einhalten. Andernfalls kann es zu ungewollten Zwängungen kommen, die ebenfalls zu Rissen führen. Sollten die Unterzüge zu weit von den vorgesehenen Auflagerpunkten in Richtung der Konsolenkante abweichen, kann die Krafteinleitung gestört sein oder die Konsole ist überlastet. In diesen Fällen kann die Standsicherheit gefährdet sein.

Bei **Ortbetonstützen** ist das Betonieren und Verdichten ein problematischer Arbeitsvorgang. Durch die hohe Schalung, in der sich auch die Bewehrung befindet, muss der Beton so eingebracht werden, dass er die Schalung von Grund auf vollständig füllt, aber sich nicht durch eine zu große Fallhöhe entmischt. Daher werden zum Betonieren Schläuche eingesetzt, welche entsprechend tief in die Schalung eingeführt werden müssen. Das Verdichten mittels Rütteln des Betons ist aus den gleichen Gründen schwierig. Wenn der Betoniervorgang nicht ordnungsgemäß ausgeführt wird, bilden sich im unteren Bereich **Kiesnester** aus. Das sind Ansammlungen von Zuschlagskörnern, die nicht ausreichend von Zementleim umhüllt sind, und von außen sichtbar sind. Diese Bereiche weisen in vielen Fällen mangelnde Betoneigenschaften auf, so dass sie saniert werden müssen. Das Spachteln zur Herstellung der Betondeckung und einer optischen Retusche ist nicht immer ausreichend, sondern es ist gegebenenfalls die mangelnde Festigkeit durch entsprechende Ausgleichsmaßnahmen zu beheben. Siehe Abbildung 52, 53 und 54 für das Betonieren einer Stütze.

Abbildung 52: Untere Anschlussbewehrung einer Stütze

Im Bild erkennt man die betonierte Bodenplatte. Für die darauf zu errichtende Stütze ist die Anschlussbewehrung kraftschlüssig mit der Bewehrung in der Bodenplatte verbunden. Die aus der Bodenplatte herausstehenden Bewehrungsstäbe überlappen die aufgesetzte Stützenbewehrung und stellen damit den kraftschlüssigen Verbund zwischen Bodenplatte und der Stütze her.

Durch den architektonischen Trend zur Herstellung von **Sichtbeton** sind die Ansprüche an die Oberflächenqualität von Stützen immer mehr gestiegen. Einhergehend mit dem Wunsch nach immer schlankeren Stützen, steigt die Bewehrungsdichte in den Stützen immer mehr an. Daher ist die Herstellung in Ortbeton aufwändiger geworden. Optische Unregelmäßigkeiten im Sichtbereich sind die Folge und werden häufiger als Mangel geltend gemacht. In vielen Fällen stellt sich die Frage, ob die verlangten Qualitäten überhaupt auf der Baustelle herstellbar sind. Eine gutachterliche

Abbildung 53: Stützenschalung

Die zweite Abbildung zeigt eine Stützenschalung. Sie ist für eine mehrfache Verwendung gebaut. Diese Systemschalung wird nach dem Betonieren aufgeklappt und kann so von der betonierten Stütze abgezogen werden. Auf dem Bild ist die aufgeklappte Stützenschalung zu erkennen. Sie steht auf einer Folie, da sie gereinigt und dann erneut mit Schalöl bestrichen wird. Rechts an der Stützenschalung ist eine Leiter mit einem Podest zu erkennen. Darauf stehen die Arbeiter zum Betonieren.

Feststellung ist nur vermeidbar, wenn man vorab realistische Qualitätsmerkmale als Leistungssoll definiert.

4. Weiterführende Literatur

Die Bemessung von Stützen findet sich in den genannten Normen, die in den Kapiteln Baustoffe und Bauverfahren angegeben worden sind. Das gilt auch für Holztragwerke, Stahlstützen und die Fertigteilstützen. Für die Berechnung und Konstruktion finden sich dort auch weiterführende Literaturangaben.

Abbildung 54: Untere Anschlussbewehrung einer Stütze

Hier ist die fertig betonierte Stütze abgebildet. Oben schaut wieder die Anschlussbewehrung raus, die durch die zu betonierende Decke ragt und diese Stütze kraftschlüssig mit der Decke und der nächsten Stütze verbindet. Die Stütze ist zur Nachbehandlung mit Folie umwickelt, damit das Anmachwasser nicht verdunstet, sondern für die Hydratation zur Verfügung steht.

V. Unterzüge

1. Einführende Erläuterungen

Unterzüge sind horizontale Bauteile, die von oben auf sie einwirkende Lasten horizontal auf diejenigen Bauteile übertragen, die eine vertikale Lastabtragung zu den Fundamenten übernehmen. Man unterscheidet sie von Überzügen, die oberhalb der Decken angeordnet sind. Im Wohnungsbau findet man in aller Regel keine Unterzüge, da der Lastabtrag der Decken direkt auf die Wände erfolgt. In Büro-, Gewerbe- und Industriebauten sollen aber größere Flächen hergestellt werden, die für eine spätere, flexible Nutzung eine freie Raumaufteilung ermöglichen sollen. Daher werden die Decken auf Unterzügen gelagert und die Anordnung von tragenden Wänden wird auf aussteifende Kerne beschränkt.

Unterzüge werden aus Stahlbeton und Stahl hergestellt. Wegen der Kostenersparnis und der schnellen Montagemöglichkeit werden oft Fertig- oder Halbfertigteile verwendet. Bei Holzkonstruktionen wirken Balken als Unterzug, die aus Voll- oder Leimholz gefertigt werden.

2. Fachliche Erläuterungen

Unterzüge unterscheiden sich durch ihre Einbindung in das statische System, welches durch die Planung der Konstruktion vorgegeben wird. Die einfachste Art ist die Verwendung als Balken auf zwei Stützen. Der Unterzug wird auf zwei angrenzende Stützen aufgelegt und in der Lage gesichert. Er überträgt nur die auf ihn wirkenden lotrechten Kräfte. Anschaulich ist das bei Holzbalken oder entsprechenden Betonfertigteilen. Das ist statisch ein gelenkiger Anschluss eines Einfeldträgers. Die Betonfertigteilunterzüge werden meist auf Konsolen aufgelegt, die sich an der Stütze befinden. Um Bauhöhe einzusparen und eine ansprechende Optik zu erhalten, werden die Unterzüge im Auflagerbereich ausgeklinkt. Das bedeutet, dass man den Unterzug an den Enden in der Größe der Abmessungen der Konsolen ausschneidet, so dass die Teile ineinander greifen. Es ist aber auch möglich, die Unterzüge in voller Höhe zu belassen und auf die Konsole aufzulegen.

Bei betonierten oder teilweise betonierten Unterzügen ist die statische Funktion nicht immer äußerlich sichtbar. Sie hängt von der Ausbildung der Bewehrung ab. Wenn über den Stützen eine oben durchlaufende Bewehrung verlegt wird, ist der Unterzug als Durchlaufträger ausgebildet, der über mehrere Felder reichen kann. Je nach der Ausbildung der Bewehrung können Unterzüge auch biegesteif an die Stützen angeschlossen werden. Sie können dann nicht nur Kräfte übertragen, sondern auch Drehmomente. Die Unterzüge bilden so mit den Stützen einen standfesten Rahmen. Wenn Unterzüge und Stützen in beiden Hauptachsen entsprechend miteinander verbunden sind, handelt es sich um einen so genannten Gitterrost.

Die Deckenplatten werden bei gelenkigen Konstruktionen auf die Unterzüge aufgelegt, wobei man die Platten direkt auf die Unterzüge auflegen kann, oder auf Konsolen, die in Längsrichtung der Unterzüge angebracht sind. Die Deckenplatten werden vergossen oder mit einer Ortbetonschicht aufbetoniert, so dass sie eine monolithische Scheibe bilden. Wenn man die Unterzüge und die Deckenplatten als Halbfertigteile ausbildet, die mit einer entsprechenden Bewehrung ergänzt werden, werden die Unterzüge und die Decken miteinander zu einem Bauteil verbunden. Diese Konstruktionen werden auch mit Halbfertigteilen hergestellt, bei denen bereits Unterzüge ausgebildet sind. Man nennt sie TT-Platten. Statisch handelt es sich um so genannte **Plattenbalken.**

Diese statischen Systeme lassen sich auch in Ortbeton herstellen. Durch die Bewehrungsführung können innerhalb der Platten, von außen nicht mehr sichtbar, Unterzüge ausgebildet werden. Diese Konstruktionen haben den Vorteil, dass man glatte Untersichten hat, allerdings den Nachteil, dass man statisch nicht erforderliche, dicke Deckenplatten herstellt. Man nennt diese Konstruktionen **deckengleicher** oder **versteckter Unterzug.**

Viele Konstruktionen sehen Unterzüge in einer Richtung vor, die auf Stützen aufgelagert sind. Diese Richtung entspricht den Hauptachsen des Bauwerkes, die Unterzüge heißen **Hauptunterzüge.** Um zwischen den Hauptunterzügen die Deckenfelder zu unterteilen, werden rechtwinklig auf die Hauptunterzüge weitere Unterzüge aufgelegt. Diese **Nebenunterzüge** dienen dem Lastabtrag aus den Deckenplatten auf die Hauptunterzüge. Sie liegen nicht selbst auf Stützen auf. Für die Herstellung von Nebenunterzügen werden oft TT-Platten verwendet. Das statische System sieht für die Hauptunterzüge Durchlaufträger vor, während die aufgelegten Nebenunterzüge gelenkige Einfeldträger sind.

Die Herstellung der beschriebenen Systeme stellt unterschiedliche Anforderungen an den Herstellungsprozess. Bei Konstruktionen aus Ortbeton ist eine vollständige Schalung und entsprechende Rüstung notwendig. Bei der Verwendung von Halbfertigteilen kann die Schalung ganz, oder zumindest zum größten Teil entfallen. Allerdings ist bei Halbfertigteilen eine Unterstützung der Träger und Platten während des Betonierens bis zum ausreichenden Erhärten des vor Ort aufgetragenen Betons notwendig. Bei Fertigteilen werden die Schalung und die Rüstung nicht benötigt.

Bei der Herstellung von Durchlaufträgern, vor allem wenn die Unterzüge in beiden Richtungen so vorgesehen sind, ist über den Stützen die Bewehrung in beiden Richtungen durchlaufend zu verlegen. Das ist ein erheblicher Aufwand gegenüber einer im Stützenauflager aufhörenden Bewehrung bei einem nicht durchlaufenden Unterzug, da die Bewehrung in verschiedenen Lagen jeweils eingeflochten werden muss. Zu bedenken ist dabei, dass auch senkrecht verlaufende Bewehrung zu berücksichtigen sein kann, welche die im nächsten Stockwerk zu betonierende Stütze anschließt.

Um Beton einzusparen und das Gewicht eines Unterzuges zu reduzieren, gibt es zwei Möglichkeiten. Man kann an Stellen, an denen der Beton nicht aus statischen oder technischen Gründen erforderlich ist, Aussparungen vorsehen. Dadurch wird aber ein erhöhter Aufwand bei der Schalung erforderlich, so dass es sich aus Kostengründen meist nicht lohnt. Die zweite Möglichkeit ist die Ausbildung von **Vouten.** Diese Unterzüge haben in der Mitte eines Feldes den dünnsten Querschnitt und werden zu den Auflagern hin kräftiger. Üblicherweise werden gevoutete Träger nur in der Höhe verjüngt, während man aus optischen Gründen die Breite des Unterzuges belässt. Es ist aber auch möglich, die Voute in der Höhe und der Breite des Unterzuges auszubilden. Solche Vouten sieht man bei Brückenträgern.

Öffnungen in Unterzügen werden in aller Regel nur hergestellt, wenn man sie für die Montage anderer Bauteile benötigt. Der zusätzliche Aufwand für Schalung und Bewehrung ist erheblich. In vielen Fällen werden Leitungen für haustechnische Installationen durch die Öffnungen geführt.

3. Häufig auftretende Probleme in der Praxis

Bei Fertigteilunterzügen kommt es zu Schäden im Bereich der Auflager. **Elastische Lager** als entsprechend vorgefertigte Gummiteile sind nach den auftretenden Lasten zu wählen und in der richtigen Lage zu montieren. Dabei dürfen sich keine Verunreinigungen auf den Lagern befinden, da es sonst zu hohen Drücken in den angrenzenden Betonteilen kommen kann. Bei ausgeklinkten Unterzügen treten in der Ecke der Ausklinkung hohe Zugbeanspruchungen auf, die im Beton zu sichtbaren Rissen führen können. **Transportschäden** an den **Fertigteilen** lassen sich nur schwer vermeiden, insbesondere wenn die Unterzüge mit ungefasten Kanten gefertigt werden mussten. Ungefaste Kanten sind rechtwinklig ausgebildet. Die Kanten werden häufig bei dem Transport oder der Montage geschädigt.

Wenn die Konstruktion für einen Rohbau ausgeschrieben ist, geht vielfach aus den Plänen nicht eindeutig hervor, welches statische System ausgeführt werden soll. Für Auftragnehmer lassen sich vielfach durch die Optimierung des Tragwerkes Material einsparen oder der Bauablauf vereinfachen. Wenn sich die Konstruktion aber später so nicht umsetzen lässt, weil in der allgemeinen Baubeschreibung, anderen konstruktiven Vorgaben aus Vorschriften oder ähnlichem höhere Anforderungen bestehen, so kann dies zu erheblichen Mehrkosten aus den oben geschilderten Erschwernissen bei der Rüstung, Schalung und Bewehrung führen. Das hat in vielen Fällen Auswirkungen auf die Bauzeit.

Bei Ortbetonkonstruktionen führen Änderungen der Konstruktion zu einem Mehraufwand bei der Bewehrungsverlegung. Wenn in eine bereits verlegte Bewehrung zusätzliche Bewehrungseisen eingeflochten werden müssen, ist das ebenfalls mit einem erheblichen Mehraufwand verbunden. In vielen Fällen ist der benötigte, zusätzliche Aufwand schwer zu ermitteln. Insbesondere an den Knotenpunkten, in denen sich die Bewehrung mehrfach kreuzt, verlängern sich die **Verlegezeiten** überproportional hoch.

Bei schlüsselfertig zu erstellenden Gebäuden werden durch **Nutzungsänderungen** auch die Installationen für die Haustechnik und den Ausbau geändert. Dadurch können die Einbauten in erheblichem Maß zunehmen. Nachträglich in Unterzüge einzubringende Ausschnitte betreffen die Bewehrungsführung, so dass nachträglich Bewehrung in einen bereits betonierten Unterzug einzubringen ist. Die Kosten steigen erheblich an. In vielen Fällen ist der Anlass der Änderung nicht eindeutig, so dass die Vergütungsfrage streitig ist.

4. Weiterführende Literatur

Die Bemessung von Unterzügen findet sich in den genannten Normen, die in den Kapiteln Baustoffe und Bauverfahren angegeben worden sind. Das gilt auch für Holztragwerke, Stahlträger und die Fertigteilunterzüge. Für die Berechnung und Konstruktion finden sich dort auch weiterführende Literaturangaben.

VI. Treppen

1. Einführende Erläuterungen

Treppen sind Bauteile, die unterschiedliche Ebenen eines Bauwerkes miteinander verbinden und für Fußgänger vorgesehen sind. Sie werden unterschieden von Rampen und Auffahrten, die für eine Erschließung der Gebäudeebenen mit Fahrzeugen bestimmt sind, und eine geringere Steigung aufweisen, sowie von Leitern, die eine höhere Steigung haben dürfen. Je nach der Steigung gibt es auch so genannte Leitertreppen, die allerdings nur für Sonderfälle geeignet sind. Man kennt sie als Klappkonstruktion für Dachböden. Fahrtreppen, umgangssprachlich Rolltreppen, und Aufzüge sind mechanisierte Erschließungskonstruktionen, die aber zum Bereich der Haustechnik gehören. Der Rohbau wird für solche Einbauten entsprechend konstruiert. Die Montage erfolgt aber zum Zeitpunkt des Ausbaus. Treppen werden bereits mit dem Rohbau erstellt, da sie auch schon zu diesem Zeitpunkt der Erschließung für die Arbeitskräfte dienen.

Treppen bestehen im Prinzip aus **Stufen** und Podesten. Die einzelne Stufe setzt sich aus der Trittstufe und der Setzstufe zusammen. Die **Trittstufe** ist die waagerechte Fläche, die begangen wird, die **Setzstufe** die senkrechte Fläche, die den Abstand von zwei Stufen in der Höhe bestimmt. Die Steigung „s“ wird in ein Verhältnis zu der Auftrittsfläche „a“ gesetzt und als Steigungsverhältnis bezeichnet. Es ist ein Maß für die gute und sichere Begehbarkeit einer Treppe. Die Abfolge von Stufen bezeichnet man als Treppenlauf.

Das **Podest** ist die Fläche zwischen den Treppenläufen. Es ergibt sich daher zwischen den Ebenen des Gebäudes eine bestimmte Anzahl von

Treppenläufen, die durch die Podeste oder Zwischenpodeste unterbrochen wird. Je nach der Anzahl der Treppenläufe bezeichnet man die Treppen als ein-, zwei oder dreiläufig. Meistens ergibt sich dies aus der Geometrie der Treppenanlage und der Geschosshöhe. Im Wohnungsbau findet man meist zweiläufige Treppen, während um Fahrzugschächte dreiläufige Treppen zur Umrundung notwendig sind.

Weitere Unterscheidungen der Treppen richten sich nach der Bauform und der Bauart. Runde Formen bezeichnet man bei engeren Radien als Spindeltreppe, bei größeren Radien als Wendeltreppe. Wenn Treppen lediglich Trittstufen haben, die an der Seite von den so genannten Treppenwangen gehalten werden, handelt es sich um offene Treppen. Diese werden meist aus Holz für den Wohnungsbau verwendet, in Altbauten findet man geschlossene Holztreppen. Im Industrieanlagenbau werden offene Stahltreppen verwendet. Als weitere Unterscheidung nach dem Material sind noch Betontreppen zu erwähnen. Sie sind vor Ort sehr aufwendig einzuschalen und wegen ihrer Neigung schwierig zu betonieren, so dass heute in der Regel Fertigteile zur Ausführung kommen. Diese werden liegend gefertigt, so dass die Qualität erheblich besser ist. Siehe hierzu die Abbildung 55.

Abbildung 55: Fertigteiltreppe

Auf der Abbildung sind zwei Treppenläufe als Fertigteil auf der Baustelle gelagert zu sehen. Am rechten Ende der Fertigteile sieht man die bereits einbetonierte Anschlussbewehrung.

2. Fachliche Erläuterungen

Treppen dienen auch als **Fluchtwege** und unterliegen daher besonderen Anforderungen an den Brandschutz. Es werden nicht nur bauliche Anforderungen bezüglich der Mindestabmessungen und der Ausführung der Treppen gestellt, sondern auch bezüglich der Lage und der Anzahl der Treppenhäuser. Vorschriften hierzu finden sich in den Landesbauordnungen, die sich allerdings voneinander unterscheiden, und den DIN-Normen. Spezielle Vorschriften gelten für Gebäude mit besonderer Nutzung, wie z. B. Versammlungsstätten, Krankenhäuser etc. Wegen des Brandschutzes sind Holz- und Stahltreppen bei Neubauten nur in bedingtem Umfang zulässig.

Allgemeine **Sicherheitsanforderungen** betreffen die zulässige Geometrie der einzelnen Treppenbauarten bezüglich der Trittfläche und der einzuhaltenden Mindestmaße. Treppengeländer müssen mindestens 90 cm hoch sein, eine Sicherung gegen Durchfallen bilden und einen Handlauf aufweisen.

Neben den brandschutztechnischen Voraussetzungen müssen auch die bauphysikalischen Anforderungen an den **Wärme- und Schallschutz** eingehalten werden. Bezüglich des Schallschutzes ergeben sich aus der DIN 4109 nicht nur für die Luftschallübertragung einzuhaltende Werte, sondern auch für den Trittschallschutz.

Neben diesen zwingend einzuhaltenden Vorschriften bestehen **konstruktive Vorgaben,** die aus der Nutzung des Gebäudes, der Geometrie und der gewünschten Optik resultieren. Besondere Bedürfnisse ergeben sich insbesondere durch einen vorgesehenen Lastentransport, wie z. B. den Transport von Möbeln in Wohnhäusern.

3. Häufig auftretende Probleme in der Praxis

Im gängigen Rohbau werden Treppen aus **Betonfertigteil**en verwendet. Die Treppenläufe werden auf ebenfalls als Fertigteil eingelegte Podeste oder auf Ortbetonpodeste aufgelegt. Um die Anforderungen an den Schallschutz zu erfüllen, sind häufig Treppenlager aus Gummi vorgesehen, die den Treppenlauf akustisch von den übrigen Bauteilen trennen sollen. Im Zuge der weiteren Bauarbeiten werden die notwendigen Trennfugen häufig durch Schmutz, nachträglich aufgebrachten Estrich oder Putz aufgefüllt, so dass der Schallschutz nicht eingehalten wird. Die Treppenauflager dienen auch einem unsachgemäßen Ausgleich von Maßabweichungen, wenn die Rohbaumaße nicht eingehalten wurden, so dass die Fertigteiltreppenläufe „eingepasst“ werden müssen. Siehe hierzu die Abbildung 56.

Abbildung 56: Schallschutz bei einem Treppenlauf

In das Treppenhaus des Rohbaus wurde ein Treppenlauf als Fertigteil montiert. Um später aus schallschutztechnischen Gründen den Treppenlauf von den anderen Bauteilen zu trennen, wird er auf elastische Lager aufgelegt. Vorne an der Kante wird Styropor eingelegt, um die Trennung zu gewährleisten. Man erkennt auf dem Bild, dass eine unsorgfältige Bauausführung dazu führt, dass durch Verunreinigungen und Beschädigungen eine Trennung der Bauteile nicht gegeben ist. Dies führt zu Mängeln im Schallschutz.

Durch die weiteren Bauarbeiten nach dem Treppeneinbau werden die Trittstufen in vielen Fällen bereits beschädigt. Dadurch kommt es möglicherweise zu **Mängeln,** wenn weiche Bodenbeläge aufgebracht werden, unter denen die ausgebesserten Flächen und Kanten schnell wieder brechen. Beschädigungen von verbleibenden Sichtflächen, die in Sichtbetonqualität ausgeführt worden sind, lassen sich ebenfalls nur durch Schutzmaßnahmen ausschließen.

Holztreppen werden ebenfalls häufig als Bausatz geliefert. Man muss damit rechnen, dass Holztreppen in gewissen Zeitabständen mittels der Schraubverbindungen nachgespannt werden müssen. Ein Knarren der Holzteile ist allerdings bei vielen Konstruktionen nicht zu vermeiden und sollte vorher bedacht werden.

Die **Sanierung** von Treppen durch das Aufbringen von Steinbelägen kann dazu führen, dass die Mindestgeländerhöhen unterschritten werden.

Die Beläge selbst unterliegen auf den Trittstufen einer erhöhten Belastung durch das Schleifen beim Aufsetzen des Fußes. Es müssen für die besonderen Anforderungen geeignete Beläge eingesetzt werden. Mängel an den Belägen zeigen sich häufig erst nach Ablauf der Gewährleistung.

Wenn Treppenläufe **Maßabweichungen** aufweisen, kann es bei der Montage der Treppengeländer zu Schwierigkeiten kommen. Das gilt insbesondere für gewendelte Treppen, in denen der Handlauf im Bereich des Podestes durchläuft. Hier ist häufig eine Anpassung vor Ort notwendig, um einen gleichmäßigen Verlauf des Geländers und eine ansprechende Optik sicherzustellen. Eine frühzeitige Abstimmung der Leistungsbeschreibung und Überwachung der Ausführung ist empfehlenswert.

4. Weiterführende Literatur

Allgemein für Treppen gilt die DIN 18065 Gebäudetreppen – Definitionen, Messregeln, Hauptmaße. Darin sind die grundlegenden Regelungen zu finden. Die DIN EN 14843 Betonfertigteile – Treppen behandelt speziell diese Bauteile, die als Fertigteil auf die Baustelle geliefert werden. Da kaum noch ein Treppenlauf vor Ort eingeschalt und betoniert wird, findet sie fast immer Anwendung.

VII. Dächer

1. Einführende Erläuterungen

Dächer stellen die raumabschließenden Bauteile eines Bauwerkes nach oben dar. Technisch unterscheidet man die Dachkonstruktionen nach ihrem Neigungswinkel „a“ der Dachoberseite:

$a \leq 5°$ Flachdach
$5° < a \leq 20°$ flach geneigte Dächer
$a > 20°$ Steildach

Das **Flachdach** wird auf der tragenden Konstruktion mit einer Abdichtung ausgeführt, die aus verklebten Kunststoff- oder Bitumenbahnen hergestellt wird. Es ist daher im Sinne des Wortes wasserdicht. Es wird im Bereich gewerblicher Bauten eingesetzt, hat aber auch bei Wohngebäuden zunehmend Anwendung gefunden. Durch das Flachdach wird es ermöglicht, das Dach begehbar zu gestalten und bei einer Einschränkung der Gebäudehöhe das oberste Geschoss trotzdem vollflächig nutzen zu können, da keine Dachschrägen entstehen.

Flach geneigte Dächer findet man hauptsächlich bei Industriehallen oder bei Gebäuden, bei denen der Dachraum nicht genutzt werden soll.

Als Dachdeckung werden meistens Blechkonstruktionen, zum Beispiel Trapezbleche, oder andere flächenhafte Bauteile verwendet, zum Beispiel Faserzement – Wellplatten.

Steildächer werden zum Raumabschluss bei kleineren Grundrissen verwendet, also vorwiegend im Wohnungsbau und bei Ein- und Mehrfamilienhäusern. Sie werden als zimmermannsmäßige Dachkonstruktionen ausgeführt. Hierbei handelt es sich um Tragkonstruktionen aus Holz, die als Pfetten- oder Sparrendach ausgebildet werden. Im Einzelnen gibt es sehr viele verschiedene Formen, die je nach der zu bedachenden Grundfläche oder nach den Präferenzen des Konstrukteurs ausgesucht werden. Die tragenden Holzkonstruktionen werden verschraubt oder genagelt. Als Verbindung dienen vorgefertigte und gelochte Blechteile. Die Dachdeckung wird aus Dachsteinen, umgangssprachlich Dachziegeln, ausgeführt. Die verschiedenen Dachsteine sind aufgrund ihrer Form jeweils nur für bestimmte Dachneigungen geeignet.

Die zimmermannsmäßigen Dachkonstruktionen kann man nach der Form unterscheiden. Üblich sind das Pultdach mit einer geneigten Fläche, das Satteldach mit zwei gegenüberliegenden, geneigten Flächen und das Walmdach mit vier geneigten Flächen. Andere Bauformen kommen regional vor oder ergeben sich auf Grund konstruktiver Anforderungen.

Die folgenden **technischen Bezeichnungen** werden für alle Dachformen verwendet:

- First ist die obere Kante, an der die Dachflächen aneinander stoßen.
- Grat ist die schräg verlaufende Kante, an der die Dachflächen seitlich aneinander stoßen, wenn es sich um eine Fortsetzung einer äußeren Gebäudeecke handelt.
- Kehle bezeichnet die schrägen Stoßkanten bei Innenecken.
- Traufe ist die untere Abschlusskante des Daches.
- Drempel ist ein Mauerstreifen, der über die Oberkante der obersten Decke hinausragt, und auf der die unteren, tragenden Bauteile des Daches montiert sind.
- Gaube ist ein Vorbau in der Dachfläche.
- Giebel, auch Giebelwand genannt, ist die seitliche Wand eines Satteldaches, an der keine schräge Dachfläche vorhanden ist.
- Ortgang ist die Kante des Daches an einer Giebelwand.

Die wichtigsten **Bauteile** der tragenden Konstruktion werden wie folgt benannt:

- Pfetten sind die tragenden Bauteile des Daches in Längsrichtung; man unterscheidet die Fußpfette, die auf der tragenden Außenwand befestigt ist, die Mittelpfette, und die Firstpfette.

- Stiele sind die tragenden vertikalen Holzbauteile, die zum Beispiel zur Unterstützung der Mittelpfette verwendet werden. Zur Krafteinleitung schräg nach oben verlaufende, im oberen Bereich der Stiele angebrachte Verstrebungen nennen sich Kopfbänder.
- Zangen und Kehlbalken sind tragende horizontale Bauteile in Querrichtung.
- Sparren sind die schrägen Balken in der Neigungsrichtung des Daches, wenn sie an Kehlen oder Graten verkürzt werden müssen, heißen sie Schifter.
- Lattung ist die Bezeichnung für die auf den Sparren angebrachten, in Längsrichtung des Daches verlaufenden Kanthölzer, an denen die Dachdeckung angebracht wird.
- Windrispen oder Windrispenbänder dienen der Aussteifung des Daches in Längsrichtung, z. B. gegen Windlasten, und verlaufen diagonal von der Fußpfette bis zur Firstpfette.

Dächer müssen den Anforderungen der DIN-Normen und weitergehender Vorschriften des Baurechts bezüglich Witterungs-, Wärme-, Tauwasser-, Schall- und Brandschutz genügen, sowie bezüglich der Vorgaben zur Luftdurchlässigkeit.

2. Fachliche Erläuterungen

Vorrangige Aufgabe eines Daches ist der **Witterungsschutz**. Regen und Schnee sollen nicht in das Bauwerk eindringen. Das verhindert primär die Dachdeckung. Sie leitet das Wasser durch ihr Gefälle in bestimmte Richtungen ab, an denen das Wasser aufgefangen und weitergeleitet wird. Dazu dienen bei geneigten Dächern die in der Traufe befestigten Dachrinnen, die letztlich das Regenwasser in die Kanalisation ableiten. Die Dachrinnen sollten so installiert sein, dass auch bei winterlicher Eisbildung das Schmelzwasser sicher abgeführt werden kann und nicht in das Gebäude eindringt. Gegen das Eindringen von Laub und Schmutz werden Siebe auf den Einläufen der Fallrohre angebracht.

Durch den Wind wird der Niederschlag unter die Dachdeckung getrieben, im Winter kann es durch wechselnde Tau- und Frostperioden zu ablaufendem Schmelzwasser kommen, welches sich an Eis- oder Schneeschichten, insbesondere an Schneefanggittern, staut und ebenfalls unter die Dachdeckung läuft. Daher muss man bei Dächern weitere Maßnahmen ergreifen, um ein Eindringen des Wassers zu verhindern. Bei einer Unterschreitung der Mindestdachneigung für die Dachdeckung wird eine Vordeckung aufgebracht, die aus Dachdichtungsbahnen auf einer Holzschalung besteht, oder ein Unterdach, zum Beispiel aus Faserzementplatten. Im Prinzip handelt es sich bei diesen Konstruktionen um zwei Dachdeckungen, wobei die Dachsteine mechanischen Schutz geben und die Optik verbessern.

Insbesondere bei ausgebauten Dächern, bei kleinformatiger Dachdeckung und unter Sicherheitsaspekten werden auch bei Einhaltung der Mindestdachneigung des jeweiligen Dachsteines **Unterspannbahnen** verwendet. Es handelt sich um wasserdampfdurchlässige Kunststofffolien, die zwischen der Lattung und den Sparren aufgebracht wird. Sie führt eindringendes, flüssiges Wasser unter der äußeren Dachdeckung zur Dachrinne ab.

Durch die Anforderungen an den **Wärme-, Brand-, Schall- und Tauwasserschutz** werden Dachkonstruktionen über bewohnten Räumen aufwändig. Hinzu kommt, dass die Winddichtigkeit gewährleistet sein muss, die Dachkonstruktionen aber auch im Bereich der eindringenden Feuchte hinterlüftet werden müssen. Besonderer Aufmerksamkeit bedürfen daher alle **Anschlüsse** von Dachkonstruktionen an andere Bauteile, damit die Dichtheit, die Entlüftung und die Standsicherheit gewährleistet sind. Hierzu zählen Fenster, Dachluken, Schornsteine, Entlüftungsrohre, aber auch Giebelwände, Dachkanten und Übergänge. In den Normen sind Konstruktionen aufgeführt, welche einen dauerhaften Anschluss im jeweiligen Einzelfall sicherstellen.

Die Holzbauteile eines Daches müssen vor pflanzlichen und tierischen Schädlingen geschützt werden. Hierbei unterscheidet man den baulichen von dem chemischen Holzschutz. Der **bauliche Holzschutz** stellt durch die Konstruktion sicher, dass das Holz nicht befallen wird. Dabei ist in besonderer Weise darauf zu achten, dass das Holz trocken bleibt. Der **chemische Holzschutz** umfasst das Tränken und den Anstrich der Bauteile mit Schutzmitteln, die je nach den Erfordernissen gewählt werden. Innerhalb bewohnter Räume sollte ein chemischer Holzschutz zurückhaltend eingesetzt werden.

Steildächer werden nicht nur für ihr Eigengewicht bemessen, sondern auch für Schneelasten. Diese können in schneereichen Gegenden zu sehr massiven Dachkonstruktionen führen. Doch werden Dächer nicht nur Lasten ausgesetzt, die auf sie drücken, sondern durch den Wind entstehen Sogkräfte, so dass die gesamte Konstruktion gegen Abheben zu sichern ist. Das gilt nicht nur für die Dachsteine, die mit Drahtklammern an der Holzkonstruktion befestigt werden, sondern auch für den Dachstuhl, der mit entsprechend eingemauerten oder einbetonierten Metallhaken an den Wänden des Bauwerks befestigt wird. Für die Begehbarkeit zu Reinigungs- und Wartungsarbeiten muss das Dach auch die so genannte **Mannlast** aushalten, also in Praxis den Schornsteinfeger oder Dachdecker.

Weitere Bauteile auf Dächern sind Blitzableiter, die aus Metallteilen bestehen und den Blitz zu einer dafür vorgesehenen Erdung ableiten. Je nach Lage des Gebäudes kommen in Innenstädten Schutzvorkehrungen gegen Vögel in Betracht um eine Kotablagerung zu vermeiden, oder besondere Schutzmaßnahmen der Dachkanten durch Gitter, um ein Eindringen von Tieren in die Hohlräume zu verhindern. Insbesondere Marder nisten sich gerne in Dachkonstruktionen ein, die mit Dämmmaterialien ausgeschlagen sind.

Im Gegensatz zu Steildächern werden Flachdächer zusätzlichen Beanspruchungen ausgesetzt. Man unterscheidet in nicht genutzte Dachflächen, die im Prinzip nur die Funktionen wie ein Steildach als oberer Abschluss und Witterungsschutz übernehmen, weiterhin in genutzte Dachflächen, die für den Aufenthalt von Personen vorgesehen sind, und in begrünte Dachflächen. Die Art der Nutzung bestimmt den konstruktiven Aufbau.

Nicht genutzte Flachdächer kann man als zweischalige Konstruktion ausführen. Dabei wird auf die tragende, gefällelose Betondecke eine Wärmedämmung aufgebracht, über der eine Dachkonstruktion mit einem leichten Gefälle den Witterungsschutz übernimmt. Zwischen der Wärmedämmung und der Dachhaut wird die Konstruktion hinterlüftet, um Feuchte abzuführen. Diese Bauart hat im Sommer den Vorteil, dass die übertragene Wärme minimiert wird.

Einschalige Konstruktionen bestehen vereinfacht aus der tragenden Betondecke, der Abdichtung und der Wärmedämmung. Konstruktiv unterscheidet man das konventionelle Flachdach vom **Umkehrdach.** Bei den konventionellen Konstruktionen liegt die Abdichtung außen, also über der Wärmedämmung. Bei einem Umkehrdach liegt die Wärmedämmung außerhalb, also über der Abdichtung. Da das als Wärmedämmung verwendete extrudierte Polystyrol kein flüssiges Wasser aufnimmt, sind diese Konstruktionen möglich und zugelassen. Beide Konstruktionen werden je nach ihrem Schichtenaufbau und der Verarbeitung mit Dampfsperren, Ausgleichsschichten und oben aufliegenden Kiesschichten für die Sogsicherung gegen Wind ausgestattet. Der Kies stellt ebenfalls einen Schutz gegen UV-Licht und Oberflächenbeschädigungen dar. Siehe hierzu die Abbildung 57.

Bei begehbaren Flachdächern werden auf die Kiesschüttung Betonplatten aufgelegt. Die Abdichtung ist durch eine Schutzlage gegen das mechanische Beschädigen durch die Kieskörner zu versehen. Die Bodenplatten können auch auf Stelzlagern aufgesetzt werden, die allerdings nicht auf der Abdichtung stehen dürfen.

Dachbegrünungen bieten den Vorteil, dass sie neben einem gesteigerten Nutzwert für die Bewohner ebenfalls die Dachabdichtung vor Wärme usw. schützen, aber auch zu einem verbesserten Innenraumklima in den darunter liegenden Räumen führen. Man unterscheidet intensive und extensive Dachbegrünungen. Extensive Bepflanzungen sind lediglich eine

Abbildung 57: Skizze Umkehrdach

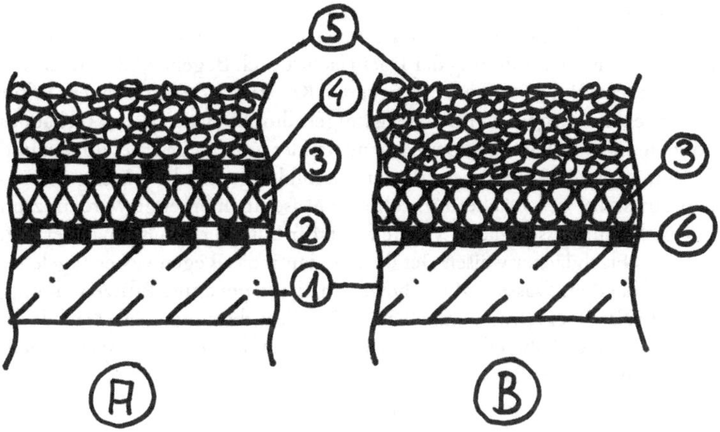

Die Skizze zeigt links (A) den Aufbau eines normalen Flachdaches. Bei ihm liegt die Abdichtung oberhalb der Wärmedämmung, daher bleibt die Wärmedämmung trocken. Rechts (B) ist der prinzipielle Aufbau eines Umkehrdaches skizziert. Bei ihm liegt die Abdichtung unterhalb der Wärmedämmung, so dass die Wärmedämmung „im Nassen" liegt. In der Abbildung stellen die Zahlen folgendes dar:

1 – Betondecke

2 – Dampfsperre und Dampfdruckausgleichsschicht

3 – Wärmedämmung, bei dem Umkehrdach extrudierter Polystyrolschaum

4 – Abdichtung und Dampfdruckausgleichsschicht

5 – Kiesschüttung

6 – Abdichtung

Begrünung mit niedrig wachsenden Pflanzen. Intensive Dachbegrünung entspricht einem genutzten Dachgarten. Die Pflanzen bedürfen der regelmäßigen Pflege und der Bodenaufbau muss entsprechend höher sein. In jedem Fall ist eine Wurzelschutzschicht aufzubringen, welche verhindert, dass die Wurzeln die Abdichtung beschädigen. Ungeeignete, stark wurzelnde Pflanzen dürfen keinesfalls verwendet werden.

Einer besonderen Beanspruchung unterliegen die **Dachabdichtungen.** Mit zunehmendem Alter verspröden sie, schrumpfen und neigen zur Rissbildung. Dieser Prozess der Alterung wird durch direktes Sonnenlicht beschleunigt. Sommerliche Temperaturen bis 80 °C und winterlicher Frost bis –20 °C stellen eine erhebliche Belastung für die außen liegenden Dichtungsbahnen dar, die durch die Temperaturwechsel erheblichen Dehnungen ausgesetzt sind. Vorteile bieten die Umkehrdächer, da die außen liegende Wärmedämmung die Dichtungsbahnen gegen die thermischen Einflüsse schützt.

Mechanische Belastungen des Daches haben vielfältige Ursachen. Sie resultieren aus der Nutzung der Dachfläche durch Begehen oder Befahren, aber auch aus Bewegungen der tragenden Konstruktion unter ihnen. Selbst Betondecken biegen sich bei Belastungen durch, Bauteile des Gebäudes können sich durch Belastungen gegeneinander verschieben, Setzungen und Schwingungen führen ebenfalls zu Rissbildungen. Schwingungen können durch auf den Dächern installierte Maschinen erzeugt werden, zum Beispiel Kompressoren und Ventilatoren für Lüftung und Klimatisierung.

Auch Flachdächer weisen Gefälle auf, damit das Regenwasser abgeleitet wird. Stehendes Wasser auf Flachdächern, die so genannte Pfützenbildung, zeugt in aller Regel von mangelhafter Gefälleausbildung. Viele Flachdachkonstruktionen haben ihre Abläufe innenliegend, so dass das Gefälle nicht zur Gebäudeaussenkante verläuft.

3. Häufig auftretende Probleme in der Praxis

Das zimmermannsmäßige Holzdach, unter dem der Dachraum nicht genutzt wird, hatte hauptsächlich zwei Schadensbilder. Das waren mechanische Beschädigungen der Dachdeckung und pflanzliche oder tierische Schädlinge im Holz der Unterkonstruktion. Durch die Nutzung des Dachraumes zum Wohnen sind die Konstruktionen erheblich aufwendiger geworden, da insbesondere bauphysikalische Anforderungen an den Tauwasser- und Wärmeschutz erfüllt werden müssen. Heute treten ungefähr ein Viertel der Bauschäden an Dächern auf.

Undichtigkeiten sind bei Flachdächern nicht dauerhaft auszuschließen. Bei Leckagen ist es häufig so, dass der Austrittspunkt des eingedrungenen Wassers nicht unterhalb der undichten Stelle liegt. Das Wasser legt innerhalb der verschiedenen Schichten des Dachaufbaues und in Fugen und Anschlüssen möglicherweise große Strecken zurück. Undichte Stellen lassen sich daher nicht durch eine bloße Sichtkontrolle finden, das Abdichten über der innenliegenden Schadensstelle ist nicht ausreichend. Für diese Fälle gibt es Messverfahren, mit denen die undichten Stellen in der Dachhaut gefunden werden können. Hierzu zählt das Potentialdifferenzmessverfahren, bei dem ein befeuchtetes Dach mit ca. 40 V unter Strom gesetzt wird. Man kann mit einem Messgerät die Potentialunterschiede feststellen, wobei sich an der Stelle der höchsten Differenz die Leckage befindet.

Die Ursachen der Leckagen bestehen häufig in mangelhafter Ausführung, vor allem, wenn sie bereits nach kurzer Zeit auftreten. Vor dem Aufbringen der Dichtungsbahnen sind die Betonflächen zu reinigen, so dass keine spitzen Rauigkeiten und Gegenstände auf der Klebefläche vorhanden sind. Durch weitere Bauarbeiten auf der bereits aufgebrachten Dichtfläche werden sonst bereits undichte Stellen hervorgerufen. Das gleiche gilt für Beschädigungen durch das Aufbringen von Kiesschichten, spitze oder scharfe Werkzeuge, Leitern, Gerüste etc.

Eine weitere, häufige Ursache sind unsachgemäße Verklebungen der Dichtungsbahnen untereinander oder an Anschlüssen, z. B. am Rand des Daches, an Dachdurchdringungen, an Lüftungsstutzen, Abflüssen etc. Der Kontrolle der Nähte kommt daher vor dem weiteren Dachaufbau eine erhebliche Bedeutung zu. Hierfür gibt es bei Kunststoff-Dichtungsbahnen verschiedene Verfahren, wobei mittels Druckluft oder einer Reißnadel die Naht in ihrem Verlauf auf durchgängige Verklebung überprüft wird. Die Dichtungsbahnen sind an aufgehenden Bauteilen mit in die Höhe zu führen, so dass stauendes Wasser nicht hinter, bzw. unter die Dichtungsbahnen laufen kann. Insbesondere die obere Abschlüsse von diesen senkrechten Enden der Dichtungsbahnen sind mittels Verblechungen oder anderen Konstruktionen vor einem Hinterlaufen durch Regenwasser oder Schmelzwasser zu schützen.

Die meisten Schäden an Dächern beruhen auf bauphysikalisch unzureichend konstruierten oder ausgeführten Dachaufbauten. Vor allem die Bildung von Tauwasser führt innerhalb der Dachaufbauten zu Feuchteschäden und Schimmelbildung, die meist erst nach dem Ablauf einiger Zeit sichtbar werden. Hier führen bereits kleine Mängel in den Abdichtungen, Anschlüssen und der luftdichten Gebäudehülle etc. zu erheblichen Schäden, da die warme, feuchte Luft durch die Öffnungen strömt.

4. Weiterführende Literatur

Da sehr viele Dächer mit einem Dachstuhl aus Holz errichtet werden, sind für diese Dächer insbesondere die Normen aus dem Holzbau zu beachten, also früher die DIN 1052, ersetzt durch die DIN EN 1995-1-1/NA 2010-12 Nationaler Anhang – National festgelegte Parameter – Eurocode 5: Bemessung und Konstruktion von Holzbauten – Allgemeine Regeln und Regeln für den Hochbau. Holzbauwerke und die DIN 68800 Holzschutz.

Bei Flachdächern sind die Normen für die Abdichtung von zentraler Bedeutung, also die DIN 18195 Bauwerksabdichtungen, ergänzend die DIN 1986 Entwässerungsanlagen für Gebäude und Grundstücke. Für Flachdächer gibt es vom Zentralverband des Deutschen Dachdeckerhandwerks e. V. die Fachregel für Dächer mit Abdichtungen – Flachdachrichtlinien.

In der VOB/C sind insbesondere die DIN 18338 für Dachdeckungs- und Dachabdichtungsarbeiten und ergänzend die DIN 18384 für Blitzschutzanlagen zu erwähnen. Da es sich bei Dächern um Bauteile zum Witterungsschutz handelt, sind alle bauphysikalischen Normen einzuhalten.

Für geneigte Dächer findet man umfangreiches Material in dem Dach Atlas von Eberhard Schunck, Thomas Finke, Richard Jenisch und Hans Jochen Oster, erschienen bei dem Institut für internationale Architektur in München. Für Flachdächer gibt es in vielen Büchern über Baukonstruktionen weitere Hinweise.

VIII. Fassaden

1. Einführende Erläuterungen

Umgangssprachlich versteht man unter einer Fassade eines Gebäudes die sichtbaren, aufrechten Außenflächen. Bei den klassischen Mauerwerksbauweisen ergeben sich die Fassaden durch die tragenden Außenwände. Sie werden mit Fenstern versehen und einem Witterungsschutz, also z. B. einem Wärmedämmverbundsystem und Außenputz. Einengend wird unter einer Fassade nur die straßenseitige Ansicht verstanden, die bei Altbauten mit Ornamenten, Gesimsen usw. besonders verziert wurden.

Bei der Skelettbauweise besteht der Rohbau nur noch aus den Deckenscheiben und den Stützen. Die Außenwände fehlen, abgesehen von kleineren Teilen der aussteifenden Konstruktion. Der äußere Abschluss wird durch Fassadenkonstruktionen hergestellt, die an der Skelettkonstruktion befestigt werden, aber keine tragende Funktion für das Bauwerk übernehmen. Sie stellen damit, abgesehen von dem Dach, die wetterdichte Gebäudehülle dar. In diesem Kapitel werden diese Konstruktionen erläutert. Fassaden, die durch die Tragkonstruktion entstehen, werden in dem Kapitel Außenwände behandelt.

2. Fachliche Erläuterungen

Grundsätzlich gelten für Fassadenkonstruktionen die gleichen Voraussetzungen für die bauphysikalischen Eigenschaften und die baurechtlichen Zulassungsvoraussetzungen, wie sie auch für Außenwände aus Mauerwerk gelten. Das bedeutet, dass alle Voraussetzungen an den **Wärme-, Schall-, Brand- und Feuchteschutz** erfüllt sein müssen. Darüber hinaus müssen die Konstruktionen **Standsicherheitsnachweise** erfüllen, dass die Fassadenelemente an dem Tragwerk ausreichend befestigt sind und sie auch Anpralllasten aus den Innenräumen widerstehen können.

Konstruktiv unterscheidet man zwischen verschiedenen Bauarten. **Vorhangfassaden** werden von außen an der Tragkonstruktion befestigt, normalerweise an den Decken. Die Befestigungen werden entweder bereits mit einbetoniert, oder nachträglich im Beton verdübelt. Es handelt sich um Stahlteile, die je nach Hersteller verschieden sind. An diese Stahlteile werden die Fassadenelemente eingehängt und/oder verschraubt. Dabei werden die Fassadenelemente mittels dieser Befestigungen auch ausgerichtet, damit Toleranzen der Tragkonstruktion ausgeglichen werden können und von außen eine gleichmäßige Ansicht entsteht. Bei diesen Typen sieht man nach der Montage keine Teile der tragenden Betonkonstruktion. Siehe hierzu Abbildung 58.

Abbildung 58: Fassadenhalterung

In der Abbildung ist der Rohbau zu erkennen, auf dessen Kante, im Bild vorne, die Befestigung für die zu montierenden Fassadenelemente eingeschraubt wurde. Ein Stockwerk tiefer, im Bild rechts neben der Halterung, sind die Fassadenelemente bereits auf der Halterung montiert.

Die Fassadenelemente werden in unterschiedlichen Ausführungen gebaut, wobei man systembedingt die **Tafelbauweise,** bei der die fertigen Elemente aneinandergefügt werden, und die **Pfosten-Riegel-** oder **Sprossenbauweise** unterscheidet, bei denen man auf dem Tragwerk eine Unterkonstruktion aus Metallprofilen befestigt, auf der die äußeren Fassadenbauteile befestigt werden, z. B. durch Klebung oder Verschraubung.

Durch diese Konstruktionen ist es möglich, dass ein hoher Anteil von Glasflächen realisiert werden kann, der zur natürlichen Belichtung von

Büro- und Geschäftsräumen dient. In die Fassade können aber auch andere Elemente integriert werden, z. B. Paneelelemente, die nicht durchsichtig sind, z. B. als unterer Abschluss vergleichbar einer Brüstung, Photovoltaik-Module oder Elemente mit Öffnungen. Das Erscheinungsbild lässt sich durch gleiche Außenflächen einheitlich oder in beliebiger Art farblich gestalten.

Der Abschluss an die Decken und tragende Wände erfolgt ebenfalls mit herstellerspezifischen Bauteilen. Vorteil dieser Konstruktionen ist die auch nach Montage der Fassade variabel bleibende Innenraumaufteilung. Die Innenwände können beliebig an die Fassade herangeführt werden, wobei man möglichst die Raster der vertikalen Trennlinien der Lichtbänder oder Fensterflächen einhält. Da in vielen Fällen die Dicke der Innenwände größer ist als die Breite der Fassadenpfosten oder der trennenden Vertikalen, werden aus optischen Gründen die Innenwände zur Fassade hin verjüngt. Man nennt dies **Wand- oder Fassadenschwert.**

Eine andere Konstruktion stellen Fassaden mit **Ausfachungswänden** dar. Dabei werden Wandelemente in die zwischen Decken und Stützen entstehenden Raumabschnitte eingestellt. Sie stehen auf den Decken auf und werden ansonsten mit Halterungen befestigt. Diese Elemente müssen allerdings Bewegungsmöglichkeiten in vertikaler und horizontaler Richtung behalten, damit es nicht zu Zwängungen aufgrund Deckendurchbiegungen und Temperaturdehnung kommt. In vielen Fällen entsteht durch die Ausfachungen nur eine geschlossene Gebäudehülle, die aber die bauphysikalischen Anforderungen nicht erfüllt. Die nach außen freien Deckenränder und Stützenseiten stellen Wärmebrücken dar, so dass die Außenflächen gedämmt und verputzt werden. Siehe hierzu Abbildung 59.

Eine Mischform stellen so genannte **vorgestellte Wände** dar. Hierbei handelt es sich um Betonfertigteile, die ihr Eigengewicht selbst abtragen und nur die horizontalen Lasten über die Tragkonstruktion des Bauwerkes weiterleiten. Diese Bauweise wird häufig für den Hallenbau verwendet, wo auch Porenbetonelemente eingesetzt werden. Im Wohnungsbau wurden ebenfalls solche Konstruktionen eingesetzt, wobei die Außenwandelemente als Betonsandwich ausgeführt wurden, also mit einer Wärmedämmschicht zwischen den inneren und äußeren Betonschichten.

Wenn durch Vorhangfassaden oder Ausfachungen Außenwände entstehen, in denen sich Aussparungen für die Montage für Fenster befinden, nennt man das **Lochfassaden**. Alle Konstruktionen sind auch als doppelte Fassaden und hinterlüftete Konstruktionen möglich, so dass sich die Konstruktionen durch das äußere Erscheinungsbild letztlich nicht unterscheiden müssen.

Für einen verstärkten **Sonnenschutz,** Schallschutz oder für eine natürliche Lüftung werden gläserne Fassaden vor der eigentlichen Fassade montiert.

Abbildung 59: Ausfachungswände

In der Abbildung ist der Rohbau aus Rundstützen und Deckenplatten erkennbar, der als Betonbau vorab fertig gestellt worden ist. Die Außenwände werden zwischen den Stützen als Mauerwerk hergestellt. Man bezeichnet dies als Ausfachungswände. In die verbleibenden Aussparungen werden Fenster eingesetzt.

Diese Konstruktionen sind aufwändig und teuer im Unterhalt. Als Sonnenschutz werden an Pfosten- und Riegelfassaden häufig außen liegende Sonnenschutzeinrichtungen vorgesehen.

3. Häufig auftretende Probleme in der Praxis

Technische Probleme ergeben sich bei Fassaden aus ihrer Funktion als Gebäudehülle. Alle dichtenden Konstruktionen unterliegen der Bewitterung, der Wärmedehnung und der UV-Strahlung, so dass es zu Materialermüdung, Undichtigkeiten etc. kommen kann. Die Undichtigkeiten können innerhalb der Fassade auftreten, aber auch an den Anschlüssen an andere Bauteile. Die Reparatur gestaltet sich häufig schwierig, wenn die Fehlstellen nur mittels Hubfahrzeugen erreichbar sind, und das Gebäude um die Reparaturstelle zu sichern ist.

Die Befestigungen der Fassaden nehmen die Wärmedehnungen auf und sind daher beweglich. Durch auftretende Windlasten kann es zu Geräuschen in den Lagerungen kommen. Es ist daher bei dem Einbau auf eine mangelfreie Montage nach den Herstellerhinweisen zu achten.

Optische Mängel treten auf, wenn die Fassade nicht ordnungsgemäß eingemessen worden ist. Es ergeben sich dann Unregelmäßigkeiten, die vor allem bei glänzenden, glatten Fassadenoberflächen störend wirken. Aber auch die sichtbar verbleibenden horizontalen oder vertikalen Elemente einer Fassade können durch Abweichungen das Erscheinungsbild stark beeinträchtigen. Ursache kann auch eine unzulässige Abweichung der Rohbaumaße sein, die allerdings durch den Fassadenbauer bei der Einmessung bemerkt werden muss.

Bei Fassadenelementen aus Aluminium, die eloxiert werden, kann es zu **Farbabweichungen** kommen. Diese sind häufig vor der Montage nicht sichtbar, treten dann allerdings in der montierten Fläche zu Tage. Farbabweichungen können auch bei Natursteinplatten auftreten, die an einzelnen Stellen verstärkt auftreten, wenn Platten unterschiedlicher Schnitte aufeinander treffen. Solche Abweichungen lassen sich in vielen Fällen kaum beheben, da eine Anfertigung farblich passender Elemente nicht möglich ist. Eine vertragliche Regelung ist sinnvoll.

4. Weiterführende Literatur

Die DIN EN 13119 Vorhangfassaden – Terminologie stellt eine umfassende, jedoch nicht vollständige Liste der üblichen Benennungen dar, die in Dokumenten, Zeichnungen, Spezifikationen usw. verwendet werden, wenn Bezug auf Einzelelemente von Vorhangfassaden genommen wird. Die DIN EN 13830 Vorhangfassaden – Produktnorm legt technische

Merkmale von Vorhangfassaden fest und gibt Leistungsanforderungen und Prüfkriterien vor, um die Übereinstimmung mit den wesentlichen Anforderungen der Bauproduktenrichtlinie zu ermöglichen.

Die Anforderungen und entsprechenden Prüfverfahren für einzelne Kriterien ergeben sich aus den folgenden Normen. Die DIN EN 12152 Vorhangfassaden – Luftdurchlässigkeit – Leistungsanforderungen und Klassifizierung formuliert Anforderungen an die Luftdurchlässigkeit und an die Klassifizierung von feststehenden und zu öffnenden Teilen von Vorhangfassaden. Ergänzend ist die DIN EN 12153 Vorhangfassaden – Luftdurchlässigkeit – Prüfverfahren. Hier wird ein Verfahren zur Bestimmung der Luftdurchlässigkeit der feststehenden und zu öffnenden Teile von Vorhangfassaden festgelegt. Die DIN EN 12154 Vorhangfassaden-Schlagregendichtheit, die DIN EN 12179 Vorhangfassaden – Widerstand gegen Windlast – Prüfverfahren, die DIN EN 13116 Vorhangfassaden – Widerstand gegen Windlast – Leistungsanforderungen sind für die anderen Lastfälle einschlägig.

In der VOB/C finden Normen Anwendung, die sich nach der Bauart oder dem Material der Fassade richten. Für vorgehängte hinterlüftete Fassaden gilt speziell die DIN 18351.

IX. Fenster

1. Einführende Erläuterungen

Fenster sind Bauteile, die in dafür vorgesehene Öffnungen in der Außenwand eingesetzt werden und wegen ihrer Durchsichtigkeit die natürliche Beleuchtung des Raumes ermöglichen. Im Gegensatz zur Glasfassade übernehmen sie nicht allein die Funktion der schützenden Gebäudehülle, sondern nur in Verbindung mit den Außenwänden. Der Übergang zwischen Fenstern und Fassaden ist aber fließend, wobei man auch von Verglasung spricht, wenn es sich um größere Glasflächen handelt. Verglasungen kann man allerdings häufig nicht öffnen, sondern sie sind feststehend.

Die Funktion des Fensters ist aber nicht nur auf die natürliche Beleuchtung zu reduzieren. Im Gegensatz zu anderen lichtdurchlässigen Bauteilen, wie z. B. Glasbausteinen etc., erlauben Fenster durch die Möglichkeit zum Öffnen eine Lüftung des Innenraumes, den Blick nach außen und eine bequeme Reinigung der Außenfläche. Fenster sind daher maßgeblich für ein Wohlbefinden der Nutzer in den Innenräumen verantwortlich.

Für das Fenster als Bauteile gibt es vielfache Regelungen, die eingehalten werden müssen. Das gilt nicht nur für das Fenster selbst, sondern auch für die geometrische Lage des Fensters in der Wand, für die Lage des

Fensters im Bezug zur stehenden Bebauung, zur Himmelsrichtung etc. Daher kommt der Planung von Fenstern eine erhebliche Bedeutung zu.

Auf der konstruktiven Seite gibt es sehr viele Ausführungen für Fenster. Sie unterscheiden sich nicht nur durch verschiedene Glassorten, Rahmenmaterialien und Aufbauten, sondern auch durch die Ausstattung mit unterschiedlichen Beschlägen. Durch die Wahl der Beschläge wird vorgegeben, in welcher Art und Weise sich die Fenster bewegen lassen.

Die Einzelteile von Fenstern haben spezifische Bezeichnungen. Der äußere Rahmen wird **Einbauzarge** oder **Blendrahmen** genannt und ist mit dem Mauerwerk etc. fest verbunden. Bei unterteilten Blendrahmen sind feststehende, senkrechte Leisten die Pfosten, waagerechte Leisten Riegel. Sprossen sind Unterteilungen in einem Fenster, so dass es aus mehreren Glasflächen zusammengesetzt ist. Das findet man vor allem bei historischen Fenstern, die mehrfach unterteilt waren. In vielen Fällen handelt es sich bei modernen Fenstern nicht mehr um echte Sprossen, sondern um aufgeklebte Leisten, die für eine antike Optik sorgen sollen. Der **Fensterrahmen**, auch Flügelrahmen genannt, umfasst die **Verglasung** und fügt sich in den Blendrahmen ein. Zur Abdichtung werden umlaufende Gummidichtungen in die Falze des Fensterrahmens eingesetzt. Die vorstehenden Leisten am unteren Fensterrahmen dienen dem Ableiten von Niederschlag und heißen **Wetterschutzschienen** oder Wetterschenkel. Fensterbänke gibt es außen und innen zur Abdeckung des Mauerwerkes. Bei der Verwendung von Rollläden und Sonnenschutzsystemen kommen entsprechende Schienen und Kästen zur Anwendung. Mittels Profilleisten werden am Rand von Fensterbänken, zur Abdeckung von Zwischenräumen und aus optischen Gründen Anschlüsse hergestellt.

Da die Fenster einen Teil der Außenhülle des Gebäudes sind, müssen sie auch die bauphysikalischen Anforderungen erfüllen. Das gilt insbesondere für den Wärme- und den Schallschutz. Eine weitere zentrale Aufgabe von Fenstern ist der Witterungsschutz. In Bezug darauf kommt der Abdichtung der Fenster eine hohe Bedeutung zu.

2. Fachliche Erläuterungen

Fenster müssen nicht nur die Anforderungen in den DIN-Normen einhalten, sondern auch den bauaufsichtlichen Vorschriften gerecht werden. Sinn und Zweck der Vorschriften ist es, durch die Vorgabe von „notwendigen Fenstern" Mindestanforderungen an die **Belichtung** und **Lüftung** von genutzten Räumen festzulegen. Ausnahmen gibt es für Räume mit besonderer Nutzung, in denen Tageslicht nicht erwünscht ist. Hierzu zählen nicht nur Arbeitsräume, für welche die Arbeitsstättenverordnung zu beachten ist, sondern auch innenliegende Bäder und Toiletten. Erforderliche

Brüstungshöhen müssen bei Fenstereinbauten eingehalten werden, oder sind durch angebrachte Gitter oder Ähnliches zu ersetzen.

Um Fenster in die Öffnungen des Rohbaus einzufügen, werden verschiedene Konstruktionen verwendet. Wenn die Rahmenprofile des Fensters die Abmessungen der Öffnungen des Rohbaus aufweisen, werden sie ohne Anschlag oder mit Anschlagwinkeln montiert. Üblicherweise haben Öffnungen im Rohbau einen Anschlag für die Fenster in der Art, dass sie von innen eingesetzt werden. Dies wird als **Leibung** mit innerem Anschlag bezeichnet. Leibungen mit äußerem Anschlag haben den Nachteil, dass die Fenster von außen eingesetzt werden müssen. Diese Anschläge wurden früher verwendet, da die Häuser lediglich mit ein oder zwei Geschossen gebaut wurden und weil bei Leibungen mit äußerem Anschlag der Vorteil besteht, dass der Wind die Fenster an das Bauwerk drückt. Dadurch war eine bessere Abdichtung zwischen den Holzrahmen und dem Mauerwerk zu erreichen.

Die Fensterrahmen werden im Mauerwerk verdübelt oder mit Halterungen befestigt und bekommen dadurch ihren statischen Halt. Die verbleibenden Hohlräume zwischen den Fensterrahmen und dem Mauerwerk müssen abgedichtet werden. Hierfür kommen Materialien unterschiedlicher Art zur Anwendung. Je nach den Anforderungen und der Art des Anschlusses sind hierbei verschiedene, konstruktive Details zu berücksichtigen um sicherzustellen, dass alle Anforderungen auch durch das Gesamtsystem eingehalten werden. Das beste Fenster nutzt nichts, wenn der Einbau nicht entsprechend ausgeführt wird. Hierzu gehört auch die Montage der außen liegenden Verblechung und der innen liegenden Fensterbänke.

Die Fensterelemente werden üblicherweise mit bestimmten Abmessungen für standardisierte Öffnungsmaße verkauft oder nach Aufmaß vor Ort für die ermittelten Maße angefertigt. Sie werden als Einheit aus Rahmen und Fensterflügel auf die Baustelle geliefert, so dass die Montage sehr schnell erfolgen kann. Die Fensterbänke und zu verwenden Profile werden vor Ort auf die richtige Länge gebracht und eingebaut. Mit diesen Fenstern lässt sich auch ein Austausch bereits eingebauter, alter Fenster ohne größeren Aufwand bewerkstelligen. Das ist aber meist mit einer kleineren Glasfläche verbunden, da bei den heute verwendeten Verbundgläsern wegen des höheren Gewichtes ein breiterer Rahmen notwendig ist.

Die Fenster selbst unterscheiden sich vielfach. Heute kommen fast nur noch **Verbundfenster** zum Einsatz. Bei ihnen besteht die Verglasung aus 2- oder 3- Scheiben-**Isolierverglasung**, deren Scheiben als vorgefertigtes Element in die Rahmen eingesetzt werden. Die früher verwendeten Einfachfenster, deren Rahmen lediglich mit einer Glasscheibe gefüllt waren, und die Kastendoppelfenster, bei denen im Prinzip zwei Einfachfenster hintereinander montiert wurden, im Volksmund Blumenfenster genannt, werden heute nicht mehr verwendet. Einfachfenster erfüllen die bauphysikalischen Anforderungen nicht, während Kastendoppelfenster wegen des hohen Platzbedarfs keine Anwendung mehr finden.

Eine weitere Unterscheidung der Fenster richtet sich nach den verwendeten Beschlägen. Wenn das Fenster seitlich angeschlagen ist und sich öffnen lässt, handelt es sich um einen Drehflügel. Dabei ist vorzugeben, ob der Anschlag rechts oder links anzubringen ist, wobei Fenster heute üblicherweise nur nach innen zu öffnen sind. Eine weitere Bauart ist der Drehkippflügel, bei dem das Fenster sowohl geöffnet, aber auch gekippt werden kann. Bei dreiflügligen Fensterelementen wird aus Kostengründen das mittlere Fenster als fixiertes Fenster ausgeführt, welches sich nicht öffnen lässt. Im Gegensatz zu einer Festverglasung hat ein fixiertes Fenster das Aussehen eines normalen Fensters, da es ebenfalls einen Flügelrahmen hat. Dem gegenüber wird eine Festverglasung direkt in den äußeren Rahmen eingesetzt, so dass es eine größere Glasfläche besitzt als die zu öffnenden Fenster. Sonderformen sind der Schwingflügel, bei dem sich das Fenster auf einer horizontalen Achse dreht, und der Wendeflügel, der sich auf einer in der Mitte befindlichen, senkrechten Achse dreht. Weiterhin gibt es auch verschiedene Beschläge, mit denen man die Fenster verschieben und klappen kann. Siehe hierzu die Abbildung 60.

Abbildung 60: Fenster mit Festverglasung in der Mitte

In der Abbildung erkennt man ein Fenster mit drei Elementen. Die äußeren Elemente sind zum Öffnen vorgesehen, während das mittlere Element nicht zu öffnen ist. Die Festverglasung in der Mitte hebt sich dadurch ab, dass sie nicht über den Rahmen des Fensterflügels verfügt und daher die Glasfläche größer ist. Dem Vorteil der besseren Beleuchtung des Raumes steht der Nachteil der uneinheitlichen Optik entgegen.

Als Materialien kommen für die Fensterrahmen Holz, Kunststoff und Aluminium zur Anwendung, bei größeren Fenstern auch Stahlrahmen. Bei den handelsüblichen Größen ist die Wahl des Rahmenmateriales Geschmacksache. Bei hohen Fertigungsqualitäten gibt es in der Haltbarkeit, Pflegebedürftigkeit und Funktion nur geringe Unterschiede, da die Farbbeschichtungen der Rahmen und die Kratzfestigkeit der Kunststoffprofile erheblich verbessert worden sind. Die Verglasungen unterscheiden sich ebenfalls durch die Art des Glases, die Anzahl der Scheiben und deren Abstand. Hierzu finden sich weitere Angaben im Kapitel Baustoffe unter dem Stichwort Glas.

Die Auswahl des Fensters in Bezug auf die Bauart, die Konstruktion des Rahmens mit der Anzahl und Lage der Dichtungen, sowie die verwendeten Gläser ergibt sich letztlich aus der jeweiligen Verwendung und den daraus resultierenden Anforderungen. Diese unterscheiden sich je nach der Lage des Bauwerkes, z. B. bzgl. des Schallschutzes, der Lage des Fensters, z. B. seiner Einbauhöhe im Gebäude oder der Himmelsrichtung, und der Fläche aller Fenster in der Gebäudehülle. Dem entsprechend müssen Fenster in Bezug auf den Wärme-, den Tauwasser-, den Schall- und den Brandschutz, sowie die Schlagregendichtheit, die Luftdurchlässigkeit und die Sicherheit gegen Windlasten und Einbruch bestimmt werden. Hierfür werden sie jeweils in verschiedene Klassen eingeteilt, die sich aus den Normen ergeben.

Im Prinzip resultieren die hauptsächlichen Unterschiede aus der Wahl der Verglasung und der Anzahl der Dichtungen des Fensterrahmens zum Blendrahmen. Dies bestimmt z. B. über die Schalldämmung, da eine Dreifachverglasung besser dämmt als eine Doppelverglasung, bzw. **Schallschutzverglasungen** im Scheibenzwischenraum mit besonderen Gasen gefüllt werden. Nachteilig sind aber der verminderte Lichteinfall und das erhöhte Gewicht. Getönte Scheiben vermindern im Sommer den Eintrag von Wärme, können aber ebenfalls die Lichtverhältnisse verschlechtern. Rahmen mit mehreren Dichtungen sind teurer in der Herstellung und in den Abmessungen größer, so dass die Glasfläche abnimmt. Da die vorhandene Glasfläche der Außenhülle des Gebäudes auch für den Wärmeschutznachweis relevant ist, ist daher der Auswahl von Fenstern bereits in der Planungsphase große Bedeutung beizumessen.

Wenn Gebäudeteile aus Glas hergestellt werden, wie z. B. Wintergärten, vorgezogene Eingangsbereiche, Wände und Dächer, sind für die Verglasungen besondere statische Nachweise erforderlich. Ebenfalls sind sichernde Begleitmaßnahmen je nach der Verwendung und dem Einbauort notwendig, wie z. B. Sicherungen gegen das Betreten von Überkopfverglasungen, besondere Resistenz gegen Anpralllasten etc.

Im Zusammenhang mit dem Einbau von Fenstern werden auch **Sonnenschutzsysteme** montiert. Dabei handelt es sich meist um verschließbare Lamellensysteme. Sie sind bei der Montage vor den Verglasungen sehr wirksam, während Sonnenschutzsysteme innerhalb der Räume nur bedingt wirksam werden, da die Wärme zunächst durch die Verglasung in den Raum kommen kann. Bei Wohngebäuden sind Rollläden üblich, die auch dem Schall- und Einbruchschutz dienen. Man findet zahlreiche Systeme, die z. B. als tragende Teile in Form des Rollladenkastens als Fenstersturz oder nachträglich als vorgesetzter oder eingefügter Kasten montiert werden können.

Lüftungssysteme an den Fensterrahmen dienen innerhalb der Fensterkonstruktion dem Abtrocknen des äußeren Falzes. Davon zu unterscheiden sind Lüftungssysteme, die der Be- und Entlüftung des gesamten Innenraumes dienen, ohne das Fenster öffnen zu müssen. Diese Systeme gibt es bspw. als Spaltlüfter zum Einbau im Fensterrahmen, der mit Schiebern verschlossen werden kann, oder als Lüfter in Brüstungen oder Rollladenkästen.

Glastüren für Balkone und Terrassen werden ebenfalls durch Fensterbauer angeboten. Sie werden üblicherweise auf die angrenzenden Fenster abgestimmt oder sind integrierter Bestandteil von Fensterelementen. Für diese Türen gilt das für Fenster Ausgeführte analog. Besondere Bedeutung kommt allerdings der Konstruktion der Bodenschwelle zu, da sie das Eindringen von Wasser verhindern muss und durch ein Betreten nicht beschädigt werden soll.

3. Häufig auftretende Probleme in der Praxis

Durch die industrielle Fertigung von Fenstern ergeben sich bei den angelieferten Bauteilen selbst selten Mängel. Die eingebaute Verglasung kann Einschlüsse im Glas oder in dem Glaszwischenraum aufweisen. Die Mangelhaftigkeit beurteilt sich hier nach der Größe und Lage der Fehlstelle im Rand- oder Sichtbereich der Verglasung. Da Zwei- oder Dreifachverglasungen zwischen den Scheiben luftdicht verschlossen sind, kommt es bei Temperaturänderungen oder Änderungen des Luftdruckes zu einer Verwölbung der Scheiben. Bei handelsüblichen Größen ist dies nicht erkennbar, kann aber bei kleinen Formaten zu Zwängungen und Glasbruch führen. Sollte die Verglasung nicht luftdicht ausgeführt sein, so bildet sich in dem Glaszwischenraum Kondenswasser und durch den Luftaustausch verschmutzen die Zwischenräume. Dies stellt bei Verbundgläsern in jedem Fall einen Mangel dar. Sollten besondere Anforderungen an die Fenster gestellt worden sein, sollte der Einbau der entsprechenden Verglasung und Rahmenkonstruktionen geprüft werden.

Häufiger sind Schäden an den Fensterelementen durch den Transport. Hierzu zählen vor allem Kratzer in den Rahmen und den Verglasungen.

Dabei ist meist schwer feststellbar, wer die Beschädigung verursacht hat. Während ein Austausch der Fensterrahmen und der eingesetzten Verglasungen kein Problem darstellt, ist der Austausch bereits montierter Blendrahmen mit hohen Kosten verbunden. Eine nachträgliche Ausbesserung von Kratzern ist meist optisch sichtbar oder nicht gleichwertig möglich.

Die häufigsten Mängel bei Fenstern entstehen durch einen nicht fachgerechten Einbau. Insbesondere bei der Herstellung der Anschlüsse der Einbauzargen in die Wandöffnungen ist besondere Sorgfalt notwendig. Bei mangelhafter Ausführung kommt es zu Wärmebrücken und Luftdurchlässigkeiten. Das kann zu Schimmelbildung im Bereich der inneren Fensterleibungen führen. Werden die Verblechungen und Anschlüsse zum Mauerwerk, dem Putz oder dem Wärmedämmverbundsystem nicht ordnungsgemäß hergestellt, kann Feuchtigkeit in die Wandkonstruktion eindringen und dort zu Folgeschäden führen. Auch eine Verschmutzung der Fassaden kann auf die fehlerhafte Montage von Verblechungen oder Fensterbänken und die Ausbildung nicht ausreichender Tropfkanten zurückzuführen sein.

Insbesondere bei dem Austausch von Fenstern in Altbauten können sich die Öffnungsmaße vermeintlich gleicher Fenster erheblich unterscheiden. Daher ist bei einer Fertigung nach Aufmaß auch darauf zu achten, dass die Fenster mit den entsprechenden Maßen in die jeweiligen Öffnungen eingesetzt werden. Zu große Spaltmaße oder Zwängungen der Einbauzargen in den Wandöffnungen führen sonst zu Beeinträchtigungen der bauphysikalischen Eigenschaften der Anschlüsse mit den oben erwähnten Folgen.

Bei dem Einbau von Verglasungen ist darauf zu achten, dass den Scheiben zwängungsfreie Dehnungen auf Grund von Temperaturänderungen ermöglicht werden. Durch die Bewegung der Scheiben und einen mangelhaften Einbau kommt es häufiger zu Undichtigkeiten an den Anschlüssen. Dieser Mangel tritt insbesondere auch bei Verglasungen auf, die bis zum Boden reichen, und die an ebene Flächen anschließen, wie z. B. Terrassen. Hier ist zumindest durch die sorgfältige Ausbildung von Gefälle für ein Ablaufen des Wassers von den Scheiben weg zu sorgen. Aus Sicht des Unternehmers sind solche Konstruktionen in Bezug auf die Gewährleistung mehr als bedenklich.

4. Weiterführende Literatur

Es gibt sehr viele Normen, die für Fenster, Verglasungen und damit zusammenhängende Bauteile Regelungen aufstellen. Vor allem gilt dies für europäische Normen, so dass an dieser Stelle nur ein Überblick über die mehr als 100 relevanten Normen gegeben werden kann. Im Kapitel Baustoffe wurden für den Werkstoff Glas bereits die Normen aufgeführt.

In der VOB/C gelten für die Ausführung hauptsächlich die DIN 18361, Verglasungsarbeiten und die DIN 18358 Rollladenarbeiten.

Für die Beleuchtung mit Tageslicht ergeben sich nicht nur aus der Arbeitsstättenrichtlinie Anforderungen, sondern auch aus der DIN 5034, Tageslicht in Innenräumen. In Teil 4 sind Verfahren zur Bestimmung von Mindestfenstergrößen angegeben, in Teil 6 Angaben für die Größe von Oberlichtern.

Regelungen für die Fenster finden sich in DIN 18055 Fenster. Für Holzprofile gilt DIN 68121. Regelungen finden sich auch in DIN EN 1191 für Dauerfunktionsprüfungen von Fenster und Türen, DIN EN 1935 für die Beschläge, DIN EN 12207 ff. und DIN EN 12400 für die Beanspruchungen durch Schlagregen, die Luftdurchlässigkeit etc., mit Klassifizierungen der Fenster.

Die Terminologie ist in DIN EN 12519 mehrsprachig angeführt, eine Produktnorm ist die DIN EN 14351. Für Rollläden und Sonnenschutzsysteme gilt DIN V 18073. Für die verwendeten Glassorten und besondere Anforderungen, wie z. B. Einbruchhemmung, Schusssicherheit etc. finden sich ebenfalls europäische Normen.

Viele Hinweise und Fachinformationen erhält man bei dem Institut für Fenstertechnik in Rosenheim. Das sind nicht nur zusätzliche Vorschriften, sondern auch Einsatzempfehlungen, Ausschreibungshilfen und Bewertungen von Anschlüssen, Informationen über innovative Verglasungen etc. Daneben gibt es auch zahlreiche Verbände und andere Gemeinschaften, welche Merkblätter und Leitfäden herausgegeben haben. Eine Recherche über das Internet erschließt hier die vielfältige Information. Konstruktionen im Überblick vermittelt der Glasbau Atlas von Christian Schittich, Gerald Staib, Dieter Balkow, Matthias Schuler und Werner Sobek, erschienen beim Institut für internationale Architektur in München.

5. Teil Innenausbau

Im vorstehenden Kapitel wurden die Bauteile behandelt, die zur Herstellung des Rohbaus notwendig sind. Allerdings ist die Abgrenzung des Begriffes Rohbau in der Praxis nicht immer eindeutig, weil man z. B. im Wohnungsbau auch den Dachstuhl mit einbezieht, umgangssprachlich auch weitere Gewerke. Da auch Dächer, Fassaden und Fenster mit bearbeitet wurden, handelt es sich um den wetterdichten Rohbau. Dieser ist im Allgemeinen Voraussetzung für den Beginn der Ausbauarbeiten, also dem in diesem Kapitel behandelten Innenausbau.

Der Innenausbau umfasst damit die weitere Bearbeitung von Decken, Wänden und dem Boden. Hierzu zählen das Verputzen und das Aufbringen des Estrichs. Alternativ dazu stehen aber auch Systeme zur Verfügung, mit denen andere Oberflächen hergestellt werden, z. B. abgehängte Decken, Wandbekleidungen und aufgeständerte Böden. Mit behandelt werden auch weitere Einbauten, wie z. B. Türen und die Haustechnik.

I. Innenwände

1. Einführende Erläuterungen

Nach der grundsätzlichen Unterscheidung gibt es tragende und nicht tragende Innenwände. Die tragenden Wände dienen auch dem Lastabtrag des gesamten Bauwerkes und wurden bereits in dem vorherigen Kapitel behandelt. Im Innenausbau wird hier nur über die nicht tragenden Wände ausgeführt. Für sie ist kennzeichnend, dass sie ohne weitere Maßnahmen entfernt werden können ohne die Standsicherheit des Gebäudes zu beeinträchtigen.

Nichttragende Wände sind heute quasi in jedem Gebäude zu finden. Die große Verbreitung wurde durch die Betonbauweise und den Skelettbau bedingt, wodurch große Flächen ohne störende, tragende Wände möglich sind. Die notwendigen Stützen werden in Rastern gestellt, so dass eine variable Raumaufteilung zwischen den Stützen möglich ist. Die nicht tragenden Wände dienen als Raumteiler im fertigen Rohbau. Da sie wieder entfernt werden können, wird es während der Nutzungsphase eines Gebäudes möglich, auf die sich in den Jahren ändernden Gegebenheiten zu reagieren, z. B. auf eine andere Raumnutzung nach einem Mieterwechsel.

Man unterscheidet bei den **Trennwänden** in die fest eingebauten und die umsetzbaren Typen. Die fest eingebauten Wände sind im fertigen Zustand durch aufgebrachten Putz oder Tapeten für den Betrachter nicht ohne weiteres als nicht tragende Wände zu erkennen. Es handelt sich hierbei um Mauerwerk oder Wandbauplatten, meist um **Gipsplatten**-Ständerwände. Die umgangssprachlich **Gipskartonwände** genannten Typen stellen den in der Praxis so genannten **Trockenbau** dar und zeichnen sich durch ein geringes Gewicht aus. Die fest eingebauten Trennwände werden vor Ort aus Baustoffen errichtet.

Bei umsetzbaren Wänden handelt es sich um mehr oder weniger vorgefertigte Elemente, die vor Ort nur endmontiert werden. Diese **Systemwände** zählen nach der DIN 18340 auch zum Trockenbau. Dabei bedeutet die Umsetzbarkeit nicht, dass sich diese Wände in montiertem Zustand bewegen lassen, sondern nur, dass diese Systeme sehr leicht wieder zu demontieren sind. Umsetzbare Systemwände kennt man durch die vielfache Anwendung im Messebau. In Büroräumen werden sie häufig als Regale oder Schrankwände ausgeführt.

Bewegliche Trennwände wiederum sind fest eingebaute Systeme. Bei ihnen handelt es sich um Elemente, die einzeln oder verbunden verschoben werden können. Dafür werden in Decken und Böden Führungsschienen montiert, in denen die Elemente laufen. Sie dienen dabei als variabler Raumteiler für einen großen Raum, um ihn schnell in kleinere Räume aufteilen zu können, z. B. Konferenzräume in Hotels, oder zur Abtrennung bei Ladengeschäften, wie sie z. B. als Glaselemente in Einkaufszentren Anwendung finden.

Als Trennwände werden keine Stellwände oder Sichtwände verstanden, die nur per Hand als optische Abtrennung aufgestellt werden, wie z. B. die so genannten spanischen Wände. Hierbei handelt es sich nicht um ein Bauteil, sondern um ein Einrichtungsstück.

2. Fachliche Erläuterungen

Die klassische Art nichttragender Trennwände ist die Ausführung als Mauerwerk. Früher verwendete man so genannte **Rabitzwände**. Hierbei handelte es sich um mit Drahtgitter bewehrte, ca. 5 cm dicke Wandplatten, die vermörtelt wurden. Heute verwendet man entsprechende Gipsplatten. Die Wände werden verputzt und im Innenbereich z. B. tapeziert. Diese Wände sind auf Grund ihrer unzureichenden Bauteildicke nicht für den Abtrag größerer Lasten oder der Herstellung größerer Flächen ohne Verstärkungen in Form von Aussteifungen geeignet. In Altbauten findet man jedoch Waschbecken, die meist mittels durchgehender Bolzen und Platten angebracht wurden, und in Schlitze verlegte Leitungen, welche den dünnen Wandquerschnitt weiter schwächen. Diese Konstruktionen sind für heutige Verhältnisse nicht mehr ausreichend.

Verbreitet ist für Trennwände die Ausführung mit **Sichtmauerwerk,** insbesondere aus Kalksandstein. Man kann diese gemauerten Wände aber auch verputzen oder mit **Vorsatzschalen,** z. B. aus Gipskartonplatten, Holzwolle-Leichtbauplatten etc., versehen. Vorsatzschalen werden mit einer tragenden Unterkonstruktion auf der Wand befestigt, z. B. einer Holzlattung, Metallprofilen etc. Der Hohlraum kann zur besseren Schalldämmung mit Dämmmaterial gefüllt werden. Eine andere Möglichkeit, die auch bei tragenden Wänden eingesetzt werden kann, ist das Aufbringen von **Trockenputz.** Dabei handelt es sich um Gipskartonplatten, die mit Ansetzgips oder mit Verschraubungen an der Wand befestigt werden. Das Aussehen dieser Oberflächen gleicht dem einer Gipsplatten-Ständerwand.

Die nichttragenden Wände müssen an anderen Bauteilen, insbesondere Decken, mit Fugen als Anschluss versehen werden, damit keine ungewollte **Lastübertragung** erfolgt. Hierfür wird zwischen dem oberen Wandabschluss und der Decke ein Streifen aus Dämmmaterial eingelegt, der seitlich mit Profilen abgedeckt wird. Je nach Ausführung der Decken und an angrenzenden Wänden werden unterschiedliche Befestigungen und Anschlussmittel von den Herstellern angeboten.

Im Zuge der Herstellung großer Büroflächen und kurzer Bauzeiten hat der Trockenbau aus Gipsplatten-Ständerwänden, **Gipskarton-Ständerwände** genannt, ein rasantes Wachstum erlebt. Neben der kurzen Bauzeit liegt ein großer Vorteil darin, dass sich die Gipsplattenwände direkt nach der Errichtung weiter bearbeiten lassen. In den Räumen tritt nach der Fertigstellung, im Gegensatz zu Mauerwerk, bei dem der Mörtel Anmachwasser enthält, kaum Baufeuchte auf. Daher kommt auch der Name **Trockenbau.**

Die **Trockenbauwände** werden hergestellt, indem zunächst die Unterkonstruktion errichtet wird. Dabei handelt es sich üblicherweise um Systeme der Hersteller, die aus Metallprofilen bestehen. Die Profile werden an der Decke und dem Boden befestigt. Zwischen diese Profile werden senkrechte Pfosten eingeschraubt. Die Unterkonstruktion kann auch aus Kanthölzern hergestellt werden, was allerdings heute keine Zulassung mehr für die Systeme aufweist. Auf der Unterkonstruktion werden die Wandbauplatten, meist Gipsplatten, verschraubt. Man nennt dies die **Beplankung.** Bei entsprechenden Anforderungen wird eine doppelte Beplankung aufgebracht. Das bedeutet, dass zwei Gipsplatten übereinander aufgeschraubt werden. Dabei sind allerdings die Plattenstöße versetzt anzuordnen. Beplankungen können aber auch aus Faserzementplatten, Holz- oder Kunststoffpaneelen, Spanplatten oder Blechen bestehen, die oberflächenfertig sein können. Das bedeutet, dass sie keine weitere Bearbeitung mehr brauchen.

An den Stellen, an denen größere Lasten angehängt werden sollen, werden Wechsel aus Profilen, also waagerechte Verbindungen, oder verstärkte Ständer eingesetzt. Damit wird sichergestellt, dass die Lasten nicht von den Wandbauplatten abgetragen werden müssen, sondern direkt von der Unterkonstruktion. Für Sanitäreinrichtungen, z. B. Toiletten, gibt es vorgefertigte Unterkonstruktionen, an welchen bereits die Halterungen, die Wasseranschlussstücke etc. angebracht sind.

Üblicherweise werden Gipskarton – Ständerwände zunächst nur auf einer Seite beplankt. Danach wird in dem zwischen den Platten verbleibenden Hohlraum die **Installation** eingebracht. Hierzu zählen beispielsweise Öffnungen und die Einbaudosen für Lichtschalter, Steckdosen etc., die Strom- und Telekommunikationsleitungen, Wasserversorgungen, Abwasserleitungen etc. Siehe hierzu Abbildung 61. Der Hohlraum wird danach mit Dämmmaterial ausgefüllt. Das verbessert den Schallschutz und verhindert Resonanzen in dem geschlossenen Plattenzwischenraum. Sind die Einbauten festig gestellt, wird die zweite Seite beplankt.

Abbildung 61: Trockenbau-Installationen

Die Abbildung zeigt ein Beispiel für Installationen in Trockenbauwänden. Eigene Installationsrahmen für je zwei gegenüberliegende Toiletten wurden bereits montiert. An der Wand und zwischen den Toilettenrahmen befinden sich die Metallprofile, auf welche später die Gipsplatten als Beplankung montiert werden.

Die Gipsplatten werden je nach der geforderten Oberflächenqualität in unterschiedlichem Umfang **gespachtelt.** Für geringe Anforderungen werden nur die Fugen und Befestigungsmitteln, also die Schrauben, überspachtelt. Für hohe Anforderungen wird die gesamte Wand mit Spachtel überzogen und entsprechend geglättet und geschliffen. Die Oberflächenqualität kann dabei nach den Qualitätsstufen Q 1 bis Q 4 definiert werden, die jeweils für die weitere Bearbeitung der Oberflächen einen geeigneten Untergrund darstellt. Die Qualitätsstufen finden sich in Merkblättern, die in der weiterführenden Literatur aufgeführt sind.

Die weitere **Oberflächenbearbeitung** der Gipsplatten besteht für Innenräume aus einer Beschichtung mit Farben oder dem Aufbringen von Wandbelägen, z. B. Tapeten. Bei Feuchträumen oder in Küchen können auch Fliesen aufgeklebt werden. Bei Feuchträumen muss die Beplankung aus imprägnierten Gipsplatten bestehen, den „grünen Platten". Sie sind im Gegensatz zu den üblichen Platten mit weißer Kartonoberfläche für diesen Einsatzzweck vorbereitet. Eine weitere Imprägnierung ist je nach dem Ausmaß der Feuchtebeanspruchung notwendig.

Abbildung 62: Entstehung einer Trockenbauwand

Die Abbildungen zeigen die Entstehung einer Trockenbauwand. Auf dem ersten Bild sind die Metallprofile der Unterkonstruktion, die einseitige, rückseitige Beplankung und Installationen für das Gewerk Elektro zu erkennen. Das mittlere Bild zeigt die geschlossene und gespachtelte Trockenbauwand. In dem dritten Bild ist die fertig angelegte Wand mit Steckdosen und Fußleisten zu sehen. Eine Steckdose fehlt jedoch noch.

Bei Ständerwänden muss ebenfalls dafür gesorgt werden, dass keine **Lasten** aus tragenden Bauteilen in die Konstruktion eingeleitet werden. Daher sind die Anschlüsse an die tragenden Bauteile entsprechend mit Fugen auszubilden. Wenn größere Verformungen tragender Bauteile, z. B. von Decken, zu erwarten sind, muss ein gleitender Anschluss ausgebildet werden. Dafür wird ein Plattenstreifen so angebracht, dass er den Plattenabschluss der Wand überdeckt, die beiden überlappenden Plattenenden aneinander gleiten können und nicht miteinander fest verbunden sind. Solche Anschlüsse können auch mit Profilen hergestellt werden, welche die notwendigen Fugen verdecken.

Die Unterkonstruktionen werden ebenfalls nicht direkt auf den angrenzenden Bauteilen verschraubt, sondern es werden Dämmstreifen untergelegt. Dadurch wird der notwendige **Schallschutz** sichergestellt. Die Beplankungen werden daher ebenfalls nicht an die angrenzenden Bauteile „angespachtelt", sondern es werden zumindest Trennstreifen zwischen dem angrenzenden Bauteil und der Fugenverspachtelung eingebracht. Diese Trennstreifen stellen im Prinzip eine Sollbruchstelle dar, die eine unkontrollierte **Rissbildung** verhindert.

Im Falle einer **Umnutzung** und geänderten Raumaufteilungen müssen Gipskarton-Ständerwände abgerissen werden. Dabei werden die Gipskartonplatten üblicherweise beschädigt und entsorgt. Dadurch kommt es zu hohen Kosten, da die **Entsorgung** von alten Baustoffen zunehmend teurer wird. Die neueren Gipskartonplatten werden an allen vier Rändern mit abgeflachten Kanten hergestellt, die so genannten **4 AK-Platten**. Wenn man vor dem Verspachteln in die Plattenfugen Reißfäden einbringt, die im Bereich der Anschlüsse beim Abbau der Wand auffindbar sind, können mittels des Reißfadens die Plattenfugen „geöffnet" werden. Dadurch können die Platten unbeschädigt demontiert und wieder verwendet werden. Das setzt allerdings voraus, dass die Oberflächenbeläge entfernt werden können um die Befestigungsschrauben zu finden.

Systemwände als **umsetzbare Wände** werden von unterschiedlichen Herstellern und in mannigfachen Varianten angeboten. Je nach Einsatzzweck müssen diese Wände ebenfalls die Voraussetzungen an den Brand- und Schallschutz erfüllen, sowie als eingebaute Wand auch den mechanischen Beanspruchungen gewachsen sein. Vorteilhaft ist es bei diesen Wänden, dass die Montage sehr schnell geht, fast keine Verunreinigungen entstehen und die Wände bereits in den meisten Fällen mit dem fertigen Oberflächenfinish versehen sind. Daher sind die Räume nach der Wandmontage direkt nutzbar.

Grundsätzlich kann man Systemwände in zwei Bauarten unterscheiden. Die **Schalenwände** gleichen im Aufbau den Gipsplatten-Ständerwänden. Sie bestehen aus einer Unterkonstruktion mit Boden- und Deckenschienen, sowie senkrechten Metallständerprofilen. Sie werden beidseitig mit Wandpaneelen beplankt, zum Beispiel aus Stahlblech, Holz usw. Der Zwischenraum steht für die Montage von Dämmmaterialien oder Installationen zur Verfügung. Die **Monoblockwände** bestehen hingegen aus Boden- und Deckenschienen, in welche die fertigen Wandelemente eingesetzt und untereinander befestigt werden. Diese Systeme sind daher in der Montage und Demontage erheblich schneller.

Die **Systeme der Hersteller** müssen auf den Bodenaufbau und die Deckenkonstruktion abgestimmt werden. Hierfür gibt es unterschiedliche Anschlusssysteme und Beschläge. Dabei wird meist schon in der Planung ein Raster für die Stützen festgelegt, so dass die Systemwände in **standardisierten Abmessungen** montiert werden können. Üblich ist ein Raster 12 M, also mit 120 cm, bei einer Wanddicke von 10 cm.

Im Gegensatz zu den fest eingebauten Wänden haben die **Systemwände** den **Nachteil,** dass Installationen nur bedingt möglich sind. Elektroinstallationen können meistens in den Ständern der Wände vorgesehen werden, zumindest wenn entsprechende Anschlüsse in den angrenzenden Bauteilen eine Zuführung der Leitungen ermöglichen. Sanitärinstallationen sind normalerweise nicht vorgesehen. Im Prinzip haben alle Installationen in umsetzbaren Wänden den Nachteil, dass die Flexibilität eingeschränkt wird.

3. Häufig auftretende Probleme in der Praxis

Obwohl es sich bei dem Trockenbau um die Herstellung nicht tragender Trennwände handelt, haben diese Bauteile häufig die gleichen Funktionen zu erfüllen wie die tragenden Wände. Um diesen Anforderungen an den Schallschutz, den Brandschutz usw., aber auch der Optik gerecht werden zu können, müssen Trockenbauwände sehr sorgfältig geplant und ausgeführt werden. Leider zeigt die Praxis, dass schon die Planung in vielen Fällen sehr oberflächlich ist und sich darauf beschränkt die Lage der Trennwände zu beschreiben, sowie in der Ausführung, häufig unter hohem Zeitdruck, Fehler gemacht werden.

Bei Trockenbaukonstruktionen kommt den **Anschlüssen an andere Bauteile** erhebliche Bedeutung zu. Wenn die Anschlüsse starr ausgeführt werden oder der Bewegungsspielraum in den hergestellten Fugen nicht ausreichend ist, entstehen unkontrolliert Risse. Dies ist häufig in Wandecken und in den Kanten zu den Decken zu sehen. **Unkontrollierte Risse** erkennt man daran, dass der Rissverlauf und die Rissbreiten ungleichmäßig sind. Ein Anschluss, der ordnungsgemäß mit einem Papierstreifen als Trennlage gespachtelt worden ist, sollte nur entlang des Papierstreifens den Riss ausbilden. Diese **kontrollierte Rissbildung** ist unvermeidbar und stellt keinen Mangel dar.

Wenn die Unterkonstruktionen an Bauteilen befestigt werden, die sich später durch Setzungen oder unter Lasteinwirkung bewegen, kann es sogar zu einem Abriss der Gipskartonplatten kommen. Daher muss man darauf achten, dass zumindest Deckendurchbiegungen während der Erhärtung des Betons abgeschlossen sind. Problematisch sind auch die **Anschlüsse an die tragenden Bauteile,** insbesondere den aussteifenden Betonkern.

Ein weiteres großes Problem ist der **Schallschutz.** Die für bestimmte Ausführungen angegebenen Schalldämmmaße werden nur erreicht, wenn die Wände entsprechend den Vorschriften ausgeführt werden. In der Praxis werden häufig aber nicht die notwendigen Entkoppelungen zu den tragenden Bauteilen hergestellt. So müssen Dämmstreifen zwischen die Unterkonstruktionen und die tragenden Bauteile eingebracht werden, die Gipskartonplatten dürfen nicht kraftschlüssig an die tragenden Bauteile angearbeitet werden und die vorgeschriebenen Materialien müssen verwendet werden. Dabei ist zu beachten, dass es im Prinzip zwar möglich ist, die Baustoffe verschiedener Hersteller zu kombinieren, dass aber mittlerweile das gesamte System eines Herstellers verwendet werden sollte. Das bedeutet, dass die Profile für die Unterkonstruktionen, die Dämmstoffe, die Gipskartonplatten, die Schrauben usw. nur in der Ausführung verwendet werden dürfen, die der Hersteller in seinen Richtlinien vorschreibt. Besonders ist dies zu beachten, wenn die Materialien für die Trockenbauwände nur als System unter Verwendung der Baustoffe eines Herstellers zugelassen sind.

Handwerkliche Mängel findet man vor, wenn die Unterkonstruktionen nicht ausreichend dimensioniert werden, indem der Abstand der senkrechten Profile zu groß gewählt wird, zu wenige Schraubenverbindungen eingesetzt werden, die Gipsplatten nicht richtig montiert werden, indem zum Beispiel Kantenstöße in der Verlängerung von Türöffnungen ausgeführt werden, die Füllung der Wände mit Dämmstoffen unzureichend ist usw. Diese Mängel können nicht nur zu Rissen führen, sondern auch zu Mängeln im Schallschutz.

Werden an Trockenbauwände **brandschutztechnische Anforderungen** gestellt, müssen die Konstruktionen entsprechend hergestellt werden. Dazu zählt, dass Abschottungen und Verkofferungen in dem Inneren der Wände angebracht werden. So müssen beispielsweise die Einbaudosen für Schalter vollständig mit Gipskartonplatten zur Innenseite der Wand abgedeckt werden, Durchführungen sind so auszubilden, dass im Brandfall ein ausreichender Verschluss den Überschlag der Flammen und die Ausbreitung des Rauches von einem Raum in den anderen verhindert.

Mängel im Bereich des **Feuchteschutzes** sind häufig erst nach längerer Zeit ersichtlich. Insbesondere in Feuchträumen und Nasszellen ist es erforderlich, die Unterkonstruktionen und die Decklagen vor einwirkender Feuchte zu schützen. Gerade an den Anschlüssen für Armaturen, Abflüsse etc. werden die Bauplatten durchstoßen und bei unsachgemäßer oder fehlender Abdichtung tritt Feuchte in das Innere der Platten. Das kann zu einem Aufquellen der Platten mit der Folge der Beschädigung der Oberflächenbeläge, zu Schimmelbildung und weiteren Schäden führen.

Die **Qualität der Oberfläche** von Gipsplattenwänden ist ebenfalls ein häufiger Anlass für Streitigkeiten. Wenn direkt auf der Verspachtelung eine Beschichtung mit Farbe oder sogar mit glänzenden Lacken aufgebracht wird, so sind bereits kleine Unebenheiten erkennbar. Bei solchen Streitigkeiten ist zu bedenken, dass die Herstellung von glatten Oberflächen in einer handwerklichen Ausführung nicht die gleiche Qualität erreichen kann, wie eine industriell gefertigte, lackierte Oberfläche. Wenn die Oberflächenbearbeitung von einem anderen Gewerk als der Trockenbau ausgeführt wird, ist auch häufig die Ursache von Mängeln in der Oberfläche streitig. Ob die Ursache bereits in einem mangelhaften Trockenbau zu suchen ist oder nur durch das Finishgewerk bedingt ist, lässt sich meist nur durch die Einschaltung eines Gutachters klären.

Baubetriebliche Probleme ergeben sich, da das Gewerk Trockenbau zunächst nur die unvollständige Leistung erbringt, weil danach die Gewerke Elektro, Sanitär etc., ihre Einbauten in die noch offenen Wände einbringen. Es müssen nicht nur an den technischen **Schnittstellen** viele Gewerke koordiniert werden, sondern auch im Ablauf. Wenn ein Gewerk in Rückstand gerät, kommt es in vielen Fällen bei den anderen Gewerken zu Störungen in der Ausführung. Streitigkeiten über die Verursachung der Störung, die Auswirkungen etc. sind die Folge. Andererseits kommt es auch zu Streitigkeiten über die Verursachung von Beschädigungen an Leistungen durch andere Gewerke. Vielfach sind die Ständerkonstruktionen der Installation im Wege, so dass Ständer und Riegel durchtrennt oder entfernt werden. Diese Wände halten dann die erwarteten Eigenschaften nicht mehr ein.

Die vielfachen Möglichkeiten von Mängeln der auf der Baustelle errichteten Wände liegen in dieser Vielfalt bei werksseitig vorgefertigten Systemwänden nicht vor. Mängel an Systemwänden bestehen daher eher durch Beschädigungen der Oberflächen durch den Transport oder Einbau. Lediglich schallschutztechnische Anforderungen können verfehlt werden, wenn bei dem Einbau die entsprechenden Entkoppelungen von anderen Bauteilen durch Dämmstreifen usw. nicht ordnungsgemäß ausgeführt werden.

4. Weiterführende Literatur

Für nichttragende innere Trennwände gilt die DIN 4103. Dort sind die Anforderungen und Nachweise geregelt. Ergänzend gelten die Normen, die in dem Kapitel Bauphysik für den Brand-, Schallschutz etc. aufgeführt worden sind.

Für den Trockenbau, speziell die Gipsplatten gelten die DIN 18181, Gipsplatten im Hochbau – Verarbeitung, DIN 18182, Zubehör für die Verarbeitung von Gipsplatten, DIN 18183, Montagewände aus Gipskartonplatten, DIN EN 14190, Gipsplattenprodukte aus der Weiterverarbeitung, DIN EN 14195, Metallprofile für Unterkonstruktionen von Gipsplattensystemen und weitere Normen, ebenfalls für andere Platten.

Für die Ausführung von Trockenbauarbeiten ist in der VOB/C die DIN 18340 Trockenbauarbeiten enthalten.

Für konstruktive Details, die Gestaltung und das Design, einschließlich der Ausführung für besondere Anforderungen, bietet sich der Trockenbauatlas, Teile I und II, von Klausjürgen Becker, Jochen Pfau, und Karsten Tichelmann, erschienen im Rudolph Müller Verlag, an. Der Bundesverband der Gips- und Gipsplattenindustrie e. V. in Darmstadt hat verschiedene Merkblätter herausgegeben, in denen die Verarbeitung, aber auch die Oberflächen-Qualitätsstufen beschrieben werden. Von den Herstellern und anderen Verbänden gibt es ebenfalls Merkblätter und Verarbeitungshinweise.

II. Decken

1. Einführende Erläuterungen

Im fertigen Rohbau verbleiben die Betondecken meist als nicht oberflächenfertiges Bauteil. Die Schalung hinterlässt Abdrücke und überstehenden Beton. Daher ist es üblich, die Deckenuntersichten weiter zu bearbeiten. Die schon bei gemauerten Gewölben übliche Art der Oberflächenbearbeitung ist das Verputzen. Damit werden glatte Deckenuntersichten hergestellt, die mit Beschichtungen versehen werden. Meist handelte es sich um weiße Farbe, um den Raum heller werden zu lassen, oder Tapeten.

Da auch mit dem Putz auf Wänden und Decken Anmachwasser in die Räume eingetragen wird, welches vor einer weiteren Bearbeitung weitgehend abgetrocknet sein muss, haben sich analog zum Trockenbau bei den Wänden auch für Decken Lösungen im Trockenbau entwickelt. Ein weiterer Grund war die Gebäudeerschließung für die Haustechnik. Während man bei Wohnhäusern jeweils für übereinander liegende Wohnungseinheiten senkrechte Versorgungsstränge für Wasser, Abwasser, Elektro etc. einrichtet, erschließt man zwar die Skelettbauten ebenfalls mit senkrechten Versorgungsschächten in den aussteifenden Betonkernen. Allerdings müssen die Versorgungsleitungen, die für die Zuführung von Frischluft oder für Klimaanlagen große Querschnitte aufweisen können, auch in den großen Flächen der Geschosse waagerecht verteilt werden. Dazu nutzt man hauptsächlich die Decken, an denen die Leitungen befestigt werden. Um sie zu verdecken, werden abgehängte Decken verwendet.

Daher ist es heute üblich, die Unterdecken in der gesamten Fläche zu montieren und die nichttragenden Trennwände nur bis zur Unterkante der abgehängten Decken zu führen. Damit wird nicht nur die Durchgängigkeit des Deckenhohlraumes für die Installationen erhalten, sondern auch die Flexibilität bei der Umgestaltung der Räume, da nur die Wände versetzt werden müssen. Es gibt allerdings auch Systeme, bei denen die nichttragenden Trennwände bis unter die Rohdecken geführt werden. Die Unterdecken werden dann in den einzelnen Räumen montiert. Solche Systeme haben schallschutztechnische Vorteile und bieten sich an, wenn die einzelnen Räume feststehen.

2. Fachliche Erläuterungen

Das **Verputzen** von Deckenuntersichten ist heute hauptsächlich im Wohnungsbau üblich. Während man früher Kabel für die Beleuchtung auf die Decken aufgebracht und verputzt hat, werden die Leitungen heute meist bereits mit Leerrohren in den Betondecken installiert. In jedem Fall hat das den Nachteil, dass der Anschluss für die Installation von Lampen vorgegeben ist. Als Putz kommen Gips- oder Zementputze zum Einsatz, die ein- oder zweilagig aufgetragen werden. Damit kann man Toleranzen im Rohbau ausgleichen und waagerechte, winkeltreue Deckenuntersichten herstellen, die glatt sind. Darauf wird dann das Obeflächenfinish hergestellt, z. B. mit Tapeten und Farbbeschichtungen. Siehe hierzu Abbildung 63.

Abgehängte Decken werden, ebenfalls wie bei den nichttragenden Wänden, in vielfachen Ausführungen angeboten. Man unterscheidet Deckenbekleidungen, bei denen die Unterkonstruktion direkt an der tragenden Decke angebracht wird. Dabei handelt es sich z. B. um Holz- oder Metallprofile. Darauf wird die Deckenbekleidung angebracht. Im Wohnungsbau sind Holzwerkstoffe beliebt, z. B. Holzpaneele, vielfach handelt es sich um Gipsplatten, die dann mit einem Oberflächenfinish versehen werden.

Im Gegensatz zu Deckenbekleidungen unterscheiden sich die **Unterdecken** durch eine Unterkonstruktion, die von der Decke abgehängt wird. Dadurch ergibt sich ein größerer Abstand zu den tragenden Decken. Diese Unterkonstruktion besteht ebenfalls meist aus Metallprofilen, die untereinander zu einem tragenden Rahmen verschraubt werden, meist in Form eines Kreuzrostes. Mit den so genannten **Abhängern** werden die Unterkonstruktionen an den Verankerungselementen angebracht. Die Abhänger können in der Länge verstellt werden, so dass ein Ausgleich der Toleranzen des Rohbaus möglich ist und die Unterdecken waagerecht sind. Als Abhänger können bei untergeordneten Konstruktionen

Abbildung 63: Kabelmontage in der Rohdecke

Auf der Abbildung ist die Untersicht einer Decke erkennbar, bei der bereits die Kabel für spätere Anschlüsse vor dem Betonieren verlegt worden sind. Die heraushängenden Kabel werden für die spätere Montage verwendet. Durch das Einlegen der Kabel in die noch zu betonierende Decke wird der Arbeitsaufwand für ein nachträgliches Verlegen der Kabel unter Putz vermieden.

einfache Drähte verwendet werden, ansonsten handelt es sich meist um zwei gelochte Blechschienen, die durch eine Verschraubung oder Stifte verbunden werden und dadurch die Längenverstellung ermöglichen. Typische Bauformen sind der Nonius- und der Schlitzbandabhänger, die auch Druck von unten aufnehmen können, der bei der späteren Montage von Einbauteilen entsteht, z. B. Lampen, Lüftungsgittern etc.

Als **Verankerungselemente** bezeichnet man die Teile, mit denen die Abhänger an der Betondecke befestigt werden. Üblicherweise kommen hierfür Dübel zum Einsatz, in denen mit einer Schraube ein Metallwinkel befestigt wird. Bei der Auswahl der Dübel ist auf die besonderen Voraussetzungen zu achten, die durch den Brandschutz etc. entstehen können. Für schwere Konstruktionen und auch zur Verwendung der Befestigung der Ver- und Entsorgungsleitungen werden Befestigungsschienen in die Decken einbetoniert. Mit speziellen Schrauben kann man dann alle abzuhängenden Teile montieren. Die Lage der Schienen ist entsprechend den Bedürfnissen vorab zu planen.

Die Decklagen für die Untersichten werden auf der Unterkonstruktion aufgebracht. Hier finden neben den Gipsplatten auch andere, bereits erwähnte Platten Anwendung. Die verspachtelten Platten ergeben eine ebene Fläche, einen so genannten **geschlossenen Deckenspiegel.** An den Rändern werden meist Profilleisten als Übergang zu den Wänden montiert. Zahllose andere Deckenplatten können aber auf den jeweiligen Unterkonstruktionen montiert werden und ergeben einen anderen optischen Eindruck. Mit Lammellen-, Raster und Paneeldecken können offene Systeme hergestellt werden. Als Materialien dienen neben Holz und Metallen auch Kunststoffe, aus denen oberflächenfertige Elemente auf die Baustelle geliefert werden. Diese Decken werden meist als vollständiges System von einem Hersteller angeboten. Zu beachten ist hierbei, dass ein bestimmtes Raster eingehalten werden sollte, damit keine Sonderanfertigungen notwendig werden.

Während die Gipsplatten, Paneelen, Lamellen etc. als Decklage von unten an die Unterkonstruktion angebracht werden, finden sich auch Systeme, bei denen die Unterkonstruktion aus Winkelleisten besteht, die zu einem gleichmäßigen Raster verbunden werden. In diese Rasterfelder werden dann vorgefertigte Platten, die das Maß eines Rasterfeldes haben, von unten diagonal eingehoben, gedreht und auf die Winkelleisten aufgelegt. Diese Decken haben den Vorteil, dass sie für Arbeiten an den Installationen leicht zugänglich sind. Allerdings besteht auch der Nachteil, dass diese Decken keine Druckkräfte von unten aufnehmen können.

Neben diesen Anforderungen an die Raumgestaltung müssen alle Konstruktionen selbstverständlich auch die entsprechenden bauphysikalischen Anforderungen an den **Brand-, Schall-, Wärme- und Feuchteschutz** erfüllen. Die Unterdecken übernehmen dabei vielfach einen Anteil an diesen

Anforderungen für andere Bauteile, z. B. dient eine Gipsplattendecke auch als Element des Brandschutzes für die darüber liegende tragende Decke.

Auch bezüglich des **Schallschutzes** sind viele Anforderungen zu beachten, damit sich nicht in dem Hohlraum der abgehängten Decke der Schall zwischen benachbarten Räumen ausbreiten kann. Diese horizontalen Schallnebenwege müssen konstruktiv verhindert werden, wozu in die Decken Dämmung eingelegt wird, bzw. mit Dämmung ein **Schott** errichtet wird, indem der Hohlraum von der Unterdecke bis zur tragenden Decke verschlossen wird.

Die Decken können aber auch selbst ein gestaltendes Element für die **Raumakustik** sein. Dafür kommen **schallabsorbierende Decklagen** zum Einsatz. Hierbei handelt es sich meist um perforierte Oberflächen, die den Schall brechen und gleichzeitig die Schallenergie in hinter den Löchern angebrachten Dämmungen reduzieren. Die Planung von Akustikdecken ist ein Spezialgebiet, da nicht nur die Adsorption für eine gute Raumakustik zu berücksichtigen ist, sondern auch die absorbierten Frequenzbereiche, der Nachhall etc.

Für moderne Bürogebäude ist die Klimatisierung des Innenraumes ein wichtiger Punkt. Die Verteilung gekühlter Luft ist häufig problematisch. Daher kommen verstärkt **Kühldecken** zur Anwendung. Die Systeme bestehen im einfachsten Fall aus Kupferrohren, die auf den Deckenelementen bereits aufgebracht wurden. Durch diese Leitungen kann man temperiertes Wasser pumpen, welches die umgebende Luft kühlt. Hierbei gibt es Systeme mit offenen Deckenuntersichten, die auf Grund der Konvektion zum Abtrag der Wärme führen, oder geschlossene Deckensysteme, die durch die Strahlung für den Temperaturaustausch sorgen.

Umgekehrt kann man auch mit solchen Systemen, wie mit einem üblichen Heizkörper, die Luft erwärmen. Solche Systeme werden aber selten eingesetzt, da der Eintrag von Strahlungswärme über die oben liegenden Decken in den meisten Fällen nicht zu einem behaglichen Raumklima führt. Wenn Unterdecken zur Raumklimatisierung eingesetzt werden, werden sie meistens mit anderen Einrichtungen der raumlufttechnischen Anlagen kombiniert, z. B. der Lüftung.

Ein großer **Vorteil** von **Unterdecken** besteht auch darin, dass man sehr flexibel bei der Installation von Lampen, Lautsprechern, Lüftungen etc. ist. Gerade die Beleuchtungstechnik bietet eine Vielzahl entsprechender Einbaulampen an, mit denen auch ein prägendes Element für die Raumgestaltung geschaffen werden kann. In vielen Ladengeschäften und Ausstellungen kann so die Beleuchtung individuell auf die Einrichtung und den Zweck abgestimmt werden.

Um die Zugänglichkeit für Reparaturarbeiten an den im Deckenhohlraum befindlichen Installationen zu gewährleisten, werden in den

Unterdecken **Revisionsklappen** vorgesehen. Vorteilhaft sind Systeme, bei denen ganze Deckenelemente einfach ausgehoben werden können. Die Reparaturen an den direkt in der Decklage montierten Einbauteilen werden meist von außen bewerkstelligt. Die Anschlussleitungen für die Deckeninstallationen werden üblicherweise vor dem Verschluss der Decken montiert. Viele Systeme erlauben aber auch eine nachträgliche Montage oder Erweiterung.

3. Häufig auftretende Probleme in der Praxis

Der Verputz der Decken wird meist kurz nach dem Ausschalen der Rohdecken hergestellt. Es ist allerdings für einen guten Verbund des Putzes auf dem Beton wichtig, dass der Untergrund nicht nur sauber ist, sondern auch eine gewisse Restfeuchte weder übersteigt noch unterschreitet. Da aber der Putz häufig unter Zeitdruck aufgebracht wird, um die kurzen Herstellzeiten für das Bauwerk einzuhalten, kann es zu Störungen des Verbundes kommen. In der Folge kommt es zu Ablösungen des Deckenputzes, was erst nach Jahren auftreten kann. Die Nutzung der Räume ist in diesen Fällen wegen der Gefährdung für Leib und Leben ausgeschlossen. Erkennbar sind die Störungen des Verbundes meist durch einen Klopftest, mit dem Hohlstellen geortet werden können.

Für die Toleranzen im Hochbau sind bestimmte Maße in der DIN 18202 als zulässig vorgesehen. Dadurch kommt es, vereinfacht gesagt, schon durch den Rohbau zu Abweichungen der Lage der Wände und Decken, deren Winkel zueinander und die Einhaltung der Waagerechten oder Senkrechten der jeweiligen Bauteile. Durch das Aufbringen des Putzes kann man diese Toleranzen weitgehend ausgleichen, so dass überall rechte Winkel, sowie waagerechte und senkrechte Kanten entstehen. Allerdings gelten auch für den Verputzer die Toleranzen, so dass bei normalen Anforderungen Abweichungen bestehen bleiben. Wenn in diesen Fällen Unterdecken montiert werden, die ein sichtbares Raster aufweisen, kann es in den Randbereichen zu optischen Beeinträchtigungen kommen, da das gerade Raster der Unterdecke von der „schiefen" Wand „wegläuft". In diesen Fällen müssen bereits die Ausschreibungen erhöhte Anforderungen an die Toleranzen vorsehen, bzw. müssen andere Systeme für die Unterdecken verwendet werden.

Wie bereits bei den nichttragenden Trennwänden ausgeführt, sind auch die Anschlüsse der Unterdecken häufig Problembereiche. Hier sind ebenfalls die möglichen Bauteilbewegungen zu berücksichtigen, indem z.B. gleitende Anschlüsse ausgebildet werden. Mit diesen Anschlüssen wird es möglich, dass sich zwei Bauteile zueinander bewegen. In diesem Zusammenhang sollte insbesondere auch die Deckendurchbiegung berücksichtigt werden. Deckenbekleidungen reagieren darauf empfindlicher als Unterdecken und bilden Risse aus.

Die Einhaltung der **Schallschutzanforderungen** setzt eine genaue Ausführung voraus. Insbesondere bei durchgehenden Deckenhohlräumen müssen die später nicht mehr sichtbaren Dämmarbeiten in den Hohlräumen sorgfältig ausgeführt werden. Die Anschlüsse zwischen den Unterdecken und den Trennwänden ergeben bei unsachgemäßer Ausführung ebenfalls Schallbrücken. In vielen Fällen lassen sich die geforderten Schalldämmmaße nur erreichen, wenn man das gesamte System nur eines Herstellers verwendet, und nicht z. B. die Bekleidung des Herstellers X, aber die Unterkonstruktion des Herstellers Y. Meist schreiben die Zulassungen die Verwendung der Bauteile nur eines Herstellers vor.

In der Ausführung werden allerdings häufig unterschiedliche Materialien verwendet. Einen erheblichen Mangel stellt die Verwendung von falschen Dübeln als Verankerung für die Abhänger dar, die den Brandschutzanforderungen nicht entsprechen, z. B. handelsübliche Kunststoffdübel. Auf der planerischen Seite zeigen sich Defizite, wenn die zunächst an die Decken angehängten Versorgungsleitungen nicht die entsprechende Anordnung der notwendigen Abhänger für die Unterdecken zulassen. Der Versatz oder das Weglassen von Abhängern ist unzulässig. Die Herstellung von Hilfskonstruktionen ist in vielen Fällen nicht nur aufwändig und kostspielig, sondern kann auch zu einer Verschlechterung der Zugänglichkeit der Installationen führen.

Die Beanstandung der **Oberflächenqualitäten** ist ein weiteres, häufiges Problem. Insbesondere bei großen, geschlossenen Deckenspiegeln sieht man bereits kleine Unebenheiten. Das wird häufig dadurch verstärkt, dass Türen gegenüber den Fenstern eingebracht sind, so dass die Decken im Streiflicht liegen und die Unebenheiten Schatten werfen. Entsprechende Streitigkeiten von Sichtmängeln lassen sich meist nur mit einem Gutachter lösen. Eine realitätsnahe Ausschreibung der verlangten Sichtqualität ist streitvermeidend, vor allem wenn es sich um handwerklich erbrachte Leistungen handelt.

Diese Problematik besteht bei industriell vorgefertigten Decklagen nicht. Hier lassen sich die Oberflächenqualitäten optimal verwirklichen. Mängel treten nur auf, wenn die Elemente bei dem Transport oder der Montage beschädigt wurden. Sollte die Unterkonstruktion nicht sorgfältig genug angeglichen und eingestellt worden sein, kommt es zu Welligkeiten in der Unterdecke oder zu einem Versatz des Rasters. Dies stellt einen Mangel in der Ausführung dar. Auf die Problematik der Anpassung an die noch im Bereich der zulässigen Toleranzen liegenden, verputzten Wände wurde bereits oben eingegangen.

In Bezug auf den Feuchteschutz können Unterdecken und Deckenbekleidungen problematisch werden. Dies gilt vor allem für die obersten

Geschosse. Die Deckenkonstruktionen und die möglicherweise eingebrachte Dämmung wirken auch als Wärmedämmung und können dazu führen, dass in den Hohlräumen Tauwasser anfällt. Daher müssen solche Konstruktionen auch in Bezug auf die bauphysikalischen Voraussetzungen der angrenzenden Bauteile geplant und bemessen werden.

Das gilt ebenfalls bei der Montage von Kühldecken, bei denen ein Anfall von Tauwasser durch die geplanten Temperaturunterschiede programmiert ist. Diese Systeme müssen daher ausreichend belüftet werden. Eine Kombination mit den raumlufttechnischen Anlagen ist in vielen Fällen nicht zu umgehen.

Planerisch und baubetrieblich stellen auch die Unterdecken eine große Herausforderung dar. Durch die vielen Schnittstellen des Gewerkes Trockenbau mit der Haustechnik und die jeweils verzahnte Ausführung kommt es durch Störungen und Rückstände zu Problemen bei den anderen Gewerken, die in der Ausführung gehindert sind. Diese Schnittstellen bedingen in vielen Fällen auch eine Erschwernis bei der Feststellung von Verantwortlichkeiten für Mängel.

4. Weiterführende Literatur

Für Unterdecken gelten die DIN EN 1364-2 und die DIN EN 1366 für den Brandschutz. Ergänzend gelten in jedem Fall die Normen, die in dem Kapitel Bauphysik für den Brand-, Schallschutz etc. aufgeführt worden sind.

Für die Decklagen ergeben sich Regelungen aus der DIN EN 14246 Gipselemente für Unterdecken, DIN 68740, Paneele, DIN EN 14519 für Massivholz, und mannigfachen anderen Normen, die für die jeweiligen Materialien zu finden sind. DIN EN 14195 regelt Anforderungen an Metallprofile für die Unterkonstruktionen.

Ergänzend kommen Regelungen in Betracht, wie z.B. DIN 18032 Sporthallen, in Bezug auf die Ballwurfsicherheit von Decken, für die Innenraumakustik die DIN 18041, Hörsamkeit in kleinen und mittleren Räumen, und andere Normen und Richtlinien für bestimmte Anforderungen. Insoweit wird ergänzend auf die im Kapitel Innenwände aufgeführten Normen und Literaturhinweise verwiesen.

III. Fußboden

1. Einführende Erläuterungen

Als Fußboden bezeichnet man den ebenen Bereich eines Gebäudes, der als Trittfläche für Menschen und Tiere, sowie als Stellfläche für Einrichtungsgegenstände dient. Im Bereich des hier behandelten Innenausbaus sind das im Schwerpunkt die Oberflächen der Geschossdecken in den Räumen. Dabei unterscheiden sich jeweils die Konstruktionen für Böden, die auf erdberührten Rohbauteilen liegen, also bspw. im Keller, Bodenaufbauten in normalen Geschossen und Bodenaufbauten für Balkone, Erker etc., da bei ihnen die tragenden Decken mit der Außenluft in Berührung kommen.

Die Anforderungen an Fußböden bestimmen sich für den Nutzer zunächst durch die Funktion und das Aussehen, da der Bodenbelag als sichtbares Element auf die Raumgestaltung erheblichen Einfluss hat. Zusätzlich spielt eine Rolle, wie sich der Bodenbelag reinigen lässt, die Haltbarkeit und damit die Wirtschaftlichkeit. Hinzu kommen allerdings auch die bauphysikalischen Anforderungen, z. B. der Schall-, Wärme- und Feuchteschutz, Sicherheitsanforderungen, wie z. B. der Brandschutz und die Rutschhemmung, sowie konstruktive Anforderungen für die ausreichende Belastbarkeit, Installationsmöglichkeiten, Fußbodenheizung usw. Nimmt man diese Anforderungen zusammen, stellen Fußböden ein System dar, welches für die speziellen Anforderungen durchgängig geplant werden muss.

Grundsätzlich bestehen Fußbodenaufbauten als System aus der **Tragschicht,** also dem Rohboden. Dies kann bei Altbauten auch eine Holzbalkendecke sein. Auf die Tragschicht wird die **Unterbodenkonstruktion** aufgebracht. Sie wird auch als Deckenauflage bezeichnet und kann aus mehreren Schichten bestehen. Sichtbar obenauf liegt der eigentliche **Bodenbelag**, der auch als Nutzschicht bezeichnet wird. Hinzu kommen fertige Konstruktionen, die nur auf den Rohboden aufgestellt werden, die aufgeständerten Böden.

Der Begriff **Estrich** wird häufig umgangssprachlich für den Fußboden als solchen benutzt. Bautechnisch ist der Estrich aber ein Teil der Unterbodenkonstruktion. Insoweit ist auch der Begriff der Decke bautechnisch zu verwenden. Decke ist die Bezeichnung für ein Bauteil des Rohbaus, nämlich die Geschossdecken. Decke ist aber ebenso die zutreffende Bezeichnung für den oberen Raumabschluss. Der Begriff Boden bezeichnet den unteren Raumabschluss. Die Rohbaudecke als Bauteil besteht daher aus der Decke und dem Boden zugleich. Im Folgenden werden die fachlich zutreffenden Begriffe benutzt, so dass die obere Seite der Rohbaudecken als Rohboden bezeichnet wird.

2. Fachliche Erläuterungen

Die fachlichen Erläuterungen sind zunächst nach dem üblichen Fußbodenaufbau in der Reihenfolge der Herstellung von unten nach oben gegliedert. Danach werden besondere Fußbodenaufbauten erläutert, soweit sie nicht schon innerhalb der ersten Abschnitte mit bearbeitet worden sind. Dabei wird zunächst von einem Gebäude ausgegangen, welches für Wohn-, Büro- oder Gewerbenutzung verwendet werden soll.

Der **Rohboden** als Tragschicht dient dem Lastabtrag der Deckenlasten, also dem Gewicht des gesamten Fußbodenaufbaus und den auf den Boden einwirkenden Verkehrslasten durch die Nutzung. Der Rohboden ist also die Rohbauausführung und weist in aller Regel eine Oberfläche auf, die auf Grund von Unebenheiten durch das Betonieren und die zulässigen Toleranzen nicht geeignet ist, direkt Bodenbeläge aufzubringen. Allein aus diesen Gründen ist eine weitere Bearbeitung der Oberfläche notwendig.

Auf den Rohboden wird eine **Ausgleichsschicht** aufgebracht. Damit werden die Toleranzen, Unebenheiten und die Rauigkeit der Oberfläche beseitigt. Dabei kann bei guter Oberflächenqualität des Rohbodens eine Feinspachtelung ausreichen. Bei größeren Abweichungen von der Waagerechten kommen Füllmassen zum Einsatz. Dabei ist jedoch zu beachten, dass die nutzbare Raumhöhe nicht eingeschränkt wird und der Übergang zu benachbarten Räumen eben bleibt.

In Feuchträumen wird bei planmäßigem Anfall von größeren Wassermengen eine **Gefälleschicht** eingebracht. Sie dient dazu, das Wasser auf den später aufgebrachten Bodenbelägen zu den Abflüssen zu leiten. Diese Gefälleschicht kann auch gleichzeitig die Ausgleichsschicht bilden. Normalerweise beträgt das Gefälle ca. 2 %, also zwei cm Höhenunterschied auf 1 Meter Länge. Der Einsatzbereich ist vor allem bei gewerblichen Räumen, wie z. B. Großküchen, und bei Duschräumen in Vereinen, Schwimmbädern etc. gegeben. Bei Bädern in Wohnungen wird ein Gefälle nur dann ausgebildet, wenn auch ein Bodenabfluss vorhanden ist.

Bei Bedarf kann eine **Abdichtung** aufgebracht werden. Abdichtungslagen schützen das Bauteil vor eindringender Feuchte. Die Lage der Abdichtungsschichten hängt von der entsprechenden Anordnung und Verwendung des Fußbodens ab. Hierbei kommt es darauf an, ob die Feuchtigkeit von oben kommt, wie z. B. in Nassräumen, von unten, wie z. B. bei Fußböden in Kellern, oder als Tauwasser innerhalb der Konstruktionen anfallen kann. Die Abdichtungslagen bestehen aus Bitumen- oder Kunststoffdichtungsbahnen und werden ganzflächig ausgelegt und verklebt oder verschweißt. Siehe hierzu Abbildung 64.

Der Begriff **Nassraum** umfasst nach der DIN 18195 Teil 5 Innenräume, die über einen Bodenabfluss verfügen müssen, um das anfallende Wasser ableiten zu können. Dazu gehören im gewerblichen Bereich Küchen, Lebensmittel verarbeitende Betriebe, Therapieräume usw. Im Wohnbereich können Badezimmer ein Nassraum sein. Nach der Norm ist dies der Fall, wenn das Bad über einen Bodenabfluss verfügt. Dieser ist notwendig, wenn z. B. Duschen eingebaut sind, die keine Duschtasse haben, also eben-

Abbildung 64: Verkleben von Bitumenbahnen

Die Abbildung zeigt, wie mit Hilfe eines Brenners die Bitumenbahnen erhitzt und dann verklebt werden.

erdig sind. In den üblichen Bädern ist aber kein Bodenabfluss vorhanden, so dass es sich nach der Norm nicht um einen Nassraum handelt.

Konstruktiv ist für Nassräume vorgeschrieben, dass eine Abdichtung bis 15 cm über die Oberkante des Bodenbelages zu führen ist. In den meisten Fällen ist das aber nicht möglich, da Türen vorhanden sind. Daher müssen Schwellen oder eine Überlaufrinne vor der Tür angeordnet werden. In Wohnungsbädern werden solche Konstruktionen aber nicht ausgeführt, so dass sich in den meisten Fällen Verstöße gegen die DIN 18195 ergeben können. Heute werden in aller Regel keine Abdichtungen mit Dichtungsbahnen in Wohnungsbädern mehr ausgeführt, sondern die **Alternative Abdichtung,** auch Abdichtung im Verbund genannt. Dabei wird eine abdichtende, elastische Beschichtung auf den Verlegeuntergrund für keramische Beläge aufgebracht und darauf direkt die Fliesen verklebt. Diese Lösung hat viele Vorteile, entspricht aber nicht der Norm.

Wenn die Decken zwischen Räumen mit unterschiedlicher Temperatur oder mit Außenluft in Berührung kommen, muss zwingend eine **Wärmedämmung** angeordnet werden. Erker, umbaute Balkone, Aufenthaltsräume über unbeheizten Räumen oder über Durchfahrten sind nach den entsprechenden Anforderungen des Wärmeschutzes auszubilden. Dabei müssen auch die starken Temperaturunterschiede bedacht werden, so dass gegen den Anfall von Tauwasser **Dampfsperren** eingebaut werden müssen.

Dabei handelt es sich um Kunststofffolien, welche die Wasserdampfdiffusion unterbinden.

Für trennende Geschossdecken zwischen Wohnräumen sind die zwingenden Vorgaben des Schallschutzes zu beachten. Dabei spielt der **Trittschallschutz** eine besondere Rolle. Hierbei handelt es sich um Körperschall, der in der Decke durch das Begehen entsteht. Dieser Körperschall wird durch das Bauteil in andere Räume abgegeben. Allerdings kann die Geschossdecke auch als Schallüberträger von Raumschall fungieren, also z. B. Luftschall, erzeugt durch Lautsprecher. Dem entsprechend sind die Decken mit Schallschutzmaßnahmen auszurüsten. In Altbauten mit Holzbalkendecken waren dies Sand- oder Schlackeschüttungen in den Ausfachungen zwischen den Holzbalken, heute dienen schwimmende Estriche der Entkoppelung von Rohboden und Deckenauflage. Dafür wird die obere Schicht der Deckenauflage, z. B. ein Zementestrich, vollständig auf einer Dämmschicht gelagert, z. B. Mineralwolleplatten. Sie berührt die anderen Teile der tragenden Konstruktion, also Wände und Rohboden, nicht. Insofern schwimmt der Boden auf dieser schalldämmenden Schicht, Trittschall wird durch die Dämmschicht weitgehend vermieden. Auch weiche Bodenbeläge vermindern den Trittschall. Allerdings können diese Beläge von den Nutzern ausgetauscht werden, so dass die schalldämmende Wirkung der Beläge nicht bei der Bestimmung der Schalldämmwerte angesetzt werden darf. In der Praxis stellt man diesen Effekt leicht fest, wenn in einer darüber liegenden Wohnung ein vorhandener Teppichboden gegen einen Parkett- oder Fliesenbelag ausgetauscht wird, oder umgekehrt.

Wenn Dämmmaterial in den Bodenaufbau eingebracht wird, muss bedacht werden, dass diese Materialien nur bedingt druckstabil sind. Wenn man z. B. die schalldämmende Schicht eines schwimmenden Estrichs durch Lasten auf dem Fußboden zusammendrückt, vermindert sich die schalldämmende Wirkung. Daher sind nicht nur die maximalen Lasten auf solchen Konstruktionen eingeschränkt, sondern auch der Bodenaufbau oberhalb der Dämmschichten ist so zu bemessen, dass die Lasten gleichmäßig auf die Dämmstofflage verteilt werden. Das gilt vor allem für hohe Einzellasten, z. B. durch Regalfüße, Klaviere etc. Daher nennt man diese Schichten der Deckenauflage auch Lastverteilungsschichten.

Die Dämmstoffe müssen also für einen guten Schallschutz über eine federnde Wirkung verfügen, gleichzeitig aber dauerhaft die Lasten des Fußbodens abtragen und dürfen sich unter der Last nur bedingt zusammendrücken, damit die Aufbauhöhen eingehalten werden und der Übergang zu angrenzenden Böden eben bleibt. In vielen Fällen übernimmt die Dämmschicht auch noch die Aufgaben des Wärmeschutzes. Daher kommt der Wahl des Dämmstoffes eine entscheidende Bedeutung zu. Entsprechende Werte für die einzelnen Dämmstoffe findet man in den Normen.

Wenn bei der Herstellung des Fußbodens flüssiger Estrich oberhalb von Dämmstoffen eingebaut werden muss, würde der Zementleim z. B. in die Mineralwolle eindringen und so die Dämmwirkung stark einschränken. Daher muss man zwischen diesen Lagen der Unterkonstruktion eine **Abdeckung** einbauen. Hierzu verwendet man üblicherweise Kunststofffolien. Davon unterscheidet man die **Trennlagen**. Sie werden zwar auch mit Folien hergestellt, dienen aber dazu, dass aufeinander liegende Schichten keinen kraftschlüssigen Verbund eingehen. Um dies zu erreichen, werden zwei Folien aufeinander gelegt. Notwendig werden Trennlagen z. B. um Abdichtungen vor einer mechanischen Beschädigung durch Bewegungen des schwimmenden Estrichs zu schützen.

Bei **Estrich** handelt es sich um eine Schicht, die aus unterschiedlichem Material hergestellt werden kann und auf einen tragenden Untergrund aufgebracht wird. Man nennt es **Verbundestrich**, wenn der Einbau kraftschlüssig direkt auf dem Rohboden erfolgt, oder **schwimmender Estrich** bei Einbau auf einer dazwischen liegenden Trenn- oder Dämmschicht. Der Estrich kann in einfachen Fällen unmittelbar benutzt werden, z. B. in Kellerräumen, mit einem Belag versehen werden oder einem weiteren Fußbodenaufbau dienen. Man kann Estrich unterscheiden, der als breiige bis flüssige Masse eingebracht wird und Estrich, der mit festen Baustoffen hergestellt wird.

Üblich und weit verbreitet sind **Zementestriche.** Im Prinzip handelt es sich um Beton, der durch einen feinkörnigeren Zuschlag, Sand und Kies bis 8 mm Korndurchmesser, für die Herstellung glatter Oberflächen angepasst wird. Der Zementestrich wird nach DIN 18560, Teil 1, in verschiedene Festigkeitsklassen eingeteilt. Je nach der Anwendung sind entsprechende Estriche zu verwenden. Vorteilhaft ist, dass Zementestrich sehr hoch belastbar, beständig gegen Feuchtigkeit und kostengünstig ist. Nachteilig hingegen ist, dass mit dem Zementestrich hohe Wassergehalte in das Gebäude eingebracht werden, der Abbindevorgang einige Tage dauert, bis man den Estrich betreten oder belasten kann, durch Schwindvorgänge die Gefahr der Rissbildung besteht und für das Aufbringen von Nutzschichten bestimmte Feuchtewerte nicht überschritten werden dürfen.

Der Zementestrich kann auf der Baustelle angemischt werden. In der Praxis setzen sich **Zement-Fließestriche** durch, die wie Beton im Fahrmischer angeliefert, oder als Trockenmörtel auf die Baustelle geliefert werden. Sie lassen sich schneller verarbeiten als normaler Estrichmörtel und haben durch die werksseitigen Rezepturen teilweise bessere Eigenschaften. Durch Zusatzmittel und -stoffe, auch z. B. die Beigabe von Fasern als Bewehrung, wird das Schwinden reduziert.

Außer Zementestrich werden auch **Calciumsulfatestriche** häufig eingesetzt. Zu dieser Gruppe zählen auch die Anhydritestriche. Sie enthalten

Anhydrite als Bindemittel, vereinfacht Gipse. Im Gegensatz zu Zement erhärtet dieser Estrich durch Kristallisation beim Trocknen. **Anhydritestriche** bleiben daher feuchteempfindlich und dürfen nicht eingesetzt werden, wenn der eingebaute Estrich wieder feucht werden kann. Vorteilhaft ist das geringe Schwinden, so dass der eingebaute Estrich eine gute Maßhaltigkeit hat. Calciumsulfatestrich gibt es auch als Fließestrich.

Weniger Verbreitung hat der **Gussasphaltestrich.** Ihn gibt es ebenfalls in verschiedenen Härteklassen. Er wird flüssig eingebracht und ist nach dem Erkalten sofort weiter zu bearbeiten. Da die Einbautemperatur bei ca. 240 °C liegt, darf er nicht mit wärmeempfindlichen Baustoffen in Berührung kommen, vor allem Kunststoffen. Vorteilhaft ist neben der schnellen Erhärtung, dass kein Wassereintrag durch die Montage erfolgt, die gute Schalldämpfung und die Dichtigkeit gegen Wasser. Nachteilig sind der relativ hohe Preis und die erschwerten Einbaubedingungen.

Die beschriebenen Estricharten haben den Nachteil, dass sie bis zur **Belegreife** ca. drei bis vier Wochen oder mehr trocknen oder abbinden müssen. Erst dann können Nutzschichten aufgebracht werden ohne dass die Gefahr besteht, dass es zu Schäden durch die im Estrich noch enthaltene Feuchte kommt. In vielen Fällen ist diese Zeitdauer aber zu lang und hindert den Baufortschritt. Man kann dann **Schnellestriche** einsetzen. Sie binden das Anmachwasser hauptsächlich chemisch, so dass das notwendige Austrocknen weitgehend entfallen kann, und erstarren sehr schnell. Daher kann man diese Estriche bereits nach wenigen Stunden begehen und nach ein bis zwei Tagen belegen. Nachteilig ist allerdings, dass diese Estriche relativ teuer sind und die Verarbeitung sehr zügig erfolgen muss.

Im Gegensatz zu den vorab genannten Estricharten werden **Trockenestriche,** auch **Fertigteilestrich** genannt, aus vorgefertigten Platten hergestellt. Das hat den Vorteil, dass keine Feuchte in die Räume eingebracht wird, der Estrich schnell begehbar ist und mit Belägen versehen werden kann. Nachteilig sind der relativ hohe Verlegeaufwand und die Empfindlichkeit vieler Platten gegen Feuchtigkeit.

Trockenestrich wird auf verschiedenen Unterkonstruktionen ausgelegt. Auf tragenden Decken und bei Holzbalkendecken werden Unterkonstruktionen aus Lagerhölzern aufgebracht. Auf den Lagerhölzern werden dann die Platten verlegt. Möglich ist auch eine Verlegung auf Dämmschichten, also als schwimmender Estrich. Vielfach wird aber auch auf der Rohdecke zunächst eine Schüttung aufgebracht. Diese besteht aus Granulat, z. B. Blähton, welches als lose **Schüttung** eingebracht und nivelliert wird. Nach der Verdichtung der Schüttung ergibt sich bei gebundenen Schüttungen durch beigefügte Bindemittel eine feste Schicht, bei den losen Schüttungen sorgen z. B. bitminöse Umhüllungen des Granulates für einen gewissen Zusammenhalt. Für den Feuchteschutz sind entsprechende Abdichtungen aufzubringen.

Die Platten bestehen aus Holzwerkstoffen, z. B. Spanplatten, Zementwerkstoffen, Hartschäumen oder Gipsplatten etc. Die Spanplatten für Bauzwecke werden mit Kunstharzen verleimt, die **Formaldehyd** enthalten. Dieses entweicht aber nach der Verlegung teilweise aus den Platten. Wegen der möglichen Verursachung von Krebserkrankungen ist die zulässige Abgabe von Formaldehyd begrenzt worden.

Die Platten für den Trockenestrich werden vor Ort verlegt und entweder an den Rändern miteinander verbunden, z. B. mit Nut und Feder, oder zweilagig mit versetzten Stößen verlegt. Die Platten werden jeweils verklebt oder verschraubt, sowie bei Bedarf verspachtelt. Von den verschiedenen Herstellern werden auch Platten mit werksseitig aufgebrachten Dämmstoffen geliefert. Auf den Platten wird dann die Nutzschicht aufgebracht.

Der **Bodenbelag** wird **Nutzschicht** genannt. In den einfachsten Fällen handelt es sich um eine Beschichtung des Estrichs mit Farbe. Beschichtungen können aber auch aufwändig mit Kunstharzen etc. ausgeführt werden, die unterschiedlich eingefärbt und mit glitzernden oder andersfarbigen Partikeln versetzt werden können. Bekannte Nutzschichten sind Teppichböden u. ä., textile Bodenbeläge genannt, Fliesen oder keramische Bodenbeläge, Natursteine, künstliche Steine, Werksteine genannt, Holz und elastische Bodenbeläge, wie z. B. Linoleum, Kunststoffbeläge und Laminat. Die Baustoffindustrie bietet aber darüber hinaus eine Vielzahl von Bodenbelägen an, die teilweise mit Dämmschichten ausgerüstet sind, aus anderen Materialien bestehen, z. B. Kork, und als System ohne Verklebung ausgelegt werden können.

In aller Regel werden Bodenbeläge durch eine **Verklebung** befestigt. Je nach Belag ist ein geeigneter Kleber zu verwenden, der meist von den Herstellern des Belages empfohlen wird. Keramische Beläge, Natur- oder Werksteine verlegt man im Dick- oder Dünnbett. Der Unterschied besteht nur in der Dicke der Kleberschicht. Dickbett ist erforderlich, wenn die Beläge größere Toleranzen in der Dicke aufweisen, wie z. B. Natursteine, die dann durch das Mörtelbett ausgeglichen werden kann. Textile und elastische Beläge werden meist vollflächig verklebt. Manche Waren eignen sich aber auch zum losen Verlegen, oder werden mit Randleisten verspannt.

An die Nutzschicht werden vielfache Anforderungen gestellt, die teilweise von den individuellen Belangen abhängen, teilweise aber auch vorgeschrieben sind. Im privaten Bereich hängt die Nutzschicht häufig nur von dem Geschmack des Nutzers ab. Dabei steht der Aspekt der Raumgestaltung an oberster Stelle der Anforderungen. Die Reinigung und Pflege steht meist mit dem Verwendungsbereich in Zusammenhang. Hier spielt die Optik des Belages neben dem Material eine Rolle, da helle oder einfarbige Beläge schmutzempfindlicher sind. Für die Verlegebereiche gibt es je nach Belag Beanspruchungsgruppen, die nicht nur die Art und Intensität der Nutzung einbeziehen, sondern auch z. B. die Unempfindlichkeit gegen Stuhlrollen, Wasser, Öle, eine Eignung für Fußbodenheizungen etc. Für besondere Anwendungen gibt es weitere Anforderungen. Hierzu zählt z. B. in Krankenhäusern die Möglichkeit der Desinfektion, der geschlossenen Fugen in Reinräumen für Produktion etc.

Im gewerblichen Bereich kommt der Reinigung der Bodenbeläge eine hohe Wertigkeit zu, da dadurch sehr hohe Kosten entstehen. Daher werden in den Eingangsbereichen so genannte **Sauberlaufzonen** eingebaut. Dabei handelt es sich um besondere Beläge, an denen die Verschmutzung der Schuhe entfernt wird. Während dies in Wohnhäusern die Fußmatte ist, die in den Boden eingelassen sein kann, werden bei gewerblicher Nutzung längere Bahnen verlegt, damit der Eintretende durch das Begehen die Schuhe reinigt und nicht gezwungen ist, die Schuhe abzuputzen. Vor allem bei polierten Natursteinbelägen in Empfangsbereichen verhindern Sauberlaufzonen den Eintrag von Streugut und anderen reibenden Substanzen, die den Boden schnell zerkratzen.

Für öffentlich zugängliche Bereiche muss neben der Tritt- und Gleitsicherheit auch der Brandschutz bedacht werden, sowie bei textilen Bodenbelägen das elektrostatische Verhalten. Die textilen Beläge werden dafür gesondert mit einer antistatischen Ausrüstung versehen, die durch Kupferbahnen unter dem Belag, leitenden Kleber und einen Anschluss an eine Erdung die statische Aufladung der Nutzer verhindern. Die Einschränkung der Nutzung durch statische Aufladung kann erheblich sein, was aus der Anschauung bekannt ist, wenn man „an der Klinke eine gewischt bekommt“. Funktionsstörungen können aber auch an elektronischen Geräten verursacht werden.

Der Begriff Nutzschicht wird allerdings auch in einem anderen Zusammenhang mit Bodenbelägen benutzt. Parkett besteht aus einer Echtholzauflage, die bei modernem Fertigparkett auf Trägermaterialien aufgeklebt worden ist. Wenn Parkett nach einer gewissen Nutzungsdauer verfärbt, beschädigt oder verschlissen ist, kann man es abschleifen und neu versiegeln. Als Nutzschicht wird die Dicke der Holzauflage angegeben, da sie eine Aussage darüber zulässt, wie oft man die Oberfläche bearbeiten kann.

In Wohn- und Aufenthaltsbereichen spielt die **Behaglichkeit** eine große Rolle. Neben einer gleichmäßigen Temperatur aller Raumoberflächen sollten auch bestimmte Temperaturen nicht unterschritten werden. Für Fußböden liegt diese Temperatur bei mindestens 18 °C. Allerdings spielt es auch eine Rolle, wie schnell ein Boden die Wärme ableiten kann. Gerade wenn man mit nackten Füßen über einen Boden läuft, empfindet man manche Bodenbeläge trotz gleicher Bodentemperatur als „wärmer“. Beispielsweise ist ein Steinboden „kälter“ als ein Teppichboden, ein Parkett „wärmer“ als ein Fliesenbelag.

In Wohnungen mit gehobener Ausstattung werden **Fußbodenheizungen** installiert. Sie tragen zur Behaglichkeit bei und erzeugen ein gutes Raumklima. Schon in römischen Häusern wurden die Böden geheizt, indem man darunter Feuer machte. Heute unterscheidet man im Wesentlichen zwei Systeme. Die mit Warmwasser betriebenen Heizungen bestehen aus wasserführenden Schläuchen in dem Unterboden, die den Estrich aufheizen. Das wird bei den elektrischen Systemen mit Widerstandsdrähten erreicht, die aber auch direkt unter keramischen Belägen installiert werden können. Die Beläge müssen für den Betrieb von Fußbodenheizungen geeignet sein und es sind die bauphysikalischen Randbedingungen zu beachten.

Für gewerbliche Nutzung reicht häufig ein normaler Estrich nicht aus. Die Anforderungen aus Staplerbetrieb und dem Befahren mit anderen Fahrzeugen, Belastungen durch Schleifen oder Herabfallen von Gegenständen, Chemikalien und die insgesamt intensivere Nutzung erfordern geeignete Materialien. Als **Industrie-Estrich** kommt meist Hartstoffestrich zum Einsatz. Es handelt sich um Zementestrich, der über besondere Zuschläge seine erhöhte Festigkeit erhält, z. B. harte Natursteine, Korund etc. Statt Zementestrich werden aber auch Kunstharzestriche aufgetragen.

Wie bereits bei den Trockenbauwänden beschrieben, werden Gebäude immer häufiger umgenutzt und die Innenräume sind, z. B. durch einen Mieterwechsel, einer geänderten Nutzung anzupassen. Um die benötigten Installationen trotz eines Versatzes von Wänden, bei einer erforderlichen Nachrüstung etc. möglichst ohne großen Aufwand durchführen zu können, bietet sich der Boden als Installationsebene an. Auch aus optischen Gründen werden Versorgungsleitungen im Boden verlegt, z. B. für Tischsteckdosen und PC-Anschlüsse in Konferenzräumen.

Um den Boden für Installationen zu nutzen, gibt es viele Systeme. In den beschriebenen Aufbau mit Estrich kann man **Unterflurkanalsysteme** integrieren. Es handelt sich um viereckige, hohle Kunststoff- oder Metallprofile, die auf dem Rohboden in einem Raster ausgelegt und befestigt werden. An den Kreuzungspunkten werden Installationsdosen montiert. Danach wird der Estrich eingebaut. Die Deckel der Dosen befinden sich in Höhe der Estrichoberkante, werden in den Bodenbelag eingebunden und lassen sich durch den Nutzer öffnen, so dass die Kabelkanäle zugänglich werden. In diesen Dosen können auch bereits Anschlüsse vorhanden sein, wie z. B. Steckdosen etc. Es gibt diese Systeme auch mit offenen Kanälen, die mit einer Abdeckung verschlossen werden, über der lose der Bodenbelag aufliegt. Dadurch sind die Kanäle in voller Länge zugänglich. Man kann die Kanäle auch bereits in die Rohdecke einbauen, diese werden Imbetonkanäle genannt. Meistens handelt es sich um Kunststoffrohre, durch die Leitungen gezogen werden können.

Eine andere Variante ist der **Hohlboden.** Hierfür werden flächige Kunststoffteile verwendet, die auf den Rohboden oder die Dämmung aufgestellt werden. Die Platten haben in etwa die Form eines Eierkartons, wobei die Seite, in der die Eier stehen würden, nach oben zeigt. Diese Seite wird mit dem Estrich ausgegossen. Auf der anderen Seite verbleiben die rasterförmigen Hohlräume, durch die Kabel gezogen werden können. Die Kunststofftafeln gibt es mit unterschiedlichen Höhen und Profilierungen. Entsprechende Öffnungen sind vorzusehen, damit man an die Hohlräume gelangt. Hierfür kann man auch im Nachhinein Bohrungen setzten, die mit entsprechenden Einbaudosen und Deckeln versehen werden. Eine andere Variante ist der aufgeständerte Hohlboden. Dafür werden höhenverstellbare Stützfüße verwendet, auf denen eine Tragschicht und der Estrich aufgebracht werden. Bei diesen Systemen ist die gesamte Bodenfläche nutzbar.

Im Prinzip unterscheiden sich die **Doppelbodensysteme** im Aufbau von den aufgeständerten Hohlböden kaum. Bei ihnen werden ebenfalls auf dem Rohboden Stützen aufgeklebt oder aufgeschraubt. Sie sind höhenverstellbar, so dass Toleranzen des Rohbodens ausgeglichen werden können. Je nach System und Hersteller werden darauf rasterförmige Unterkonstruktionen aufgebracht, oder die Bodenplatten direkt auf die Ständer aufgelegt. Die Bodenplatten werden werksseitig vollständig mit der Nutzschicht vorgefertigt und vor Ort nur noch verlegt. Vorteil dieser Böden ist, dass sich die Bodenplatten wieder entfernen lassen, so dass der Boden überall zugänglich ist. Diese Systemböden lassen sich auch für die Innenraumklimatisierung nutzen. Hierfür wird temperierte Luft durch den Boden geleitet und tritt an entsprechenden Öffnungen in den Raum aus.

3. Häufig auftretende Probleme in der Praxis

Mängel an Fußböden entstehen häufig erst nach Ablauf einer gewissen Zeit. In vielen Fällen wird der Aufbau des Fußbodens nicht richtig geplant, oder die Nutzschichten werden während der Bauausführung geändert. Neben diese Planungsfehler treten auch Ausführungsfehler. In den Fällen, in denen der Fußbodenaufbau durch unterschiedliche Gewerke ausgeführt wird, lässt sich die Verursachung von Schäden zwar auf der technischen Seite feststellen, die Zuweisung der Verantwortung stellt aber häufig ein rechtliches Problem dar.

Da Fußbodenaufbauten immer ein System darstellen, gibt es sehr viele Ursachen für Mängel. Sie lassen sich nicht vollständig beschreiben, da sich die unterschiedlichen Bestandteile und die Arbeitsabläufe untereinander beeinflussen. Mängel zeigen sich in aller Regel im Belag, der aber häufig nicht die Ursache ist. Bei der Altbausanierung werden ebenfalls Fußbodenaufbauten aufgebracht, die mit dem Bestand nicht verträglich sind. Ein anschauliches Beispiel ist das Aufbringen von keramischen Bodenbelägen in Verbindung mit Holzbalkendecken. Da wegen der nicht zur Verfügung stehenden Aufbauhöhe nur eine dünne Ausgleichsschicht aufgebracht wird, auf der die Fliesen verklebt werden, brechen der Bodenaufbau und die Fliesen durch den schwingenden Untergrund auf. Im Folgenden werden einige typische Mängel beschrieben. Im Einzelfall wird aber eine sachverständige Begutachtung aufgetretener Schäden unvermeidlich sein.

Der Rohboden ist meist durch die Betonierarbeiten an den darüber liegenden Decken durch herunter laufende Betonschlemme, Schalöl und andere Bauabfälle verunreinigt. Daher ist es erforderlich, dass der Rohboden gereinigt wird. Durch eine unsorgfältige Reinigung kommt es zu Störungen der Haftung aufgebrachter Estrichschichten und Beschädigungen von Abdichtungen und Trennlagen.

Notwendige **Gefälleschichten** müssen sehr sorgfältig ausgebildet werden, vor allem, wenn das Gefälle nur eine geringere Steigung aufweist. Wenn die Gefälleschichten nicht ordnungsgemäß nivelliert werden oder durch die nachfolgenden Verlegearbeiten bei ungleichmäßigem Auftrag des Mörtelbettes kann es aber passieren, dass eine Störung des Gefälles eintritt. Dieser Mangel wird erst ersichtlich, wenn bei der Nutzung eine Pfützenbildung festgestellt wird. Problematisch werden Gefälleschichten und Ausgleichsschichten auch dann, wenn der Rohbau größere Abweichungen in der Maßhaltigkeit hat, obwohl er noch in den zulässigen Toleranzen liegt. Durch die Öffnungen für Türen und Fenster ist für den Fußbodenaufbau eine maximale Höhe vorgegeben. Werden hohe Ausgleichsschichten erforderlich, kann es leicht passieren, dass die geplanten Aufbauhöhen überschritten werden.

Wenn auf die Unterkonstruktionen Abdichtungen, Dampfbremsen und Trennlagen aufgebracht werden, kommt es dazu, dass die Folien und Dichtungsbahnen während der Montage begangen werden. Dies führt häufig zu Beschädigungen. Dadurch können Feuchteschäden in der Konstruktion entstehen. In vielen Fällen werden auch bereits in der Planung die unterschiedlichen Funktionen von Abdichtungen, Dampfbremsen und Trennlagen nicht erkannt. Das führt dazu, dass ungeeignete Fußbodenaufbauten entstehen, bei denen es ebenfalls zu Feuchteschäden kommen kann.

Gemäß der DIN 18195 Teil 5 müssen in Nassräumen die Dichtungsbahnen mindestens 15 cm über die Oberkante des Fußbodens verlegt werden. Die dafür verwendeten Bitumenbahnen werden einerseits häufig bereits durch das Betreten während der Verarbeitung beschädigt, andererseits sind die weiteren Schichten, wie z. B. Putz, Fliesen etc., an den Wänden schwerer aufzubringen. Die heute in vielen Fällen verwendete Dünnbettverlegung von Fliesen führt dazu, dass es in dem unteren Bereich der

Dichtungsbahnen zu einer Unregelmäßigkeit des Fliesenbildes kommen kann. Daher wird in vielen Fällen die Dichtungsbahn durch Folgegewerke abgeschnitten. Eine normgerechte Ausführung liegt dann nicht mehr vor.

Die Ausführung der **Alternativen Abdichtung** oder Abdichtung im Verbund, muss vertraglich vereinbart werden, da die Ausführung nicht der DIN 18195 entspricht. Bei der Ausführung müssen zahlreiche Voraussetzungen erfüllt sein, da die Abdichtung sonst nicht ihren Zweck erfüllt. In vielen Fällen wird die flüssige Abdichtung nicht ausreichend aufgetragen, oder die dichtende Schicht wird bei den nachfolgenden Verlegearbeiten beschädigt. Durch die Fugen der verlegten Fliesen kann die Feuchtigkeit eindringen und zu erheblichen Schäden durch ein Aufquellen der Baustoffe in den Wänden oder auf dem Boden führen. Das gilt vor allem, wenn alternative Abdichtungen auf feuchteempfindlichen Materialien aufgebracht werden, wie z. B. Gipsplatten, Gipsputzen oder Anhydritestrich.

Die Verwendung von elastischen Dichtmassen in den Fugen und Anschlüssen um Badewannen und Duschtassen führt dazu, dass es bei häufiger und längerfristiger Berührung mit Wasser zu **Schimmelbildung** kommt. Dies lässt sich nur dauerhaft vermeiden, wenn das Wasser nach der Nutzung durch ein Abtrocknen der Fugen entfernt wird. Ersichtlich wird dieser Effekt vor allem bei weißen Fugenmassen, die sich bei beginnender Schimmelbildung dunkel verfärben. Um diesen Effekt zu mindern, kann man auch Dichtmassen einsetzen, die mit Wirkstoffen versehen sind, eine Schimmelbildung zu mindern.

Im Zusammenhang mit Wärmedämmung können Probleme auftreten, wenn an vorgefertigten Nutzschichten eine Dämmung aufgebracht ist. Vor der Montage müssen die bauphysikalischen Randbedingungen geprüft werden. Bei der Montage von Leitungen auf dem Rohboden wird die Dicke einer aufzubringenden Dämmung vielfach unterschritten, wenn die Aufbauhöhe fest vorgegeben ist. Die eingeschränkte Wirkung der Dämmung ist die eine Folge, der ungleichmäßige Lastabtrag die andere. Dadurch kann es zu Brüchen der Estrichschicht kommen.

Ursachen für einen Bruch der lastverteilenden Schicht beim schwimmenden Estrich ist häufig auch eine falsche Dimensionierung der schwimmenden Platte oder eine unsachgemäße Ausführung der Abdeckung. Wenn diese nicht sorgfältig und faltenfrei ausgelegt wird, bilden sich in der Folie Knicke oder Falten aus. Der aufgebrachte Estrich bekommt dadurch an dieser Stelle eine Kerbe, so dass bei Belastung erhöhte Bruchgefahr besteht. Ein weiterer Grund sind Planungsfehler bei der Ausbildung der Estrichfelder. Bei ungleichmäßigen Grundrissen müssen Fugen im Estrich ausgebildet werden die dafür sorgen, dass der Lasteintrag in die Dämmschichten gleichmäßig erfolgt. Fugen dienen ebenfalls dazu, unkontrollierte Rissbildung beim Erhärten des Zementestrichs zu vermeiden.

Anhydritestriche sind feuchteempfindlich. Trotzdem können sie auch in Bädern eingesetzt werden. Allerdings muss die Abdichtung entsprechend sorgfältig ausgeführt werden. Dabei ist nicht nur eine Abdichtung gegen die Nutzungsfeuchte notwendig, sondern auch gegen Wasserdampfdiffusion aus anderen Bauteilen. Insbesondere bei Holzbalkendecken ist mit Tauwasserbildung unter den Konstruktionen zu rechnen, da die warme Raumluft aus den unteren Wohnräumen durch die Deckenkonstruktion dringt.

Abdichtungen werden meist nur eingebracht, wenn die Nutzung der Räume mit der Verwendung von Wasser im Zusammenhang steht, oder wenn die Böden auf feuchten Medien aufliegen, also erdberührte Bodenkonstruktionen. Allerdings ist es vielfach so, dass als Nutzschicht Beläge aufgebracht werden, die nicht wasserdampfdiffusionsoffen sind. Versiegelte Bodenbeläge, wie z. B. Parkett, oder Kunststoffbahnenbeläge verschließen den Boden. Innerhalb von betonierten Rohböden hält sich aber die beim Betonieren eingebrachte Feuchte über mehrere Jahre, bis sie sich mit ihrer Umgebung ausgeglichen hat. Dieser Ausgleich findet hauptsächlich durch Diffusion über die Oberseite statt, die dann aber durch die Beläge verhindert wird. In diesen Fällen kann es zu Beschädigungen des Bodenbelages kommen, z. B. in Form von Erweichen des Estrichs, Lösen des Klebers für den Belag, Verwerfungen, Blasenbildung etc. Um dies zu vermeiden, müssen so genannte **Dampfbremsen** eingebaut werden. Es handelt sich um Folien, die eine Wasserdampfdiffusion nicht ganz unterbinden, aber auch nur so viel Diffusion zulassen, dass der Wasserdampf auch von den darüber liegenden Schichten abgegeben werden kann. Wenn dies nicht möglich ist, muss eine Dampfsperre eingebaut werden, welche die Diffusion zu dem Bodenbelag unterbindet. Gleichzeitig ist sicherzustellen, dass der Wasserdampf in andere Richtungen entweichen kann.

Problematisch ist ebenfalls die Verlegung von Bodenbelägen auf Zementestrich als schwimmendem Estrich. Im Zuge der Erhärtung schwindet die Estrichplatte zunächst an der Oberfläche, wo das Wasser entweichen kann. Dadurch kommt es zu einer Verkürzung der oberen Seite gegen die untere Seite, die auf Folien aufliegt und ihre ursprüngliche Länge zunächst beibehält. Auswirkung der unterschiedlichen Schwindvorgänge ist ein **Aufschüsseln** der Estrichplatte, also ein Anheben der Ränder. Werden nun schon der Belag aufgebracht und die Randfugen verschlossen, kommt es zu Schäden, wenn die Estrichplatte zu einem späteren Zeitpunkt auch an ihrer Unterseite trocknet und die Verformung zurückgeht. Die Estrichplatte legt sich in den Randbereichen wieder ab. Sichtbar sind meist zunächst abgerissene Randfugen im Sockelbereich, in schlimmeren Fällen kommt es auch zu Schäden an den Belägen, wobei vor allem keramische Bodenbeläge und Naturstein gefährdet sind.

Bei der Verlegung von Zementestrich ist, wie bei Beton, auf eine entsprechende Nachbehandlung zu achten, die sicherstellt, dass das Anmachwasser nicht zu früh entzogen wird. In diesen Fällen kann die Hydratation nicht vollständig erfolgen, so dass die oberen Schichten keinen ausreichenden Verbund haben. Das führt zu einem „Absanden" der Estrichoberfläche, die den Verbund mit den aufzubringenden Nutzschichten beeinträchtigt. Vor allem bei der Verlegung von Schnellestrich und Industrieestrich sind die Umgebungsbedingungen sehr wichtig, die von den Herstellern der Baustoffe vorgegeben werden. Sie werden in vielen Fällen bei der Verlegung nicht beachtet, so z. B. das Vermeiden von Zugluft.

Bei der Auslegung von Trockenestrich auf Schüttungen entstehen bei unsachgemäßer Verdichtung Hohlstellen. Ein eingeschränkter Schallschutz und mögliche Schäden an den Nutzschichten können die Folge sein. Auch bei mangelhafter Befestigung der Platten oder zu schwacher Dimensionierung entstehen Bewegungen, die sich auf die Nutzschichten übertragen und zu Rissen führen.

Bei der Verwendung von Einbauteilen besteht immer die Gefahr, dass die Teile durch folgende Montagearbeiten beschädigt werden. Gefährdet sind vor allem Kunststoffschläuche für Fußbodenheizungen. Unterflurkanalsysteme sind entsprechend abzudichten und vor eindringendem Estrich zu schützen. Die Schäden sind meist nur durch einen Abbruch des Estrichs zu beheben.

Die optischen Mängel bei Nutzschichten sind häufiger Anlass von Streitigkeiten. Eine gute Leistungsbeschreibung ist der Grundstein zur Vermeidung. Insbesondere die zulässigen Toleranzen der Unterkonstruktionen sind häufig nicht geeignet, die hohen Anforderungen an den Bodenbelag erfüllen zu können. So kommt es zu Abweichungen der Fugen zu den Wandanschlüssen, Unebenheiten und z. B. Überzähnen, also Höhenunterschieden, bei Kanten von Natursteinen. Diese Abweichungen lassen sich bei einer handwerklichen Ausführung selten ganz vermeiden, können aber durch eine umsichtige Planung weitgehend vermieden oder optisch unauffällig gemacht werden. Beispielhaft sei hier die Verlegung von Fliesen genannt. Bei einer Verlegung aus einer Raumecke heraus ergibt sich meist ein optisch störendes Bild, wenn die Abweichungen an den gegenüberliegenden Seiten auftreten. Bei einer Verlegung aus der Raummitte heraus verteilen sich die Abweichungen auf die vier Ränder. Durch die Verlegung eines andersfarbigen Randstreifens in Verbindung mit einer entsprechenden Gestaltung des Sockels kann ein optisch gutes Bild erreicht werden.

Für viele Bodenbeläge ist eine Einpflege notwendig, z. B. das Wachsen oder Ölen von Holzböden. Die Hersteller geben entsprechende Pflegehinweise heraus, die sich auch auf die Reinigung während der Nutzung beziehen und zu beachten sind. Die Pflegeanleitungen müssen von dem Auftragnehmer an den Auftraggeber übergeben werden. Die Verwendung von falschen Reinigungsmitteln, mangelnde Pflege und falsche Nutzung können zu Mängeln führen. Streitigkeiten in der Gewährleistungsphase sind die Folge.

Bei Hohlböden, Doppelbodensystemen und Bodenaufbauten auf Holzbalkendecken können sich Probleme mit einem ausreichenden Trittschallschutz ergeben. Diese sind meist auf eine unsachgemäße Planung zurückzuführen. Bei der Montage schwimmender Estriche kommt es allerdings auch vielfach zu Ausführungsfehlern, da die schwimmende Estrichplatte keinen Kontakt zu den umliegenden Bauteilen haben darf. Der für eine Trennung der Bauteile sorgende Randstreifen wird aber in vielen Fällen nicht richtig montiert, oder durch die Verwendung flüssiger Kleber oder Mörtel wird die Fuge verschlossen. Eine erhebliche Verschlechterung des Schallschutzes ist die Folge.

Bei der Verwendung von elastischen Bodenbelägen aus Kunststoffen muss bedacht werden, dass sie im neuen Zustand Gerüche ausströmen. Auch die verwendeten Klebstoffe tragen einen Anteil dazu bei. In vielen Fällen werden diese Gerüche als unangenehm empfunden. Abhilfe schafft nur die Verwendung entsprechender Baustoffe. Bei der Verlegung von Belägen aus Kunststoff muss auch bedacht werden, dass die in ihnen enthaltenen Weichmacher in angrenzende Baustoffe diffundieren können. Daher kommt es zu Schäden an den neuen Belägen, wenn die Weichmacher in darunter belassene, alte Beläge diffundieren, z. B. verklebte Linoleumbeläge. Auch Möbelfüße aus Kunststoff können Verfärbungen hinterlassen.

Ein Problem, das vor allem bei renovierten Räumen auftritt, ist der **Fogging-Effekt**. So bezeichnet man schwarze, häufig schmierige Ablagerungen an den Wänden. Die genaue Ursache ist noch nicht geklärt. Man vermutet aber, dass flüchtige, organische Verbindungen eine Rolle spielen, die von Baustoffen, aber auch von Reinigungsmitteln und Einrichtungsgegenständen abgegeben werden. Da die Ursache unbekannt ist, führt dies zu Streitigkeiten, die sich rechtlich nur schwierig lösen lassen. Auch eine erneute Renovierung führt meistens nicht zu einer Vermeidung des Auftretens der Ablagerungen.

4. Weiterführende Literatur

Entsprechend der Vielfalt der Unterkonstruktionen für Fußböden und der unterschiedlichen Bodenbeläge gibt es auch eine große Anzahl von zu beachtenden Normen. Diese sollen hier nicht alle aufgezählt werden. In der Folge werden aber die für Fußböden zu beachtenden, wichtigsten Normen aufgeführt, die bei den Konstruktionen zu berücksichtigen sind, für die wichtigsten Bodenbeläge und für die Verarbeitung. Sehr ausführliche Hinweise finden sich bei den jeweiligen Interessenverbänden der entsprechenden Gewerke und werden auch von den Herstellern in Merkblättern etc. veröffentlicht. Daher ist es ratsam, bei feststehendem Baustoff spezifische Erkundigungen einzuziehen. Die entsprechenden Institutionen lassen sich sehr leicht über eine Abfrage im Internet oder bei der Industrie- und Handelskammer erfragen.

Für die verschiedenen Bodenbeläge gelten die folgenden Normen, nach den Werkstoffen sortiert:

zu Holz: DIN EN 13442, Parkett, Parkettstäbe etc.; gleichfalls für Parkett gilt DIN EN 13226 ff.; DIN 68702 für Holzpflaster, DIN EN 13629 für massive Laubholzdielen. Die Terminologie für Holzfußböden findet sich in der DIN EN 13756.

zu keramischen Belägen und Steinen: DIN V 18500:2006-12 für Betonwerksteine, DIN EN 13888 für Fugenmörtel, in der DIN EN 14411 finden sich für keramische Fliesen und Platten Begriffe, Klassifizierungen und Kennzeichnungen.

zu Sonstigen: DIN EN ISO 10874, Ausgabe 2012-04 Klassifizierung von elastischen Bodenbelägen, für Linoleum DIN EN ISO 24011, wobei es je nach dem Rückenmaterial des Linoleums weitere Normen gibt; DIN EN ISO 10581 Din EN 650 bis 652, DIN EN ISO 26986 und DIN EN ISO 10595 für verschiedene PVC-Beläge; DIN EN 13329 für Laminatböden; DIN EN 1307 für textile Bodenbeläge; für andere Materialien gibt es weitere Normen.

Die DIN 54345 für die Prüfung des elektrostatischen Verhaltens von textilen Bodenbelägen wurde zurückgezogen und die Anwendung von ISO 10965 empfohlen. Das Deutsche Teppich-Forschungsinstitut in Aachen ist ebenfalls Herausgeber von Detailinformationen zu textilen Bodenbelägen.

zu Estrich: Zentrale Norm ist die DIN 18560 mit den Teilen 1 bis 7, Estriche im Bauwesen, die einschließlich Heizestrich, Industrieböden etc. Vorgaben macht. Die Teile 5 und 6 wurden zurückgezogen, Teil 5 durch DIN 18560-7:2004-04, DIN EN 13813:2003-01 ersetzt. DIN 1100 für Hartstoffe in zementgebundenen Estrichen gibt Auskunft in Bezug auf Industrieböden etc. bzgl. des Zuschlages. Die DIN EN 13813 gilt für die Anforderungen an Estrichmörtel. Die DIN EN 13318 Estrichmörtel und Estriche definiert die Begriffe im Zusammenhang mit Estrich.

DIN 18157 gilt für die Ausführung keramischer Bekleidungen im Dünnbettverfahren.

bei Bodenkonstruktionen geltende Normen: Maßgeblich für Abdichtungen ist die DIN 18195 Bauwerksabdichtung, deren Teile für die jeweilige Belastung mit Wasser gelten, also von außen, von innen etc. Die DIN EN 14891 beinhaltet Angaben zu flüssigen Abdichtungsstoffen im

Verbund mit Fliesen und Plattenbelägen. Merkblätter zu diesem Thema hat auch der Fachverband des Deutschen Fliesengewerbes herausgegeben.

Für die Maßhaltigkeit gilt die DIN 18202, Toleranzen im Hochbau, in der die zulässigen Abweichungen geregelt sind. Hier finden sich auch Angaben, wenn erhöhte Anforderungen gelten sollen. Für manche Bodenbeläge mit sehr hohen Anforderungen an die Sichtqualität reichen aber auch die erhöhten Anforderungen der Norm nicht aus.

Sicherheitsaspekte regelt DIN 51097 für die Prüfung von Bodenbelägen bezüglich der Rutschhemmung, ebenso die DIN 51130. Die Norm DIN EN 12431 beinhaltet Angaben zu Dämmstoffen für Wärme- und Trittschalldämmung. Zu beachten sind insbesondere auch die Normen für den Schall-, Wärme-, Feuchte- und Brandschutz, die in dem Kapitel Bauphysik aufgeführt worden sind.

für besondere Konstruktionen: Die DIN EN 1264-2 Raumflächenintegrierte Heiz- und Kühlsysteme mit Wasserdurchströmung gilt für Warmwasser-Fußbodenheizungen; ebenfalls DIN EN 1264, Teile 1 bis 4. Für Möbelrollen, Rollen an Drehstühlen etc. gilt DIN EN 12529, wobei zu beachten ist, dass es für die verschiedenen Bodenbeläge unterschiedliche Rollentypen gibt. Eine Eignung für die Befahrbarkeit durch Rollen setzt voraus, dass auch die richtigen Rollen verwendet werden.

Für Doppel- und Hohlböden gelten DIN EN 12825 und 13213, wobei bezüglich der Feuerwiderstandsprüfungen die DIN EN 1366, Teile 1 bis 6 zu beachten sind.

für die Ausführung: In der VOB/C finden sich die DIN 18332 für Naturwerksteinarbeiten, DIN 18333 für Betonwerksteinarbeiten, DIN 18336 für Abdichtungsarbeiten, DIN 18340 für Trockenbauarbeiten, DIN 18352 für Fliesen- und Plattenarbeiten, DIN 18353 für Estricharbeiten, DIN 18356 für Parkettarbeiten, DIN 18363 für Maler- und Lackiererarbeiten – Beschichtungen und DIN 18365 für Bodenbelagsarbeiten.

Konstruktionen von Böden und viele Detailinformationen finden sich im Handbuch für das Estrich- und Belaggewerbe, herausgegeben vom Zentralverband des Deutschen Baugewerbes e. V. und im Fussboden-Atlas von Andreas Unger, Verlag Quo Vado, Donauwörth.

IV. Türen

1. Einführende Erläuterungen

Eine Tür ist ein Element, welches eine Öffnung in einer Wand verschließt, die für den Durchgang von Personen bestimmt ist. Bautechnisch spricht man im Allgemeinen ebenfalls von Türen. Gemeint ist damit allerdings die gesamte Türkonstruktion, die in eine Wandöffnung eingebaut wird. Diese besteht zunächst aus dem **Türblatt,** also dem beweglichen Teil. Der in der Öffnung fest montierte Teil ist je nach Ausführung die **Türzarge** oder der Türrahmen. Türen, Rahmen und Zargen gibt es in vielen Bauarten, so dass die beiden Elemente einer Türkonstruktion aufeinander abzustimmen sind. Weitere Bestandteile der Türkonstruktion sind die **Beschläge,** wie z. B. Klinken, Scharniere, Briefschlitze, Dichtungen etc.

Türen werden unter vielfältigen Gesichtspunkten unterschieden. Wenn sie in der Gebäudehülle montiert sind, handelt es sich um Außentüren. Im Inneren eines Gebäudes werden sie entsprechend mit Innentüren bezeichnet. Für alle Türen wird weiter unterschieden, wie sie sich öffnen lassen, z. B. übliche Türen als einflügelige Drehflügeltüren, Drehkreuztüren, umgangssprachlich als Drehtür bezeichnet, Schiebetüren, Falttüren etc. Werden an die Türen besondere Anforderungen gestellt, gibt es entsprechende Sondertüren, z. B. Brandschutztüren, Automatiktüren usw. Die Bezeichnungen der näheren Verwendung der Türen gibt zwar Aufschlüsse, ist aber nicht eindeutig; z. B. Hauseingangstür, Wohnungstür, Zimmertür, Kellertür etc. Noch weniger aussagekräftig sind die Unterscheidungen nach dem Material, da sie nichts über die Verwendung der Türen aussagen, z. B. Stahltür, Glastür etc.

Entsprechend ihrem Einbauort unterliegen Türen vielen Vorschriften und Regelungen. Hierzu zählen nicht nur Brand-, Schall-, Wärme- und Feuchteschutz, sondern neben vorgeschriebenen Türgrößen auch Bestimmungen der Öffnungsrichtung, maximale Entfernungen von Räumen, Kennzeichnungen etc. Daher müssen Türen in der Planung entsprechend berücksichtigt werden und beeinflussen schon den Rohbau. Bei einem üblichen, gewerblich genutzten Gebäude stellen die Türen einen erheblichen Kostenfaktor dar. Türen werden industriell gefertigt und als System auf die Baustelle geliefert.

Tore sind von Türen zu unterscheiden. Üblicherweise dienen sie der Durchfahrt von Fahrzeugen in ein Gebäude. Es gibt auch hier vielfältige Ausführungen, die von Garagen bekannt sind und der Unterscheidung der Türen ähnelt. In gewerblich genutzten Gebäuden und für Tiefgaragen kommen heute fast nur noch elektrisch angetriebene Tore zum Einsatz. Sie stellen ein Element der Haustechnik dar.

2. Fachliche Erläuterungen

Türen werden üblicherweise mit der dazugehörigen Zarge als System geliefert. Die Einzelteile dieser Systeme sind aufeinander abgestimmt und erfüllen erst in ihrer Gesamtheit und in ihrem Zusammenwirken die jeweiligen Anforderungen. Zwar werden in den folgenden Ausführungen die einzelnen Bauteile einer Tür näher beschrieben, allerdings muss man sie immer mit den anderen Bauteilen zusammen betrachten. Beispielsweise kann eine Brandschutztür nicht allein aus einem entsprechenden Türblatt bestehen, sondern auch die Zarge, eine Dichtung etc. müssen entsprechend ausgebildet werden. Das gilt natürlich auch für den Einbau der Tür in die Wandöffnung, da auch die einbruchhemmende Tür nur funktionieren kann, wenn sie ordnungsgemäß in eine entsprechende Wandöffnung montiert wurde.

Das **Türblatt** dient dem flächigen Verschluss der Maueröffnung. Es wird aus unterschiedlichen Materialien hergestellt und ist meist mehrschichtig aufgebaut. Damit wird sichergestellt, dass das Türblatt den Anforderungen an den Wärme- und Schallschutz gerecht wird. Bei Außentüren muss die Beständigkeit gegen die Witterungseinflüsse durch Temperatur, Feuchte und Sonneneinstrahlung gegeben sein. Durch temperaturbedingte Dehnung und feuchtebedingtes Quellen verformen sich die Türblätter. Unterschiedliche klimatische Bedingungen des Innen- und Außenbereiches führen dabei zu Krümmungen und Verwindungen. Die zulässigen Verformungen müssen von den Dichtungen ausgeglichen werden.

Zarge und **Rahmen** bilden quasi das Lager für das Türblatt. Es gibt unterschiedliche Ausführungen, je nachdem ob der Rahmen in die Öffnung eingebaut wird, die Öffnung in der Wanddicke ausfüllt oder die anschließende Wand umfasst. Fachtechnisch unterscheidet man Blendrahmen, Blockrahmen, Zargen usw. Bei der Auswahl spielen auch optische Fragen eine Rolle.

Beschläge ist ein Oberbegriff. Im Zusammenhang mit Türen werden darunter in der Hauptsache die an dem Türblatt und der Zarge montierten Teile verstanden. Die **Scharniere** heißen fachtechnisch Bänder. An ihnen ist das Türblatt in der Zarge drehbar aufgehängt. Sie werden je nach Anwendungsbereich in Klassen für leichten bis sehr starken Gebrauch eingeteilt und unterscheiden sich nicht nur im Material und der Bauart, sondern auch in der Anzahl. Normalerweise werden zwei Bänder angebracht, für besondere Fälle aber auch bis zu fünf Bänder. Art und Anzahl richtet sich nach den Anforderungen und dem Gewicht des Türblattes.

Türgarnituren bestehen aus dem Türdrücker als Klinke oder Knauf, Rosetten oder Schildern als Bekleidung der Öffnungen im Türblatt und für Toilettenräume mit einem innenliegenden Verschlussriegel. Je nach der Verwendung gibt es Türgarnituren mit Klinken auf beiden Seiten ohne und mit Aussparung für ein Schloss, nur auf einer Seite mit Klinke und mit Festknauf auf der anderen Seite für Wohnungsabschlusstüren, usw.

Türschlösser werden heute fast ausschließlich als Einschub geliefert, der in den Schlosskasten des Türblattes eingesteckt und an der Schmalseite verschraubt wird. Die **Einsteckschlösser** beinhalten sowohl eine Vorrichtung zum Schließen mittels der Klinke, als auch eine Einbauöffnung für einen Schließzylinder, der mit einem Schlüssel betätigt werden kann. Einsteckschlösser sind in verschiedene Klassen unterteilt, z. B. für Innentüren, Wohnungsabschlusstüren etc.

Die Einsteckschlösser beinhalten die eigentlichen Schlösser, für einfache Zwecke als Buntbartschloss, bei Sicherheitsanforderungen als Zylinderschloss. In diesen kann der Schließzylinder ausgetauscht werden. Es handelt sich dabei um das Einbauteil, in das der Schlüssel eingesteckt wird. In die Zarge ist das Schließblech eingelassen, in welches die Teile des Einsteckschlosses eingreifen, die als Falle für die Klinke und als Riegel für das Schloss bezeichnet werden.

Türschließer sorgen für ein automatisches Schließen der Tür. Es gibt sie in verschiedenen Ausführungen, meist als Obertürschließer, der an der Oberkante montiert wird. Er hat den Vorteil leichter Austauschbarkeit gegenüber den Bodentürschließern, die in den Estrich eingelassen werden. Die Geräte sorgen meist auch für eine Verzögerung des Schließens über eine Dämpfungseinrichtung. Für bestimmte Türen sind Schließer vorgeschrieben, z. B. Brandschutztüren. Bei automatischen Türen verfügen die Schließer über einen Antrieb, sodass sie die Türen auch öffnen können. Weitere Beschläge sind Feststelleinrichtungen zum Offenhalten der Tür, Briefschlitze, Spione etc.

Dichtungen an Türkonstruktionen kann man in die Falzdichtungen unterscheiden, die umlaufend in der Zarge montiert sind, und die Bodendichtungen. Sie können am Türblatt montiert sein in Form von schleifenden Gummilippen oder als Gummiprofil mit einem Anschlag an Bodenschwellen.

Die **Abmessungen** der Türen sind als Baurichtmaße vereinheitlicht. Übliche Innentüren haben eine Breite von 87,5 cm und eine Höhe von 200 cm oder 212,5 cm. Außentüren sind mit 112, 5 cm breiter. Vorzugsmaße ergeben sich aus der DIN 18100. Je nach Nutzung können größere Türöffnungen, die Anzahl und die Lage der Türen vorgeschrieben sein, so z. B. für Veranstaltungsräume. Bei Fluchtwegen müssen die Türen in die Fluchtrichtung öffnen.

Der **Einbau der Türen** in die Wandöffnungen hängt von dem Typ der Zarge oder des Rahmens ab. Üblicherweise werden die Zargen in die Öffnung gestellt, ausgerichtet und verkeilt. Für die Füllung des Spaltes zwischen der Wand und der Zarge werden aufquellende Schäume, elastische Bänder oder Dämmstoffe verwendet. Stahlzargen werden mit Mörtel hinterfüllt. Für eine weitere Arretierung können Dübel, eingemauerte Haltebänder usw. zum Einsatz kommen. Außentüren und Wohnungsabschlusstüren müssen mit mechanischen Befestigungsmitteln arretiert werden, um den Verbund mit der Wand sicherzustellen. Der verbleibende Spalt zwischen der Wand und der Zarge wird entweder verputzt, durch Profile oder das Futter abgedeckt. Zierbekleidungen sind die seitlichen Teile der Zarge, welche die angrenzende Wand überlappen. Der Einbau ist mitentscheidend für die Erfüllung der Anforderungen an die Tür.

Um die bauphysikalischen Anforderungen zu erfüllen, bildet man bei Außentüren den jeweiligen Anschluss funktional aus. Der raumseitige Anschluss wird luftdicht ausgebildet, damit die warme Raumluft nicht in die Fuge eindringt und dort zu einem Tauwasseranfall führt. Die Fuge dient der Wärmedämmung und wird mit Dämmstoffen gefüllt. Der wetterseitige Anschluss sorgt für die Abdichtung gegen Schlagregen und Wind.

Anforderungen an Türen ergeben sich aus vielen Gründen. In Bezug auf den **Schallschutz** sind in DIN 4109 verbindliche Mindestanforderungen geregelt, wenn die Türen fremdgenutzte Arbeits- oder Wohnbereiche trennen. Dabei gibt es verschiedene Prüfverfahren für die Türblätter, das System Tür und Zarge und die betriebsfertig eingebaute Tür. Die mechanische Beanspruchung von Türen ist sehr unterschiedlich. In den Normen finden sich Einteilungen in verschiedene Klassen, die nach der Art der Nutzung und dem Einbauort unterscheiden.

Für besondere Anforderungen gibt es **Sondertüren.** Zu den Sondertüren zählen die Wohnungseingangstüren, an die in Bezug auf den Brand-, Schall- und Einbruchschutz erhöhte Anforderungen zu stellen sind. Türen von Feucht- oder Nassräumen müssen gegen direkte Einwirkung von Wasser beständig sein, welches sich auch auf Grund der Temperaturunterschiede und der Wasserdampfsättigung der Raumluft beim Duschen etc. als Tauwasser an der Tür bilden kann. Für Ganzglastüren sind ebenfalls besondere Vorschriften bezüglich der Sicherheit gegen Glasbruch und für die Nutzer zu beachten.

Schutztüren dienen ebenfalls erhöhten Anforderungen. Bezüglich des Brandschutzes werden die Türen nach ihrer Feuerwiderstandsklasse eingeteilt als T 30, 60, 90, 120 und 180 – Türen. Die Zahlen bedeuten, dass die Türkonstruktion bei entsprechendem Einbau bei einem Brandversuch die angegebene Anzahl von Minuten dem Brand widerstanden hat und den Durchtritt des Feuers verhindert hat. Rauchschutztüren müssen im Brandfall nur die Verbreitung von Rauch verhindern und daher eine diesbezügliche Dichtheit aufweisen. Diese Schutztüren für den Brandfall sind in aller Regel selbstschließend. Weitere Schutztüren dienen der besonderen Einbruchhemmung durch verstärkte Schließungen an beiden Seiten des Türblattes, schusssichere Türblätter etc., dem weitergehenden Schall- oder Strahlenschutz.

3. Häufig auftretende Probleme in der Praxis

Türblätter können sich verziehen und dadurch schlecht schließen. Insbesondere Holzkonstruktionen sind anfällig, wenn die Konstruktion nicht auf die Verwendung abgestimmt ist. Wenn die Türen in den noch feuchten Rohbau eingebaut werden, treten diese Probleme verstärkt auf. Zu Beschädigungen der Türblätter durch den Transport und das Aufstellen, vor allem an den Ecken und Kanten, oder durch folgende Bauarbeiten auf den Flächen kommt es vermehrt. Die Verursachung dieser Schäden ist häufig schwer feststellbar.

Das gilt auch für Rahmen und Zargen, die meist durch folgende Gewerke eingebunden werden, z. B. Putzer, Tapezierer und Maler. Ein nachlässiger Einbau ergibt Mängel bezüglich des Schall- und Wärmeschutzes. Hier sind insbesondere die Dämmungen und Anschlüsse betroffen. Die Falz- und Bodendichtungen werden ebenfalls durch den weiteren Baubetrieb in Mitleidenschaft gezogen. Verschmutzungen führen zu einem Nachlassen der dichtenden Wirkung.

Die Scharniere werden bei der Montage eingestellt, so dass die Türblätter vollflächig auf der Dichtung aufliegen. Durch den Gebrauch und sich ändernde Umgebungsbedingungen ist es allerdings normal, dass die Türblätter nach Ablauf einer gewissen Zeit nachjustiert werden müssen. Das kann auch die Schlösser betreffen. Bei der Auswahl von Türen geringwertigerer Klassen trotz hoher Beanspruchung kommt es allerdings auch zu einem schnelleren Verschleiß der Bänder. Die eingesparte Bausumme lohnt sich in aller Regel nicht.

Türschließer haben häufig eine Dämpfung, die mittels Öl gefüllter Zylindern funktioniert. Gerade an Eingangstüren ändern sich aber die Temperaturen jahreszeitlich bedingt. Dadurch ändert sich auch die Viskosität des Öles, so dass die Türen nicht mehr schließen oder ungenügend gedämpft in das Schloss fallen. Meistens lassen sich die Türschließer an einer Einstellschraube justieren, die von außen zugänglich ist.

Sondertüren und Schutztüren müssen entsprechend den Anforderungen geplant und eingebaut werden. Dabei sind die zwingenden Vorgaben zu beachten. Bei gewerblichen Objekten sind dies durchaus insgesamt einige hundert Türen. Durch Planungsfehler oder Montagefehler kann es zu dem Einbau falscher oder unzureichender Türen kommen. Diese Mängel werden häufig erst bei der Abnahme festgestellt und lassen sich nur mit größerem Aufwand beheben.

Vor allem im Wohnbereich werden in Bädern keine Sondertüren eingebaut. Bei starker Nutzung und hoher Feuchtebelastung quellen die Türblätter in den Randbereichen auf und die Beschichtungen platzen ab. Dazu kann es auch kommen, wenn die Türblätter unten gekürzt werden, weil ein anderer Bodenbelag eingebracht wird.

4. Weiterführende Literatur

Für Türen im Wohnungsbau gibt die DIN 18101 Angaben für die Türkonstruktionen, wie z. B. Türblattgrößen, Bandsitz etc. Für die Wandöffnungen gilt die DIN 18100. Für Türblätter aus Holz findet man Anforderungen, Maße etc. in der DIN 68706 Teil 1, Zargen in Teil 2; die DIN 18111 gilt für Stahltüren. Die Terminologie bezüglich der Türen ist in DIN EN 12519 festgehalten.

Als europäische Normen finden sich ebenfalls entsprechende Regelungen, deren Inhalte nicht identisch sind. Beispielhaft für die Prüfungen von Türen sind die DIN EN 947 bis 952 mit Prüfverfahren zur Widerstandsfähigkeit gegen mögliche Einwirkungen, die Maßhaltigkeit etc., DIN EN 1026 f. mit Prüfverfahren gegen Schlagregen und Luftdurchlässigkeit, DIN EN 1121 für klimatische Belastungen, DIN EN 1191 für Dauerbelastung etc. Maßhaltigkeiten der Türblätter findet man in der DIN EN 1529.

Für Türbänder gilt DIN EN 1935 mit der Einteilung in die verschiedenen Gebrauchsklassen. Türschlösser sind in der DIN 18251 und 18252 geregelt, die Schließzylinder in der DIN EN 1303. Die Beschläge sind in der DIN 18255 mit Begriffen, Maßen, Anforderungen etc. zu finden. Die DIN 18263 und die DIN EN 1154 enthalten Vorgaben für Türschließer, für angetriebene Türschließer gibt es weitere Normen. Als europäische Normen gelten für die unterschiedlichen Türschließer, je nach ihren Funktionen, die DIN EN 1154, DIN EN 1155, DIN EN 1158 usw.

Für Schutztüren sind beispielsweise die DIN 18093 für Feuerschutztüren, DIN 18095 für Rauchschutztüren, zu beachten, Prüfverfahren hierzu in der DIN EN 1634, die DIN 6834 für Strahlenschutztüren medizinischer Räume und die DIN EN 1522 für schusshemmende Türen. Schlösser und Beschläge für Sonder- und Schutztüren werden in vielen Normen erfasst, z. B. DIN EN 179 für Notausgangsverschlüsse, einbruchhemmende Nachrüstprodukte in DIN 18104. Für Tore gilt die DIN EN 12433.

In der Arbeitsstättenverordnung sind viele Dinge geregelt, welche für die Anordnung und Ausführung von Türen zu beachten sind. Sie korrespondieren mit entsprechenden Regelungen in den jeweiligen Bauordnungen der Länder. Vom Hauptverband der gewerblichen Berufsgenossenschaften werden Richtlinien herausgegeben, die die Angaben ergänzen. Für barrierefreies Bauen, also für ältere Bewohner und Menschen mit körperlichen Einschränkungen, ist die DIN 18040 maßgeblich. Zu beachten sind insbesondere auch die Normen für den Schall-, Wärme-, Feuchte- und Brandschutz, die in dem Kapitel Bauphysik aufgeführt worden sind.

Die RAL – Deutsche Institute für Gütesicherung und Kennzeichnung haben für Türen mehrere Veröffentlichungen herausgegeben, die sich mit Türen unterschiedlicher Art, ihrem Einbau und den Beschlägen beschäftigen. Hier findet man zahlreiche Hinweise für eine ordnungsgemäße Türauswahl und -montage. Auch bei dem Institut für Fenstertechnik in Rosenheim gibt es mehrere Veröffentlichungen mit Einsatzempfehlungen etc. Von den Herstellern werden ebenfalls Leitfäden, Merkblätter etc. veröffentlicht, teilweise auch Taschenbücher für bestimmte Produkte, z. B. Schlösser oder Beschläge.

V. Haustechnik

1. Einführende Erläuterungen

Im Bereich der Wohnungsbauten war die Haustechnik eine handwerkliche Leistung, die von entsprechenden Handwerksbetrieben eingebaut worden ist. Vom Bauherrn wurden diese Leistungen getrennt vergeben. Es handelte sich um den Einbau der Heizung, von Wasser- und Abwasserleitungen, sowie Stromverlegung. Hinzu kamen Telefonleitungen und Antennenanschlüsse für Radio und Fernsehen, eventuell ein Gasanschluss.

Für den standardisierten Wohnungsbau hat sich daran nicht viel geändert. Die zur Verfügung stehenden Ver- und Entsorgungsmedien sind geblieben, auch wenn sie sich qualitativ verändert haben. Innerhalb der Wohnhäuser ist aber der Ausbaustandard gestiegen und es sind haustechnische Anlagen hinzugekommen. Hierzu zählen bspw. Aufzüge, Solaranlagen, Regenwassernutzungen, etc.

Für den Bereich der Gewerbe- und Verwaltungsgebäude haben sich allerdings erhebliche Entwicklungen eingestellt. Sie sind einerseits auf die Fortschritte in der Datenverarbeitung und Kommunikation zurückzuführen, andererseits auf den Einbau von umfangreichen Anlagen zur Klimatisierung der Innenräume, für die Sicherheitstechnik usw. Auch die Entwicklung hin zu Gebäuden mit gemischter Nutzung, Einkaufszentren, die eine Vielzahl unterschiedlicher Gewerbe unter einem Dach vereinen, und die häufige Umnutzung der Flächen führen zu einem erheblichen Anstieg der notwendigen Installationen. Für die Gebäudetechnik werden heute daher ca. 20 bis 50 Prozent der Bausumme aufgewendet.

Durch den Anstieg der Installationsdichte werden erheblich mehr Leitungen benötigt, die über große Querschnitte verfügen. Daher ist bereits in einem sehr frühen Stadium der Planung für den Rohbau die technische Gebäudeausstattung zu berücksichtigen. Bereits unter den Gebäuden müssen Leitungen verlegt werden, der Rohbau ist so zu konzipieren, dass die entsprechenden Aussparungen in Decken, Unterzügen und Wänden vorhanden sind, und der Innenausbau muss die entsprechenden Leitungen aufnehmen können.

Nicht nur die Baukosten sind beachtlich, sondern werden durch die Betriebskosten bei weitem überstiegen. Um dabei möglichst kostensparend zu verfahren, kommt der Gebäudeautomation immer größere Bedeutung zu. Daher sind Aspekte des Betriebes ebenfalls in der Bauphase zu berücksichtigen. Der Dokumentation der Einbauten kommt eine erhebliche Bedeutung zu. Durch den Umfang der haustechnischen Anlagen hat sich auch das Gebäudemanagement etabliert, **Facility Management** genannt. Siehe hierzu die Abbildung 65.

Durch die Entwicklung zur schlüsselfertigen Herstellung dieser Gebäude und die Vergabe an einen Generalunternehmer hat es sich ergeben, dass die Haustechnik durch die Baufirmen mit angeboten wird. In aller Regel führen die Baufirmen diese Leistungen aber nicht selbst aus, sondern hoch spezialisierte Planungsbüros und Firmen fungieren als Nachunternehmer. Hinzu kommt, dass die Anlagentechnik immer aufwändiger wird, die weitreichenden Fachkenntnisse aber nicht zur Ausbildung des Bauingenieurs gehören. Daher wird an dieser Stelle auch nicht auf die haustechnischen Anlagen im Detail eingegangen, sondern es soll nur die Integration dieser Leistungen in die Abwicklung der schlüsselfertigen Projekte aufgezeigt werden. Dabei werden die Schwerpunkte auf die Begrifflichkeiten und den baubetrieblichen Aspekt gelegt.

Abbildung 65: Facility Management Datenbank

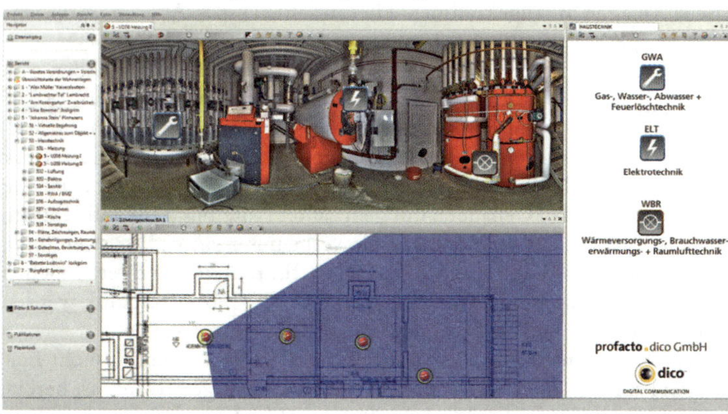

Die Abbildung zeigt einen Ausschnitt aus einer modernen Datenbank für die Gebäudeverwaltung. In der realen Abbildung des Gebäudes oder des Raumes sind Symbole von Dokumenten der Einbauten oder der Bauteile enthalten, die auf dem Bildschirm direkt abgerufen werden können. Untenstehend erkennt man auf dem Grundriss seine Position im Gebäude.

2. Fachliche Erläuterungen

Grundsätzlich kann man zwischen der Haustechnik als technischer Gebäudeausrüstung und den technischen Betriebseinrichtungen unterscheiden. Diese Unterscheidung ist aber nicht immer eindeutig. Zu der **technischen Gebäudeausrüstung** zählen z. B. die Heizungs- und Klimaanlagen, Sanitär, Stromversorgung, Blitzschutz etc. Die **Betriebseinrichtungen** umfassen Aufzugs- und Förderanlagen, Parkierungsanlagen, sowie spezielle Betriebseinrichtungen für Krankenhäuser, Sportstätten, Autowerkstätten, Gastronomie, Hotel etc. und die entsprechenden Ver- und Entsorgungseinrichtungen. Hierzu gehören Starkstrom, Betriebsmittel, wie z. B. Gase, Wasserreinigungsanlagen, Öl- und Fettabscheider usw.

Gebräuchliche **Abkürzungen** im Zusammenhang mit haustechnischen Anlagen sind:

- TGA – Technische Gebäudeausrüstung
- RLT – Raumlufttechnische Anlagen
- ELT – Elektrotechnik
- MSR – Mess-, Steuer- und Regeltechnik, heute Gebäudeautomation genannt
- GLT – Gebäudeleittechnik
- HLS – Heizung Lüftung Sanitär
- BMA – Brandmeldeanlage
- RWA – Rauch- und Wärmeabzug
- EMA – Einbruchmeldeanlage
- NSHV – Niederspannungshauptversorgung
- ZUKO – Zutrittskontrollsysteme
- DV/TK – Datenverarbeitung und Telekommunikation
- DECT – Digital European Cordless Telephony
- ELA – Elektro Akustische Anlage

Auf **Haustechnikplänen** finden sich viele weitere Abkürzungen, welche die einzelnen Teile der Anlagen beschreiben, z. B. HK für Heizkörper, WT für Waschtische, KW für Kaltwasser etc. Es sollten dazu jeweils Legenden vorhanden sein, so dass die Pläne verständlich sind. Ergänzend gibt es zahlreiche Normen, in denen die zu verwendenden Symbole etc. erläutert sind.

Im Wohnungsbau sind die **Schnittstellen** zwischen den einzelnen Gewerken für die Haustechnik gut zu übersehen. Die Heizungsanlage benötigt einen Stromanschluss und im Betriebsraum einen Wasserzu- und -ablauf zum Befüllen der Anlage. Eine mögliche Schnittstelle zum Gewerk

Sanitär ist die Warmwassererzeugung. Das Gewerk Elektro ist autark, bis auf die Verlegung der Anschlüsse für die anderen Gewerke an deren Einbauorten. Die Gebäudeautomation ist in den jeweiligen Gewerken angelegt und nicht vernetzt. Hierbei handelt es sich z. B. um Temperaturfühler für die Heizungsregulierung, Zeitschaltuhren für die Beleuchtung und die Warmwassertemperatur etc.

In großen, gewerblichen Projekten ergibt sich allerdings eine Fülle von Schnittstellen. Die Heizungsanlagen sind mit der Klimaanlage, der Lüftung, dem automatisierten Sonnenschutz etc. verbunden. Die Temperatur wird an vielen Stellen durch Sensoren aufgenommen, die der zentralen Steuerung zur Regelung dienen. Individuelle Steuerungselemente dienen dem Nutzer, die Temperaturen in einer vorgegebenen Bandbreite zu beeinflussen. Die **raumlufttechnischen Anlagen** umfassen daher nicht nur die Kältemaschinen, Heizanlagen und Lüftungen, sondern sind auch mit der Fassadentechnik etc. zu verbinden.

Der Sicherheit der Gebäude und der Nutzer kommen große Bedeutung zu. Der Brandschutz erfordert eine große Anzahl von Steuerungselementen, damit die jeweiligen Brandschutzelemente funktionieren. Brand- und Rauchmelder nehmen automatisch entsprechende Änderungen der Raumluft auf. Diese Daten der **Brandmeldeanlage** werden genutzt, um Rauchabzugsklappen zu steuern, Brandschutztüren zu schließen, Sprinkleranlagen in Gang zu setzen, einen Notruf zu senden usw.

Der Sicherheit dienen auch Überwachungsanlagen, die nicht nur im Brandfall Informationen liefern, sondern ebenfalls vor unbefugten Handlungen warnen sollen. **Einbruchmeldeanlage** haben weitere Sensoren, die auf Erschütterung, Zerstörung oder Bewegung reagieren und die Alarmanlage in Gang setzen. Sie dienen in Verbindung mit **Zugangskontrollsystemen** der Trennung von Gebäudebereichen, die nur für bestimmte Nutzer freigegeben sind. Hierzu zählen vor allem elektronische Systeme, die von der Einfahrtsberechtigung in eine Tiefgarage, die Steuerung des Lifts, der nur in den ausgewiesenen Stockwerken hält, bis zur Zeit- und Anwesenheitserfassung Daten verarbeiten und an die jeweiligen Steuerungselemente weitergeben können.

Für die aufgezählten Anlagen ist Strom bereitzustellen, der bei größeren Anlagen als Starkstrom zu installieren ist, so z. B. Drehstrom mit 380 V. Hinzu kommen die üblichen Verbraucher, also Geräte mit 240 V Gebrauchsspannung, die von den Nutzern betrieben werden. Für die Gebäude wird daher eine Energiebilanz erstellt, um die notwendige Anschlussleistung für die Bereitstellung durch die Energieversorgungsunternehmen zu bestimmen. Dafür werden häufig eigene Umspannanlagen montiert, also Transformatoren. Weitere Großverbraucher sind z. B. Aufzüge und Rolltreppen, Fahrtreppen genannt, für Ladengeschäfte Kühlbereiche,

Küchen usw. Die **Elektrotechnik** hat also unterschiedliche Stromnetze zu installieren, auch im Hinblick auf eine getrennte Verbrauchsabrechnung.

Für die **Datenverarbeitung und Telekommunikation** werden Verteilernetze aufgebaut. In Verwaltungsgebäuden sind Arbeitsplätze für die Mitarbeiter einzurichten, die mit Telefon, internen Computernetzanschlüssen usw. ausgestattet werden. In modernen Hotels werden diese Anschlüsse ebenfalls in jedem Zimmer bereitgestellt, aber auch die Logistik und die Abrechnung automatisiert. So werden bspw. Kühlschränke datentechnisch erfasst, indem bei Entnahme einer Getränkeflasche die entsprechende Meldung an den Zimmerservice geleitet wird, damit das Getränk aufgefüllt wird. Gleichzeitig wird aber auch die Entnahme an die zentrale Abrechnung gemeldet, die in dem entsprechenden Zimmer das Getränk auf die Rechnung setzt. Die Liste der Beispiele ließe sich beliebig verlängern.

Baubetrieblich müssen die Gewerke der Haustechnik bereits in der Arbeitsvorbereitung berücksichtigt werden. Es gibt viele Überschneidungen bei der Ausführung mit den eigentlichen Baugewerken. Dafür ist ein hoher Koordinationsaufwand notwendig. Bei der Bauausführung sind die Vorgaben der Haustechnik zu berücksichtigen. Dabei sind nicht nur die Aussparungen für die Montage auszuführen, sondern die Berücksichtigung der technischen Anlagen mit den durch sie eingebrachten Lasten beeinflusst auch die notwendige Bewehrung.

Bei kurzen Bauzeiten werden die Gewerke der Haustechnik in den unteren Geschossen bereits ausgeführt, während die Rohbauarbeiten in den oberen Geschossen fortgesetzt werden. Das führt zu einer hohen Belegschaft auf den Baustellen, die sicherheits- und ablauftechnisch zu berücksichtigen ist. Der Bauleitungsaufwand ist erheblich größer, als er bei einer gestaffelten Ausführung wäre.

3. Häufig auftretende Probleme in der Praxis

Die Haustechnik wird üblicherweise durch die verschiedenen Fachplaner vorbereitet. Hierfür sind bereits vielfache Festlegungen notwendig. Die einzelnen Fachplanungen müssen koordiniert und verbunden werden. Häufig ergibt es sich, dass Angaben für die Planung fehlen, oder die Fachplanung nicht so weit fortgeschritten ist, dass die aus ihr resultierenden Angaben zur Verfügung stehen. Daher ist es kurz vor der Ausführung möglich, dass sich die Angaben in den verschiedenen Fachplanungen widersprechen, oder nicht ausgeführt werden können, da z. B. Leitungstrassen an Stellen angeordnet wurden, die bereits durch andere Haustechnik belegt ist. Die Verursachung dieser Planungsfehler ist vielfach unklar. Ebenfalls ergeben sich Streitigkeiten über Prüfungspflichten, Informationspflichten etc.

In der Ausführung sind meist sehr viele Gewerke gleichzeitig auf der Baustelle. Dadurch kommt es unter den Gewerken zu Behinderungen und Störungen. Das führt dazu, dass die Leistungen jeweils gestückelt erbracht werden und der Leistungsstand unübersichtlich wird. Eine Dokumentation des Bauablaufes ist in diesen Phasen sehr schwierig und man kann ihn in vielen Fällen als unmöglich bezeichnen, z. B. um die Auswirkungen von hindernden Umständen aufzuzeigen.

Durch die verschiedenen Haustechnikgewerke ist es ebenfalls so, dass das zuerst ausführende Gewerk für seine Montage noch gute Bedingungen vorfindet. Die weiteren Gewerke müssen ihre Leistungen ausführen, wenn das erste Gewerk bereits ausgeführt hat, so dass die Raum- und Platzverhältnisse schon beengt sein können. Beispielhaft ist es sehr schwierig, nach Montage der Lüftungskanäle und der Leitungstrassen die Abwasserleitungen zu montieren, da diese auf ein ordnungsgemäßes Gefälle angewiesen sind und daher die Verlegung nicht frei gewählt werden kann. Durch die nachfolgenden Gewerke kommt es daher für die Montagen zu Lösungen, die als Behelfslösung nicht einer sachgemäßen Ausführung entsprechen. Zu beobachten ist es auch, dass Kabel und Leitungen an bereits bestehende Leitungen angehängt werden, oder die Kabelpritschen überbelegt werden. Vor allem an Durchführungen kommt es dabei zu Mängeln im Bereich des Brandschutzes.

Änderungen der Leistungen im Ausbau betreffen in vielfältiger Weise auch die Haustechnik. Bereits der Versatz von Wänden oder die Änderung von Raumgrößen bedingt geänderte Leitungsführungen und Anschlusswerte, z. B. für die Lüftung. In aller Regel ist auch der Brandschutz betroffen, da sich z. B. die Fluchtwegekonzeption ändern kann. Wenn die Leistungsänderungen erst angeordnet werden, wenn die Haustechnik bereits montiert ist, sind die Eingriffe noch schwerwiegender. In aller Regel entstehen hohe Kosten auf Grund geringfügig erscheinender Änderungen, so dass Streitigkeiten um die Vergütung an der Tagesordnung sind.

Durch die vielfache Verzahnung der technischen Gebäudeausstattung und die Zusammenführung in der Gebäudeleittechnik und der Gebäudeautomation ergeben sich bei den Probeläufen fast immer Störungen. Die Ursächlichkeit ist häufig nicht eindeutig, da die verschiedenen Gewerke jeweils aneinander anschließen. Da die Probeläufe kurz vor der Gesamtabnahme stattfinden, sind meist auch Vertragsstrafen und andere Schäden zu befürchten. Auf die Schwierigkeiten bei der Dokumentation und der Ursachenfeststellung wurde bereits hingewiesen.

Diese Problematik setzt sich auch in die Gewährleistungsphase hinein fort. Dazu kommt allerdings auch der Betrieb durch den Nutzer, möglicherweise Wartungsmaßnahmen durch Drittfirmen usw. Es stellt sich dann bei Funktionsstörungen die Frage, ob es sich um eine Gewährleistung der ausführenden Firma handelt, nutzungsbedingten Verschleiß, einen Mangel der Wartung usw. Problematisch ist insbesondere die Abgrenzung von Verschleißteilen zu anderen Bauteilen, die der vollen Gewährleistung unterliegen. Man sollte auch hier vertragliche Regelungen treffen, die bezüglich der Gewährleistung diejenigen Teile definieren, die als Verschleißteil angesehen werden sollen. Gutachterliche Feststellungen zur Ursächlichkeit von Mängeln oder einer Abgrenzung von Verschleiß zu Fehlern lösen die Problematik nicht immer, da auf diesen Schnittstellen die Verantwortungen vielfach nicht eindeutig geregelt sind.

In diesem Zusammenhang stehen auch Fragen der Betriebskosten. Werden Bauteile der haustechnischen Anlagen zu groß dimensioniert, entstehen höhere Unterhaltskosten, bei zu schwacher Dimensionierung kann es zu einem schnellen Verschleiß und Ausfall des Bauteiles kommen. Ein einfaches Beispiel ist eine Pumpe zur Förderung von Wasser, die von einem Schwimmer entsprechend nach dem Wasserstand gesteuert wird. Durch ein häufiges An- und Abschalten verschleißt die Pumpe. Es ist daher erforderlich, die Pumpe, die Regelung durch den Schwimmer und das Volumen des Rückhaltebehälters aufeinander abzustimmen, so dass die Regelintervalle eine lange Lebensdauer ermöglichen.

Die Kosten für Ersatzteile sind bei manchen Geräten sehr hoch. Wenn in der Nutzungsphase Störungen auftreten, für die der Nutzer einzutreten hat, stellt sich die Frage, ob andere Fabrikate mit geringeren Ersatzteilkosten, aber höheren Kaufpreisen für die Geräte, wirtschaftlicher gewesen wären. In diesen Fällen sollten sich Auftraggeber von ihren Fachplanern beraten lassen, und entsprechende Geräte in der Leistungsbeschreibung vorsehen. Streitigkeiten über Unterhalts- und Reparaturkosten sind durch gutachterliche Stellungnahmen schnell teurer als der Streitwert hoch ist.

4. Weiterführende Literatur

Die klassischen Gewerke der Haustechnik finden sich in der VOB/C. Hierzu gehören die DIN 18339, Klempnerarbeiten, die DIN 18380 Heizanlagen und zentrale Wassererwärmungsanlagen, die DIN 18381, Gas-, Wasser- und Entwässerungsanlagen innerhalb von Gebäuden und die DIN 18384 Blitzschutzanlagen. Weitergehend auf die technische Gebäudeausrüstung beziehen sich die DIN 18379 für Raumlufttechnische Anlagen, die DIN 18382 Nieder- und Mittelspannungsanlagen mit Nennspannungen bis 36 kV, die DIN 18385 Förderanlagen, Aufzugsanlagen, Fahrtreppen und Fahrsteige, die DIN 18386 Gebäudeautomation und die DIN 18421 für Dämmarbeiten an technischen Anlagen.

Für die Gebäudetechnik gibt es zahlreiche Bücher. Sie behandeln sehr speziell die jeweiligen Gewerke und technischen Anlagen. Von einer Empfehlung wird wegen der Vielzahl der unterschiedlichen haustechnischen Anlagen abgesehen. Einen allgemeineren Einstieg vermitteln die Bücher, die das übliche Spektrum der Haustechnik aufzeigen. Hierzu zählt z. B. der neu erschienene Atlas Gebäudetechnik von Jörn Krimmling, André Preuß, Uwe Deutschmann und Eberhard Renner, erschienen im Rudolf Müller Verlag oder das Handbuch der Gebäudetechnik in zwei Bänden, von Wolfram Pistohl, erschienen beim Werner Verlag.

6. Teil Baubetrieb

Der Baubetrieb unterscheidet sich von den bisher vorgestellten Bereichen der Bautechnik, da es sich nicht um rein technische Fragestellungen handelt. Im Baubetrieb treffen verschiedene Komponenten aus dem Bauwesen und anderen Fachgebieten zusammen, z. B. unterschiedliche Verfahrenstechnik aus den anderen Bereichen der Bautechnik, baurechtliche Aspekte, die Kosten- und Leistungsrechnung mit betriebswirtschaftlichen Fragestellungen, das Management, Aufgaben im Zusammenhang mit der Logistik für die Abwicklung von Projekten und für Fertigungsanlagen, sowie die Ablaufplanung. Zwischen den Disziplinen müssen die vielfältigen Interaktionen beachtet werden. Wird z. B. ein Bauverfahren verändert, hat das Auswirkungen auf die Ablaufplanung, die Logistik und die Kosten. Es gibt daher auch in baubetrieblichen Sachverhalten nicht die eine Lösung, sondern immer mehrere Alternativen, die gegeneinander abzuwägen sind. Die Abwägungen finden zu Gunsten oder zu Lasten der Zielgrößen Kosten, Termin und Qualität statt. Man bezeichnet diese drei Größen auch als das baubetriebliche Dreieck.

Innerhalb des Baubetriebes gibt es Inhalte, die für die Durchführung von Projekten als Schwerpunkte bezeichnet werden können. Das ist zuerst die Bauablaufplanung. Sie ist für die Abwicklung des Projektes in Bezug auf die Einhaltung von Terminen entscheidend. Daher wird die Entwicklung einer Bauablaufplanung bis zur endgültigen Darstellung in einem Balkenplan, Netzplan oder in einem Zeit-Wege-Diagramm beschrieben. Diese Pläne sind meist auch Vertragsbestandteil. In dem darauf folgenden Kapitel wird die im Bauwesen gängige Kalkulation über die Angebotsendsumme erläutert. Hierbei werden die verschiedenen Begriffe im Zusammenhang mit den Kosten vorgestellt. Die Kalkulation ist die Grundlage für die Preisbestimmung innerhalb des vertraglichen Preisgefüges, z. B. der hinterlegten Urkalkulation. Das Kapitel Baumaschinen erläutert die wichtigsten Maschinen und Geräte einer typischen Hochbaubaustelle mit Erdarbeiten. Spezielle Geräte des Tiefbaus, Ingenieurbaus oder Verkehrswegebaus werden in den Kapiteln über die Sparten behandelt. Neben der Funktionsweise wird auch die Kalkulation von Baumaschinen dargestellt. Da die Organisation von Bauunternehmen einige Besonderheiten aufweist, werden der Aufbau und die Organisation einer Baufirma im Anschluss beschrieben.

I. Bauablaufplanung

1. Einführende Erläuterungen

Um einen **Bauablaufplan** aufzustellen, müssen viele Randbedingungen beachtet werden. Zunächst ist genau zu klären, was gebaut werden soll. Grundlegend hierfür sind das Leistungsverzeichnis und andere Vertragsbestandteile, welche das Bausoll im Rahmen des Bauvertrages vorgeben. Durch die Vordersätze, also die Mengenangaben, und die Positionsbeschreibungen, alternativ durch die Baubeschreibung, die Pläne etc., wird bestimmt, was in welcher Menge und Qualität gebaut werden soll. Durch die **Arbeitsvorbereitung** des Bauunternehmens muss dann festgelegt werden, wie die Bauaufgabe ausgeführt wird. Dafür muss entschieden werden, welche Verfahren zum Einsatz kommen, welche Geräte verwendet werden und wie viele Arbeitskräfte dafür benötigt werden. Daraus kann bestimmt werden, wie lange es dauert, bis das Projekt fertig gestellt ist.

Allerdings sind fast immer auch Vorgaben des Auftraggebers zu beachten. Dies sind Angaben über die Gesamtbauzeit, Zwischentermine oder der Endtermin. Weitere Einschränkungen und Vorgaben entstehen durch den Umfang der zur Verfügung stehenden Personal- und Gerätekapazitäten, die Umgebungsbedingung der Baustelle, behördliche Auflagen usw. So kann beispielsweise beim Bau einer Brücke über eine Autobahn eine notwendige Vollsperrungen nur nachts oder am Wochenende erlaubt sein, oder bestimmte Arbeiten müssen vor Einbruch des Winters beendet werden, weil bei niedrigen Temperaturen oder Frost ein Arbeiten mit bestimmten Baustoffen nicht mehr möglich ist. Diese Randbedingungen führen z. B. zu einer notwendigen Erhöhung der Geräteanzahl, zu einer geänderten Verfahrenstechnik etc.

Durch die unterschiedlichen Faktoren und ihre Abhängigkeit ist die Aufstellung eines Bauablaufplanes ein iterativer Prozess. Das bedeutet, dass man jeweils erneut nach der Änderung eines Arbeitsvorganges prüfen muss, ob die anderen Planungselemente noch stimmen, bis man eine stimmige Lösung gefunden hat. Für die Ausarbeitung und die Darstellung des Bauablaufes stehen im Wesentlichen drei unterschiedliche Methoden zur Verfügung, der Balkenplan, der Netzplan und das Zeit-Wege-Diagramm.

2. Fachliche Erläuterungen

Eine wesentliche Aufgabe des Bauunternehmens und der Arbeitsvorbereitung ist die Aufstellung des Bauablaufplanes. Damit kann man den Einsatz von Personal und Geräten disponieren. Durch die Bauablaufplanungen aller durchzuführenden Projekte kann man die Kapazitäten des Unternehmens wirtschaftlich einsetzen und die Aquisition der Aufträge steuern. Dabei ist es das Ziel, möglichst eine volle Auslastung zu erreichen. Im Folgenden wird erläutert, wie ein Bauablaufplan für ein Projekt aufgestellt wird.

Die zu planende Bauaufgabe wird zunächst in technisch sinnvolle Teilschritte zerlegt. Man bezeichnet diese auch als **Vorgänge**, z. B. Decke einschalen, Decke bewehren, Decke betonieren etc. Die Vorgänge enthalten bestimmte Tätigkeiten. Den einzelnen Tätigkeiten werden Zeiten zugeordnet, wie lange die Ausführung dauert. Werte für die Dauern der Tätigkeiten kann man auf unterschiedliche Weise erlangen, durch **Arbeitszeit-Richtwerte,** die man beispielsweise in den **ARH-Tabellen** findet, Arbeitszeit-Richtwerte Hochbau, durch eigene Erfahrungen aus vorhergehenden Bauvorhaben ermittelt hat, oder auch durch Schätzungen. Die Arbeitszeit-Richtwerte werden durch Zeitmessungen ermittelt. Die Ermittlung erfolgt im Auftrag des Bundesausschusses Leistungslohn Bau und dient neben der Kalkulation auch als Grundlage zur Bildung von Vorgabezeiten bei Arbeiten im Leistungslohn.

Die Vorgaben für die Dauer von Tätigkeiten werden als **Aufwandswert** bezeichnet. Dafür wird die Zeit angegeben, die für eine bestimmte Menge benötigt wird, also z. B. wie viele Stunden man benötigt, um eine Tonne Stabstahl mit dem Durchmesser von 16 mm für eine Decke zu verlegen. Alternativ kann man auch den **Leistungswert** verwenden. Er gibt an, welche Menge man in einer festen Zeiteinheit bewältigen kann. Das ist beispielsweise die Angabe, wie viel Kilogramm Stabstahl mit dem Durchmesser von 16 mm in einer Decke innerhalb von einer Stunde verlegt werden kann.

Das Betonieren einer Decke bis 10 cm Höhe unter Verwendung von Transportbeton dauert laut ARH-Tabelle beispielsweise 0,36 h/m^3. Dieser Wert stellt aber nur einen Richtwert dar. In der Praxis kommt es zu erheblichen Abweichungen. Wenn die Arbeitsbedingungen erschwert sind, z. B. durch Schlechtwetter, eine ungünstige Logistik, eine schlechte Einbaulage etc., können sich die Aufwandswerte erhöhen. Wenn die Bedingungen gut sind und eine eingespielte Mannschaft zusammenarbeitet, sinken die Aufwandswerte. Insbesondere die Einarbeitung von Kolonnen spielt eine erhebliche Rolle für die konkret benötigte Zeit. Nach einer Einarbeitung und sich wiederholenden Tätigkeiten können Leistungssteigerungen von über 40 % erreicht werden. Dieser **Einarbeitungseffekt** ist daher in der Praxis ein Ziel der Arbeitsvorbereitung, durch sich wiederholende Arbeitsprozesse eine hohe Leistung zu erreichen.

In einem weiteren Schritt ermittelt man anschließend die auszuführenden **Massen** der einzelnen Vorgänge. Damit sind die Mengen gemeint, also beispielsweise wie viele m^2 Schalung man für die Decke benötigt, wie viele Tonnen Stahl verlegt werden müssen und wie viele m^3 Beton eingebaut werden. Die Ermittlung nennt man auch **Massen ziehen**. Dafür kann man die Vordersätze aus dem Leistungsverzeichnis verwenden. Da diese aber nicht Vertragsbestandteil werden, wird alternativ aus den Plänen nach den Abmessungen der Bauteile, der Anzahl usw. die auszuführende Menge für die einzelnen Vorgänge ermittelt. Bei Pauschalverträgen sind meistens keine Leistungsverzeichnisse vorhanden, so dass dann ebenfalls aus Plänen, der Baubeschreibung oder durch eine überschlägige, eigene Berechnung die Masse bestimmt wird.

Alle Angaben, also die Beschreibung der Tätigkeiten, die Mengen und die Aufwandswerte hält man in Form einer Tabelle, dem so genannten **Arbeitsverzeichnis** fest. Durch Multiplikation der Menge mit dem Aufwandswert erhält man die benötigte Stundenanzahl zur Ausführung der jeweiligen Tätigkeit. Teilt man diese Stundenzahl dann wiederum durch die Anzahl der eingesetzten Arbeitskräfte und die tägliche Arbeitszeit, erhält man die Dauer der Tätigkeit in Tagen. Müssen also 1000 m^3 Beton eingebaut werden, dauert das bei einem Aufwandswert von 0,36 h/m^3 insgesamt 360Stunden. Stehen für diese Tätigkeit vier Arbeitskräfte zur Verfügung, die neun Stunden am Tag arbeiten, benötigt man für das Betonieren genau 10 Arbeitstage.

Dies stellt also die ermittelte Vorgangsdauer dar, die in dem Bauablaufplan verwendet wird. In der gleichen Vorgehensweise werden für alle weiteren Vorgänge die Vorgangsdauern ermittelt. Im Ergebnis führt dies zu dem Bauablaufplan, wenn man die Vorgänge in der entsprechenden Reihenfolge zusammenfügt. Hierfür werden üblicherweise Computerprogramme verwendet, da für größere Projekte mehrere hundert Vorgänge existieren können.

Bei der Aufstellung des Bauablaufplanes durch ein Zusammenfügen der Vorgänge müssen Abhängigkeiten beachtet werden. Man unterscheidet in kapazitative und technologische Abhängigkeiten. **Kapazitative Abhängigkeiten** ergeben sich, wie das Wort sagt, aus den zur Verfügung stehenden Kapazitäten. Dabei handelt es sich in der Hauptsache um das zur Verfügung stehende Personal und die Geräte. Verfügt man beispielsweise nur über eine Kolonne von fünfzehn Arbeitskräften, die für das Bewehren zuständig ist, können nur Bewehrungsarbeiten in diesem Umfang als Vorgänge gleichzeitig ablaufen. Wenn also der Vorgang Decke bewehren in Abschnitt 1 eines Bauwerkes durch die Kolonne mit den fünfzehn Arbeitskräften durchgeführt wird, könnten in dem Abschnitt 2 des Bauwerkes eigentlich Wände bewehrt werden. Da aber die Arbeitskräfte nicht zur Verfügung stehen, müssen die Vorgänge nacheinander gelegt werden. Kapazitative Abhängigkeiten sind nicht zwingend, sondern können in gewissem Umfang beeinflusst und geändert werden.

In diesem Zusammenhang ist auch zu erwähnen, dass es nicht möglich ist, die Anzahl der Mitglieder einer Kolonne beliebig zu verändern. Für die meisten Tätigkeiten ist eine gewisse Mindestanzahl von Arbeitskräften nötig, z. B. die Verlegung von Mattenstahl. Anderseits kann die Anzahl der Kolonnen oder deren Mitglieder auch nicht beliebig erhöht werden. Theoretisch wäre es möglich, durch den Einsatz von mehr Arbeitskräften einen Vorgang beliebig zu verkürzen. Dies lassen aber die Baustellenbedingungen nicht zu. Meistens sind die Platzverhältnisse am Einbauort nur für den Einsatz einer bestimmten maximalen Anzahl von Arbeitskräften ausreichend. Eine weitere Grenze setzen die logistischen Voraussetzungen, wie es an dem folgenden Beispiel deutlich wird. Der Transport von Bewehrung in den achten Stock mit einem Kran dauert eine gewisse Zeit, ein zweiter Kran darf in dem Schwenkbereich nicht arbeiten und eine Lagerung der Matten am Einbauort behindert die Verlegearbeiten an dieser Stelle.

Technologische Abhängigkeiten ergeben sich aus technisch notwendigen Umständen. Auf Grund der angewendeten Verfahren oder der Baustoffe ergeben sich Bedingungen für die nachfolgenden Arbeiten. Beispielsweise ist die Reihenfolge bei Betonierarbeiten durch technologische Abhängigkeiten geprägt. Wenn die Schalung aufgebaut ist, kann direkt mit den Bewehrungsarbeiten begonnen werden. Die Betonierarbeiten können aber erst stattfinden, wenn die Bewehrung verlegt und durch den Prüfstatiker abgenommen ist. Die weiteren Arbeiten auf der betonierten Decke können erst fortgesetzt werden, wenn der Beton eine ausreichende Festigkeit erreicht hat. Die Schalung steht erst wieder zur Verfügung, wenn die Ausschalfristen abgelaufen sind usw. Die technologischen Abhängigkeiten sind zwingend.

Neben den kapazitativen und technologischen Gründen können andere Abhängigkeiten frei gewählt werden. Beispielsweise können Pflasterarbeiten im Außenbereich unabhängig von anderen Arbeiten frei terminiert werden, wenn ansonsten nur noch Arbeiten im Innenausbau stattfinden. Das Wissen darum, um welche Abhängigkeit es sich jeweils handelt, ist besonders bei Störungen im Bauablauf von immenser Wichtigkeit. Soll der Bauablauf beschleunigt oder umgestellt werden, ist dies aus oben genannten Gründen nämlich nur bedingt möglich.

Der Bauablaufplan kann in unterschiedlichen Arten aufbereitet und als Plan ausgedruckt werden. Die Darstellung als **Balkenplan** wird in der Praxis am meisten verwendet. Bei einem Balkenplan wird der zeitliche Ablauf eines Projektes graphisch in Form von Balken dargestellt. Dabei stellen die Balken die einzelnen Vorgänge dar. Auf der horizontalen x-Achse wird die Zeit aufgetragen, meistens kalendarisch tage- oder wochenweise. Auf der vertikalen y-Achse werden links die einzelnen Tätigkeiten, also die Vorgänge, benannt und in der Reihenfolge ihrer Ausführung geordnetander zeilenweise gelistet. Die Zeilen werden üblicherweise nummeriert. In jeder Zeile wird dann der Balken eingezeichnet, der dem entsprechend beschriebenen Vorgang entspricht. So kann man sofort erkennen, welche Tätigkeit an einem bestimmten Tag gerade durchgeführt wird. Je länger ein Balken ist, desto länger dauert der Vorgang.

Von Nachteil ist, dass die Abhängigkeiten unter den einzelnen Vorgängen meist nicht dargestellt werden. Abhilfe kann hier ein **vernetzter Balkenplan** schaffen. Bei einer Vernetzung verbindet man diejenigen Tätigkeiten miteinander, die in einer Abhängigkeit zueinander stehen. Da beispielsweise eine Decke erst betoniert werden kann, wenn sie zuvor bewehrt wurde, weist ein Pfeil vom Ende des Balkens für den Vorgang „Decke bewehren" zum Anfang des Balkens „Decke betonieren". Diese Darstellung kann durch die vielen Abhängigkeiten schnell unübersichtlich werden. Siehe hierzu Abbildung 66.

Abbildung 66: Balkenplan

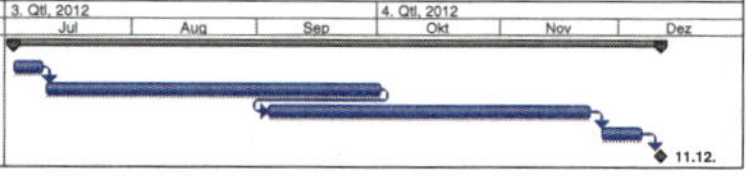

Nr.	Vorgangsname	Dauer	Anfang	Ende
1	**Baumaßnahme X**	**39 t**	**Mo 02.07.12**	**Di 11.12.12**
2	Baustelle einrichten	2 t	Mo 02.07.12	Mo 09.07.12
3	Rohbau herstellen	20 t	Di 10.07.12	Mo 01.10.12
4	Ausbau	20 t	Mo 03.09.12	Fr 23.11.12
5	Baustelle räumen	3 t	Mo 26.11.12	Do 06.12.12
6	Übergabe	1 t	Fr 07.12.12	Di 11.12.12

Die Abbildung zeigt einen Balkenplan. Rechts stehen die Zeilennummern, daneben die Bezeichnung des Vorgangs. Die Spalten mit Daten können beliebig angelegt werden. Hier zeigen sie die Dauer des Vorganges, sowie den Beginn und das Ende des Vorganges als Datum. In der ersten Zeile findet sich ein Sammelvorgang, erkennbar an dem schwarzen Balken mit den untenliegenden Spitzen an den Enden. Die vier anderen Vorgänge sind diesem Sammelvorgang untergeordnet. Ein Balken zeigt jeweils einen Vorgang. Am Anfang des Balkens kann man darüber in der Skala das Beginndatum ablesen, am Ende des Balkens kann man in der Kalenderdarstellung oben ebenfalls das Datum bestimmen. Die Pfeile zwischen den Balken zeigen die Abhängigkeiten. In der untersten Zeile ist eine Raute sichtbar. Sie symbolisiert einen Meilenstein.

Eine weitere Möglichkeit der Terminplanung ist die Netzplantechnik. Bei einem **Netzplan** werden Bauabläufe und ihre Abhängigkeiten graphisch dargestellt. Dabei wird jeder Vorgang in Form eines Schriftfeldes abgebildet, in dem verschiedene Angaben enthalten sind. Neben der Bezeichnung der Tätigkeit werden weitere Angaben zu der Dauer, zu dem frühestens und spätestens möglichen Beginn, dem frühestens und spätestens möglichen Ende des Vorganges und dem **Puffer** gemacht. Der Puffer ist die Zeit, um die ein Vorgang verschoben oder verlängert werden kann, ohne dass es zu Auswirkungen auf andere Vorgänge oder den Fertigstellungstermin kommt. Die einzelnen Vorgänge werden mit Pfeilen entsprechend ihren Abhängigkeiten verbunden. Die Netzplantechnik ist vor allem ein Instrument der Projektsteuerung, wird aber bei der Bausführung selten verwendet, da die Darstellung nicht so übersichtlich ist. Siehe hierzu Abbildung 67.

Abbildung 67: Netzplanausschnitt

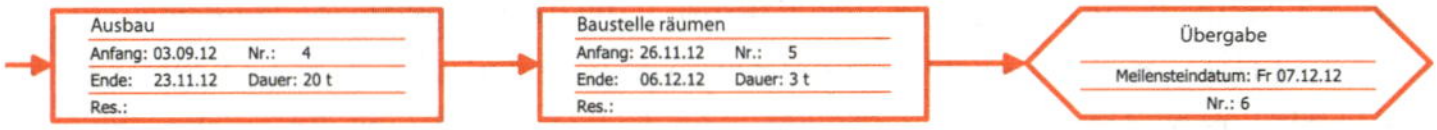

Auf der Abbildung ist ein Ausschnitt aus einer Darstellung als Netzplan abgebildet. In den jeweiligen Kästchen ist ein Vorgang dargestellt. Die ausgedruckten Daten entsprechen den Daten der Balkenplandarstellung. Man kann weitere Daten in jeden Vorgang einfügen, wie z. B. die Pufferzeiten, die Abhängigkeiten etc.

Die Verbindung der einzelnen Vorgänge in einem Bauablaufplan wird als Vernetzung oder Verknüpfung bezeichnet. Sie erfolgt dabei durch so genannte **Anordnungsbeziehungen**. Es werden vor allem drei Arten von Anordnungsbeziehungen, die Normalfolge, die Anfangsfolge und die Endfolge, unterschieden. Die Verknüpfungsbeziehung **Normalfolge** bedeutet, dass das Ende einer Tätigkeit die Voraussetzung für den Beginn einer folgenden Tätigkeit ist, bzw. bei einer „Normalfolge 5" zwischen dem Ende der einen Tätigkeit und dem Beginn der anderen Tätigkeit fünf Tage liegen müssen. Dies kann zum Beispiel der Fall sein, wenn der Beton erst erhärten muss, bevor die Schalung abgenommen werden kann. Im Prinzip bedeutet die Normalfolge, dass die Vorgänge hintereinander abgearbeitet werden und nicht zeitgleich ausgeführt werden.

Bei einer **Anfangsfolge** ist der Beginn der einen Tätigkeit die Voraussetzung für den Beginn einer anderen Tätigkeit. Diese Art der Verknüpfung wird verwendet, wenn eine Tätigkeit erst beginnen kann, wenn eine andere zu einem gewissen Teil schon ausgeführt worden ist. Beispielsweise kann es bei entsprechenden Umständen möglich sein, dass mit dem Betonieren einer Bodenplatte bereits angefangen werden kann, obwohl erst ein Teil der Baugrube ausgehoben worden ist. Es ist bei geeigneten räumlichen Voraussetzungen nicht notwendig zu warten, bis die gesamte Baugrube ausgehoben worden ist. Die Anfangsfolge besagt also, dass mit einem gewissen Abstand weitere Arbeiten bereits begonnen werden können und die Ausführung der zwei Vorgänge überlappt.

Bei einer **Endfolge** ist das Ende einer Tätigkeit Voraussetzung für das Ende einer anderen Tätigkeit. Das bedeutet, dass ein bestimmter Abstand zwischen dem Ende der einen und dem Ende der anderen Tätigkeit eingehalten werden muss. Die Vorgänge einer Endfolge können daher auch teilweise zeitgleich ausgeführt werden. Ein Beispiel hierfür ist die Abhängigkeit der Fertigstellung von Gipsplattenwänden mittels der zweiten Beplankung von der vorherigen Fertigstellung der Installationen in der Wand durch andere Gewerke.

Bei der Aufstellung eines Netzplanes ist der Bearbeiter, mehr als bei einem Balkenplan, dazu gezwungen, die Abhängigkeiten der einzelnen Tätigkeiten untereinander zu durchdenken. Da die Tätigkeiten miteinander vernetzt und mit der jeweiligen Ausführungsdauer belegt sind, ist es mit Hilfe eines Berechnungsverfahrens möglich, die Tätigkeiten zu identifizieren, die auf dem so genannten kritischen Weg liegen. Verlängern sich Tätigkeiten, die auf dem **kritischen Weg** liegen, verlängert sich auch die Bauzeit und der Endtermin verschiebt sich.

Für Linienbauwerke, wie zum Beispiel im Straßenbau oder Kanalbau, wird zur Terminplanung oft das so genannte **Zeit-Wege-Diagramm** verwendet. Hier wird auf der einen Achse die Zeit auf der anderen Achse die Fertigungsrichtung aufgetragen. Bei einer Straßenbaustelle von zum Beispiel 1 km geht die Achse dementsprechend von 0 m bis 1000 m. Die Tätigkeiten werden dann als Striche eingetragen. Im Prinzip handelt es sich daher um eine Darstellung, die auch die räumliche Lage der Bauarbeiten auf der Baustelle zeigt.

Wenn gleiche Vorgänge mehrfach wiederholt werden, wird dabei das gleiche Personal und Gerät eingesetzt, das gleiche Verfahren angewendet und die gleiche Menge hergestellt. In diesen Fällen wird ein **Taktplan** aufgestellt. Typischer Anwendungsfall ist das geschossweise Betonieren von Decken und Stützen, die immer die gleichen Abmessungen haben. Der Ablauf in einem Geschoss wird dann als Takt in den anderen Geschossen wiederholt. Vorteil ist die gute Einarbeitung der Arbeitskräfte, so dass eine Steigerung der Arbeitsgeschwindigkeit möglich ist.

Die Darstellungstiefe in den Bauablaufplänen hängt von den Gegebenheiten des Einzelfalles ab. Die Genauigkeit der Aufgliederungen der Tätigkeiten in einzelne Vorgänge ist nicht immer erforderlich. So kann man den Vorgang nur als „Decke herstellen“ einfügen, ein so genannter Sammelvorgang, oder die Tätigkeit weiter zerlegen in „Decke schalen“, „Decke bewehren“, „Decke betonieren“ und „Decke ausschalen“ und diese vier Einzelvorgänge darstellen. Die Darstellung als ein Balken für mehrere darin enthaltene Vorgänge nennt man Sammel- oder **Summenbalken**. Durch die Computerprogramme ist es möglich, diese Summenbalken „aufzuklappen“ und die einzelnen Balken sichtbar zu machen, und umgekehrt. Dadurch wird die Darstellung auf die Teile in einem Ausdruck des Planes beschränkt, die wichtig sind.

Aus dem Bauablaufplan ergibt sich der **Bauzeitenplan.** Er wird meist Vertragsbestandteil und besteht in aller Regel nur aus Summenbalken. In den Bauzeitenplan werden die **Meilensteine** eingetragen. Hierbei handelt es sich um Markierungen, die wichtige Termine darstellen, z. B. den Endtermin, Zwischentermine, die vertragstrafenbewehrt sind, oder Bautenstände, an denen eine Abschlagsrechnung bezahlt werden soll, z. B. Rohbau wetterdicht. Daher ist es in vielen Fällen so, dass die Bauzeitenpläne vereinfachte Versionen der Bauablaufpläne sind. Die Bauablaufpläne können während der Durchführung eines Projektes durch den Auftragnehmer fortgeführt werden. Veränderungen im Bauablauf werden entsprechend eingetragen und ermöglichen eine Terminkontrolle.

3. Häufig auftretende Probleme in der Praxis

In der Praxis kommt es sehr häufig zu Umstellungen des Bauablaufes oder zu Störungen. Diese können sehr unterschiedliche Ursachen haben. Sollten Streitigkeiten über die Termine und die Kostenfolgen entstehen, sind die Bauzeitenpläne die Grundlage einer Beurteilung. In vielen Fällen sind die Bauzeitenpläne, die im Vertrag als Bestandteil bindend vereinbart werden, aber bereits durch verspätete Auftragserteilungen überholt, bzw. wurde nur der neue Fertigstellungstermin ergänzt. Der Nachweis von Mehrkostenforderungen oder der Verwirkung der Vertragsstrafe ist daher möglicherweise sehr erschwert.

In vielen Fällen ist die Darstellungstiefe in den Bauzeitenplänen für eine Beurteilung nicht ausreichend. Ein Summenbalken „Betonierarbeiten" führt schnell zu Streitigkeiten, ob daraus ersichtlich ist, dass die Betonierarbeiten in einem bestimmten Abschnitt gerade zu dieser Zeit ausgeführt werden müssen, in dem hindernde Umstände vorliegen, oder ob nicht davon ausgegangen werden konnte, dass die Arbeiten in dem betroffenen Abschnitt zu einem anderen Zeitpunkt stattfinden.

Die Anordnungsbeziehungen werden vielfach nicht dargestellt. Vor allem bei beeinflussbaren Anordnungsbeziehungen lässt sich schwer feststellen, ob der Auftragnehmer diese Anordnung der Vorgänge getroffen hat, bzw. ob es für ihn kapazitative Abhängigkeiten gab, die durch ändernde Umstände z. B. zu einer behaupteten Personalerhöhung führen, die vergütungspflichtig sei. Daraus entstehen ebenfalls Streitigkeiten, ob Vorgänge auf dem kritischen Weg liegen, und vorliegende Störungen zu einer Verlängerung der Bauzeit führen.

In der Praxis wird in vielen Fällen nur eine grobe Arbeitsvorbereitung vorgenommen. Das ist auch verständlich, da eine ausführliche Arbeitsvorbereitung eine Planungsleistung darstellt, die hohe Kosten verursacht. Bauablaufpläne zeigen daher nicht alle Details, Kalkulationen werden nicht nach „Lehrbuch" ausgeführt, wenn der Kalkulator aus seiner Erfahrung den ungefähren Preis kennt. Es ist also völlig normal, dass Auftragnehmer keine vollständige Kalkulation und keinen detaillierten Bauablaufplan haben.

4. Weiterführende Literatur

Die DIN 69900 Projektwirtschaft Projektmanagement und Netzplantechnik legt für die Planung, Steuerung und Dokumentation von Projekten einheitliche Begrifflichkeiten und Darstellungstechniken fest.

Die ARH-Tabellen mit Arbeitszeit-Richtwerten für den Hochbau enthält außer für den Hochbau auch für den Tiefbau, Holzbau und Trockenbau entsprechende Werte. Sie werden vom Zentralverband des Deutschen Baugewerbes e. V., dem Hauptverband der Deutschen Bauindustrie e. V. und der Industriegewerkschaft Bauen Agrar Umwelt herausgegeben und sind beim Zeittechnik-Verlag in Neu Isenburg erschienen. Das Buch Preisermittlung für Bauarbeiten von Karl Plümecke, erschienen im Müller Verlag, enthält ebenfalls Arbeitszeit-Richtwerte für wesentliche Bauleistungen. Die Werte sind nach den einzelnen Arbeiten sortiert und werden für Baustoffe und Bauteile unterschieden, also für Bewehrungsstahl unterschiedlicher Durchmesser, für Wände, Decken, Stützen etc.

Die Probleme der Bestimmung der geänderten Vergütung wegen Bauzeitverzögerungen sind anschaulich erläutert in dem Buch Bauverzögerung und Leistungsänderung von Klaus Vygen, Eberhard Schubert und Andreas Lang, erschienen im Werner Verlag.

II. Kalkulation

1. Einführende Erläuterungen

Die Kalkulation dient der Baupreisermittlung, also zunächst der Bestimmung der Angebotssumme durch den Auftragnehmer. Hierfür gibt es verschiedene Verfahren der Kalkulation. Das gängigste Verfahren ist die Kalkulation über die Angebotsendsumme. Eine weitere Form ist die Kalkulation mit vorbestimmten Zuschlagssätzen. Im Prinzip steht es den Unternehmen frei, wie sie ihre Preise ermitteln. Bestimmte Angaben werden aber von Auftraggebern verlangt, zum Beispiel öffentliche Auftraggeber orientieren sich an der Kalkulation über die Angebotsendsumme. Bei privaten Auftraggebern können die verlangten Kalkulationsunterlagen je nach der Art des Bauvertrages unterschiedlich sein.

Bei Großprojekten können die **Angebotskosten** siebenstellige Beträge erreichen. Daher ist es üblich, dass im Vorfeld der Durchführung einer Kalkulation bereits eine geschäftspolitische Entscheidung getroffen wird, ob überhaupt ein Angebot abgegeben werden soll. Die Kalkulationskosten, die durch die Angebotsbearbeitung entstehen, können nur im Falle der Auftragserteilung wieder erlangt werden. Da aber nicht jedes Angebot zu einem Auftrag führt, müssen diese Kosten auch bei anderen Projekten verdient werden.

Grundsätzlich unterteilt man die Baukalkulation in die **Vorkalkulation,** die **Arbeitskalkulation** und die **Nachkalkulation.** Mit Hilfe der Vorkalkulation werden die voraussichtlichen Kosten eines anzubietenden Projektes überschlägig ermittelt. Zur Vorkalkulation zählen auch die Angebots- und die Auftragskalkulation, die eine genaue Kostenermittlung beinhalten. Die Arbeitskalkulation ist ein Hilfsmittel für die Bauunternehmung während der Abwicklung der Baustelle. Sie dient der aktuellen Kostenkontrolle. Zweck der Nachkalkulation ist es, die während und nach der Bauabwicklung angefallenen Kosten zu ermitteln. Im Rahmen des Controllings werden die Daten des durchgeführten Bauvorhabens aus der Nachkalkulation festgestellt und mit den ursprünglich angenommenen Werten verglichen. Damit können realistische Aufwandswerte für weitere Vorkalkulationen ermittelt werden.

Die Kostenermittlung des Auftraggebers beinhaltet nicht nur die reinen Baukosten, sondern auch alle Nebenkosten für Genehmigungen, Finanzierung, Grundstückskauf etc. Diese betriebswirtschaftlichen Berechnungen werden im Folgenden nicht betrachtet.

2. Fachliche Erläuterungen

Ziel der Kalkulation des Auftragnehmers ist es, die **Herstellkosten** für eine Baumaßnahme möglichst genau zu bestimmen. Davon hängt es maßgeblich ab, wie hoch sein Angebotspreis für eine ausgeschriebene Bauleistung wird. In der Praxis wird der Angebotspreis durch Vergabeverhandlungen reduziert, zum Beispiel aus geschäftspolitischen Gründen, weil man den Zuschlag für ein Bauvorhaben unbedingt haben möchte, oder bei Vertragsverhandlungen noch einen Rabatt einräumt.

Um den Baupreis kalkulieren zu können, sind einige Voraussetzungen nötig. Zunächst muss geklärt werden, mit welchen Bauverfahren, in welcher Zeitspanne welches Projekt an welchem Ort zu errichten ist. Kurz gesagt, muss aus den Ausschreibungsunterlagen das Bausoll bestimmt werden. Daher ist zunächst eine zumindest überschlägige Bauablaufplanung anzufertigen. Damit werden die für die Durchführung benötigten Daten ermittelt. Man kann die notwendigen Geräte, das einzusetzende Personal und die Baustoffe in Art und Menge den Leistungen zuordnen. Durch die Ausführungsdauer können zeitabhängige Kosten festgelegt werden.

Wie bereits vorab bei der Bauablaufplanung für die Ermittlung der Vorgangsdauern beschrieben, werden auch für eine Kalkulation die Kosten für einzelne Teilleistungen ermittelt. Die Detaillierung der Aufgliederung der Leistungen bleibt dabei dem Kalkulator überlassen. Die Kalkulation muss es ihm aber schlussendlich möglich machen, eine sichere Grundlage für ein Angebot zu haben und die Vorgaben des Auftraggebers für die notwendigen Angaben zu erfüllen. Dies hängt auch von der Art der Ausschreibung und dem beabsichtigten Bauvertrag ab.

Bei einem **Einheitspreisvertrag** erfolgt bereits die Ausschreibung mit einem Leistungsverzeichnis. Darin sind einzelne Positionen aufgeführt, in denen eine Leistung beschrieben wird, beispielsweise „1000 m^2 Decke herstellen". Der Kalkulator wird die in der Position beschriebene Leistung allerdings weiter zerlegen, z. B. in Decke schalen, Decke bewehren und Decke betonieren. Vor der eigentlichen Kostenkalkulation müssen die auszuführenden Mengen dieser einzelnen Schritte bestimmt werden, um anschließend die Einzelkosten dieser Teilleistungen zu ermitteln. In das Leistungsverzeichnis ist der **Einheitspreis** für diese Leistung einzutragen.

Die Positionen eines Leistungsverzeichnisses werden für verschiedene Anforderungen unterteilt. Wenn die Leistung in jedem Fall ausgeführt werden soll, schreibt man dies in einer **Grundposition** aus. Sollte sich bei einem Teil der Durchführung der Grundposition Erschwernisse ergeben, wird die Erschwernis als **Zulageposition** ausgeschrieben. Beispielsweise kann eine Grundposition die Leistung „Bodenaushub Klasse 4" enthalten. Die Zulageposition lautet dann „Erschwernis für Aushub der Bodenklasse 5". Wenn nicht feststeht, ob eine Leistung erforderlich wird, kann man sie als **Eventualposition** ausschreiben. Der Unternehmer weiß dann, dass diese Position eventuell nicht zur Ausführung kommt. Die Eventualposition soll allerdings im Rahmen von Ausschreibungen öffentlicher Auftraggeber nicht mehr verwendet werden. Wenn die genaue Art der Ausführung noch nicht entschieden ist, z. B. weil man erst die Angebotspreise abwarten will, kann man Alternativpositionen angeben. Beispiel hierfür ist die Position „500 m^2 Teppichboden verlegen". Die **Alternativposition** wäre dann beispielsweise „500 m^2 Bodenfliesen verlegen".

Es kann auch sein, dass ein Auftraggeber zwar seine gewünschte Bauleistung in einzelne Positionen unterteilt und somit seine Vorstellungen über Ausführung und Qualität darlegt, aber am Schluss nur an einem Preis für alles interessiert ist, dem so genannten **Pauschalpreis**. In diesen Fällen können die Pauschalen für einzelne Positionen, für Titel des Leistungsverzeichnisses, z. B. Betonarbeiten, oder für die gesamte Leistung gebildet werden. Wenn der Auftragnehmer die Arbeiten an einen Nachunternehmer weiter vergibt, wird in diesen Fällen der Preis möglicherweise nicht durch den Auftragnehmer selbst kalkuliert, sondern er setzt den Preis des Nachunternehmers ein.

Kalkulieren kann man auf verschiedene Weisen. Die gängigste Form der Kalkulation für Bauunternehmen ist die so genannte **Kalkulation über**

die Angebotsendsumme. Bei dieser Kalkulation werden für jede Position in einem ersten Schritt die **Einzelkosten der Teilleistungen**, EKdT genannt, ermittelt. Man versteht darunter die den einzelnen Teilleistungen direkt zurechenbare Kosten. Dabei wird in die folgenden vier **Kostenarten** unterschieden, die Lohnkosten, die Gerätekosten, die Fremdleistungskosten und die Sonstigen Kosten.

Für die Ermittlung der **Lohnkosten** verwendet man den **Kalkulationsmittellohn.** Auf einer Baustelle arbeiten unterschiedlich qualifizierte Arbeitskräfte, die dadurch einen unterschiedlichen Stundenlohn haben. Da zum Zeitpunkt der Angebotsbearbeitung nicht exakt gesagt werden kann, wie die Zusammensetzung der Arbeitskräfte auf der Baustelle sein wird, geht man von einer fiktiven Zusammensetzung aus, die den Kalkulationsmittellohn ergibt. Dabei handelt es sich also um einen Durchschnittswert für alle auf der Baustelle anfallenden Lohnkosten je Lohnstunde. Die anfallenden Lohnstunden einer Teilleistung werden mit dem Kalkulationsmittellohn multipliziert, somit erhält man die Lohnkosten für diese Teilleistung.

Gerätekosten sind alle Kosten, die aus der Vorhaltung und dem Betrieb von Geräten entstehen. Üblicherweise werden die Geräte gesondert kalkuliert, wenn sie aus dem eigenen Maschinenpark genommen werden. Die genaue Kalkulation der Gerätekosten wird im Kapitel Baumaschinen behandelt. Sollten die Geräte angemietet werden, wird der Mietsatz verwendet.

In die **Fremdleistungskosten** werden alle Leistungen eingerechnet, die von einem Nachunternehmer übernommen werden. Dabei wird der jeweilige Nachunternehmerpreis auf die Vordersätze umgelegt. In vielen Fällen sind die Nachunternehmerpreise Pauschalpreise. Daher muss die Preisermittlung des Nachunternehmers nicht mit der Preisermittlung des anbietenden Unternehmens übereinstimmen. Diese Preise können auch in der Höhe differieren.

Unter **Sonstige Kosten** fallen in erster Linie die Kosten für Baustoffe. Man spricht daher auch von den Stoffkosten. Weiterhin werden aber auch alle anderen Kosten in den Sonstigen Kosten ausgewiesen, die nicht den anderen Kostenarten zuzuordnen sind.

In diesen Einzelkosten der Teilleistungen sind nicht alle Kosten des Unternehmens enthalten. Die **Gemeinkosten der Baustelle**, die BGK's, entstehen durch den Betrieb der Baustelle. Sie können aber nicht direkt einer einzelnen Teilleistung zugeordnet werden. Hierunter fallen zum Beispiel die Baustelleneinrichtung, Baustellengehälter für den Bauleiter, den Baukaufmann, Hilfskräfte, Wasser, Strom, Telefon usw. Oft werden das Einrichten und Räumen, sowie das Vorhalten der Baustelleneinrichtung als eigene Positionen im Leistungsverzeichnis aufgeführt. Dann fällt die Baustelleneinrichtung nicht mehr unter die Gemeinkosten der Baustelle, sondern unter die Einzelkosten der Teilleistungen der entsprechenden Positionen der Baustelleneinrichtung. Wenn keine Positionen vorhanden sind, werden die Baustellengemeinkosten auf die anderen Positionen umgelegt.

Zu den **umsatzbezogenen Gemeinkosten** zählen die allgemeinen Geschäftskosten, Bauzinsen, Wagnis und Gewinn. **Allgemeine Geschäftskosten** entstehen nicht durch einen bestimmten Auftrag, sondern durch den Betrieb des gesamten Unternehmens. Hierunter fallen die Kosten für die Geschäftsleitung, die Verwaltung, Steuern und Abgaben etc. Als allgemeine Geschäftskosten müssen aber auch die Beträge realisiert werden, die als Angebotskosten für andere Aufträge angefallen sind, die man aber nicht bekommen hat. Diese laufenden Kosten lassen sich ebenfalls nicht den Einzelkosten der Teilleistungen zuordnen. Ihre Höhe wird aus den entstandenen allgemeinen Geschäftskosten des Vorjahres ermittelt, die für das laufende Geschäftsjahr und den erwarteten Umsatz prognostisch angenommen werden. Daraus wird ein prozentualer Aufschlag bestimmt.

Bauzinsen entstehen, weil der Bauunternehmer die Baumaßnahme vorfinanziert. Das geschieht direkt durch den Einkauf von Baumaterial, die Bezahlung von Nachunternehmern und eigene Kosten für die selbst erbrachten Leistungen. Der Unternehmer muss zumindest einen Teil der Leistung ausgeführt haben, bevor der Auftraggeber dafür in Form einer Abschlagszahlung bezahlt. Die Bauzinsen werden berechnet, indem man die Kapitalkosten ermittelt, die man für die Vorfinanzierung aufbringen muss, z. B. für einen Bankkredit.

Bauen bedeutet auch immer ein gewisses **Wagnis**. Es kann zu unvorhergesehenen Zwischenfällen in der Bauausführung kommen, zu Zahlungsausfällen, Gewährleistungskosten etc. Der **Gewinn** ist das Entgelt für die unternehmerische Leistung. Wagnis und Gewinn werden meist als fester Prozentsatz bezogen auf die Auftragssumme angesetzt.

Nachdem die Kostenbestandteile und die anderen Prozentsätze ermittelt sind, werden diese Bestandteile bei der **Kalkulation über die Angebotsendsumme** zu dem Angebotspreis zusammengefügt. Ausgehend von den Einzelkosten der Teilleistungen wird festgelegt, wie die übrigen Kosten, also die Gemeinkosten der Baustelle und die umsatzbezogenen Gemeinkosten auf die einzelnen Positionen im Leistungsverzeichnis verteilt werden, denn nur dafür können Preise im Leistungsverzeichnis eingetragen werden. Die zu verteilenden Kosten werden auch als **Umlage** bezeichnet. Die Verteilung der Umlage bleibt dabei jedem Unternehmer selbst überlassen. Meist wird ein bestimmter Prozentsatz auf die Sonstigen Kosten einschließlich der Gerätekosten verteilt, ein weiterer auf die Fremdleistungskosten und der Rest der zu verteilenden Umlage wird auf die Lohnkosten geschlagen. Dies geschieht mit dem so genannten **Stundenverrechnungssatz.** Die Summe aller beaufschlagten Einzelkosten der Teilleistungen der Positionen, die mit den Vordersätzen multipliziert wurden, ergibt die Netto-Angebotssumme.

Die **Arbeitskalkulation** ist ein Bestandteil der Arbeitsvorbereitung. Sie findet nach Auftragserteilung statt. Zu diesem Zeitpunkt setzt man sich sehr viel gründlicher mit den Arbeitsabläufen auseinander. Oft stellt sich dann heraus, dass eine andere Art der Ausführung zweckmäßiger ist, womit auch eine Überarbeitung der Angebotskalkulation einhergeht. Dies bedeutet nicht, dass sich der vertraglich vereinbarte Preis noch einmal ändern kann. Der Unternehmer erhält die vertraglich vereinbarten Einheitspreise für die tatsächlich ausgeführten Mengen oder den vereinbarten Pauschalpreis. Kann er die Leistung allerdings billiger erstellen, als er es zur Zeit der Angebotsbearbeitung angenommen hat, wirkt sich dies positiv auf seinen Gewinn aus. Andersherum kann es aber auch sein, dass während der Kalkulation Kostenanteile vergessen wurden oder ein Baustoff beispielsweise teurer geworden ist, als in der Kalkulation angenommen wurde. Das hat dann negative Auswirkungen auf den Gewinn. In der Arbeitskalkulation sind auch Korrekturen vorzunehmen, wenn in den Vertragsverhandlungen ein Nachlass gegeben worden ist.

Eine Änderung der vertraglichen Preise erfolgt bei **Änderungen** oder **Anordnungen** durch den Auftraggeber. Bei Änderungen des Bauentwurfs oder anderen Anordnungen des Auftraggebers für eine im Vertrag vorgesehene Leistung, ist ein neuer Preis unter Berücksichtigung der Mehr- und Minderkosten zu vereinbaren. Für im Vertrag nicht vorgesehene Leistungen hat der Auftragnehmer Anspruch auf besondere Vergütung.

Bei öffentlichen Ausschreibungen besteht die Besonderheit, dass die so genannten **EFB-Blätter** abgegeben werden müssen. EFB steht für Einheitliche Form-Blätter, bzw. Einheitsformblätter. Hierbei handelt es sich um Formulare zur Angabe der Kostenaufschlüsselung durch den Bieter. Die aktuellen EFB-Blätter sind im Vergabehandbuch enthalten. Durch Angabe der Einzelkosten der Teilleistung und der Zuschlagssätze für Gemeinkosten sollen die Grundlagen für die Kalkulation etwaiger Mehrleistungen transparent gemacht werden.

3. Häufig auftretende Probleme in der Praxis

Das Hauptproblem in der Praxis ist die Nachvollziehbarkeit der Kalkulationen, wenn es zu Änderungen der ausgeschriebenen Bauleistung oder zu Mehrleistungen kommt. In diesem Fall wird der Preis für die geänderten oder zusätzlichen Leistungen so bestimmt, wie die Vertragspreise vom Auftragnehmer kalkuliert worden sind. Diese Nachweise sind in aller

Regel von den Auftragnehmern erbracht, werden aber von Auftraggebern in Zweifel gezogen. Zur Überprüfung werden hinterlegte Kalkulationen verwendet, die so genannte **Urkalkulation**. Die dort gemachten Angaben reichen aber in vielen Fällen nicht aus, um eindeutig die zu Grunde liegenden Preise zu bestimmen. Daraus resultieren sehr viele Streitigkeiten über die Vergütungshöhe.

Das gleiche Problem tritt auf, wenn in den hinterlegten Kalkulationen nur die Angabe „Nachunternehmerpreis zuzüglich Zuschlag“ enthalten ist. Diese Preisangabe ist nicht zahlenmäßig bestimmt und führt zu Unklarheiten. In diesem Zusammenhang wird auch häufig der Vertragspreis für geänderte Leistungen nicht beachtet, sondern ein Nachunternehmerpreis angesetzt. Je nachdem, ob der Nachunternehmerpreis höher oder niedriger als der Vertragspreis ist, wird ein Vertragspartner einen Anlass zu Streitigkeiten sehen.

Da die hinterlegte Kalkulation keinen genauen Regelungen unterliegt und der Auftragnehmer frei ist, wie er kalkuliert, kommt es zu Differenzen zwischen der Preisangabe im Vertrag und den wirklichen Kosten. Insbesondere durch Umlagen von Zuschlägen, Risikoübertragungen etc. werden Preise in Leistungsverzeichnissen angegeben, die nicht direkt nur aus der Kalkulation resultieren. Bei Leistungsänderungen können so hohe Vergütungen die Folge sein, die sich aus vertraglich vereinbarten Preisen ergeben.

In vielen Fällen wird keine Kalkulation hinterlegt, oder der Auftragnehmer verfügt nicht über eine Kalkulation. Insbesondere bei spezialisierten Betrieben kennt man die Kosten für die Leistungen und bestimmt die Angebotssumme lediglich durch eine Berechnung der auszuführenden Mengen. Kleinere Betriebe führen ebenfalls selten Kalkulationen durch. Ein Malerbetrieb wird für den Anstrich von drei Zimmern mit weißer Farbe nach der Ortsbesichtigung bereits den Preis nennen. Preisnachweise für Mehrleistungen sind mitunter nicht herzuleiten und führen ebenfalls zu Streit.

Das gleiche Problem tritt auf, wenn der Auftraggeber nur einen Pauschalpreis angegeben haben möchte. Auch hier ergeben sich Konflikte, wenn sich die ausgeführte Leistung mindert oder mehrt, davon aber nur anteilige Leistungen betroffen sind. Es ist dann festzustellen, welcher Anteil der pauschalen Vergütung für die anteilige Leistung zu bezahlen ist.

Die Aufzählung der einzelnen Probleme des Nachweises der angemessenen, vertraglichen Vergütung für geänderte und zusätzliche Leistungen lässt sich beliebig verlängern. In der Praxis lassen sich diese Angelegenheiten meist nur durch Befragung eines Sachverständigen lösen. In aller Regel muss dafür die gesamte Kalkulation nachvollzogen, bzw. erstmalig aufgestellt werden. Diese Gutachten kosten häufig mehr Geld als die in Streit stehende Forderung. Daher ist es auch nicht sinnvoll, sich in großer Menge kalkulative Angaben zum Zeitpunkt des Vertragsabschlusses vorlegen zu lassen. In der Praxis führt dies zu aufwändigen Prüfungsvorgängen, welche für den zu Grunde liegenden Sachverhalt übertrieben sind oder von den Beteiligten nicht mehr angewendet werden.

4. Weiterführende Literatur

Die KLR Bau – Kosten- und Leistungsrechnung der Bauunternehmen, herausgegeben vom Hauptverband der Deutschen Bauindustrie e. V. und dem Zentralverband des Deutschen Baugewerbes e. V., erläutert unter anderem anschaulich die Kalkulation über die Angebotsendsumme.

Das Buch Preisermittlung für Bauarbeiten von Karl Plümecke, erschienen im Müller Verlag, enthält neben Arbeitszeit-Richtwerten auch die wesentlichen Grundlagen der Preisermittlung. Die Probleme der Bestimmung der geänderten Vergütung sind in diversen Büchern erläutert. Hier haben sich allerdings in letzter Zeit viele Meinungen herausgebildet, so dass nunmehr auch den Baubetrieb ein Methodenstreit durchzieht. Sieht man sich die Standpunkte genauer an, resultieren die verschiedenen Meinungen im Baubetrieb meist aus der Interpretation rechtlicher oder vertraglicher Regelungen, die von Technikern doch häufig fernliegend interpretiert werden.

III. Baumaschinen

1. Einführende Erläuterungen

Es gibt eine Vielzahl von Baumaschinen und Baugeräten. Für alle möglichen Einsatzzwecke werden von den Herstellern weitere Geräte entwickelt. Durch den Einsatz von Baumaschinen wird eine schnellere Arbeitsweise ermöglicht, so dass die Bauzeiten reduziert werden können. Andererseits ermöglichen die Geräte erst den Einsatz von bestimmten Bauverfahren, so dass die Errichtung von immer größeren Bauwerken möglich wird. Trotz aller Entwicklungen bleiben auch viele Arbeiten Handarbeit, so dass sich in diesen Gewerken nichts Grundsätzliches geändert hat. Beispiel hierfür sind Maurerarbeiten, bei denen sich zwar andere Formen der Mauersteine entwickelt haben, andere Mörtel etc. Im Prinzip werden aber immer noch einzelne Steine zu dem Bauwerk zusammengefügt. Auch die Bewehrungsarbeiten wurden rationalisiert, bleiben aber nach wie vor in der Hauptsache personalintensive Arbeiten.

Man kann die Baugeräte in unterschiedliche Kategorien einteilen. Für die verschiedenen Bauarbeiten gibt es jeweils spezielle Geräte, z. B. Erdbaugeräte, worunter der Bagger fällt, spezielle Tiefbaugeräte, hierzu zählen beispielsweise die Rammgeräte zum Einbringen von Spundwänden, Tunnelbohrmaschinen für den Tunnelbau, Fertiger und Walzen für den Straßenbau, schienengebundene Gleisbaugeräte, etc. Zu den mobilen, fahrbaren Geräten zählen auch die Lastkraftwagen für den Materialtransport. Zu den Geräten für den Materialtransport gehören auch die Hebezeuge, worunter der Kran fällt. Krane gibt es als Mobilkrane, aber auch als die typischen Hochbaukrane, die meist stationär aufgestellt werden, oder fahrbar auf Schienen montiert sein können.

Ebenfalls stationäre Geräte, die an den jeweiligen Einsatzort transportiert und dort aufgebaut werden, sind Verbaugeräte für den Kanalbau, Brückenbaugeräte, Schalungsgeräte, Rüstgeräte, Geräte zur Materialherstellung und -aufbereitung, wie zum Beispiel Mischanlagen zur Herstellung von Beton, oder zur Lagerung, wie z. B. Silos. Daneben gibt es auf der Baustelle auch so genannte Kleinwerkzeuge, worunter beispielsweise Kreissägen und Handbohrmaschinen fallen.

Im Folgenden wird eine Auswahl der wichtigsten Baumaschinen und -geräte vorgestellt. Hierbei wird sich weitgehend auf Geräte und Maschinen einer durchschnittlichen Hochbaubaustelle mit Erdbauarbeiten beschränkt. Spezielle Geräte des Spezialtiefbaus, Verkehrswegebaus, Ingenieur- oder Tunnelbaus werden in den entsprechenden Kapiteln der Bausparten beschrieben. Ergänzend wird die Einsatzmöglichkeit, Kalkulation und Bestimmung des richtigen Gerätes erläutert. Die Baustelleneinrichtung wird in diesem Kapitel mit behandelt, da der Standort der Maschinen und Geräte auf der Baustelle eine entscheidende Rolle spielt.

2. Fachliche Erläuterungen

Im **Erdbau** sind verschiedenste Geräte nötig. Es gibt zunächst Geräte, die den Boden lösen und laden, so z. B. der **Bagger** oder der Radlader. Es gibt eine Vielzahl unterschiedlicher Bagger. Sie unterscheiden sich nach dem Antrieb als Hydraulik- und Seilbagger, dem Fahrwerk als Raupen- und Mobilbagger, dem Arbeitswerkzeug, z. B. als Eimerseilbagger usw. Der gängigste und bekannteste Bagger ist der Hydraulikbagger. Bei ihm werden alle Bewegungen des Arbeitsgerätes, wie z. B. das Verstellen der Ausleger und Schaufel, Grabgefäß oder Löffel genannt, hydraulisch angetrieben. Der Bagger kann mit verschiedenen Grabgefäßen ausgerüstet werden, die meist mit Schnellverschlüssen versehen sind. Die Schaufeln unterscheiden sich nicht nur nach der Größe, sondern auch in der Form. Die Wahl der richtigen Schaufel ist nicht nur eine Frage der zur Verfügung stehenden Leistung des Gerätes, sondern hängt auch von dem anstehenden Boden, der auszuhebenden Kubatur etc. ab. Für den Aushub eines Grabens werden daher Löffel verwendet, welche die gewünschte Breite aufweisen.

Für harte Böden gibt es unterschiedliche Aufsätze als Zähne, die bei Verschleiß ausgetauscht werden können.

Bagger können mit einem Rad- oder auch Raupenfahrwerk ausgestattet sein. Ein Bagger mit Radfahrwerk hat eine höhere Fahrgeschwindigkeit, ca. 25 km/h gegenüber ca. 2 km/h bei einem Bagger mit Raupenfahrwerk. Ein Bagger mit Raupenfahrwerk muss in der Regel mit einem Tieflader zur Baustelle transportiert werden. Mit Raupenfahrwerken können allerdings größere Lasten in den Untergrund übertragen werden, die durch die Arbeitsvorgänge und das Gewicht des Gerätes entstehen, sie kippen nicht so schnell um und können steilere Rampen befahren als Radfahrwerke. Ein Sonderfahrwerk zeigt Abbildung 68.

Abbildung 68: Schreitbagger

In der Abbildung ist ein Bagger zu sehen, der auf Rädern fahren kann, aber auch über verstellbare Ausleger verfügt, mit denen er sich abstützen kann. Daher ist er in der Lage, auch an Hängen und in unwegsamem Gelände aufrecht und standsicher arbeiten zu können.

Je nach dem jeweiligen Einsatzzweck und der zu bewegenden Erdmasse muss das passende Gerät bestimmt werden. Ein zu groß gewähltes Gerät verursacht hohe Kosten, ein zu kleines Gerät arbeitet zu langsam. Für die Bestimmung der notwendigen Leistung eines Baggers, also wie viel Kubikmeter Erde der Bagger pro Stunde lösen und laden können muss, spielen eine Vielzahl von Faktoren eine Rolle. Das sind zum Beispiel die Art und Größe der Schaufel, die Grabtiefe, die Art des Entladevorganges, z. B. auf eine Halde oder in einen LKW etc. Ein weiterer Faktor ist die

Spielzeit. Die Spielzeit ist die Zeit, die der Bagger für ein Arbeitspiel benötigt. Ein Arbeitsspiel umfasst die Teilvorgänge Senken des Löffels, Füllen, Heben, Schwenken, Entleeren und Rückschwenken. Siehe hierzu die Abbildungen 69 und 70.

Abbildung 69: Hydraulikbagger

Auf dem Bild sind die unterschiedlichen Bagger einer großen Baustelle zu sehen, bei der umfangreiche Erdarbeiten für den Neubau einer Autobahn durchgeführt werden.

Abbildung 70: Baggerschaufeln

Die drei unterschiedlichen Baggerschaufeln, Grabgefäße oder Löffel genannt, sind für verschiedene Erdarbeiten vorgesehen. Während der im Vordergrund liegende Löffel mit Reißzähnen ausgestattet ist, die für ein besseres Lösen von festen Bodenarten montiert werden, ist der im Hintergrund montierte Löffel für Konturarbeiten mit bereits gelöstem Boden vorgesehen.

Für den Bodentransport werden üblicherweise andere Geräte eingesetzt. Landläufig bekannt sind die Lastkraftwagen mit Straßenzulassung für den öffentlichen Verkehr. Ihre Nutzlast ist eingeschränkt durch die Straßenverkehrszulassungsordnung. Für den ausschließlichen Baustellenverkehr gibt es spezielle Erdbaufahrzeuge. Sie können mehr Nutzlast aufnehmen. Dazu zählt der **Dumper** oder auch Vorderkipper genannt. Ein weiteres Fahrzeug ist der **Muldenkipper**, der zum schnellen Entladen nach hinten gekippt werden kann, siehe hierzu Abbildung 71 und 72. Das Pendant zur Spielzeit des Baggers ist die **Umlaufzeit** bei Fahrzeugen. Das ist die Zeit, die das Transportgerät vom Ladegeräte zur Entladestelle und wieder zurück zum Ladegerät benötigt.

Im Erdbau spielt der so genannte **Bagger-LKW-Betrieb** eine wichtige Rolle. Damit ist das Zusammenspiel des erdlösenden und -ladenden Gerätes, dem Bagger oder Lader, und den Fördergeräten, die den Erdaushub abtransportieren, LKW oder Muldenkipper, gemeint. Da der Bagger meist das teurere Gerät ist, soll dieser immer voll ausgelastet sein und nicht auf einen zu beladenen LKW warten. Der Bagger ist das so genannte **Leitgerät.** Die Spielzeit des Baggers und das pro Spiel bewegte Volumen müssen auf die bereitgestellten Transportfahrzeuge und ihre Umlaufzeit abgestimmt werden. Wenn dieses Zusammenspiel nicht stimmig ist, entstehen

Abbildung 71: Dumper

Bei einem Dumper sitzt der Fahrer typischerweise hinter der Mulde. Die Mulde kippt nach vorne. Bei einigen Modellen sitzt die Mulde aber auf einem Drehgestell, so dass die Mulde auch zur Seite abkippen kann.

bei den Lastkraftwagen oder bei dem Bagger Stillstandszeiten. Damit lässt die Leistung nach und die Kosten erhöhen sich. Siehe hierzu Abbildung 73.

Abbildung 72: Muldenkipper

Der abgebildete Muldenkipper ist ein Fahrzeug für den Transport von Boden, welches nur für den Baustellenbetrieb vorgesehen ist. Für einen Größenvergleich erkennt man neben dem Hinterrad ein handelsübliches Motorrad.

Abbildung 73: Bagger-LKW-Betrieb

Die Abbildung zeigt einen Bagger-LKW-Betrieb. Ziel eines solchen Betriebs ist es, den Bagger kontinuierlich arbeiten zu lassen. Ist ein LKW beladen, steht sofort der nächste zur Beladung bereit. Dies führt dazu, dass die LKW „Schlange" stehen, dies ist bei großen Erdbaustellen oft gut zu beobachten. Im Hintergrund sieht man eine Planierraupe, die die Erde „zusammenschiebt". Das Gerät ist mit einer Steuerung ausgerüstet, erkennbar als Stab mit gelb-weißem kugeligem Ende, die dem Fahrer den genauen Erdabtrag mit Hilfe von GPS-Sendern und Geländemodellen ermöglicht.

Boden wird aber nicht nur gelöst und ausgehoben, sondern er wird auch als Baustoff eingebaut. Für das Einbauen von Boden, also dem Verteilen und Planieren gibt es ebenfalls spezielle Geräte. Zum Verteilen und Planieren des Bodens benutzt man **Planierraupen.** Damit können große Bodenmassen schnell verteilt werden. Planierraupen verwendet man aber auch zum flächigen Bodenabtrag, z. B. des Mutterbodens. Sie können am Heck mit einem Reißzahn ausgerüstet werden, mit dem fester Boden gelockert werden kann. Siehe hierzu Abbildung 74.

Abbildung 74: Planierraupe mit Mehrzahn-Heckaufreißer

Die Abbildung zeigt eine Planierraupe mit Mehrzahn-Heckaufreißer. Die Planierraupenfahrer rammen die Reißzähne in den Boden und lösen diesen mit einer Druck- und Zugbewegung. Die meisten Planierraupen lassen sich einfach umrüsten, so dass man auf dieses Gerät auch einen Anbau mit nur einem Reißzahn montieren könnte.

Planierraupen und andere Geräte für eine flächige Bodenbearbeitung werden heute mit elektronischen Geräten ausgestattet, die den Geräteführer über ein Display informieren, ob er die richtige Höhenlage bei der Bodenbearbeitung erreicht hat. Weitergehend können aber die Geräte bereist mittels GPS-Daten automatisch gesteuert und überwacht werden. Es handelt sich sozusagen um selbständig fahrende Baumaschinen, deren Bewegungen „ferngesteuert“ sind oder nur überwacht werden.

Allerdings sind Planierraupen wegen ihres Gewichtes und wegen des Raupenfahrwerkes nicht in der Lage, bei einem Bodenauftrag die Oberfläche feiner zu profilieren oder glatte Oberflächen herzustellen. Dafür verwendet man **Grader.** Siehe hierzu Abbildung 75.

Abbildung 75: Motorgrader

Der Grader wird für die Profilierung von Bodenschichten eingesetzt, wofür er mit mehreren Schildern ausgerüstet ist. In der Mitte vor dem Fahrerhaus ist eine Vorrichtung erkennbar, mit der über Funksignale die Einbaulage des Bodens und die Steuerung des Graders überprüft werden kann.

Verdichtungsgeräte erhöhen die Lagerungsdichte des Bodens, womit der Boden tragfähiger wird und z. B. Setzungen vermieden werden. Die Verdichtung des Bodens kann dabei, je nach Gerät, durch das Eigengewicht, durch Kneten, durch Stampfen oder durch die Kombination von Geräteeigengewicht und Vibration erreicht werden. Das richtige Gerät für den geplanten Einsatz hängt von der Bodenbeschaffenheit ab. Beim Verdichten ist es wichtig, die richtige Schütthöhe des Bodens einzuhalten. Soll eine Fläche z. B. um zwei Meter aufgefüllt werden, darf man das zu verfüllende Material nicht auf einmal aufschütten und verdichten. Die unteren Bodenschichten des Verfüllmateriales würden dann nicht ausreichend verdichtet. Es ist je nach Gerät und der Art des Bodens eine bestimmte Schütthöhe einzuhalten, z. B. der Einbau in Lagen von jeweils 50 Zentimeter. Ein weiteres Maß ist die Zahl der Übergänge des Verdichtungsgerätes, also wie oft das Gerät über den gleichen Abschnitt des Bodens fahren muss, bis die gewünschte Verdichtung erreicht ist. Weiterhin ist auf die richtige Arbeitsbreite, die Überlappung der verdichteten Teilstücke und ggf. die Frequenz der Vibrationseinrichtung zu achten. Für „enge" Baustellen, wie z. B. Leitungsgräben, werden handgeführte **Plattenrüttler** oder **Stampfer** benutzt. Plattenrüttler finden auch für ein Einrütteln von Pflastersteinen Verwendung. Walzen werden nicht nur zum Verdichten von Boden eingesetzt, sondern z. B. auch im Straßenbau zum Verdichten von Asphalt. Siehe hierzu Abbildung 76 und 77.

Abbildung 76: Glattrad- und Schaffußwalze

Links ist eine Walze zu sehen, die ein glattes Walzenrad aufweist. Mit ihm wird der anstehende Boden oder Asphalt zu einer glatten Oberfläche verarbeitet. Die rechts zu sehende Schaffußwalze dient der Verdichtung von Boden. Durch die kleinere Aufstandsfläche der Walze wird ein höherer Druck erzeugt, so dass auch der Boden besser verdichtet werden kann.

Abbildung 77: Walzen im Straßenbau

Die Abbildung zeigt den Einsatz von Walzen zum Verdichten von Asphalt auf einer Autobahnbaustelle. Es werden viele Walzen gleichzeitig eingesetzt, damit der ganze Querschnitt der Straße abgedeckt ist und der Asphalt zügig verdichtet werden kann.

Krane zählen zu den Hebezeugen. Man unterscheidet grob in **Turmkrane** und **Fahrzeugkrane.** Bei Kranen handelt es sich um **Bereitstellungsgeräte.** Sie werden, anders als **Leistungsgeräte,** nicht einer bestimmten Teilleistung zugeordnet, wie z. B. der Bagger nur zu dem Erdaushub, sondern werden für mehrere Teilleistungen benötigt. So hebt der Kran den Kübel zum Betonieren, den Stahl für die Bewehrung, Fertigteile, Schalung etc., aber auch Materialien für den Ausbau. Ebenso ist er für die Entladung von Lieferfahrzeugen und das Ablegen auf den Lagerplätzen erforderlich.

Turmkrane werden in ihren Einzelteilen auf die Baustelle transportiert. Sie benötigen üblicherweise ein betoniertes Fundament. Siehe hierzu die Abbildungen 78, 79 und 80.

Krane zählen zu den Hebezeugen. Man unterscheidet grob in **Turmkrane** und **Fahrzeugkrane.** Große und schwere Hochbaukrane werden mit Hilfe von Autokranen aufgebaut. Siehe hierzu Abbildung 81. Die ent-

Abbildung 78: Bewehrung am Kranfuß

Im Bild erkennt man den unteren Kranschuss. An seinen vier unteren Enden sind Platten mit Bewehrung angebracht.Die Vertiefung, in der das Kranfundament betoniert wird, ist eingeschalt. Hier wird zunächst von außen betoniert und dann die Schalung entfernt. In einem zweiten Arbeitsgang wird dann die so hergestellte Wanne mit Bewehrung versehen, die in die Bewehrung der Kranenden eingreift und für einen kraftschlüssigen Verbund sorgt. Im Nachgang wird die Wanne betoniert.

Abbildung 79: Kranfundament

Die zweite Abbildung zeigt das Kranfundament, das betoniert ist. Jetzt kann der Kran aufgebaut werden.

scheidende Kenngröße von Kranen ist das so genannte Nennlastmoment. Das Nennlastmoment ist das Produkt aus der Traglast am Haken und der Ausladung. Hat ein Kran beispielsweise ein Nennlastmoment von 100 tm bedeutet das, dass er bei einer Ausladung von 40 m ein Gewicht von 2,5 t oder bei einer Ausladung von 20 m ein Gewicht von 5 t heben kann. Die Größe des Kranes bestimmt sich damit nicht nur nach der erforderlichen Höhe und dem Schwenkradius, sondern ist auch entsprechend der schwersten, zu hebenden Stücke zu bemessen. Die Anzahl der benötigten Krane hängt im Wesentlichen von den auf der Baustelle eingesetzten Arbeitskräften ab. Eine Faustformel besagt, dass ein Kran für die Herstellung von Betonbauteilen 15–20 Arbeitskräfte bedienen kann, wenn der Beton mit Hilfe des Kranes und eines Kübels eingebaut wird, für andere Arbeiten ca. 25 Mann.

Fahrzeugkrane können sich über ein Fahrwerk, entweder ein Raupenfahrwerk oder ein Radfahrwerk, selbständig bewegen. Autokrane verfügen über einen strassentauglichen Unterwagen. Sie werden meist im Kranverleih eingesetzt, um kurzfristig an verschiedenen Orten zum Einsatz zu kommen. Diese so genannten Mobilkrane können auch Großgeräte sein, die bis zu 40 Lastzüge nur für den Transport der Einzelteile

Abbildung 80: Kranstandort im Gebäude

Hier ist der Kran zu sehen, um den herum das Gebäude gebaut wird. Die Deckenschalung wird im Bereich des Krans ausgespart. Nach Fertigstellung des Gebäudes wird der Kran von oben demontiert, der untere Kranschuss abgeschraubt und dann werden die Decken im Nachgang geschlossen.

des Kranes benötigen. Weitere Hebezeuge auf Baustellen sind Seilzüge, bekannt als Flaschenzug, Aufzüge für Baumaterialien und bei größeren Höhenunterschieden auch für Personal und Hebebühnen.

Mit **Mischanlagen** werden Baustoffe hergestellt, so zum Beispiel Beton oder Asphalt. Mischanlagen übernehmen alle Funktionen zur Herstellung des Baustoffes, vom Lagern der Bestandteile, dem Zuteilen, Dosieren und Beschicken des Mischers, bis zum Entleeren. Betonmischanlagen lohnen sich nur auf sehr großen Baustellen, bei denen viel Beton benötigt wird. Normalerweise wird Beton in einem stationären Betonwerk bestellt und in einem **fahrbaren Betonmischer** angeliefert, der so genannte **Transportbeton**.

Um den Beton auf der Baustelle an den Einbauort zu bringen, gibt es verschiedene Möglichkeiten. Weit verbreitet ist der **Krankübel.** Hier wird der Beton vom Betonmischer direkt in einen Kübel geschüttet, der dann mit Hilfe des Krans an den Einbauort gebracht wird. Immer häufiger im Einsatz sind **Betonpumpen**, die entweder fest auf der Baustelle montiert oder auf einem Lastkraftwagen installiert sind. Stationäre Betonpum-

Abbildung 81: Aufbau Kran

Die Abbildung zeigt einen Autokran bei der Montage eines Turmdrehkrans. Es handelt sich um einen leichten Autokran, der ohne Sondererlaubnis am Straßenverkehr teilnehmen darf. Autokrane werden häufig dafür eingesetzt Turmkrane, die in Einzelteilen auf der Baustelle angeliefert werden, aufzubauen. Meist haben sie nur kurze Einsatzzeiten und erledigen Hebearbeiten, für die sich der Aufbau eines Turmdrehkranes nicht lohnt, z. B. bei Bergungsarbeiten.

pen verwendet man auf Baustellen, die ständig große Mengen Beton verarbeiten müssen, oder wenn aus Platzmangel keine Autobetonpumpe verwendet werden kann. Autobetonpumpen sind die bessere Alternative, wenn große Betonmengen nur für eine kurze Zeit einzubauen sind oder die Betoneinbaustellen weit auseinander liegen und sich ein Kraneinsatz nicht lohnt. Für besondere Anwendungen gibt es **Betonspritzgeräte.** Der Beton wird aus einer Düse senkrecht auf die Auftragsfläche aufgespritzt. Dadurch kann eine große Menge von Beton verarbeitet werden, z. B. zur Sicherung des Erdreiches im Tunnelbau, bei Baugruben und Rutschhängen. Weitere Anwendung findet der Spritzbeton bei Reparaturarbeiten von Betonflächen oder bei der Sicherung von Böschungen.

Um das richtige Gerät, bzw. die richtige Gerätekombination für eine Bauaufgabe zu bestimmen, müssen also viele Faktoren beachtet werden. Manche Geräte scheiden schnell und offensichtlich aus, da sie zum Beispiel wegen mangelnder Leistung nicht in der Lage sind, den anstehenden Boden zu lösen. Oft ist es aber auf den ersten Blick nicht ersichtlich, welche Geräte bzw. Gerätekombinationen die günstigsten sind. In diesen Fällen wird ein kalkulatorischer **Verfahrensvergleich** durchgeführt. Dabei werden die zur Verfügung stehende Alternativen vollständig kalkuliert, wobei auch unterschiedlich lange Vorhalte- und Einsatzzeiten zu berücksichtigen sind.

Maßgebend für die Kalkulation und Kostenermittlung der Baumaschinen ist die so genannte **Baugeräteliste,** kurz **BGL.** In der BGL finden sich alle wesentlichen Daten über Maschinen und Geräte. Dazu gehören Angaben über den Neuwert, die wirtschaftliche Nutzungsdauer, Abschreibung und Verzinsung, Betriebskosten, Reparaturkosten, den Energieverbrauch usw. Die Geräte werden nicht nach Herstellern oder Fabrikaten sortiert, sondern nach Kenngrößen, wie z. B. der Leistung.

Bei der Gerätekostenermittlung wird mit verschiedenen Zeitbegriffen gearbeitet, die sich unterscheiden. Unter der **Nutzungsdauer** versteht man die Zeit, die ein Gerät mit wirtschaftlichem und technischem Erfolg eingesetzt werden kann, die **Lebensdauer** dagegen ist die Zeit von der Herstellung bis zur Verschrottung. Die **Vorhaltezeit** ist die Zeit, ab der das Gerät den Bauhof verlässt, bis es dort wieder eintrifft. In dieser Zeit kann also nicht anderweitig über das Gerät verfügt werden. Das ist auch die Zeit, für die eine Baustelle in der Regel mit den Kosten belastet wird. Unter der **Einsatzzeit** versteht man die Zeit, in der ein Gerät für eine Bauleistung eingesetzt ist. Unter die **Betriebszeit** fällt nur der Zeitanteil, in der das Gerät unter Last läuft. Die **Stillliegezeit** ist die Zeit innerhalb der Vorhaltezeit, in der das Gerät nicht arbeiten kann, zum Beispiel durch höhere Gewalt oder Störungen des Bauablaufes. Auch die Zeit, in der das Gerät auf dem Bauhof lagert, weil es nicht betriebsbereit ist oder es an einer

Einsatzmöglichkeit fehlt, wird als Stillliegezeit bezeichnet. Für Stillliegezeiten ergeben sich bei der Kostenermittlung nach der BGL Besonderheiten. Die **Reparaturzeit** ist die Zeit, in der das Gerät auf der Baustelle oder in der Werkstatt repariert und gewartet wird.

Gerätekosten setzten sich aus verschieden Anteilen zusammen. Die **Festkosten** entstehen unabhängig vom Einsatz und sind nur von der Zeit abhängig. Sie enthalten die Investitionskosten, die über mehrere Jahre abgeschrieben werden, und die Verzinsung. Ein weiterer Kostenanteil sind die **Betriebskosten**, diese sind allein von der Betriebszeit im Einsatz abhängig. Die Betriebskosten setzten sich zusammen aus den Betriebsstoffkosten, also Diesel und Strom, den Schmierstoffkosten, sowie den Reparaturkosten. **Reparaturkosten** bestehen immer aus einem Lohnanteil und einem Materialanteil. In der BGL ist festgelegt, dass 60% der Reparaturkosten auf den Lohn und 40% auf das Material entfallen. Die **Lohnkosten** bestehen aus dem vorgenannten Lohnanteil für Reparaturkosten und den Betriebslohnkosten für den Geräteführer. Für die Ermittlung der Gerätekosten stehen drei Verfahren zur Verfügung. Man kann die Gerätekosten für die Vorhaltezeit ermitteln, für die Einsatz- oder Betriebszeit oder auch für eine Leistungseinheit, also die Mengen. Das hängt einerseits von dem Gerätetyp ab. Ein Kran wird üblicherweise für die Vorhaltezeit berechnet, während ein Leistungsgerät für die Einsatzzeit kalkuliert wird. Andererseits steht es dem Unternehmen frei, die Gerätekosten auf eine bestimmte Leistung umzulegen.

Liegt ein Gerät während einer Baumaßnahme still, werden dafür nicht die vollen Kosten angesetzt. Die Regelung der BGL sieht vor, dass in den ersten zehn Kalendertagen der Stillliegezeit die vollen Reparaturkosten angesetzt werden, aber ab dem elften Kalendertag nur noch ein gewisser Prozentsatz. Dieser Regelung kommt besondere Bedeutung zu, wenn der Stillstand durch den Auftraggeber verursacht wurde. Ist der Stillstand auf den Unternehmer zurückzuführen, können unternehmensintern auch andere Regelungen gelten. Dies gilt grundsätzlich für die Anwendung der Gerätekostenansätze aus der BGL. Diese sind recht hoch, unternehmensintern werden oft andere Ansätze verwendet.

Als **Baustelleneinrichtung,** kurz **BE** genannt, werden alle zur Errichtung eines Bauwerkes benötigten Einrichtungen bezeichnet. Darunter fallen Geräte und Maschinen, Container und Gebäude zur Unterbringung von Arbeitskräften und dem Baubüro, Bearbeitungs-, Lager- und Verkehrsflächen, der Bauzaun, das Bauschild usw. Für große Bauvorhaben ist die Einrichtung einer Baustelle selbst schon mit erheblichen Bautätigkeiten verbunden. Für die Aufstellung vieler Geräte muss der Boden planiert werden, Betonfundamente für Krane und Container sind zu errichten, die Lagerplätze und die Baustraßen müssen angelegt werden etc. Dafür ist es erforderlich, dass für den Betrieb mit den schweren Baufahrzeugen eine ausreichende Befestigung und Dauerhaftigkeit der Baustraßen erreicht wird. Hierfür wird grobkörniges Material verwendet, so genannter Schroppen. Dadurch wird auch sichergestellt, dass die Fahrzeuge beim Verlassen der Baustelle die öffentlichen Straßen nicht verschmutzen. Siehe hierzu Abbildung 82.

Abbildung 82: Schroppen als Baustraße

Hier sieht man eine typische Ausführung einer Baustraße. Hierfür wird grobes Bruchmaterial aus Gestein oder Betonabbruch auf den anstehenden Boden aufgetragen. Damit wird erreicht, dass die Baustellenfahrzeuge nicht in den Boden einsinken und sich die Radprofile nicht zusetzen. Das Material wird auch als Schroppen bezeichnet.

Wenn die Baustelle nicht mit befestigten Baustraßen ausgerüstet wird, verschmutzen die Baustellenfahrzeuge sehr stark. Insbesondere an den Reifen haftender Lehm würde sich auf öffentlichen Straßen verteilen und diese unzulässig verschmutzen. Daher wird für Versorgungsfahrzeuge eine Reifenwaschanlage benutzt, mit der die Räder vor dem Verlassen der Baustelle gereinigt werden. Siehe hierzu Abbildung 83.

Je nach dem jeweiligen Einsatzzweck und der zu bewegenden Erdmasse muss das passende Gerät bestimmt werden. Ein zu groß gewähltes Gerät verursacht hohe Kosten.

Bei der Baustelleneinrichtung kommt es vor allem auf die optimale Verteilung der Einrichtungen auf dem meist sehr beengten Raum an.

Abbildung 83: Reifenwaschanlage

Der LKW wird vor dem Verlassen der Baustelle gereinigt, damit die Reifen keinen Schmutz auf öffentliche Straßen austragen. Eine solche Reifenwaschanlage wird verwendet, wenn viele Fahrzeuge täglich die Baustelle befahren und der Einsatz einer Kehr- oder Reinigungsmaschine daher nicht sinnvoll oder ausreichend ist.

Besonders im innerstädtischen Bereich stellt dies hohe Anforderungen. Bei der Planung der Baustelleneinrichtung muss beachtet werden, dass zu jedem Zeitpunkt der Bauabwicklung eine ausreichende Versorgung mit Material erfolgen kann. Daher ist auch der Bauablaufplan zu berücksichtigen. Eine besondere Bedeutung kommt der Wahl der Kranstandorte zu. Der Kran verfügt nur über einen bestimmten Schwenkbereich. Der oder die Krane müssen also so aufgestellt werden, dass sie die gesamte Baustelle überstreichen können, sich allerdings auch nicht gegenseitig einschränken. Die Standortwahl der Geräte, der Schwenkbereiche der Krane, die Führung der Versorgungsleitungen, die Lagerplätze usw. werden in einem **Baustelleneinrichtungsplan** festgehalten. Die Baustelleneinrichtung kann sich allerdings im Verlauf einer Baumaßnahme mehrfach ändern, da unterschiedliche Geräte benötigt werden, die Anzahl der Geräte am Anfang und am Ende der Bauabwicklung verringert werden kann etc.

3. Häufig auftretende Probleme in der Praxis

Der Einsatz von Geräten wird nach den Umständen bestimmt, die sich aus den vertraglichen Unterlagen ergeben. Bei einer Änderung dieser Umstände kann es zu einer Verschlechterung der Effizienz des Geräteeinsatzes kommen. Während die Folgen eines Einsatzes einer Schalung, der sich auf Grund von hindernden Umständen verlängert, noch einfach zu bestimmen sind, ist die Leistungsreduzierung von Baggern oder anderen Erdbaugeräten durch Änderungen der Bodenverhältnisse schwieriger zu ermitteln. In diesen Fällen wird auch häufig der Einwand erhoben, dass die Leistungswerte eines Gerätes zu hoch angesetzt worden seien, so dass eine eventuelle Mehrforderung zu reduzieren sei. In vielen Fällen ist eine gutachterliche Stellungnahme erforderlich, die ebenfalls mit Schätzungen oder Vergleichswerten arbeiten muss.

Häufig kommen Gerätekombinationen zur Bewältigung einer Bauaufgabe zum Einsatz. Hindernde Umstände wirken sich dann auf vielfältige Weise aus. Kommt es zu einem Stillstand des Leitgerätes, stehen zwangsläufig auch die von ihm abhängigen Geräte still. Ist es andererseits erforderlich, die Arbeiten zu beschleunigen, muss man ebenfalls die Gerätekombination einbeziehen. Die Bereitstellung eines größeren Baggers, der in der Lage ist mehr Aushub pro Stunde zu laden, erfordert es auch, die Anzahl der zum Abtransport benötigten Lastkraftwagen anpassen. Die Erhöhung der Anzahl der Geräte wirkt sich nicht unbegrenzt leistungssteigernd aus, da sich die Geräte gegenseitig behindern können.

Neben der Feststellung der tatsächlichen Auswirkungen von Störungen auf den Gerätebetrieb ist ein anderes Problemfeld die Bestimmung der durch Behinderungen entstehenden Kosten. Für die Kalkulation wird in aller Regel die BGL verwendet. Die darin enthaltenen Ansätze werden auch im Rahmen eines Schadenersatzanspruches zur Bestimmung der Höhe des Schadens eingesetzt. Streitigkeiten entstehen daher häufig, ob diese Kalkulationsansätze übernommen werden dürfen, ob alle Anteile angesetzt werden können und in welcher Höhe. Betriebswirtschaftliche Aspekte der Gerätekosten für das Gesamtunternehmen können daher mit zu betrachten sein. Andererseits sind diese Kosten nicht in Frage zu stellen, wenn es sich um Mietgeräte handelt.

Ein häufiges Problem im Zusammenhang mit Baugeräten ist die Lärm- und Schmutzentwicklung. In den Fällen, in denen bestimmte Bauverfahren von Auftraggebern ausgeschrieben oder von Unternehmen gewählt werden, sollte darauf geachtet werden, dass die entsprechenden Geräte auch diesbezüglich einsetzbar sind. Streitpunkte sind Kosten durch behördliche Auflagen, die auf Grund des Gerätebetriebes erteilt werden. Schäden durch Erschütterung sind bei dem Einsatz schwerer Geräte keine Seltenheit. Daher kommt einer Zustandsfeststellung vor Baubeginn große Bedeutung zu.

4. Weiterführende Literatur

Für Baumaschinen gibt es eine Vielzahl von Normen, so beschäftigt sich DIN 459 Baustoffmaschinen mit Mischern für Beton und Mörtel. Die DIN 24080 Erdbaumaschinen, Hydraulikbagger, Seilbagger beschäftigt sich mit Begrifflichkeiten, wurde aber zurückgezogen, aktuell DIN EN ISO 6165 Erdbaumaschinen – Grundtypen – Identifizierung und Begriffe. Die DIN 15021, DIN 15026 und DIN 15030 beschäftigen sich mit Hebezeugen, deren Tragfähigkeit, der Kennzeichnung von Gefahrenstellen und der Abnahmeprüfung von Krananlagen. Für die Konstruktion der üblichen Hochbaukrane gilt die DIN EN 13001, aber auch noch die DIN 15018 Teil 3 Krane, Grundsätze für Stahltragwerke.

Die Baugeräteliste, kurz BGL genannt, herausgegeben vom Hauptverband der Deutschen Bauindustrie e. V., erscheint alle 10 Jahre in überarbeiteter und aktualisierter Form. In ihr sind alle für die Bauausführung und die Einrichtung der Baustelle erforderlichen und geläufigen Gerätearten mit den unterschiedlichen Gerätegrößen aufgeführt. Sie enthält technische Daten, wie die Motorleistung oder das Gewicht, sowie Kalkulationswerte. Baustellenausstattungen und Werkzeuge sind in der BGL nicht enthalten. Diese findet man in der Baustellenausstattungs- und Werkzeugliste, kurz BAL genannt. Eine ausführliche Beschreibung der einzelnen Baugeräte findet sich beispielsweise in dem Buch Baubetrieb von Hermann Bauer, erschienen im Springer Verlag oder im Handbuch Baubetrieb von Günter Kühn, erschienen im VDI-Verlag.

IV. Betriebsorganisation

1. Einführende Erläuterungen

Im folgenden Kapitel werden der prinzipielle Aufbau und die Organisation von Baufirmen erläutert. Bei Baufirmen besteht die Besonderheit, dass ein herzustellendes „Produkt" immer vor Ort gefertigt werden muss. Die Produktionsstätten ändern sich bei jedem Auftrag, da sich die Baustellen an immer anderen Orten befinden. Hinzu kommt, dass die Produkte, also die Bauwerke, meistens nur einmal hergestellt werden. Daher unterscheidet sich der Aufbau von demjenigen der Betriebe mit stationären, also an einem Standort verbleibenden Produktionseinrichtungen, die das Produkt transportieren.

Bei der Baustelle als Produktionsstätte spielt die „Umwelt" eine große Rolle und ist von Bauvorhaben zu Bauvorhaben unterschiedlich. Eine Umweltbedingung mit großem Einfluss ist das Wetter. Es muss bei Wind, Regen, Hitze oder Kälte gearbeitet werden und die zu verarbeitenden

Baustoffe sind auf die Wetterverhältnisse abzustimmen. Behördliche Vorschriften, Auflagen oder das politische Umfeld, vor allem im Zusammenhang mit Auslandsprojekten, sowie die Sitten und Gebräuche einer jeweiligen Region oder Landes nehmen Einfluss.

Die Organisation der jeweiligen Projekte hängt weiterhin maßgeblich davon ab, wie die Aufgaben verteilt sind. Es gibt keine feste, sich ständig wiederholende Aufgabenverteilung zwischen Auftragnehmern und Auftraggebern. Das liegt an der jeweiligen Art der Vergabe durch die Auftraggeber. Während früher der Auftraggeber die Planung seines Bauwerkes durch Planungsbüros fertig erstellen ließ, die auch die Bauleistung ausgeschrieben haben, werden heute auch Planungsleistungen durch die Baufirmen erbracht. Daher steht die eigentliche Bauaufgabe bei der Vergabe noch nicht fest, sondern entwickelt sich erst nach dem Abschluss des Bauvertrages. Dadurch ergeben sich Schnittstellen der Verantwortlichkeiten, aber auch jeweils neue Organisationen der Projektbeteiligten.

Aus diesen Umständen ergeben sich die Betriebsorganisationen der Baufirmen, die allerdings auch entsprechend den angebotenen Bauleistungen, der Betriebsgröße und der regionalen Ausbreitung der Geschäftstätigkeit verschieden sind. Es lassen sich aber Gemeinsamkeiten darstellen, die im Folgenden beschrieben werden. Damit soll dem Außenstehenden ein Eindruck vermittelt werden, wie die Beteiligten in die Hierarchien eingebunden sind. Dabei wird sich auf die Betriebsorganisation der ausführenden Baufirmen beschränkt, da die jeweiligen Auftraggeber verschiedenste Organisationen, juristische Personen etc. sind.

2. Fachliche Erläuterungen

Die Betriebsorganisation eines Bauunternehmens lässt sich zunächst unterteilen in die **Baustellenorganisation** als die kleinste Einheit, die **Projektorganisation** und die **Betriebsorganisation** des Gesamtunternehmens. Da die Baustelle und die dort erbrachte Bauleistung für alle Baufirmen eine Gemeinsamkeit darstellt, wird zuerst diese kleinste Betriebseinheit erläutert. Darauf aufbauend werden die nächst höheren Organisationsformen beschrieben, die aber je nach der Größe der Baufirmen bei kleineren Unternehmen entfallen können.

Ausführende der eigentlichen Bauleistung sind die gewerblichen Arbeitnehmer. Hierbei handelt es sich um Hilfs- und Facharbeiter. Sie sind meist auf bestimmte Bauarbeiten spezialisiert. Bei kleinen Baumaßnahmen wickeln **Kolonnen** unterschiedlicher Stärke unter einem Vorarbeiter die Maßnahme selbständig ab. Bei größeren Baustellen werden für die Arbeiten ebenfalls Kolonnen gebildet. Diese so genannten **Mannschaften** bestehen häufig in festen Zusammenstellungen, da sich die Mitarbeiter kennen und eingearbeitet sind. Die Arbeitsleistung von eingearbeiteten Mannschaften ist höher.

Diesen Mannschaften sind ebenfalls Vorarbeiter zugeordnet, bei größeren Mannschaften ein **Polier.** Poliere durchlaufen eine Ausbildung, deren Abschluss dem eines Handwerkmeisters entspricht. Werkpoliere unterscheiden sich von den Polieren, da sie ernannt werden können, bzw. ihre Ausbildung anders ist. Poliere sind das Bindeglied zwischen der Bauausführung und der Projektorganisation einer Baustelle. Sie sind in vielen Fällen die eigentlichen Wissensträger von Informationen zur Ausführung.

Die Führung der Baustelle obliegt üblicherweise einem so genannten **Bauleiter.** Diese Bezeichnung umschreibt in diesem Zusammenhang nur die Tätigkeit eines Bauingenieurs oder Architekten in einem Unternehmen im Gegensatz zu anderen Tätigkeitsbezeichnungen, z. B. Kalkulator, Konstrukteur etc. Die Bezeichnung ist daher zu unterscheiden von der Bezeichnung als Bauleiter im öffentlich rechtlichen Sinn.

Der Bauleiter arbeitet mit dem Polier zusammen und hat seinen Tätigkeitsschwerpunkt mehr in der organisatorischen Abwicklung der Baustelle. Dazu gehört der Schriftverkehr, Dokumentation, Verhandlungen mit Auftraggebern, Lieferanten und Nachunternehmern, Leistungsmeldungen, Abnahmen usw. Bei größeren Baustellen werden gleichzeitig mehrere Bauleiter eingesetzt. Diese werden häufig als **Abschnittsbauleiter** bezeichnet. Wenn es sich um kleinere Baustellen handelt, betreut ein Bauleiter gleichzeitig mehrere Baustellen. Der Bauleiter deckt ebenfalls die Schnittstelle zwischen der Baustelle vor Ort und den beteiligten Stellen an dem Betriebssitz des Unternehmens ab. Daher verfügt er meistens auch über ein Büro am Firmensitz. In aller Regel tragen die Bauleiter innerhalb des Unternehmens die Verantwortung für die Baustelle, vor allem also für den wirtschaftlichen Erfolg. Daher können sie auch an dem jeweiligen Baustellenergebnis durch Prämien beteiligt sein. Für die Abwicklung der Baumaßnahme sind die Bauleiter die primären Wissensträger.

Üblicherweise werden Bauleiter während der Laufzeit einer Baustelle nicht gewechselt. Allerdings sind Bauleiter auf die Durchführung bestimmter Bauarbeiten spezialisiert, die in etwa den nachstehend beschriebenen Sparten entsprechen, oder den Gewerken. Bei Großprojekten müssen daher meist verschiedene Bauleiter eingesetzt werden, bspw. für den Rohbau, für den Ausbau, für die Haustechnik etc. In diesen Fällen wird ein **Projektleiter** eingesetzt, der die gesamte Baumaßnahme steuert. Die Bezeichnung als Projektleiter wird aber nicht einheitlich verwendet, sondern es gibt auch andere Bezeichnungen, wie z. B. Oberbauleitung etc.

Zu den Aufgaben des Projektleiters können im Rahmen der Projektorganisation auch weitergehende Tätigkeiten kommen. Hierzu gehören z. B. die kaufmännische Abwicklung, die Steuerung der Planungsbeistellung, die Personalbeschaffung etc. Diese Aufgaben sind vergleichbar mit den Aufgaben eines auftraggeberseitig eingesetzten Projektsteuerers. In aller Regel werden für die Projektleitung erfahrene Mitarbeiter eingesetzt, die schon mehrere Baustellen als Bauleiter abgewickelt haben.

Die Bau- und Projektleiter gehören in der Betriebsorganisation meist einem Bereich an, der für bestimmte Bauleistungen spezialisiert ist. Dies sind z. B. die Bereiche Schlüsselfertigbau, Tiefbau, etc. Die Bereiche werden von einem Bereichsleiter geführt. Die **Bereichsleiter** werden bei kleineren Unternehmen auch **Oberbauleiter** genannt. Bei größeren Unternehmen können Oberbauleiter die Ebene zwischen den Bauleitern und den Bereichsleitern bilden. Auf dieser Ebene bestimmen auch Verwaltungs-, Organisations- und Aquiseaufgaben das Tätigkeitsfeld.

Die Bereichsleiter unterstehen der **Geschäftsleitung.** Sie setzt sich aus der technischen und der kaufmännischen Geschäftsführung zusammen. Die technische Geschäftsführung befasst sich dabei nur in Einzelfällen mit der reinen Bauabwicklung, ansonsten mit den Managementaufgaben und der Aquise. In kleineren Baufirmen handelt es sich um die Geschäftsleitung des Gesamtunternehmens, bei größeren Baufirmen um die Niederlassungsleitung.

Um den regionalen Markt zu betreuen, gründen Baufirmen **Niederlassungen.** Man kann je nach der Größe in etwa der Reihenfolge nach Zweigstellen, Zweigniederlassungen, Niederlassungen und Hauptniederlassungen unterscheiden, die jeweils der nächst höheren Ebene zugeordnet sind, oder auch direkt der Geschäftsleitung des Gesamtunternehmens. Die genannten Organisationseinheiten sind üblicherweise gesellschaftsrechtlich Bestandteil des Hauptunternehmens.

Davon zu unterscheiden sind **Tochterunternehmen,** die selbstständige Gesellschaften sind, z. B. als GmbH. Sie befinden sich meist zu 100 % in der Hand der Hauptunternehmen. Organisatorisch stehen sie daher den Niederlassungen gleich. Tochterunternehmen haben ihr Geschäftsfeld meist im Bereich spezieller Bauaufgaben, z. B. Spezialtiefbau, als Zulieferer für das gesamte Unternehmen, z. B. Fertigteilwerke, oder für Dienstleistungen, z. B. Facility Management. Auch Auslandstätigkeiten werden in selbstständigen Tochterunternehmen geführt. Meist arbeiten eine Niederlassung und ein Tochterunternehmen vergleichbar wie ein selbständiges Bauunternehmen. Sie sind als Profit – Center innerhalb des Gesamtunternehmens angelegt, so dass die Interessen der einzelnen Unternehmensteile durchaus unterschiedlich sein können, da sie in Konkurrenz zueinander stehen.

Am Firmensitz befindet sich die Unternehmenszentrale mit der **Hauptverwaltung.** Hier sitzt die Geschäftsleitung, die entsprechend der Gesellschaftsform aus den Geschäftsführern oder Vorständen besteht. Die

Geschäftsleitung gliedert sich ebenfalls in einen technischen und einen kaufmännischen Bereich. Die technische Geschäftsführung ist dabei für die einzelnen Niederlassungen und Tochterfirmen zuständig, wobei die Aufgaben nach den Regionen, den Geschäftsfeldern oder den Sparten aufgeteilt sein können.

Der kaufmännischen Geschäftsleitung unterstehen die entsprechenden Strukturen in den Niederlassungen und die zentralen Abteilungen. Hierzu gehören neben der Buchhaltung und dem Rechnungswesen die so genannten **Stabsstellen** in der Hauptverwaltung, z. B. die Rechtsabteilung, die Revision, das Controlling etc. Die Stabsstellen erfüllen dabei sowohl die gesetzlich vorgeschriebenen Kontrollfunktionen für die Geschäftsleitung, als auch beratende Dienstleistungen für die operativen Bereiche.

Weitere **Dienstleistungsabteilungen** sind technischer Art, z. B. die Abteilungen Kalkulation und Arbeitsvorbereitung, Baustofftechnologie, Konstruktion, etc. In diesen Abteilungen bündelt sich das entsprechende Fachwissen des Unternehmens, welches für das operative Geschäft eingesetzt wird. Diese Abteilungen bearbeiten Projekte für die Niederlassungen und werden daher meist entsprechend verrechnet. In großen Niederlassungen können sich auch entsprechende Fachabteilungen befinden.

Zusammenfassend kann man sagen, dass die Hauptverwaltung und die Niederlassungen vor allem Verwaltungs- und Geschäftszentren sind, während die eigentliche Bauausführung auf der Baustelle stattfindet. Baumaschinen und Material werden auf dem **Bauhof** gelagert, von dem die Baustellen bedient werden. Die Bauhöfe können ebenfalls zentral verwaltet, oder aber den einzelnen, operativen Bereichen zugehörig sein.

Bei größeren Bauvorhaben können sich auch mehrere Bauunternehmungen zu einer **Arbeitsgemeinschaft,** einer so genannten ARGE, zusammenschließen. Eine ARGE ist eine Gesellschaft bürgerlichen Rechts und ein Zusammenschluss auf Zeit, überwiegend nur für die Abwicklung eines Projektes. Zu der Bildung einer Arbeitsgemeinschaft kann es aus vielfältigen Gründen kommen. Üblicherweise sind technische Kompetenzen, die bei einer Firma allein nicht vorhanden sind, fehlende Kapazitäten oder geschäftspolitische Gegebenheiten der Anlass. Organisatorisch gibt es unterschiedliche Formen, z. B. die Dach-ARGE, die Unter-ARGE, die LOS-ARGE etc.

Vertreten wird eine ARGE üblicherweise durch einen technischen und einen kaufmännischen **Federführer,** die auch Gesellschafter der ARGE sind. Die finanzielle Beteiligung der einzelnen Mitglieder der ARGE kann dabei unterschiedlich sein. Entsprechend dieser Beteiligung verteilen sich auch Gewinn und Verlust. Einer ARGE geht meist eine so genannte **Bietergemeinschaft** voraus. Dabei schließen sich bereits mehrere Firmen zusammen, um ein gemeinsames Angebot abzugeben. Nach Erhalt des Auftrages bilden sie eine ARGE.

ARGE-Partner können aber nicht nur Fremdfirmen sein, sondern auch Niederlassungen eines Unternehmens und Tochterfirmen schließen sich zu einer ARGE zusammen. Man spricht dann von einer internen ARGE. Dies muss nicht nach außen ersichtlich sein. Für Arbeiten, die im Verhältnis zur Gesamtauftragssumme geringfügige sind, werden diese Teile an **Nachunternehmer** weiter vergeben. Wie bei einer internen ARGE können auch Tochterfirmen Nachunternehmer sein.

3. Häufig auftretende Probleme in der Praxis

In Bezug auf die auftretenden Probleme in der Praxis werden an dieser Stelle nicht die organisatorischen oder betriebswirtschaftlichen Fragestellungen der Organisation von Bauunternehmen behandelt. Vielmehr werden die sich aus der speziellen Organisation resultierenden Problemkreise beschrieben, die sich für Außenstehende ergeben können, wenn sie mit Baufirmen in Geschäftsbeziehungen stehen, z. B. als beratender Jurist.

Bereits Poliere und Bauleiter verfügen zur selbstständigen Abwicklung ihrer Tätigkeit über weitreichende **Vollmachten** nach außen, also gegenüber Dritten. Sie unterliegen aber intern der Unternehmenshierarchie und den internen Unternehmensanweisungen. Für Außenstehende ist es nicht immer ersichtlich, wie weit die Kompetenzen des Einzelnen reichen. Das gilt nicht nur für die alltäglichen Fragen der Projektabwicklung, sondern auch für die rechtliche Beurteilung. Trotz der mitunter großen Beträge wird in Bezug auf die Vorlage entsprechender Vollmachten seitens der Projektbeteiligten meist sehr nachlässig umgegangen.

Die Verantwortung der Bau- und Projektleitung für den wirtschaftlichen Erfolg wird vielfach durch entsprechende Prämienregelungen begleitet. Entsprechende Vergütungsanteile finden sich auch in den anderen Unternehmenshierarchien. Dadurch kann es vorkommen, dass die Projektbeteiligten zunächst den Erfolg ihrer Baumaßnahme als Zielgröße verfolgen, während auf anderen Ebenen aus Gründen der übergeordneten Geschäftspolitik andere Aspekte vordergründig gesehen werden. Daher müssen die Zielvorstellungen der Beteiligten in einem Unternehmen nicht identisch sein. Für Außenstehende ist das in vielen Fällen ebenfalls schwer zu erkennen.

Das Gleiche gilt auch für Arbeitsgemeinschaften. Jeder Partner arbeitet einerseits für die erfolgreiche Abwicklung des gesamten Projektes, andererseits aber auch für seine eigenen, wirtschaftlichen Interessen gegenüber den anderen Partnern. Aus der internen Aufgabenverteilung, den Verantwortlichkeiten und der Beteiligung lassen sich daher in vielen Fällen bereits Standpunkte der einzelnen Beteiligten herleiten.

Die Beauftragung von externen Beratern durch Stabsstellen und Führungskräfte der Hauptverwaltung kann im Zusammenhang mit deren

Kontroll- und Aufsichtsaufgaben stehen, oder zumindest durch die Beteiligten der operativen Ebenen so gesehen werden. Dies kann dazu führen, dass die Informationsträger bemüht sein werden, Informationen und Abläufe so darzustellen, dass eventuelle eigene Nachlässigkeiten oder Verfehlungen nicht bekannt werden. Entsprechende Sachverhaltsdarstellungen sollten hinterfragt werden. Dabei muss man berücksichtigen, dass in der Abwicklung der Bauvorhaben häufig schnelle Entscheidungen gefragt sind, bei denen man im Nachhinein bessere Alternativen erkennen kann. „Hinterher sind alle schlauer" gilt gerade auch beim Bau.

Die Bezeichnungen für die bei Bauunternehmen Beschäftigten sind sehr uneinheitlich. Auch innerhalb eines Unternehmens werden verschiedene Begriffe benutzt, daher können Außenstehende aus den Bezeichnungen „Bauleiter", „Oberbauleiter", „Projektleiter" etc. keine vergleichenden Schlüsse ziehen. Die funktionale und die rechtliche Stellung ergeben sich nur in seltenen Fällen. So kann ein Projektleiter mit Handlungsvollmacht innerhalb des Unternehmens die Stellung eines Bauleiters in einer ARGE bekleiden, der nicht oder nur eingeschränkt zeichnungsberechtigt ist.

4. Weiterführende Literatur

Aufstellungen der verschiedenen Fachwerker, ihre Regelqualifikation und die Tätigkeitsbeschreibungen finden sich in § 5 des Bundesrahmentarifvertrages für das Baugewerbe, in den üblicherweise mit abgedruckten Erläuterungen auch als übersichtliches Schaubild. Ausführungen zu der Betriebs- und Projektorganisation finden sich in der einschlägigen Literatur zum Projektmanagement, die sehr reichhaltig ist, sowie in der baubetrieblichen Literatur.

Die meisten Baufirmen haben sich im Rahmen der Bemühungen zur Qualitätssteigerung, wie auch in anderen Wirtschaftszweigen üblich, zertifizieren lassen. Hierfür gelten die Normen der so genannten ISO-9000-Familie. Die DIN EN ISO 9001 gibt die Anforderungen an Qualitätsmanagementsysteme vor. Ergänzend sind die anderen Normen der Reihe zu beachten. Für Außenstehende ergeben sich aus den auf Grund der Normen zu erstellenden Qualitätsmanagementhandbüchern die Informationen über den Aufbau der einzelnen Unternehmen und ihre Richtlinien.

7. Teil Bauverfahren nach Sparten

Das Bauwesen und die Bautechnik sind sehr große Themengebiete und umfassen viele, teilweise hoch spezialisierte Bereiche. Innerhalb der Studiengänge für den Bereich Bauingenieurwesen ergeben sich daher ebenso unterschiedliche Vertiefungsrichtungen, die sich in der Praxis durch eine Ausrichtung der Baufirmen fortsetzen. Das jeweilige Fachwissen wird in Abteilungen, Bereichen und Firmen gebündelt, die sich im Schwerpunkt nur noch mit den entsprechenden Bauaufgaben befassen. Diese Schwerpunktbereiche der Baufirmen werden vorliegend als Sparten bezeichnet.

Diese Sparten zeichnen sich durch spezifische Charakteristika aus. Das sind zunächst die Bauaufgaben und die entsprechende Technik. Daraus resultieren weitere Besonderheiten in der Abwicklung. Diese werden im Folgenden beschrieben. Damit wird ein Einblick gegeben, welche Bereiche des Bauwesens von den Sparten abgedeckt werden. Eine Trennung ist zwar in allen Baufirmen vorhanden, allerdings sind die Bereiche teilweise zusammengefasst oder anderen Geschäftsfeldern zugewiesen. Daher kommt es auch zu anderen Bezeichnungen. Nicht behandelt werden hier einzelne Gewerke und die Baufirmen, die nur bestimmte Gewerke ausführen, also z. B. Trockenbau, Malerarbeiten, Dachdecker etc. Diese Gewerke sind durch die vorstehend beschriebenen Bauteile und die Bautechnik beschrieben.

Der Begriff der Sparte wird im Bauwesen unterschiedlich verwendet. So definiert der Hauptverband der deutschen Bauindustrie die Sparten abweichend mit der Unterteilung in Wohnungsbau, Wirtschaftsbau, Wirtschaftshochbau, öffentlicher Bau etc. Diese Unterscheidung bezieht sich aber vielfach auf die Art der Auftraggeber und findet sich daher nur sehr eingeschränkt in den Sparten der Unternehmen wieder.

I. Tiefbau

1. Einführende Erläuterungen

Tiefbau ist eine gängige Spartenbezeichnung. Man versteht darunter Arbeiten im und mit Boden, die im Zusammenhang mit der Herstellung von Bauwerken stehen. In der Praxis werden weitergehend Erdarbeiten, Grundbauarbeiten, Tiefbauarbeiten und Spezialtiefbau unterschieden.

Diese Unterscheidung findet sich auch in den Bezeichnungen der Firmen wieder. Allerdings lassen sich damit die Betätigungsfelder nicht genau abgrenzen, da sich mit fortschreitender Technik auch die Leistungen der Firmen erweitern. Nur der Erdbau kann insoweit unterschieden werden, dass üblicherweise kein Betonbau durchgeführt wird, wie z. B. Bohrpfähle, Schlitzwände etc., sondern reine Erdbewegungen, vereinfacht gesagt Baggerarbeiten und Transport.

Ein Spezialgebiet ist der Tunnelbau. Er wird im Anschluss gesondert beschrieben. Teilweise werden durch Bauunternehmen auch Tätigkeiten im Bergbau durchgeführt. Diese Arbeiten im Untertage- oder Tagebau gehören aber nicht zu den klassischen Betätigungsfeldern eines Bauunternehmens. Da sie auch nicht in den Bereich der Bautechnik im Sinne des Bauwesens zählen, werden sie hier nicht behandelt.

2. Fachliche Erläuterungen

Grundsätzlich sind heute alle Tiefbauarbeiten mechanisiert und werden mit Baumaschinen durchgeführt. Allgemein bekannt sind Bagger aller Art. Sie dienen vor allem dem Aushub von Boden. Der Transport wird mit Lastkraftwagen durchgeführt. Diese Geräte bestimmen daher den **Erdbau**. Wenn keine weiteren Maßnahmen für eine Sicherung des Baugrundes erforderlich sind, die ein ungewolltes Nachrutschen des Bodens verhindern, werden die Geräte entsprechend nach dem auszuhebenden Volumen und den notwendigen Transportstrecken bestimmt. Der ausgehobene Boden wird auf Deponien gefahren, wenn er nicht auf der Baustelle verwendet werden kann. Die Deponierung ist kostenpflichtig. In manchen Fällen lässt sich der Boden auch einer anderen Verwendung zuführen. Das ist meistens der Fall, wenn es sich z. B. um Kies handelt, der als Zuschlag verwendet werden kann, oder Lehmboden, der als natürliches Dichtmaterial Verwendung findet, oder auf anderen Baustellen zusätzlicher Boden für einen Auftrag benötigt wird.

Die technischen Entwicklungen im Erdbau befassen sich stark mit der Verwendung von Boden für Bauwerke. Die Verwendung von **Geotextilien** und Geogittern ermöglicht es, fehlende oder nicht ausreichende Eigenschaften des Bodens so zu kompensieren, dass die Herstellung des Bauwerkes möglich ist. Hierzu zählt auch die Bewehrung von Boden mittels der Textilien, z. B. um ein Rutschen zu vermeiden.

Der Aushub durch Arbeitnehmer, so genannter **Handaushub,** ist nur noch selten zu finden. Der Einsatz von Minibaggern ist in aller Regel fast überall möglich, wirtschaftlicher und schneller. Daher findet man Handaushub nur noch begleitend zum maschinellen Betrieb, oder für kleinere und ergänzende Arbeiten. Die Freilegung von Versorgungsleitungen im Straßenraum ist ein typisches Feld für die Handschachtung, da eine Beschädigung der Leitungen durch die Baggerschaufel vermieden werden muss.

Während bei abgeböschten Baugruben der reine Erdbau ausreichend ist, müssen häufig die Baugruben umfasst werden, so dass senkrechte Umschließungen entstehen. Die einzelnen Verfahren, z. B. zur Herstellung von Schlitzwänden, Ankern, Spundwänden, Bohrpfahlwänden, Trägerbohlverbauten etc. wurden bereits in dem Kapitel Baugruben erläutert. Diese Verbauarbeiten werden auch als **Spezialtiefbau** bezeichnet. Für alle Verfahren gibt es spezielle Geräte, die auf Grund ihrer Größe und ihres hohen Gewichtes auf entsprechende Baustellenverhältnisse angewiesen sind. In aller Regel werden die Spund-, Bohrpfahl- und Schlitzwände von dem einplanierten Baugrund aus hergestellt, so dass für die Geräte die entsprechenden Arbeitsebenen vorhanden sind. Ansonsten müssen diese Flächen zunächst hergestellt werden, damit die Geräte an ihrem Einsatzort eine sichere Standfläche haben.

Nachdem die Verbauarbeiten durchgeführt sind, kann die Baugrube mit den Erdbaugeräten ausgehoben werden. Begleitend zum Aushub wird gegebenenfalls mit Ankergeräten die Sicherung der Baugrubenwände durchgeführt. Nach der Herstellung der Baugrube sind die Tiefbauarbeiten abgeschlossen. Die Geräte werden üblicherweise wegen der hohen Gerätekosten nur für die Einsatzzeit auf die Baustelle verbracht, so dass sie nach Fertigstellung wieder abtransportiert werden.

Für den Fall, dass die Baugrube bis unterhalb des Grundwassers reicht, müssen die Verbaumaßnahmen den Eintritt des Grundwassers in die Baugrube verhindern, also wasserdicht sein. Sollte sich beim Aushub zeigen, dass es undichte Stellen gibt, können **Verpressungen** durchgeführt werden. Dafür wird ein Loch gebohrt, in das mittels eines Ventilrohres, das auch Packer genannt wird, das Verpressgut mit hohem Druck in den Boden eingebracht wird. Das Verpressgut enthält meist hydraulische Bindemittel, so dass es auch unter der Anwesenheit von Wasser aushärtet. Der durch die Aushärtung entstehende „Zement-Boden-Klumpen“ verschließt die undichte Stelle.

Die **Injektionstechnik** wird aber auch in vielen anderen Fällen eingesetzt. Anwendungsgebiete sind **Unterfangungen.** Dafür wird mittels Injektionen der Boden unter Bauwerken stabilisiert, so dass Setzungen vermieden werden, oder die Verpressung gleichzeitig als Baugrubenwand benutzt. Vor allem bei dem Bau von innerstädtischen U-Bahnen wird die Injektionstechnik in großem Umfang eingesetzt, um den historischen Gebäudebestand, unter dem die U-Bahntrasse gebaut wird, zu schützen. Da der Injektionsdruck sehr hoch eingestellt werden kann, ist es auch möglich, Gebäude anzuheben. Während das in aller Regel auch zu Schäden an

Gebäuden führt, war es bei der Sanierung des schiefen Turmes von Pisa ein angedachtes Mittel.

Neben dem Baugrubenverbau dienen Bohrpfähle auch als Gründung. **Bohrpfähle** werden mit so genannten **Bohrgeräten** hergestellt. Es handelt sich um Großgeräte auf einem Raupenfahrwerk. Sie drehen dabei die an dem Bohrgestänge befindliche Bohrschnecke in den Boden. Sie sieht einem Korkenzieher ähnlich und fördert durch die Drehbewegung den Boden nach oben. In das Bohrloch wird ein vorgefertigter Bewehrungskorb gestellt, danach betoniert. Sollte der Boden an der Bohrlochwand nicht standfest sein, wird eine verrohrte Bohrung abgeteuft. Dafür wird ein hohles Stahlrohr in den Boden gedreht, in dem die Bohrschnecke den Boden fördert. Das Stahlrohr wird nach dem Betonieren wieder gezogen, so dass es weiter verwendet werden kann. Siehe hierzu die Abbildungen 84 und 85.

Abbildung 84: Bohrgerät

Die Abbildung zeigt zwei Bohrgeräte und im Vordergrund einen Bagger. Die Bohrgeräte arbeiten an der Baugrubensicherung während der Bagger bereits die Baugrube aushebt. Die Bohrgeräte bohren Löcher, in die danach Stahlprofile gestellt werden.

Weitere Verwendung finden die Schlitz- und Bohrpfahlwände auch als Dichtwände. Sie dienen dazu, bestimmte Bodenbereiche abzusperren. Bei der Sanierung von Mülldeponien wird z. B. eine ringförmige Wand um die Deponie errichtet, die bis in abdichtende Bodenschichten reicht. Damit wird der Austritt von Schadstoffen über strömendes Grundwasser verhindert.

Abbildung 85: Bohrgerät mit angehobenem Bohraufsatz

Hier ist ein Bohrgerät zu sehen, welches gerade das Bohrgestänge angehoben hat. Im Vordergrund sieht man ein Bohrrohr liegen, welches bei größeren Tiefen nachmontiert werden kann.

Die Bohrtechnik wird auch für viele andere Zwecke eingesetzt. In diesem Verfahren stellt man Brunnen her, die der Wasserhaltung oder -versorgung dienen, sowie für die Einrichtung von Pegeln zur Messung der Höhe des Grundwasserstandes. Ein weiteres Einsatzgebiet ist die **Geothermie**. Sie dient der Nutzung der Erdwärme oder der Speicherung von durch Sonnenenergie erzeugter Wärme in den gebohrten Löchern, in denen als Speichermedium Wasser zirkuliert. Für die Bodengutachten, die der **Baugrunderkundung** dienen, werden ebenfalls Bohrverfahren eingesetzt. Dabei haben allerdings die Bohrgestänge einen erheblich kleineren Durchmesser als bei der Herstellung von Bohrpfählen, so dass meist auch schon kleinere Bohrgeräte, die auf Lastkraftwagen montiert sein können, ausreichend sind. Die Bohrgestänge können, im Gegensatz zu den Bohrschnecken für die Pfahlherstellung, für die Gewinnung ungestörter Bodenproben konstruiert sein. Mit ihnen befördert man den Boden so zu

Tage, wie er auch im Boden liegt. Das ist zum Beispiel wichtig, wenn man Kennwerte über die Lagerungsdichte des Bodens braucht.

Für eine Sicherung des Baugrundes gegen Abrutschen und zur Vermeidung von Wasserzutritten kann man den Boden auch **vereisen.** Hierfür werden ebenfalls Bohrlöcher in den Boden eingebracht. Der wasserhaltige Boden wird dann mittels in die Bohrungen eingebrachter Kühlleitungen gefroren. Dazu kann z. B. Stickstoff verwendet werden. Diese Verfahren werden beispielsweise eingesetzt, wenn eine Verpressung des Bodens nicht möglich ist, z. B. aus Umweltgründen.

Die Bohrtechnik und die Verpressung lassen sich, vereinfacht ausgedrückt, auch verbinden. Dabei wird mittels eines Bohrgestänges ein Loch abgeteuft. In dem Gestänge befinden sich Düsen, durch die Suspension in den Boden gepresst wird. Das Gestänge dreht sich und wird dabei nach oben gezogen. Der Boden vermischt sich mit der Suspension. Dadurch entsteht ein säulenförmiger erhärtender Körper im Boden. Durch diese **Hochdruckinjektions-Technik**, HDI genannt, können auch unterhalb der Oberfläche in größeren Tiefen im Boden tragende Bauteile errichtet werden, z. B. Baugrubensohlen.

Viele weitere Einsatzgebiete erschließen sich durch die Techniken im Spezialtiefbau. Sie befinden sich in der Entwicklung, die auch die Geräte und ihre Steuerung umfasst. Dabei ist der anstehende Boden immer als Baustoff mit betroffen. Aus diesem Grund kommt den Bodengutachten eine gewichtige Rolle zu.

3. Häufig auftretende Probleme in der Praxis

Bereits im Kapitel Baugrund wurde auf die entstehenden Probleme bei der Bearbeitung des Baugrundes hingewiesen. Die Beschreibung des Baugrundes in den Ausschreibungsunterlagen erweist sich häufig als nicht zutreffend. Trotz eines nach den Normen erstellten Baugrundgutachtens kann es in den Bereichen zwischen den Aufschlüssen, also den Probeentnahmestellen, zu Abweichungen kommen, z. B. anderen Stärken der Bodenschichten, Einschlüssen von anderen Bodenarten etc. Gewissheit über den vor Ort befindlichen Boden hat man erst, wenn man ihn aufgegraben oder bearbeitet hat. Daher kommt auch der Ausspruch: „Vor der Hacke ist es dunkel".

Typische Auswirkungen auf die Tiefbauarbeiten sind Erschwernisse, notwendige Änderungen der Bauverfahren und der Maschinentechnik. Das hat oft eine Verlängerung der Ausführungsdauer zur Folge. Da die Tiefbauarbeiten typischerweise am Anfang einer Baumaßnahme stattfinden, ergibt sich vielfach auch eine Verlängerung der gesamten Bauzeit. Es handelt sich also um terminkritische Arbeiten. Daher können die Folgen erheblich sein. Es ergeben sich daraus nicht nur Fragen der Verantwortung der zeitlichen Verschiebung, sondern auch der Vergütung für die Bauzeit. Darüber hinaus entstehen auch Mehrkosten bei einer Umstellung der Verfahren etc.

Ein weiteres Problem entsteht, wenn der Boden als Baustoff mit anderen Baustoffen verarbeitet wird, so dass er bestimmte Eigenschaften aufweisen muss, damit das Produkt die Anforderungen erfüllt. Bestandteile des Bodens oder des Grundwassers können in vielfältiger Art das Abbinden der eingedüsten Suspensionen hindern. Größere Steine wirken als Sperren, so dass sich die Suspension nicht verteilen kann. Diese und weitere Umstände können zu Fehlstellen in Baugrubenumschließungen und HDI – Körpern führen.

Der Boden weist oftmals auch mehr Hohlräume auf als zu erwarten war, z. B. wegen vorhandener Klüfte oder weil die Gesteinskörnung grober ist. Bei der Durchführung von Verpressarbeiten kommt es dann zu einem Mehrverbrauch an Verpressgut. Auch bei der Verwendung von Bentonit als Stützflüssigkeit kann das Bentonit über die Hohlräume entweichen. Mehrkostenforderungen sind die Folge.

Infolge der Tiefbauarbeiten kann es zu Schäden an angrenzenden Bauwerken kommen, z. B. durch Setzungen auf Grund des Bodenabtrages, sich verschiebende Baugrubenwände, oder durch die Erschütterung des Bodens bei der Durchführung der Tiefbauarbeiten mit schweren Geräten. Gefahrträchtig sind insbesondere das Rammen und Rütteln von Spundwänden und Pfählen, sowie die Verdichtung des Bodens. Tiefbauarbeiten sind daher gefahrenträchtig.

Durch den vielfachen Einsatz teurer Großgeräte ergeben sich bezüglich der Kalkulation Besonderheiten. Die Gerätekosten sind meist mit Abstand preisbestimmend. Daher kommt der Abschreibung, der Wartung, dem Verschleiß etc. erhöhte Bedeutung zu, bzw. der Gerätemiete. Preise werden häufig als zeitabhängige Sätze für das Gerät mit dem notwendigen Bedienungspersonal berechnet und angegeben und unterscheiden sich daher von den lohnintensiven Arbeiten.

4. Weiterführende Literatur

In der VOB/C finden sich für viele Tiefbauarbeiten Normen. Dies sind die DIN 18300 für Erdarbeiten, die DIN 18301 für Bohrarbeiten aller Art, ergänzend hierzu die DIN 18302 für Arbeiten zum Ausbau von Bohrungen, also z. B. als Brunnen, die DIN 18303 für Verbauarbeiten, die DIN 18304 für Ramm-, Rüttel- und Pressarbeiten, die DIN 18305 für die Wasserhaltung, die DIN 18309 für Einpressarbeiten, die DIN 18313 für Schlitzwandarbeiten, wenn sie unter Verwendung stützender Flüssigkeiten ausgeführt werden, die DIN 18321 für Düsenstrahlarbeiten.

Ergänzend gibt es für speziellere Anwendungen die DIN 18306 für Entwässerungskanalarbeiten, die DIN 18307 für Druckrohrleitungsarbeiten, die DIN 18311 für Nassbaggerarbeiten und die DIN 18322 für Kabelleitungstiefbauarbeiten. In allen genannten Normen sind die Nebenleistungen enthalten, die mit der vertraglichen Vergütung abgegolten sind, aber auch die besonderen Leistungen, die gerade im Tiefbau bei Änderungen des Baugrundes einen hohen Stellenwert haben.

Für den Tiefbau gibt es vielfältige Literatur. In vielen Fällen werden die Fels- und Bodenmechanik, die Nachweisberechnungen etc. mit erläutert oder nehmen sogar einen breiten Raum ein. Diese Bücher sind daher teilweise sehr speziell. Einen guten Einstieg, auch durch die Beschreibung der Bauverfahren, gibt das Buch Spezialtiefbau – Praxis von A–Z, von Heinrich Otto Buja, erschienen im Bauwerk Verlag, Berlin.

II. Tunnelbau

1. Einführende Erläuterungen

Unter Tunnelbau wird das Eintreiben von meist horizontalen Stollen in ein Gebirge oder den Boden verstanden, welches zu dem Zweck des weiteren Ausbaus für Verkehrseinrichtungen etc. erfolgt. Unter Tunnelbau wird aber nicht nur die Herstellung der Tunnelröhre durch die Entfernung des anstehenden Bodens oder Felses verstanden, sondern auch der so genannte Tunnelausbau zur Sicherung des aufgefahrenen Querschnittes gegen herabfallendes Gestein, Wassereintritt etc.

Der weitere Ausbau eines Tunnels erfolgt dann je nach der vorgesehenen Nutzung. Neben zahlreichen Einrichtungen zum Betrieb und für die Sicherheit ist das auch der logistische Ausbau der Fahrwege für den Straßen- oder Bahnverkehr. Dieser Ausbau wird meist nicht von den gleichen Unternehmen durchgeführt, die den Tunnel herstellen.

Die Herstellung von Tunneln kann man nach verschiedenen Bauarten unterscheiden. Für den Laien sind die Bauarten vielfach an der Ausgestaltung der Tunnelröhre erkennbar. Als offene Bauweise bezeichnet man eine Durchführung, wenn bei einer geringen Überdeckung der geplanten Tunnelröhre mit Boden, beispielsweise im innerstädtischen Bereich, der Aushub von oben erfolgt. Dabei werden die Bauwerke mit vorlaufenden Schlitz- oder Bohrpfahlwänden für die seitliche Begrenzung hergestellt. Nachlaufend wird der Deckel betoniert. Diese Tunnel weisen eine gerade Tunneldecke und senkrechte Wände auf.

Wenn der oberhalb des geplanten Tunnels genutzte Bereich schneller zur Verfügung stehen soll, kann man auch die Deckelbauweise anwenden.

Dabei werden ebenfalls zunächst mit Schlitz- oder Bohrpfahlwänden die seitlichen Wände hergestellt. In dem zweiten Schritt wird der Deckel betoniert. Damit kann oberhalb des Deckels entsprechend der vorgesehenen Nutzung weiter gebaut werden. Die Tunnelröhre wird unterhalb des Deckels ausgehoben, so dass es nicht mehr sichtbar ist. Auch diese Tunnel zeichnen sich durch den eckigen Querschnitt aus.

Die Herstellung dieser Tunnel erfolgt mit den Arbeiten, wie sie in dem Kapitel Tiefbau bereits beschrieben worden sind. Meist werden diese Tunnel auch von den entsprechend ausgerüsteten Tiefbauunternehmen hergestellt. Daher werden sie in diesem Kapitel nicht weiter behandelt. Tunnelbau im bautechnischen Sinne ist der so genannte Vortrieb, unabhängig davon, ob es sich um Sprengvortrieb, maschinellen Abbau mittels Erdbaugeräten oder maschinellen Vortrieb mittels einer Tunnelbohrmaschine handelt. Neben diesem „echten" Tunnelbau wird auch die Vorpresstechnik erläutert. In diesen Verfahren hergestellte Tunnel haben meist runde Querschnitte, erkennbar an den gewölbten Seiten und Decken.

2. Fachliche Erläuterungen

Der Tunnelbau ist eine Sparte mit sehr hoher Spezialisierung. Bei den Bauarbeiten sind die Geologie und ihre Erkundung von höchster Bedeutung für die Auswahl des Bauverfahrens, die Maschinentechnik und die Sicherheit für das eingesetzte Personal. Die Erkundung der Geologie kann Jahre in Anspruch nehmen und ist sehr aufwändig, wenn die Tunnelröhren unterhalb eines hohen Gebirges verlaufen.

Noch mehr als im Spezialtiefbau findet sich hoch qualifiziertes Personal. Vor allem durch die Fortschritte in der Maschinentechnik ist die Steuerung sehr anspruchsvoll geworden. Die Arbeit an der Ausbruchstelle ist durch Wärme, hohe Luftfeuchte, Staub und Lärm sehr anstrengend. Um die Bauzeiten möglichst gering zu halten, ist Schichtbetrieb üblich.

Die Begrifflichkeiten beim Tunnelbau sind ebenfalls spartenspezifisch. Im Folgenden werden einige dieser Begriffe verwendet, die hier erläutert werden. Wenn vom Gebirge gesprochen wird, ist der anstehende Fels gemeint. Die **Ortsbrust** ist die vorderste Stelle in der Tunnelröhre an der gerade gearbeitet wird. Die Arbeiten selbst werden als **Vortrieb** bezeichnet.

Früher wurde **bergmännischer Vortrieb** durchgeführt. Dazu wurde im Schutz von Holzgerüsten der Fels an der Ortsbrust händisch abgetragen. Wenn der Fels nicht tragfähig war, wurde die Röhre ausgemauert. Diese Arbeiten waren sehr gefährlich, da die Baugrunderkundung nicht so weit fortgeschritten war. Daher kam der Erfahrung der Arbeitenden große Bedeutung zu, so z.B. zu hören, wenn „der Berg kommt", also Einsturzgefahr bestand.

Heute werden Tunnel in zwei Arten hergestellt. Der alten Bauweise nahe ist der **Sprengvortrieb.** Mittels Bohrlafetten werden in bestimmtem Muster Löcher in die Ortsbrust eingebracht. Diese Löcher werden mit Sprengstoff gefüllt, der nach Räumung der Tunnelröhre zur Explosion gebracht wird. Diese Sprengungen werden vorher genau berechnet und sorgen für eine hohe Genauigkeit des Ausbruchs. Der Fels wird in einem weiteren Arbeitsschritt mit Baggern und speziellen Lastkraftwagen über Tage befördert. Danach kann erneut die Sprengung durch das Bohren vorbereitet werden.

Nachlaufend erfolgt die Sicherung der Tunnelröhre durch eine Betonschale. Hierfür kann man einen Schalwagen benutzen, der die Form der inneren Tunnelwandung hat. Zwischen der Schalung und dem Fels wird bewehrter Beton eingebaut. Eine andere Bauweise ist die **NÖT,** die neue österreichische Tunnelbauweise. Hier wird Spritzbeton zur Sicherung aufgebracht, der mit Mattenbewehrung versehen wird. Diese Konstruktion kann sowohl durch den Haftverbund loses Gestein sichern, aber auch als Betontragschale stützende Funktion übernehmen. Eine Rückverankerung im anstehenden Gebirge ist ebenfalls möglich.

Die zweite Art der Herstellung von Tunnelröhren ist ein **maschineller Vortrieb.** Hierfür werden Tunnelbohrmaschinen eingesetzt. Sie werden auch als TBM oder TVM für **Tunnelvortriebsmaschine** bezeichnet. Es gibt sehr viele Ausführungen, die je nach dem Einsatzzweck und der vorhandenen Geologie speziell für diese Baumaßnahme konstruiert und gebaut werden.

Im Prinzip bestehen die Maschinen aus einer Abbauvorrichtung an der Ortsbrust, z. B. einem Schneidrad, einem baggerähnlichen Arm etc. Das abgebaute Material wird über Förderbänder nach hinten transportiert. Dieser Maschinenteil ist von einer Stahlröhre umschlossen, die vor herabfallendem Gestein schützt. Als Widerlager für die Abbauvorrichtung dienen hydraulische Stempel, die sich am Fels abstützen und die Maschine nach vorne drücken. Vereinfacht gesagt, es handelt sich um eine Stahlröhre mit Bohrkopf, die sich durch den Boden schiebt und dabei den Boden nach hinten abgibt. Siehe hierzu die Abbildung 86.

Die Abbauvorrichtung wird nach dem anstehenden Boden ausgewählt. Das **Schneidrad** wird entsprechend den Eigenschaften des Felses mit Meißeln bestückt, die bei der Drehung des Schneidrades und Druck gegen den Fels zu einem Abplatzen an der Ortsbrust führen. Siehe hierzu Abbildung 87. Für weichere Böden können auch Schälmesser usw. montiert sein. Wenn der Boden nicht standfest ist oder Wasser ansteht, kann die Schneidradkammer nach hinten abgedichtet werden. Falls notwendig, wird der Boden in der Abbaukammer mit einer Stützflüssigkeit gegen die Ortsbrust gedrückt, so dass er nicht nachrutschen kann. Der Abbau erfolgt dann über ein Abpumpen der Stützflüssigkeit, die mit dem Boden, der von

Abbildung 86: Tunnelbohrmaschine mit Nachläufer

Die hier gezeigte Tunnelbohrmaschine wird gerade für den Einsatz montiert. Im Vordergrund ist bereits der runde Bohrkopf erkennbar. Dahinter sieht man den so genannten Nachläufer, der die Maschinentechnik und weitere Geräte für den Ausbau der Tunnelröhre trägt. Er kann bis zu 400 m lang sein.

dem Schneidrad gelöst wurde, vermischt ist. Dabei wird gleichzeitig neue Stützflüssigkeit nachgepumpt, so dass der Druck in der Abbaukammer gleichbleibend ist. Für die verschiedenen Verfahren verwendete Bezeichnungen sind z.B. Hydroschild, Erddruckschild etc.

Das Stützen der Ortsbrust ist vor allem wichtig, wenn die Vortriebsmaschine unter einer geringen Überdeckung fährt, also nahe der Erdoberfläche. Wenn der Boden nachrutschen würde, käme es zu einem **Tagbruch.** Ein unkontrolliertes Nachrutschen des Bodens würde bei innerstädtischen Arbeiten auch zu Setzungen und anderen Schäden führen. Beispiele für Baumaßnahmen dieser Art sind die U-Bahnen in Amsterdam, Köln und anderen Großstädten. Der Aufwand für die Sicherungsmaßnahmen zum Schutz der historischen Gebäude ist erheblich.

Nachdem die Vortriebsmaschine den Tunnelquerschnitt aufgefahren hat, muss die Tunnelröhre gegen den rutschenden Boden und das

Abbildung 87: Schneidrad einer Tunnelbohrmaschine

Das Schneidrad stellt den vordersten Teil einer Tunnelbohrmaschine dar. Auf dem Bild ist das Schneidrad noch nicht mit der restlichen Tunnelbohrmaschine verbunden. Man erkennt auf dem Schneidrad die unterschiedlichen Werkzeuge, hier z. B. die von der Mitte ausgehend sternförmig angeordneten Rollenmeisel. Sie werden je nach dem zu bearbeitenden Gestein konstruiert und müssen während einer Vortriebsmaßnahme wegen des Verschleißes mehrfach ausgetauscht werden.

Eindringen von Wasser gesichert werden. Dafür wird die Röhre bereits innerhalb der Vortriebsmaschine hergestellt. Dazu verwendet man **Tubbing** – Elemente. Diese Betonfertigteile werden zu einem Kreisbogen zusammengesetzt. Eingezogene Dichtungen an den Rändern sorgen für einen guten Verschluss zwischen den Segmenten eines Ringes und dem Anschluss an den jeweils vorherigen Ring. Die Elemente werden miteinander verschraubt. Wenn die Vortriebsmaschine weiterfährt, hinterlässt sie an dem Schildschwanz die hergestellte Röhre. Der **Ringraum** ist der Spalt zwischen dem anstehenden Fels und den Tubbing – Elementen, der von dem Schild hinterlassen wird. Er wird mit Mörtel verpresst. Siehe hierzu die Abbildung 88.

Die Vortriebsmaschinen können bis zu einigen hundert Meter lang sein. Auf den so genannten **Nachläufern** befindet sich die gesamte Logistik und

Abbildung 88: Tubbinge

Für den Ausbau von Tunnelröhren werden Fertigteile verwendet, die man Tubbing nennt. Mehrere Tubbinge werden zu der kreisrunden Tunnelröhre zusammengesetzt. Die abgebildeten Tubbinge warten auf ihren Einbau. Am unteren Rand ist die schwarze Gummidichtung erkennbar, mit der die Tubbingringe gegeneinander abgedichtet sind. Die Tubbinge werden vor Ort zur Lagesicherung verschraubt.

Maschinentechnik für den Ausbau, also Bohrgeräte für die Felssicherung mit Ankern, Spritzbetonpumpen, Tubbing – Versetzgeräte etc.

Andere Vortriebsmaschinen können im Gegensatz dazu sehr kurz sein, die hauptsächlich für den Bau von Abwasserkanälen mit größeren Durchmessern eingesetzt werden, dem **Rohrvortrieb.** Bei ihnen wird der Ausbau der Röhre nicht auf der Maschine durchgeführt. Die fertigen Rohrelemente werden in Form geschlossener Ringe als Betonfertigteil geliefert. Die Ringe werden in den Startschacht, in dem die Vortriebsmaschine angefahren ist, eingesetzt und mittels Hydraulikpressen von hinten durchgeschoben. Mittels der **Vorpresstechnik** kann daher auch im innerstädtischen Bereich mit relativ kleinen Baugruben ein Kanal errichtet werden, während an der Oberfläche davon nichts zu sehen ist. Die Maßnahmen erkennt man daran, dass über der Baugrube des Startschachtes ein Portalkran steht, mit dem die Rohrelemente eingehoben werden. In einer zweiten Baugrube, dem Zielschacht, wird die Vortriebsmaschine geborgen.

Für kleinere Rohre und Leitungsmontage gibt es auch Bohrverfahren mit Geräten kleinen Durchmessers, die ferngesteuert sind. Man kann die unterschiedlichen Verfahren unter dem Begriff **Micro-Tunneling** zusammenfassen. Sie werden z. B. für die Leitungsmontage eingesetzt, wenn Straßen zu unterqueren sind, da der Verkehr nicht unterbrochen werden muss.

3. Häufig auftretende Probleme in der Praxis

Der Tunnelbau zeichnet sich dadurch aus, dass sich die gesamte Abwicklung um eine Stelle dreht, nämlich den Abbau des Materials an der Ortsbrust mit der nachfolgenden Sicherung des Tunnelquerschnittes. Während man z. B. bei einer Hochbaumaßnahme auf Störungen durch ein Umstellen der Schalungen in andere Bereiche, durch das Vorziehen der Herstellung anderer Bauteile oder Gewerke etc. reagieren kann, ist dies bei dem Tunnelbau nicht möglich. Störungen wirken sich sofort auf den Gesamtbetrieb aus und führen zu einer Verlängerung der Ausführung.

Zu direkten Auswirkungen würden aber nicht nur Störungen im Bereich des Vortriebskopfes führen, sondern auch eine mangelnde Logistik. Einerseits muss das ausgebrochene Felsmaterial aus der Tunnelröhre verbracht und gelagert werden. Für die weitere Verwertung ist in vielen Fällen eine Aufbereitung durch Brechen, Sieben etc. erforderlich. Für den Abtransport müssen bei großen Tunnelprojekten erhebliche Kapazitäten bereitgestellt werden, z. B. Bahnanschlüsse, da das ausgebrochene Material wegen des Auflockerungsfaktors ein größeres Volumen einnimmt. Andererseits müssen Beton, Bewehrung, Tubbing Elemente etc. zur Ortsbrust gebracht werden. Zur Herstellung und Zwischenlagerung werden daher Feldfabriken und Lagerplätze an der Tunnelröhre errichtet. Der Transport der Materialien muss durch die Tunnelröhre stattfinden. Die Logistik wird so eingerichtet, dass die Versorgung der Vortriebsmaschine sichergestellt werden kann.

Es wird erkennbar, dass eine sehr große Baustellenlogistik allein auf die Vortriebsmaschine als Leitgerät ausgerichtet ist. Daher führen Störungen und Stillstände sofort zu erheblichen Kosten. In vielen Fällen handelt es sich auch im Tunnelbau um unvorhergesehene Änderungen der Geologie. Das kann eine Verminderung der Vortriebsleistung zur Folge haben, was eine Bauzeitverlängerung und Kosten für die längere Vorhaltung der Baustelle bedeutet. Andererseits kann es aber auch zu einem erhöhten Verschleiß der Maschinen führen.

Für entsprechende Änderungen werden in den Verträgen in aller Regel Störfallkataloge bepreist, also z. B. pro Tag Stillstand, für geänderte Ausbruchklassen etc. Eine begleitende Feststellung der Geologie ist erforderlich. Trotzdem kommt es zu Streitigkeiten über die Auswirkungen auf die Baustellenlogistik und die Höhe der Kosten. Die Streitwerte sind entsprechend hoch.

4. Weiterführende Literatur

In der DIN 18312 werden die Untertagearbeiten geregelt. Dort finden sich die Ausbruchklassen für die verschiedenen Vortriebsarten, die Berechnung des Ausbruches etc. Sie ist Bestandteil der VOB/C. Überschneidungen kann es mit den anderen DIN-ATV geben, die bereits in dem Kapitel Tiefbau genannt worden sind. Für eine Abgrenzung finden sich in der DIN 18312 Ausführungen.

Die DIN 18319 gilt für die Rohrvortriebsarbeiten. Es finden sich auch dort die Hinweise auf weitere Normen, sowie Nebenleistungen und besondere Leistungen.

Einen detaillierteren Einstieg in die Technik des Tunnelbaus gibt das Handbuch des Tunnel- und Stollenbaus von Bernhard Maidl, Verlag Glückauf, Essen.

III. Ingenieurbau

1. Einführende Erläuterungen

Die Bezeichnung Ingenieurbau wird in der Praxis der Bauunternehmen für bestimmte Sparten verwendet. Darunter wird in aller Regel die Errichtung von Bauwerken verstanden, die in der Hauptsache aus Beton bestehen. Es handelt sich dabei z. B. um Bauwerke für die Infrastruktur und die Industrie. Hierzu zählen Brücken, Industriebauten, Kühltürme, Kraftwerksbauten, etc.

Im Holzbau und Mauerwerksbau trifft man noch auf die Unterscheidung in den so genannten Ingenieurholzbau und den Ingenieurmauerwerksbau. Die Begrifflichkeiten zielten auf eine Unterscheidung von den nach Erfahrungswerten bemessenen Handwerksausführungen ab. Auch andere Bezeichnungen, wie zum Beispiel Ingenieurhochbau etc., werden seltener und uneinheitlich verwendet. Die Sparte Ingenieurbau wird daher in oben erläutertem Umfang verstanden.

2. Fachliche Erläuterungen

Für Bauwerke aus Beton, Stahl, Fertigteilen und in Verbundbauweise wurde bereits in den entsprechenden Kapiteln die Verfahrenstechnologie erläutert. Die dort gemachten Ausführungen gelten für den Ingenieurbau vollumfänglich. An dieser Stelle wird daher in der Hauptsache auf den **Brückenbau** eingegangen, der ein Gebiet mit speziellen Verfahren darstellt.

Die Errichtung von Brücken wird auch heute noch vielfach mit Rüstungen durchgeführt. Dafür wird als provisorische Hilfskonstruktion aus Stahl und Holz die **Rüstung** hergestellt, auf der dann die Brücke errichtet wird. Für Rüstungen ist eine eigene statische Berechnung erforderlich, da sie zunächst das Brückengewicht tragen muss. Wenn die Brücke fertig gestellt ist, werden die Baubehelfe rückgebaut. Man kann dieses Brückenbauverfahren einsetzen, wenn die lichte Höhe der Brücke nicht zu groß ist und das Gelände ein Aufstellen der Rüstungen zulässt. Bei großen Spannweiten und der Überbauung von Gewässern ist dies aber häufig nicht möglich.

Für weitere Anwendungen wurden andere Brückenbauverfahren entwickelt. Dafür werden die Widerlager der Brücken und die Pfeiler vorlaufend gefertigt. Bei der weiteren Herstellung als **Freier Vorbau** wird von den Pfeilern ausgehend die Brückenkonstruktion errichtet. Dabei kragen die Brückenteile frei vom Pfeiler ausgehend in beide Richtungen aus. Sie können auch an den Pfeilern aufgehängt werden. Der Brückenüberbau wird entweder mit vorgefertigten Teilen hergestellt, oder er wird mit einem Schalwagen anbetoniert. Die auskragenden Brückenteile treffen sich in der Mitte zwischen den Pfeilern und werden verbunden. Siehe hierzu Abbildung 89.

Die beiden vorab genannten Verfahren haben den Nachteil, dass die Arbeiten in großen Höhen und unter freiem Himmel durchgeführt werden müssen. Dadurch ist die Logistik aufwändig und der Baufortschritt auch vom Wetter beeinflusst. Das **Taktschiebeverfahren** vermeidet diese Nachteile, indem der Brückenüberbau am Widerlager stationär gefertigt wird. Dafür errichtet man eine überdachte Fertigungsstätte, die auch beheizt sein kann. Dort wird auf einer vorgefertigten Schalung ein Abschnitt des Brückenüberbaus angefertigt. Wenn dieses Teil erhärtet ist, wird es mittels hydraulischer Pressen in Richtung des ersten Pfeilers aus der Fertigungsstätte gedrückt. In der Schalung wird dann der nächste Abschnitt hergestellt, der mit dem jeweils vorherigen Betonteil verbunden wird. Auf diese Weise wird der gesamte Brückenüberbau gefertigt und abschnittsweise bis in die endgültige Lage geschoben.

Der Brückenüberbau liegt dabei auf den fertigen Pfeilern auf. Mittels spezieller Gleitlager wird sichergestellt, dass der Verschub nicht zu hohe Kräfte benötigt und nicht zu Schäden führt. Bei größeren Spannweiten würden die auskragenden Brückenabschnitte möglicherweise so durchhängen, dass sie nicht oberhalb des Pfeilers zu liegen kommen. Man verwendet daher einen **Vorschubschnabel.** Dabei handelt es sich um eine Stahlkonstruktion, die an dem vordersten Brückenabschnitt befestigt wird. Der Vorschubschnabel liegt bereits auf dem ersten Pfeiler auf und stellt so durch die verringerte Durchbiegung des Überbaus sicher, dass die gewünschte Lage über den Pfeilern eingehalten wird.

Abbildung 89: Brücke im Freivorbau

Die Abbildung zeigt eine Brücke im Freivorbau. Der Pfeiler, der nach Abschluss der Arbeiten im Fluss stehen wird, wurde im Schutze eines Spundwandkastens errichtet. Der Brückenüberbau wird mit Hilfe von Schalwagen ausgeführt, die sich gleichmäßig vom gemeinsamen Pfeiler weg bewegen. Damit wird sichergestellt, dass sich der Pfeiler im Bereich der vorausbestimmten Gewichtsverteilung befindet und nicht einseitig mehr belastet wird. Der Zugang für die Arbeitskräfte zur Baustelle erfolgt von der alten Brücke mittels einer Gerüsttreppe nach unten, quer in den Spundkasten hinüber und dann wieder am neu erstellten Pfeiler über die Gerüstleiter nach oben.

Im Nachlauf können die Erweiterung des Überbaus und die seitlichen Brückenkappen mit Schalwagen betoniert werden. Nach dem Fertigstellen der tragenden Konstruktion werden bei allen Brücken die Endausbauten vorgenommen. Dabei handelt es sich meistens um die Fahrwege für die Rad- oder Schienenfahrzeuge.

Die Brückenüberbauten erwärmen sich durch die Sonneneinstrahlung sehr stark, während sie durch ihre freie Lage aber auch schnell auskühlen. Daher unterliegen sie einer großen, thermischen **Dehnung.** Damit der Überbau keinen Schaden erleidet, wird der Überbau auf den Widerlagern und an den Pfeilern verschieblich gelagert. Hierbei handelt es sich meist um Stahlteile, wobei man an den Widerlagern häufig die Stahlrollen erkennen kann. Mit ebenfalls aus Stahl gefertigten Übergangskonstruktionen wird dafür gesorgt, dass die Oberfläche durchgängig bleibt. Diese

„Ükos" greifen wie zwei Kämme ineinander, wobei jeweils ein Teil an einem der gegeneinander verschieblichen Brückenteile befestigt wird. Man kann sie unschwer am Beginn der Straßenbrücken, quer zur Fahrbahn liegend, erkennen.

Die Bücken für geplante Verkehrswege werden häufig vorab gefertigt. Danach wird mittels der Erdarbeiten eine notwendige Rampe zum Widerlager fertig gestellt. Bei dem notwendigen Ersatz einer Brücke gibt es die Möglichkeit, die neue Brücke daneben zu errichten und nach der Fertigstellung den Fahrweg umzulegen. Wenn dies nicht möglich ist, aber die Nutzung der Brücke nur für eine möglichst kurze Zeit unterbrochen werden soll, wird zunächst die neue Brücke gebaut, danach die alte Brücke abgerissen, und die neue Brücke in die gewünschte Lage der alten Bücke verschoben. Hierfür wird sie auf Teflonlagern mittels hydraulischer Pressen bewegt.

Wie auch bei den Brücken, stellen die immer größeren Dimensionen der Bauwerke eine große Herausforderung für den Ingenieurbau dar. Dabei spielt die Konstruktion eine gewichtige Rolle, die dafür sorgt, dass die Bauwerke standfest sind. Man kann sich die Windlasten, die auf ein Hochhaus wirken, annähernd vorstellen, wenn man sich die Biegung von Bäumen bei Wind anschaut. Andererseits erfordert es auch eine **Verfahrenstechnik,** die ein Arbeiten unter den gegebenen Umständen erlaubt. Daher kommt z. B. der **Arbeitsvorbereitung** eine wichtige Rolle zu. Hier werden die Bauverfahren für das jeweilige Projekt entwickelt, die eine technische Realisierung ermöglichen und dabei die wirtschaftlichste Alternative bestimmen.

Die Entwicklung der Baugeräte hat ebenfalls für einen Fortschritt des Ingenieurbaus gesorgt. Hierzu gehört neben der **Gleitschalung** vor allem auch die **Kletterschalung**, mit der rationell in großen Höhen betoniert werden kann. Siehe hierzu Abbildung 90. Spezielle Krane sorgen für große Hubhöhen und ermöglichen so erst den Materialtransport. Die Einsatzmöglichkeiten dieser Geräte müssen bereits bei der Konstruktion berücksichtigt werden. Bei Ingenieurbauwerken beeinflussen sich daher die Konstruktion und die Bauverfahren gegenseitig.

3. Häufig auftretende Probleme in der Praxis

Die auftretenden Probleme in der Praxis wurden bereits in den Kapiteln zu den Bauverfahren, also im Besonderen den Beton-, Stahl- und Fertigteilbau beschrieben. Unter dem baubetrieblichen Aspekt sind es häufig logistische oder organisatorische Probleme, die bei der Durchführung von Großprojekten auftreten. Im innerstädtischen Bereich betrifft es beispielsweise den Materialtransport. Bei der Betonage von massigen Bauteilen

Abbildung 90: Erstellung eines Brückenpfeilers mit Kletterschalung

Die Abbildungen zeigen die Erstellung eines Brückenpfeilers mit Hilfe von Kletterschalung. Im linken Bild befindet sich die Kletterschalung in ihrer Ausgangsposition und wird aufgebaut. Im rechten Bild ist die Schalung schon ein ganzes Stück „geklettert“. Der Pfeiler wird noch oben schmaler, die Kletterschalung lässt die Veränderung des Querschnitts zu. Weiterhin ist zu sehen, dass der Beton unterhalb der Schalung noch mit Folien geschützt ist. Dies geschieht im Rahmen der Nachbehandlung des Betons, der vor einem zu schnellen Austrocknen geschützt werden muss. Die Kletterschalung lässt sich bei diesem Bauprojekt wirtschaftlich einsetzten, da weitere Pfeiler mit demselben Querschnitt errichtet werden müssen. Im Hintergrund ist die alte Brücke zu erkennen, die bereits zur Hälfte abgerissen wurde. Damit die „halbe“ Brücke nicht umfällt, wurde sie mit einer provisorischen Stahlkonstruktion (rot) abgestützt. Die alte Straßenbrücke bestand aus einem mächtigen Pfeiler, auf dem eine 4-spurige Fahrbahnplatte auflag. Sie wird durch zwei neue Brücken ersetzt, die jeweils 2-spurige Fahrbahnplatten erhalten.

muss sichergestellt werden, dass der Transportbeton zur richtigen Zeit zur Verfügung steht. Hierfür können verkehrsregelnde Maßnahmen erforderlich werden, ebenso für den Transport von Bauteilen mit Übergrößen. Zahlreiche Genehmigungen sind im Vorfeld einzuholen. Auf mögliche polizeiliche Verfügungen auf Grund von Beschwerden der Anwohner, z. B. wegen der Schall- und Staubemission sei nur hingewiesen. Bauablaufstörungen sind die Folge.

4. Weiterführende Literatur

Für den Ingenieurbau gelten ebenfalls die einzelnen Normen, die bei den jeweiligen Bauverfahren genannt worden sind. Ergänzend gibt es viele Richtlinien öffentlich rechtlicher Art, wie z. B. die Hochhausrichtlinie, oder zu beachtende Vorschriften der einzelnen Auftraggeber, wie der Bahn oder den Ämtern. Sie sind aber meist in den Ausschreibungsunterlagen erwähnt.

Für Abbruch- und Rückbauarbeiten gilt die DIN 18459 als Bestandteil der VOB/C. Die Gerüste und Rüstungen sind dort ebenfalls in der DIN 18451 geregelt. Sie enthält im zweiten Abschnitt Verweise auf die weiteren, für diese Baubehelfe geltende Normen, z. B. die DIN 4420 für Arbeits- und Schutzgerüste, DIN EN 12811 ff. für Traggerüste etc.

Vertiefende Literatur findet sich speziell für die jeweiligen Typen der Bauwerke, in welchen die Bauverfahren, die Geräte und die Konstruktionen erläutert werden.

IV. Wasserbau

1. Einführende Erläuterungen

Wasser ist in seinen unterschiedlichen Vorkommen zu einer maßgeblichen Größe im Umweltschutz geworden. Daher unterliegt der Umgang mit Wasser in seinen unterschiedlichen Vorkommen, also als Grundwasser, als Gewässer, als Regen und als Meer vielen gesetzlichen Schutzbestimmungen. Diese sind auch bei allen Maßnahmen des Wasserbaus zu beachten. Aus diesem Grund hat sich das Fachgebiet der Umwelttechnik entwickelt, welches auch die Bautechnik betrifft. Im Folgenden werden die Aspekte behandelt, welche primär bautechnische Auswirkung auf den Wasserbau haben. Damit wird erläutert, welche Besonderheiten die Sparte ausmachen. Innerhalb der Baufirmen wird allerdings der Wasserbau häufig nicht als eigene Sparte geführt, sondern dem Ingenieurbau zugerechnet. Es gibt allerdings auch Firmen, die sich nur auf dieses Gebiet spezialisiert haben.

Der Wasserbau beinhaltet zunächst die Grundlagen der Hydrologie. Hierzu gehören der Wasserkreislauf und die Eigenschaften der verschiedenen Wasserarten, die in vielfältiger Art die Bauwerke beeinflussen. Grundregeln für die Berechnung von Kräften im Zusammenhang mit Wasser ergeben sich aus der Hydrostatik und der Hydrodynamik. Damit können Rohrleitungen, die zu übertragenden Kräfte aus deren Auflagern, Reibungsverluste in Rohren und Gerinnen, Wasserbewegungen, Wellen etc. berechnet oder bemessen werden. Die Berechnung von Pumpen und Turbinen ergänzt die Grundlagen, z. B. für die Berechnung von Brunnen, Kraftwerken etc.

Der eigentliche Wasserbau beschäftigt sich mit der Konstruktion der Bauwerke. Hierbei wird unterschieden in den Binnenwasserbereich. Dazu gehört der Bau von Schifffahrtskanälen, Schleusen, Wehren, Dämmen, Staumauern etc. Der Seewasserbereich umfasst Ufer- und Hafenanlagen, Wellenbrecher usw.

Der Bereich der Siedlungswasserwirtschaft umfasst die Trinkwasserversorgung von der Beschaffung, der Speicherung, der Aufbereitung, der Verteilung bis zur Versorgung der Endabnehmer, z. B. in den Gebäuden. Dazu gehört auch die Entwässerung mit der Kanalisation und den hierfür erforderlichen Bauwerken. Letztlich sind das auch die Anlagen zur Abwasserreinigung, also Kläranlagen und die Schlammbehandlung.

2. Fachliche Erläuterungen

Die **Hydrologie** beschäftigt sich mit dem Wasser und seinem natürlichen Kreislauf. Wasser kommt vielfach mit Bauwerken in Berührung. Je nach seiner Temperatur und den in ihm enthaltenen gelösten Stoffen oder den Schwebestoffen verändert es seine Eigenschaften. Durch seinen Übergang in die feste Phase dehnt es sich aus. Eis hat ein größeres Volumen als das flüssige Wasser. Daher darf Wasser nicht in Bauwerke und Baustoffe eindringen. Bei Frost führt es zu erheblichen Schäden. Bekannt sind Frostschäden in Straßenbelägen, geplatzte Wasserleitungen etc. Auch die chemische Zusammensetzung ist wichtig, da die im Wasser gelösten Stoffe die Baustoffe angreifen können. Ein natürliches Vorkommen ist das so genannte aggressive Grundwasser, für Bauwerke sind das aber auch Abwässer aus Produktion und Haushalten.

Der natürliche **Wasserkreislauf** beginnt im Meer. Das daraus verdunstende Wasser fällt als Niederschlag auf die Erde und versickert. Es sammelt sich in den Grundwasserleitern, aus denen es wieder an die Oberfläche tritt. Alternativ sammelt es sich an den Oberflächen und läuft oberirdisch ab. Durch die Binnengewässer gelangt es wieder in das Meer. Kleinere Kreisläufe entstehen durch örtliche Verdunstungsprozesse, die Entnahme von Wasser etc.

Durch die Bautechnik wird vielfach in diesen Kreislauf eingegriffen. Durch die Bebauung werden große Flächen versiegelt, so dass das Wasser nicht mehr versickern kann. Es wird in einer Kanalisation abgeleitet. Grundwasser wird als Brauchwasser entnommen und zur Versorgung bereitgestellt, auch aus Gewässern. Die natürlichen Gerinne werden künstlich schiffbar gemacht, wodurch sich die Strömungsverhältnisse ändern. Kenntnisse über die Volumenströme, z. B. Hoch- und Niedrigwasserstände, Abflussspenden, die natürlichen Regenspenden etc., dienen der Bemessung der Bauwerke.

Die **Hydromechanik** befasst sich mit der Berechnung der Kräfte, die von ruhendem oder bewegtem Wasser auf die Bauwerke einwirken. Das betrifft einerseits Staumauern, Wehre, Hafenwände etc., andererseits Rohrleitungen mit Krümmern, Schiebern usw. und offene Gerinne. Dabei wird in verschiedene Arten der Wasserströmung unterschieden, die laminare oder gleichförmige, und die turbulente oder ungleichförmige Strömung. Durch die turbulente **Strömung** entstehen andere Kräfte, wie es bei einem Bach, der in einen Wasserfall übergeht, erkennbar ist. Dieser Effekt hat erheblichen Einfluss auf den Ausbau von Flüssen und Kanälen für die Schifffahrt. In Rohrleitungen entstehen Kräfte durch Biegungen, Regelklappen, wechselnden Wasserdruck etc. Diese Kräfte müssen durch eine entsprechende Lagerung aufgenommen werden. Bei großen Druckleitungen, z. B. im Kraftwerksbau, sind diese Kräfte erheblich.

Der natürliche Feststofftransport eines Flusses, das Geschiebe genannt, ist bei der Bemessung der Fahrrinnen, der Schleusen, Wehre etc. zu beachten. Für die Ufersicherung müssen ebenfalls Sicherungsmaßnahmen ergriffen werden, damit es weder zu einem Abtrag des Uferstreifens, noch zu einem Auftrag kommt, denn die Fließgeschwindigkeit in der äußeren Linie einer Flussbiegung ist erheblich größer, als sie an der Innenseite ist.

Die Strömungsvorgänge des Wassers beeinflussen auch die Wasserführung innerhalb der Bauwerke. **Schleusen** werden mit einem großen Aufwand so konstruiert, dass bei dem Schleusenvorgang in die Schleusenkammer einfließendes Wasser nicht zu Strömungsvorgängen führt, welche die Schiffe beschädigen können. In Kanälen muss mit dem Wasser sorgfältig umgegangen werden, da kaum Strömung herrscht. Die Schleusen werden daher oft als Sparschleusen konstruiert, die einen Teil des zur Schleusung notwendigen Wassers speichern und wieder verwenden. Das dafür erforderliche wasserführende Kanalsystem ist zu bemessen und muss den Abriebkräften des Wassers widerstehen.

Deiche, Dämme und Kanäle müssen ebenfalls dem Wasser widerstehen können und sollen abdichtende Funktion haben. In vielen Fällen wird Ton oder Lehm als abdichtendes Material verwendet, da diese Böden nur eine sehr geringe Wasserdurchlässigkeit aufweisen. Allerdings müssen Ton und Lehm gegen ein Abspülen gesichert werden. Dafür müssen andere Bodenarten aufgetragen werden.

Bei der Errichtung von Bauwerken im Uferbereich des Meeres sind die Eigenarten des Meeres zu beachten. Da es sich um salzhaltiges Wasser handelt, muss dementsprechend für einen Schutz der Baustoffe vor der korrosiven Wirkung gesorgt werden. Der Wellengang stellt eine ständige Krafteinwirkung auf die Bauteile dar, die als Druck und Sog auftritt. Durch die Gezeiten wechseln die Wasserstände, die bei Häfen etc. vielfach zu beachten sind, wenn sie schiffbar bleiben sollen.

Im Sachgebiet der **Siedlungswasserwirtschaft** geht es zunächst um die **Wassergewinnung** und Speicherung. Hierfür werden Brunnen oder Stauseen angelegt, aus denen das Grundwasser gepumpt wird, oder es wird aus natürlichen Gewässern, wie z. B. dem Bodensee, gewonnen. Entnahmebauwerk stellen sicher, dass die Entnahme aus den tieferen Wasserschichten erfolgen kann, da kaltes Wasser weitgehend keimfrei ist, sowie keinen Oberflächenschmutz oder Verunreinigungen durch die Gewässersohle mitführt. Das gewonnene Wasser wird teilweise aufbereitet, damit es die Trinkwasserqualität erreicht. Trinkwasser ist ein Lebensmittel.

Für die **Wasserverteilung** werden Kanalnetze angelegt, durch die das Wasser gepumpt wird. Für die Berechnung der Wasserversorgungsnetze gibt es Kennzahlen mit dem Wasserbedarf für die unterschiedlichen, angeschlossenen Nutzer, bspw. Haushalte, öffentliche Einrichtungen oder Gewerbe und Industrie. Zu beachten ist auch die Bereitstellung von Löschwasser und der normale Wasserverlust im Netz, der durch Leckagen etc. auftritt.

Die Wasserversorgungsleitungen führen das Wasser mit Druck. Hierfür werden auf Geländeerhöhungen Wasserspeicher errichtet, in die das Wasser gepumpt werden kann. Auf Grund der Höhendifferenz zwischen dem Wasserspeicher und den Anschlüssen der Abnehmer stellt sich der Druck im Netz ein. Zu dem gleichen Zweck werden auch Wassertürme gebaut, die ebenfalls nur dazu dienen, das Wasser zu speichern und den Druck zu ermöglichen.

Innerhalb der Gebäude wird das Wasser von der Anschlussleitung des Versorgungsunternehmens mit Steigleitungen in die Stockwerke, dort mit den Stockwerksleitungen horizontal verteilt. Die Querschnitte der Leitungen werden nach Art und Anzahl der Entnahmestellen bemessen. Die Wasserleitungen müssen dabei frostfrei verlegt werden.

Die **Entwässerung** erfolgt über die Kanalisation. Im Gegensatz zu der Wasserversorgung läuft das Abwasser üblicherweise mit freiem Gefälle, so dass die Leitungen immer entsprechend zu verlegen sind. Man nennt dies **Freispiegelleitung**. Im Prinzip gibt es zwei Arten von Entwässerungsverfahren. Bei dem **Mischverfahren** werden die Abwässer der Nutzer in die Kanalisation eingeleitet, in der auch das Regenwasser abläuft. Das bedeutet, dass sich die Abwässer mischen und entsprechend zu behandeln sind. Bei dem **Trennverfahren** werden getrennte Kanalisationen für das Schmutzwasser und das Regenwasser angelegt. Das Kanalnetz verteuert sich entsprechend.

Im Abwassernetz werden neben den Kanalleitungen zahlreiche andere Bauwerke errichtet. Hierzu zählen Regenüberläufe, Regenüberlaufbecken, Regenrückhaltebecken, Regenklärbecken, Staukanäle etc. Sie dienen der Regulierung der Zuflussmengen in die Kläranlagen und der Bewältigung von Abflussspitzen, z. B. bei Platzregen etc. Im Grundsatz sollte Regenwasser, welches nicht frei versickern kann, möglichst gesammelt und in Versickerungsbauwerken in das Grundwasser eingeleitet werden. Ein gewisser Anteil des Regenwassers hilft allerdings auch, die Schmutzwasserkanäle zu spülen, in denen sich sonst Feststoffe ablagern können.

Die Konstruktion von **Kläranlagen** ist ein weiterer Bereich der Siedlungswasserwirtschaft. Zu diesen Anlagen zählen die mechanische Grobreinigung am Eingang mit einem Rechen, ein Sand- und Fettfangbecken, sowie eine Vorklärung zum Absetzen von Schwebstoffen. Nach diesen Bauwerken der mechanischen Stufe schließt sich die biologische Stufe an. Sie besteht aus einem Tropfkörperbecken, welches von oben mit dem Abwasser besprüht wird, oder einem Belebungsbecken. Es schließt sich ein Nachklärbecken an, aus dem das Wasser in ein natürliches Gewässer abgeleitet wird.

Der in allen Stufen anfallende Klärschlamm wird in Faulbehältern gelagert, eingedickt, entwässert und entsorgt. Das bei dem Faulprozess entstehende Gas wird zur notwendigen Heizung des Behälters verwendet. Die Entsorgung findet durch Deponierung oder Verbrennung statt.

3. Häufig auftretende Probleme in der Praxis

In den Kapiteln der Bauverfahren und der Baustoffe wurden bereits Ausführungen gemacht, die auch für die Bauwerke des Wasserbaus aus Beton, für den Boden etc. gelten. Die dort beschriebenen Probleme werden bei den ständig mit Wasser in Berührung kommenden Bauteilen entsprechend verstärkt. Das betrifft vor allem auch die mechanische Belastung durch strömendes Wasser und die Korrosion.

Besonderheiten ergeben sich für den Bau von Anlagen für die Schifffahrt durch die Abhängigkeiten von der Aufrechterhaltung des Schiffverkehrs. Dadurch sind die Bauverfahren und die Bauzeiten entsprechend eingeschränkt. Wegen der Sicherheit der Uferanlagen und der dahinter befindlichen Baustellen muss eine Hochwassersicherheit hergestellt werden. Im Bereich der Küste sind die Wasserstände umso mehr ein Wagnis, die auch durch das Wetter beeinflusst werden. Dadurch resultierende Risiken führen zu Streitigkeiten.

Im Bereich der Siedlungswasserwirtschaft besteht ein sehr großer Bedarf für eine Sanierung des vorhandenen Kanalnetzes. Bei der Durchführung von unterschiedlichen Methoden, bei denen die Abwasserkanäle durch Beschichtungen oder durch das Einziehen von Kunststoffrohren saniert werden sollen, ergeben sich Probleme durch beschädigte Kanalstücke, bei denen Undichtigkeiten auftreten, geänderte Leitungsführungen, die zu Mehraufwänden führen etc. Die üblichen Probleme der häuslichen Ver- und Entsorgung liegen meist auf handwerklicher Ebene.

4. Weiterführende Literatur

Begriffe der Hydromechanik sind in der DIN 4044 erläutert, für die Hydrologie in der DIN 4049, Begriffe des Wasserbaus in der DIN 4048, speziell für den Verkehrswasserbau in der DIN 4054. Die DIN 19999 gab eine Übersicht über genormte Bedingungen der Begriffe im Wasserwesen. Die Norm ist allerdings nicht mehr gültig. Für die Bauwerke gelten die DIN 19700 für Stauanlagen etc., die DIN 19703 für Schleusen, die DIN 19704 für Stahlwasserbauten, die DIN 19712 für Flussdeiche etc.

In der VOB/C war für den Wasserbau die DIN 18310, Sicherungsarbeiten an Gewässern, Deichen und Küstendünen, einschlägig. Diese Norm der VOB/C wurde zurückgezogen und ist nicht mehr gültig. Die DIN 19657 gibt ergänzend Richtlinien vor, die DIN 18311 Nassbaggerarbeiten und die DIN 18306 für Entwässerungskanalarbeiten gelten in diesen Bereichen. Innerhalb von Gebäuden gilt die DIN 18381 für Gas-, Wasser- und Entwässerungsanlagen.

Der Deutsche Verband für Wasserwirtschaft und Kulturbau hat zahlreiche Regeln, Merkblätter etc. für den Wasserbau und die Wasserwirtschaft herausgegeben. Für die Wasserver- und -entsorgung, insbesondere auch die häuslichen Anlagen, gibt es eine Reihe von Taschenbüchern des DIN Institutes. Für die einzelnen Gebiete findet man auch von anderen Vereinen Regelwerke und Richtlinien.

Weiterführend befasst sich die Literatur mit den einzelnen Themen des Wasserbaus und den speziellen, sehr unterschiedlichen Bauwerken. Einen weit reichenden Überblick findet man in Wasserbau, von Theodor Strobel und Franz Zunic, erschienen im Springer Verlag.

V. Verkehrswegebau

1. Einführende Erläuterungen

Der Verkehrswegebau wird in vielen Bauunternehmen als Sparte geführt, bzw. gibt es zahlreiche Firmen, die sich darauf spezialisiert haben. Prinzipiell unterteilt sich der Verkehrswegebau in den Straßen- und den Gleisbau. Der Bau von Wasserstraßen, also in der Hauptsache von Schifffahrtskanälen, wurde in dem Kapitel Wasserbau behandelt.

Der Straßenbau ist der Verkehrswegebau für radgetriebene Landfahrzeuge, die nicht gleisgebunden sind, und Fußgänger. Zu der Ausführung gehören die Herstellung des Unterbaus, hauptsächlich durch Erdbaumaßnahmen, und die Herstellung der Fahrbahndecken, also der Oberflächen. Umgangssprachlich unterscheidet man in die Schwarzdecken, die aus

Bitumen und Zuschlägen hergestellt werden, dem Asphalt, und in die Weißdecken, bei denen es sich um Fahrbahnen aus Beton handelt. Im innerstädtischen Bereich werden auch Pflasterarbeiten durchgeführt. Der Haupteinsatzbereich sind Radwege und Bürgersteige, aber auch Parkplätze. Weitere Gewerke sind zum Beispiel das Verlegen von Drainagen und Kanälen für die Entwässerung, Leitungen für Strom, Notrufeinrichtungen etc., und Markierungsarbeiten.

Der Gleisbau umfasst die Herstellung von Gleisanlagen für schienengebundenen Verkehr. Hierzu zählen ebenso Erdarbeiten für den Unterbau und die Errichtung von Dämmen etc. Der eigentliche Schienenstrang wird Fahrweg oder Fahrbahn genannt. Neben der traditionellen Bauweise mit Gleisen auf Schwellen, die im Schotterbett verlegt werden, hat sich im Zuge der Entwicklung von Personenzügen mit hoher Reisegeschwindigkeit die Bauweise mit fester Fahrbahn etabliert. Der Oberbegriff Bahnanlagenbau umfasst nicht nur den Gleisbau, sondern auch die Ausbauarbeiten für die Logistik und die Nachrichtentechnik etc.

Im Zuge des Verkehrswegebaus werden auch Ingenieurbauwerke errichtet. Sie werden meist von anderen Firmen ausgeführt, bzw. anderen Sparten, so dass sie in dem Kapitel Ingenieurbau behandelt worden sind. Hierzu gehören vor allem Brücken, Unterführungen, Schallschutzwände etc.

Die Planung des Verkehrsnetzes ist ein weiterer Aspekt des Bauwesens für die Bemessung der Verkehrswege. Dazu gehört die Dimensionierung der Straßen durch Berechnungen mittels des erwarteten Verkehrsaufkommens, Aspekte der Verkehrssicherheit bei dem Entwurf der Linienführung, des Lärmschutzes usw.

2. Fachliche Erläuterungen

Für den **Straßenbau** und den Aufbau der Konstruktion werden bestimmte Begriffe verwendet. Den anstehenden Boden bezeichnet man als **Untergrund.** Bei schlechter Bodenqualität, unzureichender Tragfähigkeit oder zur Herstellung der benötigten Breite kann er verdichtet und zusätzlich aufgetragen sein. Das wird **Unterbau** genannt. Auf den Unterbau wird der **Oberbau** aufgebracht. Er besteht aus einer **Frostschutzschicht.** Sie verhindert, dass eingedrungenes Wasser beim Gefrieren zu Hebungen führt, indem sie genügend Hohlräume für die Ausdehnung des gefrierenden Wassers aufweist. Meist handelt es sich um grobkörniges Gesteinsmaterial. Darüber werden weitere **Tragschichten** angeordnet, die der Verfestigung dienen. Die eigentliche Oberfläche ist die **Decke.**

Die einzelnen Schichten werden lagenweise eingebaut. Dabei muss darauf geachtet werden, dass sich die unterschiedlichen Böden nicht mischen. Jede Schicht ist ausreichend durch geeignete Walzen zu verdichten. Die notwendige Verdichtung wird als **Proctordichte** angegeben. Sie muss mit Prüfverfahren festgestellt werden. Die Dicke der Schichten ist nach der Nutzung der Straßen zu bestimmen, die als Bauklasse angegeben wird.

Schwarzdecken bestehen aus einer Asphalttragschicht, einer Asphaltbinderschicht und einer Asphaltdeckschicht mit einem entsprechenden Unterbau, sowie einer Frostschutzschicht und eventuell einer weiteren Tragschicht aus anderem Material. Die Asphaltschichten werden meist mit **Fertigern** aufgebracht. Siehe hierzu die Abbildung 91. Hierbei handelt es sich um Maschinen, in die der heiße Asphalt eingefüllt wird, die ihn in der erforderlichen Auftragsdicke portionieren, in der Breite verteilen, verdichten und glätten. Die Geräte haben die Breite einer Fahrbahn, für Autobahnen und große Fernstraßen gibt es auch Großgeräte, die über mehrere Fahrbahnen reichen. Die Schichten werden mit Walzen weiter verdichtet und geglättet.

Der Asphalt wird als **Mischgut** bezeichnet. Er wird üblicherweise in einem Mischwerk aus Bitumen und Zuschlägen hergestellt und einbaufertig an die Baustelle geliefert. Man bezeichnet dies auch als **Mixed in Plant**-Verfahren. Bei größeren Baustellen wird das Mischgut vor Ort hergestellt, auch als **Mixed in Place**-Verfahren bezeichnet. Im Zuge der Wiederverwertung der Baustoffe wird der alte Belag durch Fräsen abgetragen und zerkleinert. Er kann wieder aufgearbeitet werden. Das nennt man **Remix**-Verfahren.

Für kleinere Straßen und für Straßenerhaltungs- und Instandsetzungsarbeiten finden andere Bauverfahren Anwendung, als sie bei einem Neubau oder bei Autobahnen und anderen Fernstraßen eingesetzt werden. Der maschinelle Einsatz verringert sich. Für kleine Stellen wird der Asphalt händisch aufgetragen, oder Risse werden vergossen. Die für diese Zwecke hergestellten Asphalte haben meist einen höheren Bindemittelanteil, so dass die Beläge für die Griffigkeit mit Splitt abgestreut werden. Siehe hierzu die Abbildung 92.

Für einen besseren Schallschutz hat man besondere Beläge für die Decken entwickelt, die **Flüsterasphalt** genannt wurden. Im Prinzip hatten diese Beläge eine Oberfläche mit einem definierten Hohlraumanteil, der die Abrollgeräusche der Reifen verminderte. Sie heißen daher offenporige Asphalte. Nachteilig ist, dass diese Wirkung durch die Verunreinigung der Oberfläche und ein Zusetzen der Hohlräume stark nachlässt, so dass der Instandhaltungsaufwand ansteigt.

Weißdecken bestehen aus der Betondecke, die durch ein Vlies getrennt auf einer hydraulisch gebundenen Tragschicht aufliegt, HGT genannt, oder einer Schottertragschicht. Der Beton wird ebenfalls mit Fertigern eingebaut und verdichtet. Im Prinzip handelt es sich um eine durchgehen-

Abbildung 91: Fertiger

Die Abbildung zeigt zwei Fertiger bei der Arbeit. Die Fertiger werden gerade durch LKW mit neuem Asphalt befüllt, der zunächst im Materialbehälter landet. Von dort wird der Asphalt über Förderbänder, die Verteilerschnecke etc. zur Einbaubohle weiterbefördert und dort gleichmäßig verteilt. Die Einbaubohle ist hinten an den Fertigern erkennbar.

de, lange Betonplatte. Wegen des Schwindens und temperaturbedingter Dehnungen würde der Beton aber unkontrolliert reißen. Um dies zu vermeiden, werden in den noch jungen Beton mit Fräsen quer zur Fahrtrichtung **Scheinfugen** eingeschnitten. Dabei handelt es sich um nicht durch die Platte durchgehende Einschnitte, die eine Sollbruchstelle bilden. Eventuelle Risse werden sich daher an dieser schwächsten Stelle ausbilden. Die Scheinfugen werden mit eingelegten Gummiprofilen abgedichtet, so dass auch bei Rissbildung kein Wasser eintreten kann. Zur Kraftübertragung an den Scheinfugen wird Bewehrung eingelegt, die als Verdübelung bezeichnet wird.

Eine andere Bauart war die Verwendung von Betonplatten als Fertigteil. Dabei bestand jedoch das Problem, dass durch das Befahren an den gestoßenen Plattenrändern Abplatzungen entstanden, die durch einen schlechten Unterbau verstärkt wurden. Man kann sich an den schlechten Zustand der ehemaligen Transitstrecken erinnern. Dieser Effekt wird durch die Verdübelung verhindert, da der Dübel die Querkräfte von einer

Abbildung 92: Straßenbau

Die Abbildung zeigt, wie im innerstädtischen Bereich oder bei kleinen Flächen der Asphalt händisch aufgetragen wird. Dafür wird er mit Kübeln aus dem „Kocher" an die Einbaustelle getragen, ausgeschüttet, mit Holzkellen verteilt und geebnet, mit Splitt abgestreut und abgewalzt. Es ist gut zu erkennen, wie der heiße Asphalt dampft.

Platte in die andere überträgt, so dass sie auf gleicher Höhe liegen bleiben, auch wenn in der Scheinfuge ein Riss entstanden sein sollte.

Für die Ausbildung der Ränder und Böschungen, für die Anforderungen an die verschiedenen Baustoffe, die notwendigen Markierungen und Verkehrsleit- und Verkehrssicherungseinrichtungen ergeben sich aus den verschiedenen Bauklassen der Straßen die entsprechenden Vorgaben, die zu beachten sind. Vor allem der Straßenentwässerung kommt aus Sicherheitsgründen eine hohe Bedeutung zu. Daher werden die Decken immer mit einem Gefälle ausgebildet, so dass das Oberflächenwasser auf möglichst kurzem Weg abläuft. Am Rand wird es gefasst und Versickerungsstellen zugeführt.

Die Planung von Straßen ist ein aufwändiger Vorgang, da die zu verwendende Konstruktion, das **Regelprofil**, also die Abmessungen der Straße usw. von dem Zweck und dem Verkehrsaufkommen abhängen. Im Prinzip wird nach Festlegung der Entwurfsgeschwindigkeit, gemeint ist die der Fahrzeuge, die Trasse festgelegt, da von der Geschwindigkeit die

Kurvenradien, Neigungen etc. abhängen, sowie ein Regelquerschnitt. Für Knotenpunkte, also Kreuzungen, Kreisel, Einfahrten, Autobahnkreuze, Wendeplätze, Parkflächen etc. gibt es Regelabmessungen und Fahrbahnführungen. Auf Grund der Verkehrslärmschutzverordnung ist auch die Geräuschemission bei der Planung zu berücksichtigen.

Für den **Bahnanlagenbau** ergeben sich aus Sicht der Planung Ähnlichkeiten zum Straßenbau. Auch hier wird für die Planung eine Entwurfsgeschwindigkeit festgelegt, von der die **Trassierung** abhängt, also die Gleisbögen, Überhöhungen in den Bögen etc., aber auch die zu verwendenden Gleise, Weichen und Kreuzungen. Die Geschwindigkeiten unterscheiden sich für Strecken mit Güterverkehr, Personenverkehr, Mischbetrieb oder S-Bahnen. Der **Regellichtraum,** gemeint ist der frei zu haltende Raum um die Gleise, ist für die verschiedenen Gleis- und Betriebsarten vorgegeben. Das gilt auch für den Abstand von Gleisen zueinander, zu Gebäuden, Oberleitungen etc. Daraus folgend sind auch die Abmessungen für den Ober- und Unterbau festgelegt.

Für den Bahnanlagenbau ist grundsätzlich wichtig, dass ein Zug nicht gerade im Gleis fährt, sondern der Lauf auch auf einer Geraden eine ständige Sinuskurve in Gleisrichtung beschreibt. Die Radsätze sollen nicht oben auf dem Gleis aufliegen, sondern in den inneren Kehlen. Nur durch den **Sinuslauf** ist die Stabilität des Zuges auch bei höheren Geschwindigkeiten gewährleistet. Würde das Rad oben auf der Schiene aufliegen, würde der Zug mit dem inneren Teil seines Radreifens ständig gegen die rechte oder linke Schiene schlagen. Man kennt diesen Effekt von Fahrgeschäften auf Volksfesten, die in Gleisen laufen.

Für bestimmte Geschwindigkeiten ergeben sich daher minimale Radien, die durch die Überhöhung in den Bögen, quasi als Steilkurve, enger gefasst werden können und die seitlichen **Kräfte auf das Gleis** reduzieren. Das setzt aber voraus, dass der Zug auch mit der entsprechenden Geschwindigkeit fährt. In jedem Fall kommt es zu Kräften, die seitlich auf die Fahrbahnen einwirken. Lotrecht wird die Fahrbahn durch das Gewicht des Zuges belastet, welches über wenige, kleine Aufstandsflächen an den Radreifen auf das Gleis übertragen wird. Hinzu kommt, dass unrunde Radreifen auf das Gleis schlagen. Da die Gleise sich unter der Auflast der Achsen nach unten durchbiegen, kommt es zwischen den Aufstandspunkten zu Hebungen der Gleise und der Schwellen. Durch Anfahr- und Bremsvorgänge wird das Gleis in Längsrichtung belastet. Aus diesen Gründen treten durch den Fahrbetrieb erhebliche dynamische Lasten lotrecht, längs und quer zum Gleis auf, die von den Fahrbahnen aufgenommen werden müssen.

Im Prinzip unterscheidet man in die **Fahrbahn mit Schotterbett** und die Fahrbahn mit Tragplatte. Der **Untergrund** ist der gewachsene Boden.

Der **Unterbau** besteht bei der Fahrbahn mit Schotterbett aus der Dammschüttung und der Frostschutzschicht. Darüber liegt der **Oberbau,** der aus einer Planumsschutzschicht, der Schotterbettung und dem Gleisrost besteht. Als **Gleisrost** bezeichnet man die verschraubte Einheit aus Gleisen und Schwellen. Dabei werden Holz- oder Betonschwellen als Fertigteil verwendet. Bei der Schichtung der verschiedenen Materialien ist besonders darauf zu achten, dass sich die unterschiedlichen Körnungen durch die dynamische Belastung nicht mischen können, also filterstabil sind.

Die **Herstellung** des Unter- und Oberbaus erfolgt mit den üblichen Erdbaugeräten. Der Einbau von Gleisrosten erfolgt heute durch Verlegegeräte, die auf dem bereits montierten Gleis fahren und ganze Abschnitte von bereits verschraubten Gleisen mit Schwellen einheben. Dadurch wird eine hohe Leistung erreicht, während man früher die Gleise von Hand verlegt und verschraubt hat. Die Gleise werden miteinander verschweißt. Es gibt unterschiedliche Schienenprofile, die je nach der Belastung der Strecken eingesetzt werden. Für den üblichen Betrieb findet der Typ UIC 60 Anwendung.

Der **Schotter** ist scharfkantig, stellt dadurch die Lage des Gleisrostes sicher und sorgt für die Lastverteilung. Durch die dynamischen Lasten bewegt sich der Gleisrost aber im Schotterbett, man bezeichnet dies auch als schwimmenden Gleisrost. Durch die Bewegung kommt es zu einer Abnutzung des Schotters, dessen Kanten gebrochen und abgeschliffen werden. Daher muss der Oberbau unterhalten werden. Hierfür werden spezielle Züge eingesetzt, die den Gleisrost anheben und mit krallenartigen Stocherwerkzeugen den Schotter neu formieren. Man bezeichnet dies als **Stopfen.** Dabei kann auch Schotter ausgetauscht werden. Siehe hierzu die Abbildungen 93 und 94.

Die Schienen unterliegen ebenfalls einem Verschleiß. Sie können mit speziellen Zügen durch Schleifen nachgearbeitet werden, oder die verschlissenen Schienen werden ausgetauscht. Dafür werden sie von den Schwellen abgeschraubt, aus dem Schienenstrang herausgeschnitten und durch ein Neuteil ersetzt, welches eingeschweißt wird. Hierbei werden mit moderner Technik über 300 Meter pro Stunde erreicht. Weitere Unterhaltungsarbeiten sind der Austausch von Schwellen, eine Korrektur der Gleislage usw.

Fahrbahnen mit Tragplatten werden als **feste Fahrbahn** bezeichnet, wobei es unterschiedliche Systeme gibt. Auf den Untergrund wird eine Frostschutzschicht aufgebracht, auf der die hydraulisch gebundene Tragschicht, HGT, eingebaut wird. Die eigentliche Fahrbahn besteht aus einer steifen Tragplatte aus Beton, BTS, oder Asphalt, ATS, die das elastische Schotterbett ersetzt. Um die dynamischen Lasten des Rad-Schiene-Systems aufnehmen zu können, müssen die Gleise elastisch gelagert werden. Hierfür werden entsprechende Zwischenplatten unter den Schienen

Abbildung 93: Schnellschotterplaniermaschine

Die Abbildung zeigt eine Schnellschotterplaniermaschine. Sie dient zur Herstellung eines richtlinienkonformen Bettungsquerschnitts für den Gleisbau.

Abbildung 94: Universalstopfmaschine

Hier ist eine Universalstopfmaschine zu sehen. Sie wird für das Heben, Richten und Stopfen bei Weichen und Gleisen genutzt. Das Stopfen ist die Aufbereitung des Schotters durch Rütteln, mit dem er wieder in eine kraftschlüssige Lagerung gebracht wird. Die Stopfwerkzeuge sind in der Mitte der Maschine direkt über dem Gleis sichtbar.

oder unter den Schwellen eingebaut. Die Schienen werden auf den in die Tragplatte fest eingebauten Schwellen, bzw. den Tragplatten verschraubt und sind für die genaue Justierung der Lage einstellbar. Siehe hierzu die Abbildungen 95 und 96.

Abbildung 95: Feste Fahrbahn

Die Abbildung zeigt die Ausführung einer festen Fahrbahn für eine Schnellstrecke. Die Fertigteilplatten wurden bereits verlegt und die Gleise des linken Richtungsgleises mit den Trägerplatten darauf verschraubt. Für das rechte Richtungsgleis ist erst die Tragschicht betoniert worden.

Abbildung 96: Schienenbefestigung

Hier ist eine typische Gleisbefestigung zu sehen. Die untere Trägerplatte wird auf der Betonfertigteilplatte verschraubt und hält auch die Klammern für die Befestigung der Schiene.

Vorteil der festen Fahrbahn ist der geringere Unterhaltsaufwand. Bei einer Beschädigung der Fahrbahn ist allerdings der Reparaturaufwand erheblich höher, so dass der Ausfall der Gleisanlage länger dauert. Die gefahrenen Geschwindigkeiten können auf den festen Fahrbahnen gegenüber dem Schotterbett gesteigert werden. Für alle Fahrbahnen muss, wie bei den Straßen, für eine Entwässerung gesorgt werden. Daher werden Unter- und Oberbauschichten mit Gefälle zu den Seiten eingebaut.

3. Häufig auftretende Probleme in der Praxis

Im Straßenbau kommt es vor allem bei Neubaustrecken zu Problemen. Sie werden meist abschnittsweise in Losen vergeben. Daher sind verschiedene Firmen beteiligt, deren Leistungen aufeinander abgestimmt sein müssen. Bei Rückständen ergeben sich Verzögerungen für die nachfolgenden Arbeiten oder Umstellungen. Beispiele hierfür sind Verzögerungen in den vorweg fertigzustellenden Ingenieurbauwerken, z. B. Brücken.

Baubetrieblich handelt es sich bei dem Verkehrswegebau um typische Linienbaustellen, die sich in der Länge entwickeln, wobei nachfolgende Arbeiten abschnittsweise ausgeführt werden. Daher findet man in der Planung auch häufig Zeit-Wege-Diagramme. Die Baumaßnahmen werden entsprechend diesen Abläufen kalkuliert. Umstellungen sind daher meist kostspielig, da die eingesetzten Großgeräte nicht immer über die engen oder überhaupt nicht vorhandenen Baustraßen umgesetzt werden können. Stillstände führen bei den maschinenintensiven Arbeiten ebenfalls zu hohen Kosten.

Sichtbare Mängel finden sich primär in den Fahrbahndecken. Hierzu gehören vor allem Frostschäden, mangelnde Festigkeiten, Risse und unzureichender Verbund. Dies gilt vor allem für Instandhaltungsarbeiten, bei denen durch ein unzureichendes Anarbeiten an den Altbelag, mangelnde Verdichtung etc. erneut Frostschäden auftreten. Häufig werden aus Kostengründen die alten Beläge nur teilweise abgefräst, sodass bestehende Risse noch im restlichen Altbelag vorhanden sind. Diese Risse setzen sich bereits nach kurzer Zeit in dem neuen Belag fort und treten wieder zutage. In vielen Fällen werden bei den Bitumen als Bindemittel für Asphalt Mischungen eingesetzt, für die keine langjährigen Erfahrungen vorliegen. Es werden nicht nur verschiedene Bitumen gemischt, sondern auch immer mehr Chemikalien zugegeben. Das Langzeitverhalten dieser Mischungen ist nicht bekannt.

Der Bahnanlagenbau ist durch die auftraggeberseitige Planung gekennzeichnet. Durch verspätete Planlieferung kommt es immer wieder zu Bauablaufstörungen und daraus resultierenden Mehrforderungen. Auch die vielfach zu berücksichtigenden Regelungen für den Bahnanlagenbau sind häufig nicht vollumfänglich bekannt, oder ihre Anwendung ist streitig. Dies betrifft auch die so genannten Gelbdrucke, also Regelungen, die zu Vertragschluss noch nicht in Kraft sind, aber während der Vertragslaufzeit Gültigkeit bekommen. Die Vorschriftenlage ist bei Gleisbauarbeiten noch unübersichtlicher als bei normalen Baumaßnahmen. Teilweise sind auch die Kompetenzen der beteiligten Stellen nicht eindeutig festgelegt oder überschneiden sich.

Bei allen Arbeiten im Gleis soll meistens der laufende Betreib aufrechterhalten werden. Daher gibt es Sperrzeiten, in denen gearbeitet werden kann. Wenn für die Arbeiten die Voraussetzungen nicht gegeben sind, kann erst wieder in der nächsten Sperrzeit gearbeitet werden. Daher wirken sich Störungen in einer erheblichen Verlängerung der Gesamtbauzeit aus.

4. Weiterführende Literatur

Bezüglich der für den Straßenbau verwendeten Baustoffe wurden die Normen im Kapitel Baustoffe bereits aufgeführt. Durch die Forschungsgesellschaft für das Straßen- und Verkehrswesen werden Hinweise, Merkblätter, Empfehlungen und Richtlinien für die Anlage von Straßen, die **RAS**, zusätzliche technische Vertragsbedingungen und technische Lieferbedingungen herausgegeben. Sie sind verbindlich zu beachten.

In der VOB/C finden sich für den Straßenbau die DIN 18315, für Oberbauschichten ohne Bindemittel, die DIN 18316 für hydraulische Bindemittel und die DIN 18317 für Asphalt. Die nachfolgende DIN 18318 gilt für Pflasterarbeiten, Plattenbeläge und Einfassungen, also z. B. Bürgersteige. Ergänzend gelten weitere ATV für die Erdarbeiten, Dränarbeiten etc.

Der Bahnanlagenbau ist gekennzeichnet durch die einschlägigen Vorgaben der Eisenbahn-Bau- und Betriebsordnung (EBO), die im Bundesgesetzblatt veröffentlicht wird, sowie der Richtlinien der Deutschen Bahn AG. In der VOB/C sind die entsprechenden ATV für die Erdarbeiten, Dränarbeiten etc. zu beachten, die DIN 18325 gilt für Gleisarbeiten.

Für den Straßenbau und die Straßenerhaltung bietet das gleichnamige Buch von Edeltraud Straube und Hartmut Beckedahl einen Überblick, erschienen im Erich Schmidt Verlag.

VI. Schlüsselfertigbau

1. Einführende Erläuterungen

Der Schlüsselfertigbau ist eine übliche Spartenbezeichnung. Die meisten Baufirmen verfügen über entsprechende operative Bereiche, die aber auch unter anderen Bezeichnungen firmieren. Die Sparte betrifft nur die Errichtung von Gebäuden für den Wohnungs-, Verwaltungs- und Gewerbebau. Der Begriff schlüsselfertig wird aber auch für andere Projekte verwendet, z. B. Tunnel, Baugruben, Industrieanlagen etc. Für diese Bauwerke gelten die bereits bei den anderen Sparten, Bauteilen oder Bauverfahren gemachten Ausführungen.

Früher wurden die einzelnen Leistungen durch Auftraggeber gewerkeweise ausgeschrieben und vergeben. Der Rohbau wurde durch ein Rohbauunternehmen errichtet, für den Ausbau wurden Elektriker, Maler, Heizungsbauer etc. einzeln beauftragt. Die Koordination war die Aufgabe des Auftraggebers. Heute wollen die meisten Auftraggeber nur noch einen Vertragspartner, der alle erforderlichen Bauleistungen aus einer Hand erbringt. Da die meisten Baufirmen aber die Leistungen, die bei dem heutigen Ausbaustandard zu erbringen sind, nicht alle selbst ausführen können, hat sich der Generalunternehmer entwickelt. Er übernimmt den Gesamtauftrag und vergibt die Leistungen, die er nicht selbst durchführen kann, an Nachunternehmer.

Die im Rahmen von Schlüsselfertig-Projekten durchzuführenden Arbeiten sind verschieden. Häufig umfassen sie nur den Ausbau, wie man ihn aus bezugsfertigen Wohnungen kennt, also oberflächenfertig, ohne Möblierung, mit Einbauten für Sanitär. Allerdings kann auch die Möblierung mit zu den Leistungen gehören, bei Hotels, Krankenhäusern, Autohäusern etc. sogar einschließlich der Ausstattung mit elektrischen Geräten, Wäsche, Geschirr, Werkzeugen usw. Daher unterscheiden sich die Vorstellungen über die Inhalte des Begriffes schlüsselfertig. Bautechnisch wird Schlüsselfertigbau so verstanden, dass die Leistung mehrere Gewerke betrifft und mindestens die bezugsfertige Errichtung von Wohn- und Geschäftsgebäuden umfasst, die von einem Auftragnehmer aus einer Hand durchgeführt wird. Grob unterteilt sind das die Erd- und Tiefbauarbeiten, der Rohbau und der Ausbau.

Die Aufgabenverteilung in Bezug auf die Planung hat keine Relevanz. Heute wird auch der anschließende Betrieb der Gebäude durch die Baufirmen angeboten, sei es im Rahmen des Facility Managements als reine Dienstleistung oder von PPP-Modellen, bzw. privaten Formen der Partnerschaftsmodelle. Der Begriff Schlüsselfertig umfasst primär aber nur die Herstellung des Bauwerkes.

2. Fachliche Erläuterungen

Durch die Übernahme von schlüsselfertig zu errichtenden Projekten haben sich die Aufgaben der Beteiligten gegenüber der klassischen Bautätigkeit verändert. Die Arbeitsvorbereitung und die Einsatzdisposition des eigenen Personals und der Geräte treten in den Hintergrund. Die Hauptaufgabe der Generalunternehmer liegt in der Zerlegung des Hauptauftrages in einzeln zu vergebende Aufträge und der Suche nach geeigneten Nachunternehmern. Nachunternehmer werden auch Subunternehmer, kurz Subbis, genannt.

Bei der Zerlegung des Hauptauftrages sind vor allem die **Leistungsschnittstellen** zu beachten. Es kann vorkommen, dass bestimmte Arbeiten von dem Vorgewerk nicht ausgeführt werden, sie aber bei dem nachfolgenden Gewerk auch nicht im Auftragsumfang enthalten sind, z. B. Halterungen, Einbauteile etc. Durch die vielfachen Überschneidungen sind die jeweiligen Leistungsgrenzen schwierig zu definieren. Es dürfen ferner keine Leistungen des Hauptauftrages übersehen werden.

Bei der **Nachunternehmervergabe** ist zu berücksichtigen, ob die Firma die Leistung erbringen kann, die geforderten Qualitätsanforderungen erfüllt, in dem Zeitraum zur Verfügung steht und davon ausgegangen werden kann, dass die Gewährleistungsverpflichtungen übernommen werden. Nicht zuletzt muss auch eine preisliche Einigung erzielt werden, welche dem Generalunternehmer die Deckung seiner Kosten und einen Gewinn ermöglichen. Die Vergabe der Leistungen nimmt einen großen Zeitraum ein und findet häufig erst nach der Erteilung des Hauptauftrages statt.

Die Bauleiter des Generalunternehmers müssen über ein breites **Fachwissen** verfügen und dürfen sich nicht nur in „ihrem" Gewerk auskennen, sondern sollten möglichst viele Gewerke und deren Schnittstellen beherrschen. Es haben sich daher für die Sparte Schlüsselfertigbau spezialisierte Bauleiter herausgebildet. Dabei sind vielfach die eigentlichen Gebiete des Bauingenieurs nicht mehr betroffen, wie z. B. bei Fragen der Möblierung von Hotels, der Installation von Lüftungsanlagen etc., so dass die Erfahrung und Fortbildung viel ausmacht.

Um eine hohe Qualität in allen Gewerken anbieten zu können, erfordert es daher meistens mehrere Bauleiter, die sich ihre Aufgaben nach ihrem Einsatzgebiet aufteilen. Auch dadurch überlagern sich Schnittstellen, die vormals der Auftraggeber zu erfüllen hatte, auf den Auftragnehmer und erfordern organisatorischen Aufwand.

Baubetrieblich sind die Leistungsschnittstellen für die **Ablaufplanung** der kritische Punkt. Die verschiedenen Gewerke können nicht nacheinander fertig gestellt werden, sondern greifen ineinander über. Beispielsweise werden in die Trockenbauwände Leitungen eingebaut, bevor der Trockenbauer die Wände verschließen kann. Ver- und Entsorgungsleitungen in den Wänden, Decken und Böden müssen eingezogen werden, bevor der Estrich verlegt, verputzt oder Decken abgehängt werden.

Erschwerend kommt zu diesen logischen **Abhängigkeiten** und Verknüpfungen hinzu, dass die Bauzeiten immer knapper vorgegeben werden. Aus diesem Grund müssen auch Gewerke zeitgleich ausgeführt werden, die nicht unbedingt voneinander abhängig sind. Das ist organisatorisch gut zu fassen, wenn die folgenden Gewerke jeweils z. B. in den Geschossen arbeiten, in denen das Vorgewerk fertig ist. In den meisten Fällen wird aber bereits raum- oder abschnittsweise überlappend und nachfolgend gearbeitet. Der organisatorische Aufwand steigt dadurch überproportional an.

Bei diesen zeitgleich ausgeführten Gewerken entstehen damit weitere Abhängigkeiten, z. B. auf Grund des Platzbedarfes, der Nutzung der Logistik, etc. Dadurch besteht eine wesentlich größere Gefahr, dass es zwischen den Gewerken zu Störungen kommt. Die Auswirkungen der Störungen betreffen dann meist nicht nur die logisch abhängigen Gewerke, sondern wirken sich auf viele andere Arbeiten aus. Aus diesen Gründen ist die **Störanfälligkeit** des Bauablaufes bei schlüsselfertigen Projekten sehr hoch.

3. Häufig auftretende Probleme in der Praxis

Auf viele Probleme, die bei schlüsselfertigen Projekten auftreten, wurde bereits bei den Bauteilen im Innenausbau hingewiesen. Durch die Straffung des Bauablaufes kommt es einerseits zu der Ausführung von Gewerken auf Vorleistungen, die noch nicht geeignet sind, z. B. die unzureichende Trocknung von Putz, Estrich etc. Dadurch entstehen Mängel an den Folgegewerken.

Andererseits haben Änderungswünsche des Auftraggebers, obwohl sie eigentlich als gering erscheinen, einen erheblichen Einfluss auf die anderen Gewerke, z. B. bezüglich des Brandschutzes, andererseits erfordern sie einen großen organisatorischen Aufwand in der Umstellung. Neben zeitlichen Auswirkungen führen sie auch regelmäßig zu Streitigkeiten über zusätzliche Vergütung. Vor allem bei gewerblich genutzten Immobilien wird die Vermietung während der Bauphase durchgeführt. Dadurch bestimmt sich der Ausbau nach dem gefundenen Mieter, für den oft Sonderwünsche zu erfüllen sind.

Im Vertrag zugesagte Mietflächen werden durch Änderungswünsche reduziert, wenn dafür Flächen für technische Einbauten gebraucht werden. Bemusterungen führen häufig dazu, dass der Auftraggeber keines der vorgelegten Muster haben möchte. Dies führt ebenfalls möglicherweise zu Verzögerungen im Bauablauf, schlimmstenfalls zu einer notwendigen

Verpflichtung eines anderen Nachunternehmers. Fragen der Verantwortlichkeit und des Leistungsumfanges sind die Konsequenzen.

Die Liste der Beispiele ließe sich beliebig verlängern. Generell ist es ein Problem, dass der im Vertrag vorgesehene Leistungsumfang streitig ist. In vielen Fällen entstehen diese Unklarheiten durch die Verwendung der Begriffe „schlüsselfertig“, „betriebsbereit“, „vollständig“, „gebrauchsfertig“ etc., trotzdem durch den Auftraggeber auch Leistungen erbracht werden. Daher fragt sich, wer im Bereich dieser Schnittstellen für die Koordination und Vollständigkeit verantwortlich ist. Hierfür sind häufig technische Fragestellungen zu beantworten, z. B. in welches Gewerk eine bestimmte Leistung fällt. Ein Beispiel ist ein schlüsselfertiges, betriebsbereites Parkhaus als vertraglich vereinbarte Leistung des Auftragnehmers, wenn der Auftraggeber die für die Ein- und Ausfahrt notwendigen Anlagen nebst Zahlautomaten, Schranken etc. laut dem Vertrag selbst errichtet. Bezüglich der entsprechenden Leerrohre, der Stromversorgung, notwendiger Anschlussteile an die andere Haustechnik etc. stellt sich die Frage, in wessen Leistungsumfang dies enthalten ist.

Die Schnittstellenabstimmung wird noch schwieriger, wenn der Auftragnehmer einen Teil der Planung erbringt. Die Leistungsbeschreibung ist meistens nicht in der Lage festzulegen, welche Seite über die konkrete Ausführung, ihren Qualitätsstandard usw. bestimmt, bzw. ob es sich bereits um Mehrleistungen handelt.

4. Weiterführende Literatur

Für die Errichtung von schlüsselfertigen Projekten gibt es sowohl aus der Sicht des Auftraggebers, wie auch aus Sicht des Auftragnehmers zahlreiche Veröffentlichungen, die sich mit dem Projektmanagement befassen. Sie unterscheiden sich ebenfalls dahingehend, ob sie die juristischen, die baubetrieblichen, die immobilienwirtschaftlichen oder die technischen Aspekte als Schwerpunkt betrachten. Daher wird von einer konkreten Empfehlung abgesehen.

Bezüglich der Ausführung der einzelnen Gewerke wurden die einschlägigen Normen in den vorstehenden Kapiteln aufgeführt, wo sich auch weitergehende Literaturhinweise finden. Unter Berücksichtigung der Schnittstellen finden sich die üblichen Gewerke der Ausbauleistungen aus handwerklicher Sicht in dem Buch Proausbau, Helmuth Duve, von dem Verlag profacto.info; also zum Beispiel Putz, Trockenbau, Boden- und Wandbeläge als Fliese, Tapete, textiler Bodenbelag etc.

VII. Rückbau

1. Einführende Erläuterungen

Bauwerke haben eine endliche Lebensdauer. Aus technischen oder wirtschaftlichen Gründen werden Bauwerke ganz oder teilweise abgerissen. Der Begriff „**Abriss**" wird zwar allgemein noch verwendet. Richtigerweise wird aktuell der Begriff **Rückbau** verwendet. Das hat seine Berechtigung. Während man früher Bauwerke schlicht transportabel zerkleinert hat und auf einer Deponie entsorgte, wird heute das Gebäude in seine Bestandteile zerlegt. Man spricht in diesem Zusammenhang auch von **Selektivem Rückbau**. Hierbei werden einzelne Bauelemente und Baustoffe sortenrein voneinander getrennt. Dabei können brauchbare Teile verkauft oder einer anderen Wiederverwertung zugeführt werden. Sortenreine Bauabfälle können außerdem kostengünstiger entsorgt werden als gemischte Bauabfälle. Der Übergang von einem schlichten „Abriss" zu der geplanten Zerlegung eines Gebäudes hat dazu geführt, dass man auch für den Rückbau einen erheblichen Planungs- und Organisationsaufwand betreiben muss. Es handelt sich heute um eine hochtechnisierte Arbeit mit erheblicher Logistik.

Viele Bauwerke benötigen während ihrer Lebensdauer eine **Sanierung** oder Modernisierung. Hierfür wird es nötig, Teile zu entfernen und durch neue zu ersetzen, z.B. Betonsanierungen bei Brücken oder Parkhäusern, Fassadensanierung zur optischen oder energetischen Verbesserung eines Gebäudes. In diesem Zusammenhang wird häufig auch der Begriff **Revitalisierung** eines Gebäudes verwendet. Es handelt sich aber um einen teilweisen Rückbau. In vielen Fällen wird das Gebäude soweit rückgebaut, dass nur noch die tragende Rohbaustruktur erhalten bleibt. Man spricht dann auch von Entkernung. Oftmals gibt es auch Auflagen aus Denkmalschutzgründen, bestimmte Teile eines Gebäudes zu erhalten, z.B. die Fassade.

Wenn man teilweise rückbaut, heißt die nachfolgende Bautätigkeit Bauen im Bestand. Viele Firmen haben mittlerweile Spezialisten für diesen Bereich, da es viele Besonderheiten zu beachten gilt. Hier sind Fachleute mit Erfahrung gefragt, welche sich mit alten Gebäudetechniken, Baustoffen und Bauverfahren auskennen.

2. Fachliche Erläuterungen

Die Errichtung großer Bauwerke und die teilweise dichte Bebauung haben zur Folge, dass der Rückbau der Bauwerke eine ingenieurtechnische Aufgabe wird. Es entwickeln sich auch auf dem Gebiet der Rückbauarbeiten technische Verfahren und die zugehörigen Geräte. Es gibt verschiedene Verfahren, die im Rückbau zum Einsatz kommen können. DIN 18007 Abbrucharbeiten unterteilt in folgende Abbruchverfahren: Abgreifen, Abtragen, Einschlagen, Eindrücken, Einziehen, Reißen, Stemmen, Pressschneiden, Scherscheiden, Spalten durch Pressen oder Quelldrücken, Demontieren, Sprengen, Bohren, Sägen, Brennschneiden mit Autogenbrennern, Plasmaschneiden, Brennschneiden mit Sauerstoffkernlanzen, Brennschneiden mit Pulverschneidbrennern, Hochdruckwasserschneiden. Man erkennt bereits an der Vielfalt der Verfahren, dass man die unterschiedlichen Verfahren für die verschiedenen Baustoffe benötigt. Dass ein Bauwerk mit einer Abrissbirne dem Boden gleich gemacht wird oder im Ganzen gesprengt wird, kommt fast nicht mehr vor.

Man kann diese **Abbruchverfahren** unterteilen in mechanische Verfahren, thermische Verfahren, hydrodynamische und chemische Verfahren. Bei den mechanischen Verfahren unterscheidet man zwischen handgeführten und maschinellen Verfahren. Hierzu zählen das Abgreifen, Einschlagen, Eindrücken, Einziehen, Reißen, Stemmen, Schneiden, etc. je nach eingesetzter Gerätetechnik. Siehe hierzu die Abbildung 97 und 98. Typisches Beispiel für ein handgeführtes mechanisches Verfahren ist das Abspitzen mit dem Presslufthammer. Setzt man Hydraulikbagger mit Meißeln ein, handelt es sich um ein maschinelles, mechanisches Verfahren. Bei thermischen Verfahren wird durch das Verbrennen eines Gas-Sauerstoffgemisches thermische Energie erzeugt. Somit können Beton, Stahlbeton, Eisen und Stahl getrennt werden. Hydrodynamische Verfahren beruhen darauf, dass Wasser und eventuelle weitere Zusätze mit hohem Druck in einem Strahl auf das Material gerichtet werden. Hochdruckwasserschneiden wird beispielsweise oftmals bei der Betonsanierung angewendet. Der schadhafte obere Betonbelag wird mittels Hochdruckwasserschneidens entfernt, die eigentliche tragende Betonstruktur bleibt erhalten und später wird ein neuer, so genannter Aufbeton aufgebracht. So werden beispielsweise Brücken oder Parkhäuser saniert. Bei den chemischen Abbruchverfahren verwendet man Expansivstoffe (Quellmittel) und Explosivstoffe. Die Funktionsweise von Quellmitteln beruht darauf, dass ein Stoff, z. B. gebrannter Kalk, in einer Verbindung mit Wasser zu quellen beginnt. Füllt man ein solches Quellmittel in Bohrlöcher, spaltet sich das abzubrechende Bauteil. Das Sprengen ist ein chemisches Abbruchverfahren, da durch die Reaktion chemischer Stoffe eine sehr hohe Energiemenge in Form einer Druckwelle freigesetzt wird, die zum Abbruch eines Gebäudes oder Gebäudeteils genutzt wird. Die Technik des Sprengens ist heute sehr weit fortgeschritten und man beherrscht den gezielten Rückbau auch mit dieser Methode. Spektakulär sind die Sprengungen von Hochhäusern, wie sie in den beengten Platzverhältnissen von amerikanischen Großstädten durchgeführt worden sind.

Abbildung 97: Mechanischer Rückbau

Zwei Hydraulikbagger wurden speziell für den Rückbau des Gebäudes mit langen Auslegern ausgerüstet. Das Führerhaus des linken Baggers befindet sich in nach oben geschwenkter Position, damit der Fahrer besser sehen kann. Der rechte Bagger ist mit einer hydraulischen Abbruchschere ausgerüstet. Damit kann man Beton und Bewehrung trennen oder zerkleinern.

Welches Verfahren für den Rückbau jeweils zum Einsatz kommt, hängt vor allem von der Gebäudekonstruktion ab. Flachbauten und mehrgeschossigen Bauwerke können gut mittels mechanischer Verfahren rückgebaut werden. Die hydraulischen Baugeräte haben Abrisszangen, mit denen man mittels der Ausleger größere Höhen erreichen kann. Brücken aus Beton in Außenbereichen werden häufig gesprengt, weil der Rückbau sehr schnell geht und die Materialien später getrennt werden können. Turmartige Bauten, z. B. Schornsteine, werden ebenfalls häufig gesprengt. Bituminöse Straßenbeläge hingegen werden abgefräst, Betondecken zerschlagen und mit dem Brecher in Stücke zerkleinert. Der ausgebaute Straßenbelag wird meist an gleicher Stelle wieder eingebaut, zum Beispiel der zerkleinerte Beton als Frostschutzschicht. Stahlbauten und Gebäude aus Fertigteilen lassen sich zerlegen, da sie auch bei der Montage lediglich baukastenartig zusammengesetzt worden sind. Der Baustoff ist ebenfalls ein Kriterium für das Rückbauverfahren. Holzbauwerke benötigen weniger Aufwand und maschinellen Einsatz als Betonbauwerke. Bei unbekannten Baustoffen muss man Verfahren wählen, mit denen eventuell kontaminierte Stoffe nicht unsachgemäß behandelt werden, weil sie nicht erkannt werden konnten. Auch die jeweiligen Auswirkungen der verschiedenen Abbruchverfahren spielen bei der Auswahl eine Rolle. Das Entstehen von Lärm, Staub, Erschütterungen, Funkenflug, etc. unterscheidet sich je nach Verfahren. Wirtschaftliche Aspekte sind selbstverständlich bei allen anderen Kriterien auch ein immer ausschlaggebender Gesichtspunkt.

Auch beim Rückbau eines Gebäudes ist die Statik ein zentraler Punkt. Bei Sprengungen werden genau die tragenden Teile des Gebäudes in ei-

Abbildung 98: Schutzmaßnahme Rückbau

Mit einem Mobilkran wird eine schwere Gummibahn so vor das rückzubauende Gebäude gehalten, dass die angrenzende Straße vor herunterfallenden Teilen geschützt wird.

ner bestimmten Reihenfolge zerstört, so dass die Gebäudeteile in dem geplanten Zustand auf den vorgesehenen Flächen zu liegen kommen. Um dies zu erreichen, ist die Statik des Bauwerkes genau zu ermitteln und einzuplanen. Bei einem mechanischen Rückbau muss in jedem Bauzustand und zu jedem Zeitpunkt das noch stehende Bauwerk sich selbst „tragen". Es darf zu keinem unkontrollierten Einsturz kommen, da dies zu Schäden an anderen Gebäuden, zu Emissionen, zur Gefährdung von Personen und zu einem erheblichen Mehraufwand führen kann.

Beim Rückbau älterer Gebäude kann man auf Kontaminationen stoßen. Früher verwendete Baustoffe sind heute als gesundheitsgefährdend eingestuft und nur unter erheblichen Sicherheitsvorkehrungen rückzubauen. Ein Beispiel hierfür ist Asbest. Stößt man beim Rückbau von Gebäuden oder Anlagen auf Kontaminationen, sind besondere Maßnahmen zu treffen. Hier kann es notwendig werden, einen so genannten **Schwarz-Weißbereich** einzurichten. Dabei wird unter dem Schwarzbereich der kontaminierte und unter dem Weißbereich der unbelastete Bereich verstanden. Die beiden Bereiche müssen voneinander getrennt werden. Es ist sicherzustellen, dass keine Kontamination nach außen tritt. So müssen z. B. Werkzeuge, die im Schwarzbereich eingesetzt werden, zuerst gereinigt werden, bevor sie diesen verlassen dürfen. Dafür sind Dekontaminationsanlagen zu errichten, wie beispielsweise Stiefelwaschanlagen. Das Personal hat spezielle Schutzkleidung zu tragen. Umfasst diese auch den Atemschutz, ist die Leistung stark eingeschränkt. Das bedeutet, dass der Rückbau sehr viel Zeit in Anspruch nimmt. Die Entsorgung kontaminierter Baustoffe ist sehr teuer.

Das Bauen im Bestand ist ebenfalls ein Gebiet, welches sich schnell entwickelt hat. Besonderheiten gegenüber einem Neubau ergeben sich aus dem Anpassen der neuen Bausubstanz an die alte Bausubstanz, der Verbesserung der alten Bausubstanz, sowie der Kombination von neuen und alten Materialien. In vielen Fällen ist es nur eine wirtschaftliche Frage, ob der Mehraufwand des Bauens im Bestand sich gegenüber dem vollständigen Rück- und Neubau lohnt.

3. Häufig auftretende Probleme in der Praxis

Für den Rückbau ist die Frage der vorhandenen Bausubstanz das zentrale Thema. Die Problematik ist vergleichbar mit dem Baugrundrisiko. Das Bauverfahren, die Entsorgung und damit die Kosten werden nach den in einer Ausschreibung aufgeführten Materialien, die rückzubauen sind, den Mengen und dem Schwierigkeitsgrad bestimmt. Wenn sich andere Materialien finden, können erhebliche Umstellungen erforderlich werden, die Zeit und Geld kosten. Daher ist einer möglichst vollständigen Untersuchung der Bausubstanz größte Aufmerksamkeit zu widmen. Auch der Fund von historisch bedeutsamen Bauteilen, Wandgemälden etc. ist bei Rückbau anzutreffen. Viele heute als erhaltenswert angesehenen Bauteile oder Beschichtungen wurden noch vor nicht allzu langer Zeit einfach abgedeckt oder überbaut. Im Falle des Auffindens erhaltenswerter Bausubstanz kommt es ebenfalls zu erheblichen Verzögerungen, weil Denkmalschutzmaßnahmen erforderlich sein können.

Auch die Statik der Gebäude ist, wie bereits ausgeführt, sehr wichtig. Problematisch ist jedoch, dass die Pläne von Gebäuden aus der Zeit ihrer Entstehung stammen. Meist wurden erste Abweichungen von den Plänen bereits in der Bauphase vorgenommen. In der späteren Nutzungsphase wurden meist Renovierungen und Umbauten vorgenommen, für die es keine Pläne gab und die auch nicht dokumentiert worden sind. Daher stimmt die aktuelle Bausubstanz meist nicht mit den vorhandenen Bestandsplänen überein. Ein Abgleich vor Ort unterbleibt allerdings in vielen Fällen oder wird nur oberflächlich durchgeführt. Der Baustoff Beton hat die Eigenschaft, dass er im Laufe der Zeit weiter erhärtet. Dadurch kommt es bei dem Abriss von Betonbauwerken zu Erschwernissen, da die angegebene Druckfestigkeit überschritten wird. Insbesondere alte Brücken können erhebliche Festigkeiten aufweisen. Diese Punkte führen zu Abweichungen der vereinbarten Leistung von der tatsächlich auszuführenden Leistung, so dass Mehrkosten und Bauzeitverlängerungen entstehen. Da der Rückbau die erste durchgeführte Arbeit ist, verschieben sich auch alle nachfolgenden Vorgänge des Neubaus, bzw. des Bauens im Bestand.

Das Bauen im Bestand ist durch den Bestand selbst maßgeblich geprägt. Es kommt also darauf an, in welchem Bestand welche Bauteile zu errichten sind. Das bedeutet in erster Linie, dass in erheblichem Umfang mit Baubehelfen gearbeitet werden muss. Meist liegen sehr beengte Platzverhältnisse vor. Übliche Transportwege, zum Beispiel das Einheben mit einem Kran, sind nicht möglich, wenn unter geschlossenen Dächern oder Decken gearbeitet werden muss. Bestehende Bauteile müssen abgestützt werden, bis neue Bauteile für eine Standfestigkeit sorgen. Daher werden kleinere Geräte eingesetzt, viel Handarbeit ist erforderlich. Die Kosten sind meist schwer abschätzbar.

Da die Bestandsbauteile an die neuen Bauteile angeschlossen werden müssen, sind Verbindungen herzustellen. Dabei müssen die unterschiedlichsten Baustoffe kombiniert werden. Wenn man zum Beispiel eine alte Fassade stehen lässt, aber dahinter ein neues Bauwerk errichtet, sind nicht nur die tragenden Bauteile zu verbinden, die Setzungen zu berechnen, damit die Bestandsbauteile keinen Schaden nehmen, die thermischen Dehnungen aufeinander abzustimmen und die Verträglichkeit der Baustoffe zu prüfen. Während der gesamten Bauphase ist auch der Bestand zu schützen und vor Schäden durch die Bautätigkeit zu bewahren. Bestehen Denkmalschutzauflagen, sind möglicherweise alte Baustoffe zu verwenden oder nach alten handwerklichen Gepflogenheiten zu verarbeiten. Das notwendige Wissen steht nicht mehr in breitem Umfang zur Verfügung.

Aus der Kombination der aufgeführten Besonderheiten des Bauens im Bestand ergibt sich ein hohes Risiko für Mängel und Bauschäden aller Art. Man sollte ebenfalls bedenken, dass in alten Bauwerken, die modernisiert werden, häufig nicht die gleichen Maßstäbe angelegt werden können, wie sie bei Neubauten üblich sind. Das betrifft insbesondere die bauphysikalischen Eigenschaften des Feuchteschutzes, des Wärmeschutzes und des Schallschutzes. Altbauten mit Holzdecken lassen sich zwar äußerlich hervorragend sanieren, der Trittschallschutz wie bei Betondecken mit schwimmendem Estrich ist allerdings nur mit ganz erheblichem Aufwand zu erreichen. Keller in alten Gebäuden haben meist nicht eine durchgängig intakte Abdichtung. Daher müssen diese Keller saniert werden. Wenn die Sanierung der Abdichtung einer Bodenplatte allerdings nicht ausgeführt wird, ist mit ständiger Feuchtigkeit in den Kellern zu rechnen. Alte Außenmauern, auf die keine Wärmedämmung aus Denkmalschutzgründen aufgebracht werden darf, haben einen erhöhten Wärmedurchgang. Das führt zu einer abnehmenden Behaglichkeit in den Räumen und erhöhten Heizkosten. Innenliegende Wärmedämmungen bergen bauphysikalische Risiken des Tauwasserausfalls und nachfolgender Feuchte- und Schimmelschäden.

4. Weiterführende Literatur

DIN 18007 Abbrucharbeiten erläutert Begriffe, Verfahren und Anwendungsbereiche für den Total- und Teilabbruch von Bauteilen, baulichen und technischen Anlagen, sowie für das Herstellen von Öffnungen. Weitergehend sind alle öffentlich-rechtlichen Vorschriften relevant, welche den Umweltschutz, den Lärmschutz etc. betreffen. Für die Baustoffe sind die Entsorgungsvorschriften maßgeblich. Hier geht die Technik in schnellen Schritten dazu über, für Baustoffe die Möglichkeit einer weiterführenden Verwertung anzubieten. Für Abbruch- und Rückbauarbeiten gilt die DIN 18459 als Bestandteil der VOB/C.

8. Teil Sachverständigengutachten

Sachverständigengutachten sind das Salz in der Suppe für den Juristen, der sich mit Bautechnik beschäftigt. Die Tätigkeit stellt die Schnittstelle zwischen der Arbeit des Juristen und des Technikers dar, insbesondere in streitigen Fällen. Selten kommt eine Entscheidung ohne Hinzuziehung eines Sachverständigen zustande. Allerdings gibt es meist keine klare Trennung zwischen „den Welten", sondern auch Graubereiche der Kompetenzen oder Schnittmengen der Inhalte. Für den Anwalt und den Richter ist es von elementarer Bedeutung, das Gutachten zu verstehen und die entsprechenden juristischen Sachverhalte zu subsummieren. Es ist ein Muss, sich mit Sachverständigengutachten auseinanderzusetzen. Daher wurde für dieses Thema ein eigenes Kapitel eingefügt, obwohl es nicht direkt die Bautechnik zum Inhalt hat.

I. Einführende Erläuterungen

Aus Sicht eines Anwaltes gibt es mehrere Anknüpfungspunkte mit Sachverständigengutachten. Erster Berührungspunkt ist häufig eine sachverständige Beurteilung von Sachverhalten, die zur Erläuterung von Tatsachen dienen, um Ansprüche darzulegen. Dies kann für außergerichtliche Verhandlungen sein. In diesen Fällen gibt es keine zwingende Regel für eine sachverständige Beurteilung, da sie nur der Argumentation und letztlich der Überzeugung der Gegenseite dient. Daher findet man in diesen Fällen häufig verkürzte Darstellungen der zu Grunde liegenden Sachverhalte, da diese den Beteiligten bekannt sind. Für Juristen ist die Herleitung von Ergebnissen schwerer nachvollziehbar und erfolgt meist durch mündliche Erläuterung.

Betrifft das Gutachten aber streitige Fälle, muss man deutlich zwischen einem Privatgutachten und einem Gutachten eines gerichtlich bestellten Sachverständigen unterscheiden. Bei Gutachten, die von einem der Streitbeteiligten in Auftrag gegeben werden, sind die formellen Voraussetzungen und die relevanten Tatsachen, die der Gutachter feststellen soll, durch den Anwalt vorzugeben. Es ist Wert darauf zu legen, dass die Gutachten alle wesentlichen Unterlagen verarbeiten, alle Punkte abarbeiten und nicht zu Gunsten des Verwenders einseitig Tatsachen oder Folgerungen weglassen. Man muss sich bewusst sein, dass ein Gutachten, das nicht alle

relevanten Punkte berücksichtigt, letztlich keinen großen Aussagewert haben wird.
Gerichtlich bestellte Sachverständige unterliegen klaren Regelungen, die bei der Erstellung eines Gutachtens einzuhalten sind. Das gilt für alle Formen der prozessualen Einschaltung von Sachverständigen. Leider werden diese Regeln nicht immer eingehalten, sei es, dass sie nicht bekannt sind oder einfach nicht beachtet werden. Die Überwachung der prozessualen Regelungen obliegt dabei den juristischen Beteiligten. Die Regelungen, welche die Erstellung von Gutachten betreffen, sollten die Sachverständigen von sich aus einhalten. Das lässt sich erst beurteilen, wenn schriftliche Gutachten vorliegen.

Da das Gutachten eines gerichtlich bestellten Sachverständigen meist schon erhebliche „Bindungswirkung" für die folgende gerichtliche Entscheidung hat, muss der Anwalt an der Schnittstelle der technischen Beurteilung und der sich daraus ergebenden rechtlichen Konsequenzen sein weiteres Vorgehen ausrichten. Technisches Verständnis ist daher nicht immer allein vom Mandanten zu erwarten.

Bei Sachverständigen als Schiedsgutachter ist die Situation für den beteiligten Anwalt noch mehr von dem technischen Umfeld der sonstigen Beteiligten geprägt. Insbesondere obliegt dem Anwalt in diesen Fällen die alleinige Kontrolle, ob der Schiedsgutachter die „Spielregeln" des Verfahrens einhält, nur die gefragten Sachverhalte begutachtet und mit den Feststellungen von Tatsachen nicht auch rechtliche Fragen beantwortet oder rechtliche Kriterien zu Grunde legt.

II. Fachliche Erläuterungen

Das Verfahren für die Erstellung eines Gutachtens beginnt mit der Fragestellung an den Sachverständigen. Hier ist bereits technisches Verständnis der beteiligten Juristen erforderlich, da üblicherweise mit dem Sachverständigen keine Abstimmung über die Fragen stattfindet und in diesem Stadium der Sachverständige auch nicht beteiligt ist. Leider wird hier zu wenig Beachtung auf die Fragestellungen gelegt. Aus juristischer Sicht ist es erforderlich, sich zunächst zu überlegen, welche anspruchsrelevanten Tatsachen streitig sind und welche rechtlichen Subsumtionen daraus erfolgen sollen. Davon hängen die Tatsachen ab, über die der Sachverständige Feststellungen treffen muss. Erster Schritt ist daher die Formulierung der streitigen Tatsachen in einer Form, die eindeutig ist und damit dem Sachverständigen klar vorgibt, wo und was er zu untersuchen hat. Beispielsweise kann ein Einschluss in einer Glasscheibe eines bestimmten Fensters streitig sein. Die Feststellung, dass ein Einschluss in diesem Fenster vorhanden ist, ist die erste Tatsache, die der Sachverständige vor Ort prüfen und in seinem Gutachten ausführen soll.

Sollte die reine Feststellung von Tatsachen für eine juristische Subsumtion nicht ausreichend sein, sind die Fragen zur Beurteilung dieser festgestellten Tatsachen entsprechend zu formulieren. Auch in diesem Punkt ist möglicherweise die Feststellung von weiteren Tatsachen erforderlich. Im Beispiel kann das die Frage sein, wonach sich bestimmt, ob eine Scheibe Einschlüsse haben darf, wie groß diese sein dürfen etc. und ob die festgestellten Einschlüsse im Rahmen der zulässigen Größen, der zulässigen Anzahl etc. liegen.

Ist juristisch streitig, ob die Einschlüsse eine optische Beeinträchtigung darstellen, ist dies keine rein objektive Tatsachenfeststellung. Daher sollte der Sachverständige auch in diesen Fällen zunächst nach allen Beurteilungskriterien gefragt werden, die dafür zur Verfügung stehen und welche Kriterien der Sachverständige anwendet. Erst im nächsten Schritt ist dann die Frage zu beantworten, mit welcher Begründung der Sachverständige eine optische Beeinträchtigung für gegeben hält oder nicht.

Unabhängig von der Frage, wie das sachverständige Gutachten eingeholt wird, gibt es für den Sachverständigen Regeln, die er einhalten sollte. Diese Regeln werden bei der Prüfung zum öffentlich bestellten und vereidigten Sachverständigen abgefragt, bzw. in den entsprechenden Lehrgängen unterrichtet. Sie stellen eine Art Grundkonzept für das schriftliche Gutachten dar, das sich immer wiederfinden sollte.

Ausgangspunkt für den Sachverständigen sind die an ihn gerichteten Fragen, die er beantworten soll. Zu diesen Fragen hat der Sachverständige die für die Beantwortung notwendigen Unterlagen bei den Beteiligten, eventuell über das Gericht, abzufragen. Die dem Sachverständigen vorliegenden Unterlagen sind in ein Verzeichnis aufzunehmen. Damit weiß der Verwender des Gutachtens, welche Unterlagen dem Sachverständigen für seine Information vorlagen, ob diese vollständig sind und sie den aktuellen, maßgeblichen Stand haben. Insbesondere hat der Sachverständige anzugeben, wenn er weitere Informationen von Dritten einholt, die er der Beantwortung von Fragen zu Grunde legen will. Dazu zählen zum Beispiel Auskünfte der Baustoffhersteller, Abfragen von Preisen etc. Dazu ist es erforderlich, dass der Sachverständige die Daten angibt, mit denen der Verwender des Gutachtens die Datenabfrage prüfen kann.

Das Gutachten muss ein Literaturverzeichnis enthalten. Darin sind alle Fundstellen anzugeben, die der Sachverständige in seinem Gutachten verwendet hat. Das ist insbesondere dann unabdingbar, wenn der Sachverständige sein Ergebnis auf der Grundlage von Literaturstellen begründet. Auch angewendete Normen sind anzugeben, einschließlich des Erscheinungsdatums.

Eingangs des Gutachtentextes sind die an den Sachverständigen gestellten Fragen wörtlich anzugeben. Es ist üblich und sinnvoll, dass jede Frage in einem eigenen Kapitel beantwortet wird. Das Gutachten ist insgesamt auch schon auf Grund der Gliederung übersichtlich und nachvollziehbar zu gestalten.

Die Fragen können meist mit einem einheitlichen Aufbau abgearbeitet werden, wie es in naturwissenschaftlichen Arbeiten üblich ist. Zur Beantwortung der Frage werden zunächst die Untersuchungsmethoden vorgestellt. Gibt es mehrere Varianten, ist die gewählte Untersuchungsmethode zu begründen und darzustellen, welche Vor- und Nachteile diese Methode gegenüber nicht angewendeten Methoden hat. Es folgt der Bericht von der Anwendung der Methodik, also meist der Durchführung bei dem Ortstermin. Danach sind die Ergebnisse der Untersuchung darzustellen.

Für diese Darstellung ist es gängige Praxis, Lichtbilder zu verwenden. Diese Bilder sollten entweder selbsterklärend sein, oder der Sachverständige hat zu den Bildern entsprechende Erläuterungen zu geben. Hilfreich ist es auch, wenn bei unübersichtlicher Lage entsprechende Pläne oder Skizzen eingefügt werden. Die Ergebnisse der Untersuchung sind übersichtlich zusammenzufassen.

Es folgt gegebenenfalls eine Bewertung der Ergebnisse. Hierzu hat der Sachverständige seine Kriterien anzugeben, mit Hilfe derer er die Bewertung vornimmt. Besteht eine zulässige Bandbreite der Bewertung, eine statistisch zu berücksichtigende Fehlerquote, Messwertabweichungen auf Grund von Toleranzen etc., sind diese Parameter unter Angabe der Herkunft ebenfalls anzugeben. Daraus ergibt sich letztlich eine nachvollziehbare, eventuell nachrechenbare Ergebnisdarstellung.

Nicht aus dem präsenten Fachwissen zu beantwortende Fragen oder streitige Fachfragen sind unter Angabe der Fundstellen und der abweichenden Meinungen zu erläutern. Hierzu zählen auch bereits vorliegende Gutachten zu den Fragen, wenn dort abweichende Feststellungen getroffen worden sind. Bei diesen Fallkonstellationen muss der Sachverständige sein abweichendes Ergebnis ausführlich begründen, insbesondere wo er von der anderen Meinung abweicht.

In der Zusammenfassung sind alle Fragen erschöpfend und übersichtlich zusammengefasst zu beantworten. Hierzu gehören die tragende Begründung und auch der Hinweis, wenn der Sachverständige die Antwort nur mit einer gewissen Wahrscheinlichkeit geben kann.

Zu Hinweisen an Sachverständige zählt es auch, dass er auf neue Gesichtspunkte und abweichende Meinungen eingehen soll, seinen bisherigen Standpunkt überdenkt und erkannte Fehler korrigiert.

III. Häufig auftretende Probleme in der Praxis

Elementar ist zunächst, dass der Sachverständige für das von ihm verlangte und seine Expertise benötigte Fachwissen und über entsprechende Kompetenzen verfügt. Es obliegt dem Sachverständigen, dies zu beurteilen. Für die Beteiligten ist es allerdings nicht von Nachteil, sich darüber zu informieren. Der Hintergrund der Ausbildung und des Werdegangs des Sachverständigen sind Indizien. Handelt es sich beispielsweise um ein eher handwerkliches Problem der Ausführung, ist ein handwerklicher Hintergrund des Sachverständigen hilfreich. Im Gegensatz dazu ist eher ein Techniker aus der Entwicklung gefragt, wenn es um die Beurteilung von Werkstoffen, deren Zusammensetzung, Prüfung oder Geeignetheit geht. Insbesondere bei Fällen, in denen die Eigenschaften von Baustoffen und Bauteilen oder die Prüfungsverfahren betroffen sind, kann nach § 18 Abs. 4 VOB/B die staatliche oder staatlich anerkannte Prüfstelle beauftragt werden. Dies wird oft übersehen und stellt in vielen Fällen eine schnelle und unkomplizierte Möglichkeit dar.

Problematisch wird es, wenn der Sachverständige im Rahmen seiner gutachterlichen Tätigkeit an die Grenzen der Fachkunde kommt. Es ist leider menschlich, das nicht zu kommunizieren. Genauso schwer ist es, diese Ansicht einem Sachverständigen mitzuteilen. Lässt sich über diesen Punkt mit der Gegenseite kein Einvernehmen herstellen, so dass man einheitlich gegenüber dem Sachverständigen auftritt, hilft meist nur ein weiterer Sachverständiger. Dabei ist leider auch zu beobachten, dass nicht mehr die Sachfragen im Vordergrund stehen, sondern ein „Sachverständigenstreit" entsteht, der mit Argumenten geführt wird, die nicht mehr den eigentlichen Streitstoff betreffen.

Vorgelegte Gutachten von Sachverständigen weisen in formeller Hinsicht Gegebenheiten auf, die sich von dem juristischen Schreibstil unterscheiden. Als Jurist darf man daher nicht davon ausgehen, dass die Kriterien, die an juristische Ausarbeitungen gestellt werden, auch durch Sachverständige erfüllt werden. Sachverständige sind Techniker und schreiben daher in einem anderen Stil und nach anderen Regeln als Juristen. Formelle Gliederungsunregelmäßigkeiten sind zwar schlecht für das Verständnis, aber beeinflussen nicht die Inhalte.

Häufig beginnen Gutachten mit einem Literaturverzeichnis, in dem nicht nur viele Normen, sondern auch Literatur, Berichte und andere Fundstellen angegeben sind. Beschäftigt man sich mit den Fundstellen des Literaturverzeichnisses wird deutlich, ob diese überhaupt für die zu bearbeitenden Fragestellungen einschlägig sind. Liegt kein thematischer Sachzusammenhang vor, ist zumindest fraglich, wozu der Sachverständige diese Fundstelle angegeben hat. Der Eindruck, dass das Literaturverzeichnis eine Zusammenstellung der dem Sachverständigen bekannten Literatur ist und für eine Vielzahl von Gutachten Verwendung findet, drängt sich auf.

Während der vorstehende Punkt für die Inhalte des Gutachtens nicht maßgeblich ist, muss allerdings geprüft werden, ob der Sachverständige für den Beleg seiner Ergebnisse Literatur verwendet hat. Dafür ist es erforderlich, dass sich bei den entsprechenden Textstellen die Nachweise in Zitaten finden. Letztlich sollte jeder Hinweis in einem Literaturverzeichnis auch Verwendung in einer Fundstelle finden, die als Nachweis oder zur Bekräftigung der dargestellten Meinung im Text dient. Leider finden sich die Fundstellen des Literaturverzeichnisses aber häufig nicht in Fußnoten wieder. So kann man nicht nachvollziehen, wozu die Literatur als Beleg dienen soll. Wenn Werte, Üblichkeiten etc. als Maßstab im Gutachten verwendet werden ohne weitere Angabe, woher diese stammen, ist die Herkunft besonders kritisch zu hinterfragen. Für die Beurteilung der Ergebnisse des Gutachtens stellt es eine entscheidende Frage dar, ob der Gutachter zum Beispiel einen feststehenden Wert aus einer bestimmten Norm verwendet hat, der mit der Fundstelle nachgeschlagen werden kann, oder ob der Sachverständige die Beurteilung anhand seiner eigenen Meinung oder individuellen Bewertung vorgenommen hat, für die er sich letztlich nur auf sein eigenes Fachwissen stützen kann und keine konkreten Nachweise in der angegebenen Literatur vorhanden sind.

Die durchgängige Verwendung von Gutachten- oder Urteilsstil ist für das Verständnis hilfreich. Der Stil wird allerdings auch gemischt, so dass der Leser nicht immer weiß, ob bereits eine sachverständige Ergebnisdarstellung vorliegt, oder es sich nur um einen Zwischenschritt handelt. Meist ist es daher einfacher, wenn man zunächst das Endergebnis des Gutachtens liest und sich dann für jeden einzelnen Punkt mit der Begründung auseinandersetzt. Letztlich liest man das Gutachten mehrmals von hinten nach vorne. Für jede Ergebnisdarstellung des Sachverständigen muss sich so eine durchgehende Begründungskette ergeben. Stellt man fest, dass durch den Urteilsstil die fehlende Begründung ersetzt worden ist, sind diese Punkte nachzufragen.

Als Jurist sollte man sich klar darüber sein, dass auch Sachverständige die deutsche Sprache verwenden, aber die Bedeutung der Worte bei den unterschiedlichen Fachrichtungen durchaus eine andere ist. Während ein Jurist Eigentümer und Besitzer ohne weitere Erläuterung sofort unterscheidet, sind für den Sachverständigen Beton und Zement selbstredend zwei verschiedene Dinge. Wenn die Begriffe in der jeweiligen Fachrichtung eine besondere Bedeutung gegenüber der allgemeinen umgangssprachlichen Verwendung haben, kann man sich durch das Nachschlagen der entsprechenden Definition weiterhelfen. Allerdings ist die Verwendung von Begriffen mit rechtlicher Bedeutung innerhalb von Gutachten kritisch zu hinterfragen. Der Klassiker ist der Begriff des Mangels. Für den Juristen ist es klar, dass die Frage der Mangelhaftigkeit eine Frage der vertraglichen Vereinbarung ist. Für viele Sachverständige ist das Vorliegen eines Mangels eine technische Frage, ob die tatsächliche Ausführung von Normen, Richtlinien etc. abweicht.

Ausgangspunkt jedes Gutachtens sind die Fragen, die dem Sachverständigen gestellt werden. Diese geben eigentlich den äußeren Rahmen für die Begutachtung vor, da diese Fragen zu beantworten sind, nicht mehr und nicht weniger. Daher ist der Formulierung der Fragen besondere Aufmerksamkeit zu widmen. Dabei sollte es eine Selbstverständlichkeit sein, dass dem Sachverständigen keine Rechtsfragen zur Begutachtung vorgelegt werden. Das ist aber leider häufig, gerade wenn der Sachverständige gefragt wird: Liegt ein Mangel vor? Wer ist für den Mangel verantwortlich? Etc.

Im Prinzip stellt der Sachverständige Tatsachen fest. Daher sollten die Fragen in erster Linie darauf abzielen, das Vorliegen streitiger Tatsachen festzustellen. Dieser Teil der Gutachten ist meist unkritisch, da durch Beschreibung des Ortstermins, Lichtbilder etc. die Feststellung dokumentiert wird. Da die festgestellten Tatsachen in vielen Fällen weitergehend beurteilt werden müssen, ist aber bereits bei diesen Teilen des Gutachtens darauf zu achten, dass die Beschreibung des vorgefundenen Zustandes ausführlich und für Dritte nachvollziehbar ist.

Wenn der Sachverständige weitergehende Beurteilungen über den vorgefundenen Zustand ausführen soll, ist es gut, wenn die reinen Fragen zur Tatsachenfeststellung von den Fragen der Bewertung getrennt werden. Typische Fragen zur Bewertung zielen darauf ab, ob ein Zustand des Bauteils optisch zu beanstanden ist, welche Kosten für eine Nachbesserung entstehen werden etc. Hier besteht üblicherweise ein Spielraum für die Beurteilung durch den Sachverständigen. Daher muss das Gutachten ausweisen, auf welchen Kriterien der Sachverständige die Beurteilung vornimmt, woher diese Kriterien kommen, ob diese einschlägig Verwendung finden etc. Insbesondere bei diesen Punkten ist die eingangs erörterte Frage zu den Hinweisen auf entsprechende Quellen der verwendeten Kriterien zwingend.

Der Sachverständige beantwortet in vielen Fällen auch Fragen nach den Ursachen für bestimmte Zustände, zum Beispiel von Rissen. Dabei wird aber nicht ausgeführt, dass mehrere Ursachen in Frage kommen und der Sachverständige bereits eine Gewichtung vorgenommen hat. Kurz gesagt, steht die Ursache nicht an dem Riss angeschrieben und man kann den Riss auch nicht fragen. Es kommen in diesen Fällen fast immer mehrere Ursachen in Frage. Daher hat der Sachverständige nicht eine Ursache zu benennen, sondern alle möglichen Ursachen anzugeben. Dann muss er diese Ursachen bewerten und nicht in Frage kommende Ursachen unter Angabe der Gründe ausschließen. Bezüglich der verbleibenden Ursachen hat der Sachverständige auszuführen, warum diese für die daraus folgende Erscheinung in Frage kommen. Sind es mehrere in Frage kommende Ursachen, muss der Sachverständige seine Abwägung begründen, warum er eine bestimmte Ursache als die zutreffende ansieht. Im Zweifel hat der Sachverständige hierfür Wahrscheinlichkeiten anzuführen, welche seine Entscheidung nachvollziehbar machen.

Weitere Probleme treten bei den Ortsterminen des Sachverständigen auf. Viele Betroffene nutzen diese Gelegenheit, dem Sachverständigen alle möglichen Probleme nahezubringen, die mit den gestellten Fragen nichts zu tun haben, nach dem Motto, „wo Sie schon mal hier sind, schauen Sie doch auch mal das an". Daher ist es wichtig, dass darauf geachtet wird, dass der Sachverständige sich bei der Feststellung von Tatsachen auf das beschränkt, was in den Fragestellungen der Beauftragung enthalten ist.

Auch halten sich Sachverständige nicht an die Regel, dass sie im Beweisverfahren die genannten Tatsachen nicht suchen sollen. Es ist nicht die Aufgabe des Sachverständigen, Nachforschung zu betreiben um weitere Tatsachen festzustellen. Sind Wasserschäden gerügt, muss das Bauteil dem Sachverständigen zur Begutachtung gezeigt werden. Sind beispielsweise Risse in einem Natursteinbelag gerügt, darf der Sachverständige nicht den gesamten Boden daraufhin untersuchen, wo Risse vorhanden sind. Es ist die Aufgabe des Antragstellers, die festgestellten Risse zur Begutachtung zu zeigen. Diese Regeln gelten nicht, wenn der Sachverständige als Privatgutachter beauftragt worden ist und seine Aufgabe darin besteht, zum Beispiel technisch unzureichend ausgeführte Bauteile festzustellen.

Leider ist das Verständnis des Auftragsumfangs bei Sachverständigen nicht immer auf die Tatsachenfeststellung oder deren Bewertung beschränkt. Im Gegenteil wird von ihnen häufig auch erwartet, dass sie den zu Grunde liegenden Streit gleich entscheiden. Insbesondere Schiedsgutachter fühlen sich auch dazu berufen, ihre Aufgabe in einer Entscheidung über den Streit zu sehen. Daher muss bereits in den Fragestellungen klar zum Ausdruck kommen, dass weitergehende Fragestellungen aus dem Gutachten resultieren können, die nicht durch den Sachverständigen zu entscheiden sind.

Sollten sich im Zuge der Erstellung eines Gutachtens weitere Fragen ergeben, die technischer Art sind, durch den Umfang der gestellten Fragen nicht abgedeckt werden und zur Beantwortung der ursprünglich gestellten Fragen erforderlich sind, ist einvernehmlich der Umfang des Gutachterauftrages zu erweitern. Diese Fallgestaltungen ergeben sich, wenn zum Beispiel die Ursache eines Schadensbildes nach den ersten Feststellungen aus Gründen resultieren kann, die zunächst nicht vermutet worden sind und ein anderes Fachgebiet betreffen, andere Bauteilöffnungen erforderlich machen etc. Daher ist es hilfreich, während der Erstellung des Gutachtens den Fortgang und den Stand abzufragen.

Leider erweist es sich sehr häufig als Problem, wenn der Sachverständige mit der Erstellung seines Gutachtens die zeitlichen Erwartungen deutlich übersteigt. Daher ist es ratsam, diese zeitlichen Erwartungen vor der Beauftragung des Sachverständigen klar zu kommunizieren. Eine Anfrage sollte also immer auch beinhalten, ob der Sachverständige das Gutachten innerhalb einer bestimmten Frist oder zu einem angegebenen Termin fertigstellen kann. Es versteht sich, dass nicht alle Eventualitäten und Schwierigkeiten vor der Durchführung der erforderlichen Ortstermine feststehen und sich daraus ergebende Auswirkungen auf die Bearbeitungsdauer nicht vorhersehbar sind. Hier sollte der Sachverständige verpflichtet werden, bei auftretenden Problemen die Gründe und die zeitlichen Auswirkungen mitzuteilen.

Inhaltlich wenden Sachverständige Normen, Richtlinien und weitere Regelwerke an. Damit beurteilen sie die Bauteile, das Aussehen, die Herstellung etc. Dabei ergeben sich zwei Problemfelder. Zunächst fragt es sich, ob eine Norm überhaupt Anwendung findet. Dies ist nicht allein eine technische Frage des Anwendungsbereichs der Norm, sondern vorab eine rechtliche Frage des Vertragsinhalts. Da Normen nicht zwingend anzuwenden sind, kann der vertragliche Leistungsumfang über die Anforderungen der Norm hinausgehen. Hierzu war das Urteil zu den Voraussetzungen des ausreichenden Schallschutzes einschlägig, in denen selbst die Erfüllung der vereinbarten Norm als nicht ausreichend angesehen wurde. Andererseits kann der vertragliche Leistungsumfang auch geringere Anforderungen vorsehen, als dies in der Norm geregelt ist. Ein Bauwerk von Hundertwasser wäre, nach Normen beurteilt, mangelhaft.

Das zweite Problemfeld ist die Frage, welche Normen, also DIN, EN oder ISO bei nicht harmonisierten Normen, Richtlinien von Verbänden, regionalen Vereinen usw. Anwendung finden. Hinzu treten Herstellerrichtlinien, die von Sachverständigen auch häufig zur Beurteilung herangezogen werden. Letztlich handelt es sich ebenfalls um eine Rechtsfrage, die seitens der beteiligten Juristen beurteilt werden muss. In diesem Zusammenhang steht auch die Frage, ob eine Norm, Richtlinie etc. überhaupt eine allgemein anerkannte Regel der Technik ist. Gibt es widersprüchliche Normen, Richtlinien etc. ist bereits fraglich, ob und wenn ja, welche der widersprüchlichen Reglungen allgemein anerkannt sein soll.

Ist eine Norm anwendbar, verwendet der Sachverständige deren Inhalte in seinem Gutachten. Bestehen die Inhalte aus Zahlenangaben oder anderen eindeutigen Vorgaben der Norm, lassen sich für den Juristen die daraus folgenden Schlüsse nachvollziehen. Gibt die Norm zum Beispiel eine bestimmte Mindestdruckfestigkeit des verwendeten Werkstoffs als Zahlenwert vor und ist dieser Wert bei dem Bauteil unterschritten, entspricht der Werkstoff nicht den Vorgaben aus der Norm. An diese Tatsachenfeststellung mit einer Beurteilung aus den eindeutigen Vorgaben einer Norm knüpfen sich rechtliche Folgen, welche der juristischen Beurteilung unterliegen.

Sobald die Normen oder andere Vorgaben, die der Sachverständige verwendet, einen Interpretationsspielraum ergeben, stellt sich die Frage, ob der Sachverständige eine Auslegung des Normentextes vornehmen kann und darf. Hier gibt es einen weiten Überlappungsbereich der juristischen und der technisch sachverständigen Beurteilung, da Sachverständige eine Interpretation von Normentexten als Voraussetzung ihrer Anwendung vornehmen. Ob es dabei noch um die technische Beurteilung geht, oder nicht bereits durch eine Interpretation des Normentextes letztlich eine rechtliche Auslegung von Vertragsbestandteilen oder des vertraglichen Leistungsumfangs stattfindet, scheint eine Frage des Einzelfalles. Letztlich spricht vieles dafür, eine mögliche Interpretation von Texten als Grundlage einer juristischen Beurteilung auch als rechtliche Aufgabe zu sehen.

Eine technische Frage der Anwendung von Normen etc. besteht bei Altbauten. Zunächst ist auch hier zu fragen, welche Norm Anwendung findet. Grundsätzlich ist das die zum Zeitpunkt der Errichtung geltende Norm. Die zum Datum der Bauwerkserstellung gültigen Normen sind aber häufig nicht mehr zugänglich. In diesen Fällen ist zu recherchieren und der Datenbestand ist in den letzten Jahren deutlich größer geworden. Daher lassen sich für die meisten Anwendungsfälle auch alte Vorschriften und Regelungen auffinden.

Wurde allerdings das Bauwerk teilweise umgebaut, in den Jahren teilweise renoviert oder ist der zu beurteilende Anwendungsfall eine aktuelle Umbaumaßnahme, stellt sich die Frage, welche Norm für welchen Teil des Bauwerkes anwendbar ist. Insbesondere bei teilweisem Erhalt von alter Bausubstanz, die mit neuen Bauteilen kombiniert wird, ist nicht eindeutig zu beurteilen, ob neuere Maßstäbe aus aktualisierten Regelungen auf die Gesamtkonstruktion anwendbar sind. Im Zweifelsfall unterliegt es einer juristischen Beurteilung, auf welcher Grundlage der vertragliche Leistungsumfang zu erstellen ist, also was Vertragsinhalt war, ob Hinweispflichten erfüllt worden sind etc.

IV. Weiterführende Literatur

Für Sachverständige gibt es verschiedene Literatur, die sich eben in erster Linie an die Sachverständigen selbst richtet. Für Juristen lohnt es sich allerdings auch, einen Blick hineinzuwerfen. Die Standardzeitschrift für Sachverständige ist „Der Sachverständige“. Sie erscheint nahezu monatlich und enthält Themen für Sachverständige, nicht nur im Bauwesen. Ebenfalls für Sachverständige gibt es verschiedene Handbücher, zum Beispiel Praxishandbuch Sachverständigenrecht, Herausgeber Walter Bayerlein, erschienen im Beck Verlag, derzeit in der 5. Auflage 2015.

Wer sich eher mit der Bestellung und Inhalten der Ausbildung von Sachverständigen beschäftigen möchte, findet bei vielen Industrie- und Handelskammern eine Zusammenstellung von Literaturempfehlungen für Sachverständige. Das Institut für Sachverständigenwesen e. V. gibt Broschüren zu verschiedenen Themen heraus, die sich an die Sachverständigen richten. Hier findet man auch Broschüren zu den Themen „Die Ortsbesichtigung durch Sachverständige“, „Todsünden des Sachverständigen“ etc. Diese geben einen Einblick, mit welchem Verständnis und welchen Inhalten Sachverständige ihre Tätigkeit ausüben. Mustergutachten findet man von Uwe Liebheit, Mustergutachten für Sachverständige, erschienen im Beck Verlag.

Alte Normen aus den letzten 40 Jahren findet man zusammengestellt in dem Werk Technische Baubestimmungen – Historische Baunormen von der Verlagsgesellschaft Rudolf Müller. Es handelt sich um eine elektronische Datensammlung als DVD. Auch auf der Homepage des Beuth Verlags lassen sich DIN Normen, ISO Normen, VDI Richtlinien und mehr recherchieren, die seit 1978 zurückgezogen worden sind.

Abbildungsverzeichnis

Abbildung 1: Planschriftfeld 12
Abbildung 2: Skizze Schnittkräfte 17
Abbildung 3: Kies 24
Abbildung 4: Rippenstahl 28
Abbildung 5: Abstandhalter 29
Abbildung 6: Spannstahllitzen für Spannbeton 31
Abbildung 7: Kopfbolzen für Stahlverbundbauweise 39
Abbildung 8: Abdichtung 58
Abbildung 9: Brandschott 62
Abbildung 10: Bodenschichten 70
Abbildung 11: Bohrprofil 72
Abbildung 12: Natürlicher Böschungswinkel 75
Abbildung 13: Versorgungsleitungen 80
Abbildung 14: Grabenverbaugerät 83
Abbildung 15: Aussteifung einer Baugrube 83
Abbildung 16: Trägerbohlwand 84
Abbildung 17: Spundwandkasten 85
Abbildung 18: Spundwand 86
Abbildung 19: Spundwandschloss 87
Abbildung 20: Bohrpfahlwand 87
Abbildung 21: Schlitzwandgreifer 88
Abbildung 22: Schlitz Bewehrung 89
Abbildung 23: Bentonit 90
Abbildung 24: Vermessung 98
Abbildung 25: Systemschalung für Wände 99
Abbildung 26: Schalung für Decken 100
Abbildung 27: Schalungsanker 101
Abbildung 28: Rüstung einer Brücke 102
Abbildung 29: Abstandshalter 103
Abbildung 30: Leerrohre und Bewehrung einer Wand 105
Abbildung 31: Krankübel – Betrieb 106
Abbildung 32: Einbau mit Betonpumpe 107
Abbildung 33: Betonieren und Verdichten mit Rüttelflaschen 108
Abbildung 34: Öffnungen für Spannlitzen 111
Abbildung 35: Mangelhafter Beton 114

Abbildungsverzeichnis

Abbildung 36: Aussparungen in einer zu betonierenden Wand 116
Abbildung 37: Gabionen. 118
Abbildung 38: Schlussstein eines Gewölbes 120
Abbildung 39: Fenstersturz 121
Abbildung 40: Großformatige Mauerwerksteine 123
Abbildung 41: Kräfte einer Schraubenverbindung 128
Abbildung 42: Schweißen unter Schutz 130
Abbildung 43: Nietverbindung 131
Abbildung 44: Schraubanschluss eines Fertigteiles 133
Abbildung 45: Holzschalung und -rüstung einer Brücke 138
Abbildung 46: Abdrücke einer Bretterschalung 140
Abbildung 47: Setzungen 147
Abbildung 48: Durchlaufträger 156
Abbildung 49: Filigrandeckenplatte. 157
Abbildung 50: Filigrandeckenplatte von unten 158
Abbildung 51: Fertigteilstützen 163
Abbildung 52: Untere Anschlussbewehrung einer Stütze. 166
Abbildung 53: Stützenschalung 167
Abbildung 54: Untere Anschlussbewehrung einer Stütze. 168
Abbildung 55: Fertigteiltreppe. 173
Abbildung 56: Schallschutz bei einem Treppenlauf 175
Abbildung 57: Skizze Umkehrdach 181
Abbildung 58: Fassadenhalterung 185
Abbildung 59: Ausfachungswände. 187
Abbildung 60: Fenster mit Festverglasung in der Mitte 192
Abbildung 61: Trockenbau-Installationen 200
Abbildung 62: Entstehung einer Trockenbauwand 201
Abbildung 63: Kabelmontage in der Rohdecke. 208
Abbildung 64: Verkleben von Bitumenbahnen 216
Abbildung 65: Facility Management Datenbank 238
Abbildung 66: Balkenplan 250
Abbildung 67: Netzplanausschnitt 251
Abbildung 68: Schreitbagger 263
Abbildung 69: Hydraulikbagger 264
Abbildung 70: Baggerschaufeln 264
Abbildung 71: Dumper 265
Abbildung 72: Muldenkipper 266
Abbildung 73: Bagger-LKW-Betrieb. 266
Abbildung 74: Planierraupe mit Mehrzahn-Heckaufreißer 267
Abbildung 75: Motorgrader 268
Abbildung 76: Glattrad- und Schaffußwalze 269
Abbildung 77: Walzen im Straßenbau 269

Abbildungsverzeichnis

Abbildung 78: Bewehrung am Kranfuß 270
Abbildung 79: Kranfundament 271
Abbildung 80: Kranstandort im Gebäude 272
Abbildung 81: Aufbau Kran. 273
Abbildung 82: Schroppen als Baustraße. 276
Abbildung 83: Reifenwaschanlage. 277
Abbildung 84: Bohrgerät 290
Abbildung 85: Bohrgerät mit angehobenem Bohraufsatz 291
Abbildung 86: Tunnelbohrmaschine mit Nachläufer 297
Abbildung 87: Schneidrad einer Tunnelbohrmaschine 298
Abbildung 88: Tubbinge. 299
Abbildung 89: Brücke im Freivorbau. 303
Abbildung 90: Erstellung eines Brückenpfeilers mit Kletterschalung 305
Abbildung 91: Fertiger 314
Abbildung 92: Straßenbau 315
Abbildung 93: Schnellschotterplaniermaschine 318
Abbildung 94: Universalstopfmaschine. 318
Abbildung 95: Feste Fahrbahn 319
Abbildung 96: Schienenbefestigung. 319
Abbildung 97: Mechanischer Rückbau 328
Abbildung 98: Schutzmaßnahme Rückbau 329

Stichwortverzeichnis

Symbole
4 AK-Platten 202

A
Abbruchverfahren 327
Abdeckung 218
Abdichtung 57, 215
Abgeböschte Baugruben 81
Abgehängte Decken 207
Abhängern 207
Ablaufplanung 323
Abmessungen 233
Abriss 326
Abschnittsbauleiter 281
Abstandhalter 29, 103
aggressives Grundwasser 76
Alkalität 31
Allgemein anerkannte Regeln der Technik 7
Allgemeine Geschäftskosten 258
alternative Abdichtung 216, 225
Alternativposition 256
Aluminium 37
Änderungen 259
Änderungen durch eine andere Nutzung 160
Anfangsfolge 251
Angebotskosten 254
Anhydritbindemittel 41
Anhydritestriche 219, 226
anisotrop 21
Anordnungen 259
Anordnungsbeziehung 251
Anschlüsse an andere Bauteile 203
Anschlüsse an die tragenden Bauteile 203
Arbeitsfugen 109
Arbeitsgemeinschaft 283
Arbeitskalkulation 255, 259
Arbeitsraum 81
Arbeitsverzeichnis 248
Arbeitsvorbereitung 246, 304
Arbeitszeit-Richtwerte 247
ARH-Tabellen 247
Asphalt 41
Auflagerkräfte 16
Auflockerungsfaktor 74
Aufschüsseln 156, 226
Aufschüsselung 160
Aufwandswert 247
Ausfachungswänden 186
Ausfall von Tauwasser 58
Ausführungsplanung 10
Ausgleichsschicht 215
Auslegung von Normtexten 342
Ausschalen 109
Außenlärmpegel 65
äußere Wärmelasten 53
Aussteifungen 82

B
Bagger 262
Bagger-LKW-Betrieb 265
Bahnanlagenbau 316
Balken 16, 36
Balkenplan 249
Bauablaufplan 246
baubegleitende Planung 13

Stichwortverzeichnis

Bauberufsgenossenschaften 7
Baugeräteliste 274
Baugrunderkundung 66, 291
Baugrundgutachten 67, 71
Baugrundrisiko 148
Bauhof 283
Bauleiter 281
bauliche Holzschutz 179
Bauregellisten 5
Baustelleneinrichtung 275
Baustelleneinrichtungsplan 277
Baustellenorganisation 280
Bauzeitenplan 252
Bauzinsen 258
BE 275
Befördern 104
Behaglichkeit 221
Belegreife 219
Belichtung 190
Bemessung 15, 16
Bentonit 88
Beplankung 199
Bereichsleiter 282
Bereitstellungsgerät 270
bergmännischer Vortrieb 295
Berliner Verbau 84
Berme 81
Beschläge 231, 232
besondere Leistungen 7
Bestands- und Revisionsplan 11
Betondeckung 27
Betoneinbau 104
Betonfertigteile 132, 174
Betonierabschnitten 109
Betonkosmetik 115
Betonpumpen 105, 272
Betonrezeptur 26
Betonspritzgeräte 274
Betonsteine 33
Betriebseinrichtungen 239
Betriebskosten 275
Betriebsorganisation 280
Betriebszeit 274
Bewehren 103
bewehrtes Mauerwerk 122
Bewehrungsdraht 30
Bewehrungskörbe 30
Bewehrungspläne 29, 98
Bewertung 336, 339
BGL 274
Biegemoment 16
Biegerollendurchmesser 30
Bietergemeinschaft 283
Bindiger Boden 67
Bitumen 41
Bitumendichtbahn 41
Blei 38
Blendrahmen 190
Bodenarten 67
Bodenaustausch 71
Bodenbelag 214, 220
Bodenklassen 73
Bodenproben 71
Bodenschichten 69
Bodenuntersuchung 70
Bodenverbesserung 71
Bohlen 36
Bohrgerät 290
Bohrpfähle 290
Bohrpfahlwand 86
Bohrprofile 71
Böschungswinkel 74, 81
Brandabschnitte 61
Brandmeldeanlage 240
brandschutztechnische Anforderungen 204
Brandschutztür 62
Brandverhalten 131
Brandwände 63
Brückenbau 301
Bügel 30

Stichwortverzeichnis

C
CAD 12
Calciumsulfatestriche 218
chemische Holzschutz 179

D
Dachabdichtung 181
Dachbegrünungen 180
Dämmstoffe 42
Dampfbremse 59, 216, 226
Dampfsperre 59
Datenverarbeitung und Telekommunikation 241
Decke 312
Deckelbauweise 90
deckengleicher oder versteckter Unterzug 170
Dehnung 303
Deiche 94
Deiche, Dämme und Kanäle 308
DIBt 5
Dichtungen 233
Dienstleitungsabteilungen 283
DIN Institut 6
Doppelbodensysteme 223
Doppel T-Profil 127
Doppel-T-Träger 37
Drainage 57, 93
Druck- bzw. Zugfestigkeit 20
drückendes Wasser 57, 152
Druckzwiebel 69
Dumper 265
Durchbiegung 155, 159
Durchlaufträger 16
Durchstanzen 164

E
Edelstahl 37
EFB-Blätter 259
Eigengewichte 15
Eigen- und eine Fremdüberwachung 22
einachsig und zweiachsig gespannte Decken 155
Einarbeitungseffekt 247
Einbau der Türen 233
Einbauteile 104
Einbauzarge 190
Einbruchmeldeanlage 240
eingespannte Stützen 162
Einheitspreis 256
Einheitspreisvertrag 256
Einmessung 79
Einsatzzeit 274
Einschalen 98
Einspannung 16
Einsteckschlösser 233
Einzelkosten der Teilleistungen 257
elastisch 21
Elastische Lager 160, 171
Elastomerlager 133
Elektrotechnik 241
Endfolge 251
Entsorgung 202
Entwässerung 309
Entwurfsplanung 10
Erdankern 82
Erdbau 262, 288
Erdbauwerken 93
Estrich 214, 218
Eventualposition 256
Expositionsklassen 26

F
Fachwissen 323
Facility Management 14, 238
Fahrbahn mit Schotterbett 316
fahrbaren Betonmischer 272
Fahrzeugkran 270
Farbabweichung 188
Faserbeton 111
Federführer 283
Fels 67

Stichwortverzeichnis

FEM 17
Fensterrahmen 190
Fertiger 313
Fertigteile 171
Fertigteilestrich 219
Fertigteilstützen 164, 165
feste Fahrbahn 317
Festigkeitsklassen 23
Festkosten 275
Festlager 16
Feststellung von Tatsachen 335, 340
Feuchteschutzes 204
Feuerwiderstandsklassen 61
Filterstabilität 93
Finite Elemente Methode 17
Flachdach 176
Flächengründung 146
Fluchtwege 174
Flüsterasphalt 313
Fogging-Effekt 34, 228
Fördern 104
Formaldehyd 220
Formänderung 21
freie Grundwasser 75
Freier Vorbau 302
Freispiegelleitung 309
Fremdleistungskosten 257
Frischbeton 104
Frostschutzschicht 312
Fußbodenheizungen 222

G

Gabionen 118
Gefälleschicht 215, 224
Gelbdrucke 7
gelenzt 92
Gemeinkosten der Baustelle 257
Geotextilien 93, 288
Geothermie 291
Gerätekosten 257
Geschäftsleitung 282
geschlossene Deckenspiegel 209
geschlossene Wasserhaltung 91
gespachtelt 201
gespanntes Grundwasser 75
gestörte Bodenproben 71
gewachsener Boden 67
Gewinn 258
Gerichtlich bestellte Sachverständige 334
Gewölbe 119
Gips 40
Gipskarton-Ständerwände 199
Gipskartonwände 198
Gipsplatten 198
Glasbausteine 40
Glaser-Diagramme 59
Glasfasern 40
Glaswolle 40
Gleisrost 317
Gleiten 146
Gleitschalung 304
Gleit- und die Kletterschalung 102
Grader 268
Grundbruch 146
Grundlagenermittlung 9
Grundposition 256
Grundwasser 74
Grundwasserabsenkung 92
Grundwasserleiter 74
Grundwasserstockwerke 75
Gussasphaltestrich 41, 219

H

Halbfertigteile 127, 156
Handaushub 288
Hauptunterzüge 170
Hauptverwaltung 282
Haustechnikpläne 239
HDI-Sohle 92
Herstellkosten 255
Herstellung 317

Hilfsstoff am Bau 139
HOAI 9
Hochdruckinjektions-Technik 292
Hohlblocksteine 33
Hohlboden 223
Hohl-, U-, L-, T- oder Doppel T-Profil 127
Holz 35
Holzbalkendecken 160
Holzdecken 158
Holzleimbinder 158
Holzpfosten 165
Holzschalung 100
Holzschutz 140
Holztreppen 175
Holzverbinder 139
Hüllrohre 31
Hydratation 25
Hydratationswärme 26
hydraulischen Grundbruch 92
hydraulisches Bindemittel 23
Hydrologie 307
Hydromechanik 308

I
Industrieestrich 222
Injektionstechnik 289
innere Wärmelasten 53
in situ 70
Installation 200
I-Profil 37
Isoliergläser 40
Isolierverglasung 191

J
Jahresheizwärmebedarf 55

K
Kabelschott 62
Kalksandsteine 33
Kalkulationsmittellohn 257
Kalkulation über die Angebotsendsumme 257, 258
Kanthölzer 36
Kapazitative Abhängigkeiten 248
Karbonatisierung 31
Kiesnester 113, 165
Kippen 146
Kläranlagen 310
Kletterschalung 304
Klinker 33
Köcherfundamente 146, 162
Kohäsion 68
Kolonne 280
Kondenswasser 56
Konsolen 162
konstruktive Bewehrung 27, 28
konstruktive Maßnahmen 52
konstruktive Vorgaben 174
Kontaminationen 73
Kontraktorverfahren 110
kontrollierte Rissbildung 203
Kopfbolzen 38
Korrosion 27, 134
Korrosionsbeschichtung 132
Kostenarten 257
Kräfte auf das Gleis 316
Krankübel 272
Kran-Kübelbetrieb 105
Krempelmoment 16, 156
Kriechen 21
kritischen Weg 252
Kühldecke 52, 159, 210
Kunststoffe 34
Kupfer 38

L
LAGA-Klassen 73
Lagermatten 30
Lagerungsdichte 68
Längenänderungen 135
Lastausbreitungswinkel 69
Lasten 201

Stichwortverzeichnis

Lastübertragung 199
Latten 36
Lebensdauer 274
Leerrohre 104
Legieren 37
Leibung 191
Leichtbeton 26
Leistungsgerät 270
Leistungsschnittstellen 323
Leistungswert 247
Leitgerät 265
Listenmatten 30
Literaturverzeichnis 335, 337
Lochfassade 186
Lohnkosten 257, 275
Luftschall 64
Lüftung 190
Lunker 113

M

Mächtigkeit 69
Mahlfeinheit 22
Mangelhaftigkeit 339
Mängel 175
Mannlast 179
Mannschaften 280
Mantelreibung 146
maschineller Vortrieb 296
Maßabweichungen 176
Massen 247
Massen ziehen 248
Mattenstahl 30
Meilensteine 252
Micro-Tunneling 299
Mineralwolle 42
Mischanlagen 272
Mischgut 313
Mischverfahren 309
Mitnahmesetzungen 92
Mixed in Place 313
Mixed in Plant 313
Moniereisen 28
Monoblockwände 202
Montage von Stützen 165
Mörtel 119
Muldenkipper 265
Mutterboden 73

N

Nachbehandlung 107
Nachkalkulation 255
Nachläufern 298
Nachunternehmer 284
Nachunternehmervergabe 323
Nägel 139
Nassraum 215
Natursteinmauerwerk 118
Nebenleistungen 7
Nebenunterzüge 170
Nennlochspiel 128
Netzplan 250
Nichtbindige Böden 68
nicht drückendes Wasser 57, 152
Niederlassungen 282
Nietverbindung 130
Normalbeton 26
Normalfolge 251
Normalkraft 16
Normen 7, 341
NÖT 296
Nutzschicht 220
Nutzungsänderungen 171
Nutzungsdauer 274

O

Oberbau 312, 317
Oberbauleiter 282
Oberflächenbearbeitung 201
Oberflächenqualitäten 212
offene Wasserhaltung 91
Ortbeton 97
Ortbetonstützen 164, 165
Ortsbrust 295
Ortstermin 340

P
Pauschalpreis 256
Pendelstütze 162
Pfahlgründung 146
Pfahlkopfbalken 146
Pfosten-Riegel- oder Sprossenbauweise 185
Pilzkopfdecken 164
Planfeld 12
Planierraupen 267
Planindex 12
Planungslauf 11
plastisch 21
Plattenbalken 170
Plattendruckversuche 70
Plattenrüttler 268
Podest 172
Polier 281
Porenanteil 24
Porenwasser 23
Proctordichte 72, 313
Projektleiter 281
Projektorganisation 280
Prüfstatiker 17
Prüfstelle 337
Puffer 250

Q
Qualität der Oberfläche 205
Querkraft 16

R
Rabitzwände 198
Rahmen 232
Rammsondierungen 70
RAS 321
Raumakustik 210
Raumlufttechnische Anlagen 240
Regellichtraum 316
Regelprofil 315
Reibung 69
Relaxation 21
Remix 313
Reparaturkosten 275
Reparaturzeit 275
Resonanz 65
Restwasserhaltung 92
Revisionsklappen 211
Revitalisierung 326
Ringanker 120
Ringbalken 120
Ringraum 298
Rissbildung 202
Risse 123
Risse im Beton 27
rissverteilende Bewehrung 110
Rödeldraht 29
Rohboden 215
Rohrabschottung 62
Rohrvortrieb 299
rollige Böden 68
Rückbau 326
Rückverankerungen 82
Rüstung 101, 302
Rüttelflaschen 106
Rüttelgassen 107

S
Sachverständigengutachten 333
Sanierung 175, 326
Sauberlaufzonen 221
Schalenwände 202
Schalhaut 99
schallabsorbierende Decklagen 210
Schallbrücke 64
Schalldämmmaß 65
Schallschutz 202, 204, 210, 234
Schallschutzanforderungen 212
Schallschutzverglasung 193
Schallübertragung 64
Schalöl 100
Schal- und Bewehrungspläne 10
Schalungsdruck 101

Stichwortverzeichnis

Schalungspläne 97
Scharniere 232
Schaumglas 42
Scheinfugen 314
Scherfestigkeit 68
Schiedsgutachter 334
Schimmelbildung 225
Schimmelwachstum 56, 60
Schleusen 308
Schlitzwand 88
Schneelasten 15
Schneidrad 296
Schnellestrich 219
Schnittkräfte 16
Schnittstellen 205, 239
Schnurgerüst 80
Schott 210
Schotter 317
Schrauben 139
Schrauben und Bolzen 128
Schürfungen 70
Schüttdichte 68
Schüttung 67, 219
Schutzgasschweißen 129
Schutztüren 234
Schwarzdecken 313
Schweißen 129
Schweißnähte 129
Schweißnähte und Nieten 129
Schwerbeton 26
schwimmende Pfahlgründung 146
schwimmender Estrich 218
Schwinden 23
selbstverdichtender Beton 111
Selektivem Rückbau 326
Senkkasten 90
Setzstufe 172
Setzungen 147
Sicherheitsanforderungen 174
Sicherheitsbeiwerte 16
Sicherheitsglas 39
Sichtbeton 110, 114, 166
Sichtmauerwerk 117, 122, 199
Sieblinie 25
Siedlungswasserwirtschaft 309
Sinuslauf 316
Sondertüren 234
Sonnenschutz 52, 186
Sonnenschutzsysteme 193
Sonstige Kosten 257
Spannbetonbau 111
Spanndrahtlitzen 32
Spannstahl 32
Spanplatte 36
Sperrholz 36
Spezialtiefbau 289
Spielzeit 264
Sprengvortrieb 296
Sprödbruch 21
Spundwandbohlen 85
Spundwände 85
Spundwandkasten 85
Spundwandschlösser 85
Stabsstellen 283
Stabstahl 30
Stabstatik 16
Stahl 37
Stahlbetondecke 155
Stahlbetonrippendecke 157
Stahlverbundbauweise 38
Stampfer 268
standardisierte Abmessungen 203
Standsicherheit 15
Standsicherheitsnachweise 184
Standsicherheitsprobleme 18
statischen Systeme 15
stehenden Pfahlgründung 146
Steildächer 177
Steinwolle 42
Stillliegezeit 274
Stopfen 317
Störanfälligkeit 324
Straßenbau 312

Streifenfundamente 146
Strömung 308
Stufen 172
Stundenverrechnungssatz 259
Stützen aus Stahl 164
Styropor 42
Summenbalken 252
SVB 111
Systeme der Hersteller 203
Systemschalungen 99
Systemwände 198, 203

T

Tafelbauweise 185
Tagbruch 297
Taktplan 252
Taktschiebeverfahren 302
Tauwasserbildung 57
technischen Gebäudeausrüstung 239
Technologische Abhängigkeiten 249
Temperaturänderung 21, 135
thermoplastisch 22
Tochterunternehmen 282
Torsionsmoment 16
tragende Außenwände 151
tragende und nicht tragende Wände 150
Trägerbohlwand 84
Tragschicht 214, 312
Transport 132
Transportbeton 97, 104, 272
Transportbewehrung 132
Transportschäden 171
Trassierung 316
Trennlagen 218
Trennwände 198
Trittschall 64
Trittschallschutz 217
Trittstufe 172
Trockenbau 198, 199
Trockenbauwände 199
Trockenestriche 219
Trockenputz 199
Tubbing 298
Tunnelvortriebsmaschine 296
Türblatt 231, 232
Türgarnituren 232
Turmkran 270
Türschließer 233
Türzarge 231

U

Übereinstimmungszeichen 6
Übergreifungslänge 30, 103
Überwachungsklassen 112
Umkehrdach 180
Umlage 258
Umlaufzeit 265
Umnutzung 202
umsatzbezogene Gemeinkosten 258
umsetzbare Wände 202
ungestörte Bodenproben 71
Unkontrollierte Risse 203
Unterbau 312, 317
Unterbodenkonstruktion 214
Unterdecken 207, 210
Unterfangung 289
Unterflurkanalsysteme 222
Untergrund 312, 316
Unterspannbahnen 179
Untersuchungsmethoden 336
Unterwasserbeton 110
Unterwasserbetonsohle 92
U-Profil 37
Urkalkulation 260
Ursachen 339

V

Verankerungselemente 209
Verarbeitungsfehler 134
Verband 120

Stichwortverzeichnis

Verbau 82
Verbindungsmittel 128
Verbundbaustoffe 22
Verbundestrich 218
Verbundfenster 191
Verbundsicherheitsglas 40
Verdichten 106
Verdichtungsgeräte 268
vereisen 292
Verfahrenstechnik 304
Verfahrensvergleich 274
Verglasung 190
Verkehrslasten 15
Verklebung 220
Verlegezeiten 171
Vermeidung der Lärmübertragung 65
vernetzter Balkenplan 250
Verpressanker 82
Verpressschläuche 110
Verpressungen 289
Verputzen 207
Versorgungsleitungen 80
Verträglichkeit 15, 18
VOB/B 6
VOB/C 6
Vollmachten 284
Vorgänge 247
vorgespannt 31
vorgestellte Wände 186
Vorhaltezeit 274
Vorhangfassaden 184
Vorkalkulation 255
Vorplanung 9
Vorpresstechnik 299
Vorsatzschalen 199
Vorschubschnabel 302
Vorteil 210
Vortrieb 295
Vouten 170

W

Wagnis 258
Wand- oder Fassadenschwert 186
Wärmebrücke 56, 160
Wärmedämmung 216
Wärmedämmverbundsysteme 152
Wärmedehnung 21
Wärmeschutznachweis 55
Wärmeschutzverglasung 52
Wärmeschutzverordnung 55
Wärme- und Schallschutz 174
Waschbeton 110
Wasserhaltung 91
Wasserkreislauf 307
Wasserverteilung 309
Weißdecken 313
Weiße Wanne 110
Werk- und Montagepläne 10
Wetterschutzschienen 190
Windlasten 15
Witterungsschutz 178
wu-Beton 109
w/z-Wert 23

Z

Zarge 232
Zeichnungsmatten 30
Zeit-Weg-Diagramm 252
Zementestriche 218
Zement-Fließestriche 218
Ziegel 33
Zinkbleche 38
Zugangskontrollsysteme 240
Zugzone 27
Zulage 30, 104
Zulageposition 256
Zusatzmittel 25
Zusatzstoffe 25
Zuschlag 23
Zustimmung im Einzelfall 6
Zwängungen 160